AZULEJO

Study Guide for the New
AP* Spanish Literature Course

by

Ana Colbert, Coordinator (Milton Academy, MA)

María Colbert (Colby College, ME)

Abby Kanter (Dwight Englewood School, NJ)

Marisol Maura (Milton Academy, MA)

Marian Sugano (The Overlake School, WA)

WAYSIDE PUBLISHING

Suite # 5
11 Jan Sebastian Way
Sandwich, MA 02563

Toll free (888) 302-2519

PRINTED IN THE UNITED STATES

ISBN 1-877653-81-0

Foreword

This text is intended to help prepare students for the Advanced Placement Spanish Literature Exam. The new course syllabus not only provides an opportunity to enjoy a wide array of some of the best Spanish literary works, but also serves as an excellent tool to give students a historical and cultural background of Spain and Latin America.

Our authors are all, to some extent, products of their periods and surroundings. They belong to a time, a country, a social sphere, and work within the standards and practice of the literary genre they cultivate. However, authors are inventive creators who accept, reject, or adapt such norms. It is essential to situate authors in a historical and cultural context, in a literary continuum with its individual exceptions or rebels, in order to be able to identify each author's unique accomplishments.

Accordingly, the present study guide begins each period with a necessarily brief historical introduction. Next comes a similarly rapid presentation of the period's trends and cultural norms that sketches the intellectual development and literary environment of our authors. Finally, to introduce the individual writers and their works, we provide short biographical notes and a concise description of the author's themes and style. We advise our readers, the students of the AP Spanish Literature course, to locate each work within its time and learn basic information about the specific author. The student can accomplish this task before or after reading the literary text. We believe that even this limited introduction will help the reader to better understand, enjoy and interpret the work. We hope it will also lend perspective onto the literature written in Spanish and the people who produced it.

Each teacher will have a different approach to study the proposed texts. The analytical questions that accompany the readings offer a number of choices. The section "Temas de discusión y ensayos" contains comparative questions to review previous material and to look ahead to upcoming authors in order to encourage students to observe the universality of themes and characters as well as their particular relevance in our lives. Students and teachers may therefore want to refer to prior readings as the different authors are studied. We provide a number of activities that can be used in the classroom to bring variety and a change of pace to the study of literature. There are two appendixes at the end of the book. The glossary of literary terms includes examples taken from the texts on the list. The appendix on poetry introduces appropriate vocabulary and suggests practical steps that will help students appreciate this challenging genre.

For Teachers

At every step in this guide, our overriding objective has been to encourage students to acquire the lasting habit of reading Spanish literature with understanding and pleasure, and to gain a deeper appreciation of the various Hispanic cultures and peoples.

We include in *Azulejo*, unabridged, all the poetry and prose texts from the Middle Ages to the beginning of the twentieth century. To be able to read the literary texts with leisure and discuss them in depth, our advice is to divide the contents of the course into two years. We have done so in the past with very good results. Some of the short stories, poems and even novels can be read in conjunction with the AP Language course, since they are easier to understand, very appealing to students and lend themselves readily to classroom discussions. Some texts of lesser difficulty can be introduced even earlier. We suggest starting with any of the following:

Conde Lucanor: "Lo que sucedió a un mancebo que casó con una mujer muy fuerte y muy brava"
El Lazarillo de Tormes
Palma: "El alacrán de Fray Gómez"
Rulfo: "No oyes ladrar los perros"
Vodanovic: "El delantal blanco"
García Márquez: "Un día de estos", "La siesta del martes"
Borges: "Los dos reyes y los dos laberintos", "El Sur"
Ulibarrí: "Mi caballo mago"
García Lorca: *La casa de Bernarda Alba*
Unamuno: *San Manuel Bueno, mártir*

The following poems are also loved by students and are a good introduction to poetry:

"¡Ay de mi Alhama!", "Romance del conde Arnaldos"
Espronceda: "Canción del pirata"
Martí: *Versos sencillos*
Nicolás Guillén: "Balada de los dos abuelos"
Antonio Machado: "Caminante son tus huellas"
Neruda: "Oda a la alcachofa"

Our suggestion for teaching the actual AP literature course is to do so in chronological order. The essence and the goals of a survey course are precisely to be able to perceive the continuum and the internal cohesiveness of literary and cultural developments. There is, up to a point, a logical continuity of cause and effect, trend and reaction, which can be grasped almost intuitively. Once students acquire a background knowledge of currents and genres, they will be much better prepared to understand and interpret the literary texts themselves. A chronological study will also allow a teacher to review earlier readings, now in a new context, and to pay attention to the recurrence of themes. Themes such as don Juan, the passage of time, the perception of women, and the relation between father and son, are repeatedly elaborated and approached from different perspectives. Often authors are aware of previous treatments and consciously bring a novel point of view as well as reinterpreting the theme through the lens of their own epoch.

For Students

We have prepared a brief historical introduction followed by a short cultural section to present the authors and their work. We encourage you to do further research on your own to deepen your knowledge of the historical events and philosophical ideas of particular interest to you. The core of this course –and of the book– is of course the literary works. We have added a vocabulary next to the poems and a general one at the end of the book. We think it best not to use the vocabulary lists or the dictionary too often. Many words can be understood in context or can be guessed at without interrupting the rhythm of reading. Moreover, in order to understand a text, it is not necessary to know the exact meaning of every single word. Several texts up to the nineteenth century contain archaisms, or antiquated words. They are explained next to the text, but you will find that after a while they do not present much difficulty, but rather add to the appeal of an older text.

The "Sugerencias para el análisis" as well as the "Temas de discusión y ensayos" are meant to guide you to interpret and analyze the texts as well as help you to see the recurrence of themes and their continuing relevance.

Audiovisual Resources

Many videos, documentaries and films, which are mentioned under Actividades for each author, can be obtained through the following sources:

Instituto Cervantes. 122E, 42nd St., #807, New York, NY 10168
   www.cervantes.org (see library). Membership is needed for loans.
Films for the Humanities. PO Box 2053, Princeton, NJ 08543-2053
   www.films.com Videos can be rented or bought.
Facets Multi-Media, Inc. 1517W Fullerton Ave., Chicago, IL 60614
   www.facets.org

Acknowledgements

We would like to acknowledge the help of Nativity Preparatory School teacher David Colbert with the reading, writing and preparation of texts and vocabulary. We extend our thanks also to Soledad Fox of Williams College for her excellent literary contributions. And finally we wish to recognize the tireless cooperation of Abby Janoff, who took time away from her law studies at Boston University to lend her invaluable design expertise to the project.

Table of Contents

LA EDAD MEDIA

1. Contexto histórico: Convivencia y conflicto

Durante la Edad Media hay cierta uniformidad cultural en Europa, aunque las circunstancias históricas de cada país resultan en diferencias específicas. Hay, por ejemplo, un uso universal del latín en la escritura; el arte románico primero y después el gótico se extienden por todos los reinos europeos, con arquitectos y escultores comunes; el Camino de Santiago, que comienza en el siglo X, es la peregrinación en que francos, germanos y españoles caminan juntos hacia Compostela en el noroeste de España; el régimen político consiste en una monarquía feudal, una poderosa nobleza y un pueblo pobre y agricultor, del cual surgirá una burguesía compuesta de artesanos y mercaderes que va a ser cada vez más poderosa; la Iglesia, especialmente a través de las órdenes religiosas, es la depositaria de la cultura.

Existen también creencias e ideologías compartidas: el centro y el foco de la vida del hombre es Dios. Un profundo sentido religioso impregna la vida política, cultural y la de cada día: desde las Cruzadas hasta la arquitectura, música, escultura y el calendario que marca la vida diaria, todo tiene un trasfondo religioso. El hombre de la Edad Media tiene un profundo respeto por el orden establecido, por un rey que lo es por la gracia de Dios, por las normas de la iglesia. La literatura de la época es también, hasta cierto punto, consecuencia de este enfoque: hay géneros literarios de carácter religioso y didáctico-moral, junto con una poesía épica, originalmente oral, que narra las acciones de los héroes o las aventuras de los nobles. Se escribe progresivamente en los dialectos nacionales (o lenguas vulgares derivadas del latín) en los que habla la gente.

Dentro de esta aparente homogeneidad, la situación en la península ibérica es peculiar. El año 711 los árabes, procedentes del norte de Africa y en plena expansión de su imperio, invaden y conquistan la mayor parte de la península. Unos pequeños focos de resistencia en el norte van a convertirse en reinos cristianos que luchan contra los árabes en una guerra llamada de Reconquista que durará casi ocho siglos. Durante todo este tiempo, árabes y cristianos conviven entre la guerra y la paz. Los reinos cristianos de León, Castilla, Aragón y Navarra tienen en común su lucha contra los árabes y un concepto de unidad religiosa y nacional —el de ser continuadores de la España visigoda anterior a la invasión—, pero están divididos entre sí por continuas rivalidades y guerras de las que Castilla va a surgir como el poder dominante. El siglo X es el momento cumbre político y cultural árabe, cuando el Califato de Córdoba es el centro de la vida artística y cultural del mundo conocido. La arquitectura, música, ciencia e incluso el idioma árabe dejan una huella profunda en la península.

Otro grupo importante, sin poder político, pero de gran influencia social e intelectual es el de los judíos que habían llegado a España antes del siglo III. Al margen de las guerras entre árabes y cristianos y de esporádicos episodios de violenta intolerancia antisemita, esta sociedad multirracial convive durante siglos con las comunidades no cristianas protegidas por reyes y nobles, en ocasiones, y en otras por las autoridades eclesiásticas. Los musulmanes son una experta mano de obra campesina y artesana. Los judíos son los intermediarios entre cristianos y musulmanes, además de destacados administradores de tareas y finanzas reales. Un momento señalado de la convivencia es la escuela de Traductores de Toledo (siglos XII y XIII), donde se traducen obras clásicas y un gran número de tratados filosóficos, matemáticos y científicos judíos o musulmanes. Pero este respeto se termina en el siglo XIV y la intolerancia religiosa culmina al final del XV con la expulsión de los judíos en 1492, bajo los Reyes Católicos, y la de los moriscos en 1610.

El reinado de Fernando e Isabel marca la transición de la Edad Media a la llamada Moderna. En el siglo XV debido a victorias bélicas y a una política de alianzas matrimoniales sólo hay dos reinos cristianos poderosos, Castilla y Aragón. Los musulmanes retienen el reino de Granada. El matrimonio de la reina Isabel de Castilla y el rey Fernando de Aragón y su empuje común contra Boabdil el Chico de Granada, unifican la península. En 1492, casi ocho siglos después de la llegada de los árabes, el último rey musulmán abandona España. Ese mismo año, impulsados por una política unificadora y centralizadora, los Reyes Católicos expulsan a los judíos que eligen no convertirse al cristianismo. Se abre así una dolorosa etapa de intolerancia religiosa que deja un vacío cultural y social que empobrece notablemente el país.

El paso siguiente de un reino que se autodefine como uno (unificado y homogeneizado) es la expansión. Isabel de Castilla patrocina la aventura de Cristóbal Colón y también en 1492, con su llegada y exploración de un nuevo mundo, empieza la conquista y colonización de las tierras americanas. El imperio español está establecido. Por ello, de todas las lenguas que se hablan en la península, como el catalán, el gallego o el vasco, el castellano va a convertirse en la lengua oficial y extenderse por toda la América hispana. La lengua de Castilla va a ser también la primera en regular su fonética y establecer reglas gramaticales. Como otra muestra más del fenómeno centralista y unificador, y también en 1492, se publica la primera gramática de una lengua romance, la *Gramática de la Lengua castellana* de Antonio de Nebrija. Este estado unitario, formado por ciudadanos bajo una monarquía autoritaria y centralista, introduce a España en el mundo moderno y cambia para siempre la faz de la península.

2. Escenario cultural: El nacimiento de la lengua y literatura españolas

Para el siglo IX el latín ha dejado de ser la lengua hablada. En distintos puntos de la península se hablan diferentes lenguas vulgares derivadas del latín, y, a partir del siglo XI, se escribe en ellas también. Al ser la nobleza la clase social dominante, no es de extrañar que las narraciones épicas de carácter oral, los *Cantares de gesta*, sean la primera manifestación literaria en castellano. Son historias heroicas de caballeros, leyendas y tradiciones, todas ellas anónimas. Al oyente no le importa quién las escribe, las atribuye al juglar que las recita. El autor tampoco pretende una creación personal, sino la transmisión de historias por todos conocidas y, al ser las canciones orales, sufren frecuentes transformaciones. El juglar las recita en forma de poema, para crear más efecto y realzar la historia. El ritmo poético facilita además su memorización por parte de la audiencia. Los versos son generalmente de 14 a 16 sílabas, divididos en dos mitades (hemistiquios), agrupados en coplas que riman. La más famosa es el *Cantar del Mio Cid*, escrita en el siglo XII y la obra literaria más antigua en castellano. Esta tradición épica va a transformarse en el siglo XV en el *Romancero* y su influencia en la literatura española va a perdurar a lo largo de los siglos.

Además de la nobleza, el otro poder dominante es la Iglesia. El hombre medieval ve a Dios como el creador y centro del universo, acepta humildemente el orden establecido y trata de modelar su vida según los preceptos eclesiásticos. Por ello abundan desde el siglo XII las obras religiosas y didáctico-morales. En el XIII, el rey Alfonso X el Sabio va a producir junto con sus colaboradores la primera prosa en castellano, una serie de crónicas y de tratados jurídicos y científicos. En el XIV, su sobrino **don Juan Manuel** escribe la obra didáctica *El Conde Lucanor*, una de las primeras manifestaciones de la narrativa europea, elaborada ya con el cuidado y el estilo propio de quien se sabe escritor.

En el siglo XV, a la par que brilla la poesía cortesana del Marqués de Santillana, de Juan de Mena y de Jorge Manrique, decae el interés por las gloriosas canciones de gesta largas y completas. La gente todavía quiere oír los episodios favoritos, que cobran de este modo independencia y vida propia por su drama. Surgen así los **romances** que siguen siendo orales y de carácter popular, anónimos y variantes. Los libros de caballerías, que narran aventuras de caballeros andantes que encarnan el heroísmo y la fidelidad amorosa, son muy populares al final del XV y a lo largo del XVI. El caballero andante recorre los caminos para ayudar a los débiles y encontrar aventuras, dispuesto al sacrificio heroico, siempre guiado por la devoción a su amada y el más estricto código del honor. La narración más famosa es el *Amadís de Gaula* y éste es el género que parodiará **Cervantes** en su *Quijote*.

Al final del siglo, en 1499, aparece la primera edición de *La Celestina*, obra de teatro profundamente original que, con sus elementos medievales y renacentistas, representa magistralmente la transición de una época a la otra.

3. La creación literaria

Don Juan Manuel

(1282–¿1349?)

Datos biográficos

Don Juan Manuel nació en Escalona, provincia de Toledo. Fue sobrino del rey Alfonso X el Sabio y nieto de Fernando III. Como miembro de la alta nobleza, recibió una educación esmerada, aprendiendo además del latín el árabe y el catalán. Personalidad muy compleja, luchó durante su juventud contra los árabes, intervino activamente en las discordias de los nobles de su tiempo y fue hábil político en asuntos de estado. En su madurez se retiró al castillo de Peñafiel donde escribió unos veinte libros y en cuyo monasterio depositó sus escritos para que estuviesen bien guardados y protegidos después de su muerte. En la triple acepción de noble caballero, defensor de la religión y literato, representa Don Juan Manuel el ideal de la época.

La prosa de Don Juan Manuel

Don Juan Manuel es el primer prosista de la literatura española con preocupación artística, el primer escritor con un estilo deliberadamente cuidado y personal. Más pulida que original, su obra muestra influencia oriental en su composición formal y en su contenido didáctico-moral, pero se inspira en los principios de la moral cristiana y en los conceptos fundamentales de la Edad Media.

Su libro más conocido es, sin duda, *El conde Lucanor o Libro de Patronio*. La primera parte de la obra, terminada en 1335, consta de 51 cuentos breves o *ejemplos*, unidos por la estratagema de la petición de consejo del Conde Lucanor a su consejero Patronio. El Conde plantea un conflicto moral y Patronio narra una historia (un *ejemplo*) de la que se saca una enseñanza o solución que el autor resume en dos versos al final del cuento. Los problemas que Patronio resuelve son de muy diversa naturaleza y se relacionan con temas de moral, de política y de conducta. Los cuentos, que según el autor tienen el propósito de enseñar deleitando, siguen la rica tradición de la narrativa árabe y contienen también algunos elementos de origen clásico, principalmente fábulas y sus derivados. El mismo autor explica en el prólogo que la función del relato es endulzar la lección moral, del mismo modo que los médicos envuelven en azúcar las medicinas. Trata así de justificar lo que es su mayor interés, la narrativa, respetando con su afirmación el espíritu didáctico y moralizador de la época.

Aunque las narraciones son muy variadas, Don Juan Manuel da a los cuentos una coherencia y un carácter único. Este libro tuvo gran influencia no sólo en la literatura española sino también en la universal. Un ejemplo es el cuento que vamos a leer aquí, "De lo que aconteció a un mancebo que se casó con una mujer muy fuerte y muy brava". Su tema lo hallaremos más tarde en *The Taming of the Shrew* de Shakespeare. *El Decamerón* de Bocaccio y *Los cuentos de Canterbury* de Chaucer, de estructura semejante, son también posteriores a *El Conde Lucanor*.

Aunque denso y sentencioso para los gustos actuales, el estilo de la prosa es elegante y preciso, y muestra la preocupación artística de su autor. Sabe combinar diálogo y narración, mantener el interés del lector con detalles interesantes e incluso introducir un fino sentido del humor. El humor, en contraste con otras obras de la época, toma a veces la forma de refinada ironía, sin perder nunca la elegancia. Don Juan Manuel sabe hacer una cuidada selección de palabras y frases, con repetidas correcciones y enmiendas de sus textos.

DE LO QUE ACONTECIÓ A UN MANCEBO QUE SE CASÓ CON UNA MUJER MUY FUERTE Y MUY BRAVA

Otra vez hablaba el conde Lucanor con Patronio, y le dijo:

—Patronio, un criado mío me dijo que está en tratos de casamiento con una mujer muy rica y que aunque la mujer es más honrada que él y que es un casamiento muy bueno para él, hay una dificultad. Y la dificultad es: me dijo que decían que aquella mujer era la más fuerte y la más brava cosa del mundo. Y ahora os ruego que me aconsejéis si le mando que se case con aquella mujer, pues sabe de qué manera es, o le mando que no lo haga.

—Señor conde—dijo Patronio—, si él fuera tal como fue el hijo de un hombre bueno que era moro, aconsejadle que se case con ella. Pero si no fuese tal, no se lo aconsejéis.

El conde le rogó que explicase cómo era aquello. Patronio le dijo que había en una ciudad un hombre bueno que tenía un hijo, el mejor mancebo que podía ser, pero no tan rico que pudiese hacer tantas y tan grandes cosas como su corazón le daba a entender que debía hacer. Y por eso estaba muy preocupado, porque tenía la buena voluntad pero no el poder.

Y en aquella ciudad misma había otro hombre más honrado y más rico que su padre, y que tenía una sola hija. Y esta hija era muy contraria al mancebo, porque cuanto tenía el joven de buenas maneras, tanto tenía ella de malas y opuestas a las de él: y por esto nadie en el mundo quería casar con aquel diablo.

Y aquel buen muchacho vino un día a su padre y le dijo que sabía que no era tan rico que le pudiese dar con qué vivir con honra, y que tendría que vivir una vida miserable y penosa o irse de aquella tierra. Que si a su padre le parecía bien, mejor sería preparar un casamiento con el que pudiese obtener medio de vivir. Y el padre le dijo que le complacía muy mucho si pudiese hallar para él un casamiento que él consiguiera.

Y entonces le dijo el hijo que, si él quisiese, podría arreglar el casamiento con aquel hombre bueno que tenía aquella hija. Cuando el padre oyó esto, fue maravillado y le dijo que cómo se preocupaba de tal cosa, que no había hombre que, por pobre que fuese, quisiese casarse con ella. El hijo le dijo que pedía por favor que arreglase aquel casamiento. Y tanto insistió que, aunque el padre lo tuvo por extraño, lo aceptó.

Y él se fue luego a aquel hombre bueno y ambos eran mucho amigos, y le dijo todo lo que pasaba con su hijo y le rogó que, puesto que su hijo se atrevía a casarse con su hija, que se complaciera dársela. Y cuando el hombre bueno oyó eso, le dijo:

—Por Dios, amigo, si yo tal cosa hiciese, os sería muy falso amigo, porque vos tenéis muy bueno hijo, y tendría que hacer muy gran maldad si yo consintiese su mal o su muerte. Y estoy cierto que si mi hija se casase con él, o sería muerto o le valdría más la muerte que la vida. Y no os digo esto por no cumplir vuestro deseo, porque si la quisiereis, a mí mucho me complacería de darla a vuestro hijo o a quienquiera que me la saque de casa.

Y su amigo le dijo que agradecía mucho cuanto le decía, y que puesto que su hijo quería aquel casamiento, que le rogaba que le complaciera.

Y el casamiento se hizo y llevaron la novia a casa de su marido. Y los moros tienen por costumbre que preparan la cena a los novios y les ponen la mesa y los dejan en su casa hasta el otro día.

Y lo hicieron así; pero, estaban los padres y las madres y los parientes del novio y de la novia con gran ansiedad, preocupados de que otro día hallarían al novio muerto o muy maltrecho.

Y luego que ellos se quedaron solos en casa, se sentaron a la mesa, y antes de que ella hubiese dicho nada, miró el novio alrededor de la mesa y vio un perro y le dijo ya muy bravamente:

—¡Perro, dános agua a las manos!

El perro no lo hizo. Y él se comenzó a enojar y le dijo más bravamente que le diese agua a las manos. Y el perro no lo hizo. Y cuando que vio que no lo hacía, se levantó muy enojado de la mesa y metió mano a la espada y se dirigió al perro. Cuando el perro lo vio venir, comenzó a huir y él detrás, saltando ambos por la ropa y por la mesa y por el fuego y anduvo detrás de él hasta que lo alcanzó y cortó la cabeza y las piernas y los brazos y le hizo todo pedazos y ensangrentó toda la casa y la mesa y la ropa.

Y así muy enojado y todo ensangrentado se volvió a sentar a la mesa y miró alrededor y vio un gato y le dijo que le diese agua a las manos, y porque no lo hizo le dijo:

—¿Cómo, don falso traidor, no vistes lo que hice al perro porque no quiso hacer lo que le mandé yo? Prometo a Dios que si no haces lo que te mando, te haré lo mismo que al perro.

Y el gato no lo hizo, porque tampoco es su costumbre ni la del perro dar agua a las manos. Y porque no lo hizo, se levantó y le tomó por las piernas y dio con él a la pared y hizo de él más de cien pedazos y le mostró muy mayor saña que contra el perro.

Y así bravo y enojado y haciendo muy malos gestos, se volvió a la mesa y miró a todas partes. La mujer que le vio hacer esto, pensó que estaba loco o fuera del seso y no decía nada.

Y cuando hubo mirado a todas partes, vio un caballo suyo que estaba en casa, el único que tenía, y le dijo muy bravamente que le diese agua a las manos; y el caballo no lo hizo. Y cuando vio que no lo hizo le dijo:

—¿Cómo, don caballo, creéis que porque no tengo otro caballo, por eso os dejaré si no hicierais lo que yo os mando? De eso os guardéis, que si por vuestra mala ventura no hacéis lo que yo os mando, yo juro a Dios que tan mala muerte os dé como a los otros. Y no hay cosa viva en el mundo a quien no haré eso mismo si no hace lo que yo mando.

Y el caballo estuvo quieto. Y cuando vio que no hacía su mandado, fue a él y le cortó la cabeza con la mayor saña que podía mostrar y lo despedazó todo. Y cuando la mujer vio que mataba el caballo, no habiendo otro, y que decía que esto haría a cualquiera que no cumpliese su mandado, se dio cuenta que no lo hacía por juego, y tuvo tan gran miedo que no sabía si era muerta o viva.

Y así él, bravo y enojado y ensangrentado, se volvió a la mesa, jurando que si mil caballos y hombres y mujeres hubiese en casa que no le obedecían, todos serían muertos.

Y se sentó y miró a cada parte teniendo la espada sangrienta en el regazo; y cuando miró a una parte y a otra y no vio cosa viva, volvió los ojos contra su mujer muy bravamente y le dijo con gran saña teniendo la espada en la mano:

—Levantáos y dadme agua a las manos.

La mujer que no esperaba otra cosa sino que la despedazaría toda, se levantó muy deprisa y le dio agua a las manos. Y le dijo él:

—Ah, cómo agradezco a Dios que hiciste lo que os mandé, porque de otra forma, por el pesar que estos locos me hicieron, lo mismo hubiera hecho a vos que a ellos.

Y le mandó que le diese de comer; y ella lo hizo. Y cada cosa que le decía, tan bravamente se lo decía y en tal tono, que ella ya temía que le iba a cortar su cabeza.

Y así pasó el asunto entre ellos aquella noche, que nunca ella habló más y hacía lo que él mandaba. Y cuando hubieron dormido un rato le dijo él:

—Con esta saña que tuve esta noche, no pude dormir bien. Mirad que no me despierte mañana ninguno y tenedme bien preparado de comer.

Y por la mañana los padres y las madres y parientes llegaron a la puerta, y porque no hablaba nadie estaban preocupados de que el novio estaba muerto o herido. Y cuando vieron por las puertas a la novia y no al novio, se preocuparon más.

Y cuando ella los vio a la puerta, llegó muy rápido y con gran miedo comenzó a decirles:

—Locos, traidores, ¿qué hacéis? ¿Cómo osáis llegar a la puerta hablando? ¡Callad! Si no, todos, también vos como yo, todos somos muertos.

Y cuando esto oyeron, fueron maravillados y cuando supieron cómo pasaron las cosas, apreciaron mucho al mancebo, porque sabía hacer lo que le correspondía y castigar tan bien en su casa.

Y desde aquél día en adelante, su mujer fue bien mandada y tuvieron muy buena vida.

Y después de pocos días, su suegro quiso hacer así como hiciera su yerno, y por aquella mañana mató un gallo, y le dijo su mujer:

—A la fe, don Fulano, tarde os acordasteis, porque ya no os valdría nada aunque mataseis cien caballos, que antes lo tenías que hacer comenzado, porque ya nos conocemos bien.

Y vos, señor conde, si aquel vuestro criado se quiere casar con tal mujer, si fuere él tal como aquel mancebo, aconsejadle que se case, porque él sabrá como pasa en su casa. Pero si no entiende lo que debe hacer, dejadle que pase su suerte. Y aún os aconsejo que con todos los hombres que tuviereis que ver, que siempre les deis a entender en cual manera han de pasar con vos.

El conde tuvo éste por buen consejo y lo hizo así y todo acabó bien. Y porque don Juan lo tuvo por buen ejemplo, lo escribió en este libro y compuso estos versos que dicen así:

> Si al comienzo no muestras quién eres,
> nunca podrás después, cuando quisieres.

Sugerencias para el análisis del cuento

1. Describe la estructura del cuento. Comenta la función de las repeticiones.

2. ¿Qué pretende enseñar este *ejemplo*? ¿Dónde y cómo está expresado?

3. ¿Se podría decir que este cuento es una fábula? Discute por qué sí o por qué no.

4. ¿Cuál es la función narrativa de Patronio?

5. Comenta la importancia del diálogo. ¿Cómo nos ayuda a conocer a los personajes?

6. ¿Hay algún elemento de humor en el cuento? ¿Qué efecto busca?

Temas de discusión y ensayos

1. Compara la condición de la mujer en la época de don Juan Manuel con la de la mujer moderna. ¿Qué haría una mujer de ahora en la misma situación?

2. ¿Sería la moraleja del cuento válida hoy día?

3. ¿Crees que el cuento es una lección de moral práctica como pretendía Don Juan Manuel? ¿A quién podría ir dirigida? ¿Piensas que tendría en su época algún efecto?

4. Observa el estilo del cuento. ¿En qué se diferencia de una forma de escribir contemporánea? Menciona detalles específicos en cuanto al lenguaje y a la manera de narrar.

5. Describe la sociedad de la época tal como se percibe a través de la historia. ¿Cómo se revelan algunos aspectos sociales mencionados en la Introducción a la Edad Media?

6. Compara la actitud del mancebo hacia la violencia con tu propia actitud. ¿Cómo se explica la diferencia?

7. Si has leído la comedia de Shakespeare *The Taming of the Shrew*, compara a la fierecilla y la mujer brava.

8. Contrasta a la mujer brava con Bernarda de *La casa de Bernarda Alba*.

Actividades

1. Se pueden dramatizar algunas de las escenas del cuento, reproduciendo los diálogos.

2. Los estudiantes pueden alterar la segunda parte del cuento, cambiando la reacción de la mujer brava y escribiendo una moraleja completamente diferente.

3. Por grupos o individualmente, los estudiantes escriben un cuentito a modo de "ejemplo" sobre una situación contemporánea con su moraleja final.

4. Por grupos, los estudiantes reescriben el cuento adaptándolo al siglo XXI, a partir del momento en que el marido mata a los animales. ¿Cómo reaccionaría una esposa actual? ¿Los padres? ¿Los vecinos? ¿PETA (la organización People for the Ethical Treatment of Animals)?

Los romances

Se llama *romance* a una composición poética, predominantemente narrativa, escrita en un estilo directo, vigoroso y sencillo. Consta de un número indefinido de versos de ocho sílabas con rima asonante en los versos pares. Aunque hay diversas teorías sobre el origen de los romances, hoy día se acepta generalmente la defendida por el eminente investigador Menéndez Pidal. Su teoría sostiene que el romance se origina a partir de los Cantares de gesta y se forma hacia el siglo XIV. Se apropia de fragmentos de temas épicos conocidos a través de los recitados de los juglares. Poco a poco se van desgajando del cantar original los fragmentos que más gustan al público o las escenas más significativas. Los versos originales, de 16 sílabas con rima asonante, se dividen en dos de ocho sílabas con rima en los versos pares. No es sorprendente que este género eminentemente popular y oral se apoye en el verso octosílabo, que es casi espontáneo y fácil de recordar en el habla española. En algunos casos, tras una estrofa, se repite un verso (*estribillo*), manteniéndose así la tradición musical. Destinados a entretener a un público popular que los escucha, los romances contienen diálogos, son vivos y sencillos, y hablan a veces directamente a su audiencia. Utilizan frecuentes repeticiones, en la forma de paralelismos y anáforas. Ocasionalmente, algunos romances terminan en un final impreciso y rodeado de misterio que deja al auditorio en suspenso.

Conocemos con el nombre de *Romancero* al conjunto de estas poesías recogidas por la tradición oral. Las poesías de los siglos XV y XVI forman el grupo conocido como el *Romancero viejo*. Los romances contenidos en este Romancero tratan temas muy diversos: la guerra, el heroísmo, la traición, el amor, el adulterio, la fidelidad y otros. En general se han dividido en *romances históricos* y *romances novelescos*. Los romances históricos narran las hazañas de héroes nacionales o extranjeros. Dentro de esta categoría, los *romances fronterizos* son los que se refieren a episodios de la frontera árabe-cristiana. Los romances novelescos son composiciones líricas, y algunos se caracterizan por un estilo encantador y delicado. El primero de los dos romances que incluimos aquí, "¡Ay de mi Alhama!", pertenece al ciclo de los romances histórico-fronterizos. El segundo, "El conde Arnaldos", pertenece al de los romances novelescos.

Aunque sin la extraordinaria popularidad de la que gozaron en los siglos XV y XVI, los romances han sobrevivido hasta el presente y su género ha continuado cultivándose por poetas como los románticos del siglo XIX y en el XX por Rubén Darío, Antonio Machado, Unamuno y Miguel Hernández, entre otros. Los más famosos romances contemporáneos son los de García Lorca agrupados en su *Romancero gitano*. Hoy en día, como en siglos pasados, la mención del título "romance" sugiere al lector un poema narrativo de carácter popular y de musicalidad atractiva y fácil de captar.

Nota para facilitar la lectura:

Los romances emplean frecuentemente *arcaísmos*, vocabulario y formas anticuadas. Algunos ejemplos son el uso de *haber* por *tener*; la *f* en vez de la *h* al principio de las palabras (*fabló* por *habló*); contracciones como *n'el* por *en el*; y el uso de los pronombres al final del verbo como *díjole* por *le dijo*.

Romance de la pérdida de Alhama

En este romance se narra la pérdida de Alhama, población fortificada situada a poca distancia de Granada. Alhama fue conquistada por el Marqués de Cádiz en 1482. La caída de esta ciudad, que hacía presagiar la caída de la ciudad de Granada, llena de pánico al rey árabe Muley Abulhasán. El romance tiene estribillo ya que se adaptó para cantarlo. Fue uno de los romances favoritos del Siglo de Oro.

¡AY DE MI ALHAMA!

Paseábase el rey moro
por la ciudad de Granada,
desde la puerta de Elvira [1]
hasta la de Vivarrambla. [2]
5   ¡Ay de mi Alhama!

Cartas le fueron venidas
que Alhama estaba ganada;
las cartas echó en el fuego
y al mensajero matara.
10   ¡Ay de mi Alhama!

Descabalgaba de una mula,
y en un caballo cabalga;
por el Zacatín [3] arriba
subido se había al Alhambra. [4]
15   ¡Ay de mi Alhama!

Como en el Alhambra estuvo,
al mismo punto mandaba
que se toquen sus trompetas,
sus añafiles [5] de plata.
20   ¡Ay de mi Alhama!

Y que las cajas de guerra [6]
apriesa toquen el arma,
porque lo oigan sus moros
25   los de la Vega y Granada.
   ¡Ay de mi Alhama!

1. one of Granada's gates
2. another gate

3. market street
4. Arab palace

5. Arab trumpet

6. drums

Los moros que el son oyeron
que al sangriento Marte[7] llama,
uno a uno y dos a dos
30 juntado se ha gran batalla.[8]
    ¡Ay de mi Alhama!

Allí fabló[9] un moro viejo,
de esta manera fablara:
—¿Para qué nos llamas, rey,
35 para qué es esta llamada?
    ¡Ay de mi Alhama!

—Habéis de saber, amigos,
una nueva[10] desdichada:
Que cristianos de braveza
40 ya nos han ganado Alhama.
    ¡Ay de mi Alhama!

Allí fabló un alfaquí[11]
de barba crecida y cana:
—Bien se te emplea, buen rey,
45 buen rey, bien se te empleara.
    ¡Ay de mi Alhama!

—Mataste los Bencerrajes,[12]
que eran la flor de Granada;
cogiste los tornadizos[13]
50 de Córdoba la nombrada.
    ¡Ay de mi Alhama!

—Por eso mereces, rey,
una pena muy doblada:
Que te pierdas tú y tu reino,
55 y aquí se pierda Granada.
    ¡Ay de mi Alhama!

7. the Roman god of war

8. army

9. *habló*

10. news

11. expert in law

12. one of Granada's most important families
13. converts to Islam

Sugerencias para el análisis del romance

1. Después de leer el romance, ¿qué sabes del rey moro en "¡Ay de mi Alhama!"?

2. Identifica los elementos históricos y culturales que caracterizan este romance como parte del ciclo histórico-fronterizo.

3. Según el alfaquí, ¿por qué se pierde Alhama? ¿Quién tiene la culpa?

4. ¿Qué elementos poéticos puedes identificar en este romance?

5. Comenta el uso del diálogo en el romance. ¿Quiénes hablan? ¿A quién se dirigen? ¿Cuál es el efecto de introducir un lenguaje directo en vez de continuar la narrativa?

6. ¿Qué tiempos verbales se utilizan? ¿Cuál es el efecto de las alternancias verbales?

Temas de discusión y ensayos

1. Comenta el punto de vista de este poema. ¿En qué versos es evidente? ¿Quién habla y a quién se dirige?

2. ¿Cuál es el tono del poema? ¿Qué lo decide?

3. Comenta el efecto que produce el estribillo. Relaciona tu respuesta con las dos preguntas anteriores.

4. ¿Cuál es el tema de este romance?

5. La pérdida de Alhama fue una tragedia para los árabes y una victoria para los cristianos. Describe los dos puntos de vista. Da detalles específicos del significado de esta tragedia, basándote en la introducción histórica de este capítulo y en el romance.

6. Escucha el ritmo y musicalidad de este romance leído en voz alta. Busca una explicación de por qué el romancero usa versos de ocho sílabas, aparte de la histórica mencionada en la introducción. ¿Puedes imaginar este poema cantado por un juglar? En tu opinión, ¿cómo son más efectivos los romances, leídos, recitados o cantados?

7. Por qué crees que este romance fue uno de los preferidos de los músicos y poetas del *Siglo de Oro*?

Romance del Conde Arnaldos

Narra este romance la aventura del conde una mañana del día San Juan, día del solsticio de verano, tradicionalmente asociado con acontecimientos mágicos. La versión que aquí damos es una versión corta o *trunca*, ya que hay versiones más largas conservadas durante siglos por comunidades de judíos sefardíes. En estas versiones se pierde el encanto de la versión trunca y también su misterioso final.

EL CONDE ARNALDOS

¡Quién hubiera[1] tal ventura
sobre las aguas del mar
como hubo el conde Arnaldos
la mañana de San Juan![2]
5 Con un falcón en la mano
la caza iba a cazar,

1. *tuviera*

2. the morning of June 24, summer solstice

vió venir una galera[3]
que a tierra quiere llegar.
Las velas traía de seda,
10 la ejercia[4] de un cendal,[5]
marinero que la manda
diciendo viene un cantar
que la mar facía[6] en calma,
los vientos hace amainar[7],
15 los peces que andan n'el[8] hondo
arriba los hace andar,
las aves que andan volando
n'el mástil[9] las faz[10] posar.
Así fabló el conde Arnaldos,
20 bien oiréis lo que dirá:
    —Por Dios te ruego, marinero,
digasme ora[11] ese cantar.
Respondióle el marinero,
tal respuesta[12] le fué a dar:
25 —Yo no digo esta canción
sino a quién conmigo va.

3. ship

4. rigging of a ship
5. gauze

6. *hacía*
7. calm

8. *en el*

9. mast
10. *hace*

11. *ahora*

12. *"tal repuesta"* is a
    reiteration of *"respondióle"*

Sugerencias para el análisis del romance

1. ¿Qué impresión busca la exclamación con la que empieza el romance? ¿Para qué prepara a la persona que lo lee o escucha?

2. ¿Qué efecto tiene la canción del marinero en la naturaleza?

3. Interpreta la respuesta del marinero. ¿Qué tipo de persona va con él? ¿A dónde van?

4. ¿Por qué cambia la narración de tiempo verbal en las líneas 11 a 15? ¿Qué efecto logra este cambio?

5. Lee el romance en voz alta. ¿Qué recursos técnicos te parecen más significativos (aliteración, encabalgamiento, etc.)?

6. Identifica los elementos mágicos o sobrenaturales del poema.

Temas de discusión y ensayos

1. Analiza de dónde proviene la carga emocional del poema.

2. Sugiere diferentes interpretaciones sobre qué puede ser la galera que ve el Conde y quién el marinero.

3. Discute los elementos mágicos del poema en comparación con el uso de la magia en otras obras que conozcas (por ejemplo, *Midsummer Night's Dream* de Shakespeare).

4. El final del poema es enigmático. ¿Qué efecto tiene un final tan sorprendente en un género que es predominantemente narrativo?

5. ¿Cuáles son los recursos expresivos usados más frecuentemente en ambos romances? Comenta su efecto.

6. Busca en ambos poemas las palabras arcaicas. ¿Qué valor dan a los romances? ¿Qué efecto causan en un lector contemporáneo?

7. Compara y contrasta los temas de los dos romances.

Actividades

1. Los dos romances se prestan a una lectura dramatizada, con diferentes personajes y un narrador.

2. Los estudiantes, en pequeños grupos, pueden buscar el desenlace que falta en el romance de "El Conde Arnaldos". Tiene que ser un final apropiado que refleje la magia y el misterio del poema, preferiblemente en forma de romance.

3. Cada estudiante memoriza parte de un romance para recitarlo a la clase. Puede ser uno de los leídos o cualquier otro de los romances viejos. "Abenámar" y "Por el mes era de mayo" han sido favoritos de numerosos estudiantes.

SIGLOS XVI y XVII

1. Contexto histórico: El Imperio Español

Durante el primer cuarto del siglo XVI españoles de todas las clases sociales participan en los viajes de exploración y conquista de las Américas. Hernán Cortés aprovecha la enemistad de las tribus vecinas de los aztecas y la debilidad de su jefe Moctezuma para subyugar al imperio de Tenochtitlán. Pizarro, en la región de los Andes, manipula con traición y engaño al orgulloso Atahualpa para dominar el imperio inca. Poco a poco, quedan bajo el dominio español todas las tierras desde el sur del continente norte hasta la Patagonia, con la excepción de Brasil.

La extensión y consolidación del imperio español conlleva el despojo de los pueblos indígenas y marca el punto final al desarrollo de las extraordinarias culturas maya, azteca e inca, notablemente avanzadas. La llegada de las enfermedades europeas aumenta de manera dramática la pérdida de vidas. Se puede decir que España crea sus colonias en su propia imagen, exportando los males peninsulares como la intolerancia religiosa, la injusta división socioeconómica, el ineficaz modo de gobierno, junto con aspectos positivos que son únicos a la colonización española como el mestizaje, la rápida difusión de la cultura española, la defensa legal de los indios. Los españoles inmediatamente se mezclan con los indígenas, creando una población mestiza que da su carácter central a la identidad latinoamericana; extienden a la población del nuevo mundo los beneficios culturales y educativos que existen en la península, creando en sorprendente breve tiempo numerosas escuelas y las primeras universidades del continente americano en Santo Domingo, México y Perú; promulgan las Leyes de Indias. El fraile dominico Bartolomé de las Casas lucha incansablemente por la defensa de los indígenas frente a los abusos de los colonizadores. La agricultura europea cambia para siempre con la llegada de nuevos productos de la tierra. El maíz, la patata, los tomates, el cacao se cruzan en su viaje por el Atlántico con el algodón, la vid y la caña de azúcar que se van a implantar en el nuevo continente. La fauna del nuevo mundo también se va a ver transformada con la venida de caballos, vacas, cerdos y ovejas.

A los Reyes Católicos, después del breve reinado de su hija Juana y yerno Felipe, les sucede su nieto Carlos I[1]. Carlos hereda además de su padre, entre otros territorios europeos, los Países Bajos, el reino de Austria y el derecho al título de emperador. Con este primer Habsburgo se afirma el imperio español que se extiende por Europa, Asia y América (en el que "no se pone el sol") y la política expansionista y colonizadora. Esta política tiene un precio muy elevado: las guerras para el mantenimiento del imperio europeo devoran los ingresos que llegan de las Indias y llevan a la ruina a mercaderes y comerciantes, sin mejorar la condición de las grandes masas campesinas. Al cosmopolita Carlos V le sucede Felipe II, cuya preocupación central es el fortalecimiento de la fe. La Inquisición aplica su mano dura contra toda desviación religiosa o incluso cultural. Con los Habsburgos nace Madrid como capital de España, con toda su complicada

---

[1] A Carlos I se le conoce generalmente como Carlos V, por ser el quinto rey Carlos de Alemania. Con esta denominación se le nombrará en el futuro.

burocracia. En el XVII los débiles Felipe III, Felipe IV y Carlos VI no pueden detener la crisis económica, pero mantienen, a pesar de la decadencia creciente, una fachada de potencia formidable frente a Europa y América. El florecimiento extraordinario del arte y la cultura contribuye a la imagen de una España como centro político y cultural. La llamada Edad de Oro abarca estos años del siglo XVI hasta el final del XVII, y en ella viven escritores como Garcilaso, Cervantes, Góngora, Quevedo, Tirso de Molina, Lope de Vega y Calderón de la Barca y artistas como El Greco, Ribera, Velázquez y Zurbarán.

2. Escenario cultural: La Edad de Oro

El Renacimiento

A la par de los cambios políticos ya mencionados tiene lugar en este periodo una transformación cultural, el *Renacimiento*, que comienza en Italia y se extiende por toda Europa. Al teocentrismo de la Edad Media le sigue el antropocentrismo renacentista, en el que el hombre es la medida de todas las cosas. Los conceptos medievales de un universo centrado en Dios y de la vida del hombre en la tierra como transitoria, entran en crisis. El Renacimiento supone una revolución ideológica en la que el hombre, orgulloso y confiado en sí mismo, se cree dueño de su propio destino y cultiva la belleza y el placer. En consecuencia, las ideas religiosas, la influencia de la Iglesia y la fuerza de los preceptos morales disminuyen. Se produce la Reforma Luterana que rompe con Roma y proclama la libre interpretación de los textos sagrados. La reflexión sobre la brevedad de la vida no trae consideraciones transcendentales sino el *carpe diem*, una invitación a gozar de cuantos placeres pueda uno procurarse. El hedonismo, el gusto por el lujo y gozo estético provocan, por otro lado, el cultivo de las artes y de las letras y la búsqueda del deleite de los sentidos.

La invención de la imprenta, que permite la difusión de la cultura grecolatina e impulsa la admiración de la antigüedad clásica, y el desarrollo de una clase burguesa más realista y ambiciosa, traen una exaltación de lo humano y de la Naturaleza desconocidos en tiempos medievales. La Naturaleza se convierte en modelo de arte y vida: el arte debe ser natural, la vida espontánea y equilibrada. El hombre ideal renacentista busca el desarrollo armónico de todas sus facultades y cultiva juntamente las armas, las letras y las artes. Garcilaso de la Vega, poeta y soldado, ejemplifica este ideal renacentista.

En la literatura se busca la belleza formal, sin intención didáctica. Se toman como modelos la literatura italiana renacentista y su inspiración, el arte clásico greco-latino. El elegante verso de once sílabas (endecasílabo) sustituye al de doce sílabas, pesado y solemne, y al de ocho sílabas, muy usado anteriormente y que ahora se relega a la literatura popular. El soneto es la forma poética preferida por la mayoría de los poetas. El tema del amor, a la manera del poeta italiano Petrarca, presenta este sentimiento como inalcanzable o no correspondido y fuente de melancolía. El retrato de la mujer, objeto del amor, sirve fundamentalmente para presentar los sentimientos del poeta. Para crear la imagen femenina se usan metáforas basadas en elementos de la naturaleza, que se convierte en otro gran tema. El campo es el mundo ideal, reposado, tranquilo y armonioso (tema del "Beatus ille" horaciano) y sirve de trasfondo e inspiración de la poesía; el paisaje es idealizado y fuente de imágenes sensoriales.

España, a pesar de los cambios y al contrario de otros países europeos, conserva en sus letras cierto carácter religioso y popular-tradicional, junto con el estilo renacentista. Un ejemplo de literatura popular es **El Lazarillo de Tormes**, obra anónima escrita al final del reinado del emperador Carlos V, y la primera novela *picaresca*. En la segunda mitad del siglo, con el reinado de Felipe II, la literatura se vuelve más religiosa y sobria. Prueba de ello es la poesía mística de San Juan de la Cruz y Santa Teresa de Jesús.

El Barroco

En el siglo XVII se acentúan en el arte y la literatura las tendencias más propiamente españolas frente a las europeas, y cambian las manifestaciones artísticas y literarias del periodo renacentista anterior. El nuevo movimiento cultural es el *Barroco*, fenómeno que abarca la literatura, las artes plásticas y la arquitectura. Al perderse la hegemonía imperial tras una serie de humillantes derrotas y acentuarse la pobreza nacional, surgen el pesimismo y el desengaño. El repentino cambio de suerte política parece haber eliminado el inocente triunfalismo del imperio expansionista. Se une a ello la evolución del pensamiento intelectual que empieza a cuestionar los valores del Renacimiento. La desilusión general se ve reflejada en la literatura: de forma satírica, por ejemplo en **Quevedo**, con tono melancólico en la obra de **Cervantes**, o a través del frecuente tema de la muerte, única realidad firme de la vida humana. ("La vida es sueño", dice el título de la obra más famosa del autor teatral Calderón de la Barca.)

Las características más comunes del arte barroco son el recargamiento de adornos y la exageración, que tan claramente se observan en la arquitectura, con sus decoraciones abundantes que cubren todo espacio vacío y sus elementos inútiles, como columnas que no sostienen nada. Similarmente, la lengua de este periodo incorpora numerosos neologismos, provenientes del latín, de lenguas europeas o de los indígenas americanos. Muchos escritores usan metáforas complejas y un lenguaje difícil de entender.

El *culteranismo* y el *conceptismo* son dos nuevos estilos del Barroco, los dos con raíces en el Renacimiento, pero llevados a un extremo inesperado. Se tienden a diferenciar y definir como contrarios, identificando al primero con **Góngora** y al segundo con **Quevedo**. Sin embargo, los dos estilos se pueden ver como diferentes caras de una misma moneda: dos formas diferentes de provocar una interrupción en el lenguaje habitual; dos caminos que llevan a la sorpresa del lector. El culteranismo distorsiona el orden del lenguaje (hipérbaton), inventa nuevas palabras y metáforas y crea belleza con hallazgos ornamentales; el conceptismo proporciona un juego ingenioso de palabras, un silencio bien colocado o una palabra evocativa para hacer resaltar una idea. El culteranismo se complace en la forma y el conceptismo hace juego del fondo. Los dos manipulan el lenguaje y, en el proceso, revelan su artificiosidad. Ambos obligan al lector a hacer nuevas asociaciones y entrar en nuevas dimensiones estéticas. Son, así, ejemplos perfectos del ideal del Barroco.

Con la literatura de élite, coexiste el teatro popular, al que asiste un gran público entusiasta. A Lope de Vega, autor prolífico de quien nos han llegado más de cuatrocientas obras teatrales, se le considera el creador del teatro español. Dentro de su escuela, también autor fecundo y siguiendo las directrices de Lope de un teatro dinámico pero con un sello individual, está **Tirso de Molina**, autor de *El burlador de Sevilla*.

La figura cumbre del siglo XVII es, sin embargo, **Miguel de Cervantes** que con su obra *El ingenioso hidalgo Don Quijote de la Mancha*, según muchos la novela más leída del mundo, escapa toda clasificación temporal o geográfica. Sus dos personajes, el noble caballero andante don Quijote y su humilde escudero Sancho Panza, pueden encarnar con el idealismo de uno y el pragmatismo del otro el carácter español y el alma universal. El Quijote, aparentemente una parodia de los populares libros de caballería, se puede considerar también una parábola de la España de la época y la primera novela moderna.

En las colonias americanas, la vida intelectual sigue líneas paralelas a la de la península que ejerce también un dominio cultural en ellas. Las primeras manifestaciones literarias en español tienen lugar durante la Conquista e inmediatamente después. Los escritores, muchos de ellos exploradores o militares –Colón el primero de ellos– cuentan las batallas, las costumbres de los indígenas, las dificultades del avance español. No tienen grandes intenciones literarias ni estéticas; su finalidad es informar, convertir a los indios y a veces glorificar a los Conquistadores. A la vez, surgen también obras escritas por y desde el punto de vista indígena, que narran los mismos acontecimientos con diferentes opiniones. Aunque los cronistas, hombres de acción convertidos en escritores, pertenecen a la época del Renacimiento, muchos por su forma de escribir se asemejan más al periodo anterior, el de la narrativa épica. El conjunto de su obra se conoce como "Crónicas e Historias de América", una enorme colección escrita por testigos presenciales y narrada con entusiasmo y animación, en una prosa viva y directa. Contienen numerosos detalles y en ocasiones tensión dramática. Entre ellas destaca *Naufragios* de **Cabeza de Vaca**, más novelesca y complicada que la obra de otros cronistas.

El Renacimiento va a dejar, por supuesto, su huella en la literatura colonial: Renacentista es la obra del Inca Garcilaso de la Vega. Hijo de padre español y madre india, el Inca Garcilaso ofrece una obra de propósito complejo que a la vez alaba a su padre conquistador y defiende las tradiciones de su madre, princesa inca. El Barroco tiene como brillante representante a **Sor Juana Inés de la Cruz**, fenómeno literario que ya en vida es titulada "la Décima musa". Desde mediados del siglo XVII la vida cultural, el estilo de vida o las modas van a ser dominados por los *criollos*, descendientes de españoles nacidos en las colonias que viven en las ciudades y constituyen la clase alta y administradora. Los grupos étnicos más significativos que nacen a partir de la Conquista son los *mestizos*, de extracción indígena y española, sobre todo en México, Centroamérica y la zona andina; y los *mulatos*, de origen africano y español, especialmente en el Caribe y en zonas rurales. Los *peninsulares* son un pequeño grupo de españoles encargados de los puestos más altos del gobierno representando al rey.

3. Los escritores

Alvar Núñez Cabeza de Vaca

(1490-1557)

Datos biográficos

Bajo la influencia de los cuentos de su abuelo (el conquistador de la Gran Canaria, Pedro de Vera), Alvar Núñez habría de crecer soñando con ser soldado y conquistador. Explorador del suroeste de América del Norte, Alvar Núñez (Cabeza de Vaca no es su apellido sino un título hereditario de la familia de su madre) vino al nuevo mundo con el cargo de tesorero de la expedición de Pánfilo de Narváez, que partió de España en 1527 y tocó tierra en la costa oeste de la Florida (probablemente donde actualmente está la bahía de Tampa) al año siguiente. La expedición continuó por mar hasta que naufragó en una isla cerca de la costa de Texas. La relación de la aventura, una de las más extraordinarias en la historia de la exploración, se publicó en 1542 con el título de *Naufragios* y es la fuente de los cuatro capítulos a continuación.

De los 600 hombres que partieron con Pánfilo de Narváez, solamente cuatro regresaron a España. Después de muchas tribulaciones entre diversas tribus de indios, a veces como sus esclavos, a veces como sus amigos, los cuatro sobrevivientes se ganaron el respeto de los indios por sus habilidades médicas y por ello fueron colmados de regalos. Cabeza de Vaca y sus compañeros emprendieron un largo viaje por el continente, y en 1536 llegaron a Culicán, México, donde contaron sus aventuras a los españoles. Aunque los historiadores aún disputan la ruta por donde viajaron, se sabe que después de errar muchísimo llegaron al oeste de Texas, Nuevo México, Arizona y quizás California.

Después de regresar a España, Cabeza de Vaca quería volver a América y aunque le pidió permiso a Carlos V para volver a "la Florida", el emperador se lo otorgó a Hernando de Soto. En cambio, Cabeza de Vaca fue nombrado Adelantado de la región de Río de la Plata en Brasil. Seguramente lo atrajeron allí sueños de fama, oro y poder, pero sobre todo, su deseo de llevar paz y amor a los indígenas del nuevo mundo. Encabezó una expedición y llegó a Asunción en 1542, después de un viaje de más de mil millas por tierra (fue el primer europeo que vio las famosas cataratas de Iguazú desde la costa). Pero sus aventuras en Sudamérica fueron muy distintas de las del norte. Sus expediciones fracasaron y terminó encarcelado y deportado a España en 1545. Contó sus desventuras sudamericanas en sus *Comentarios* editados en 1555.

Las crónicas de Cabeza de Vaca

La prosa de Cabeza de Vaca es la de un hablante culto de la lengua de la época de Carlos V, en la cual se encuentran americanismos dispersos. Sus párrafos son muy largos pero muy claros. Como su relato se basa en una crónica de viaje, predomina la descripción documental. Simbólicamente, cuenta el tránsito de la civilización a la barbarie y la vuelta a la civilización en una narrativa básicamente lineal, pero interrumpida de vez en cuando por las historias intercaladas de los demás sobrevivientes. Se nota el tono objetivo con el que narra los acontecimientos más inverosímiles: por ejemplo, la historia del hombre/monstruo "Mala Cosa", el encuentro del árbol ardiente o la curación del hombre "muerto". El aspecto que más se destaca de su relato es la falta de prejuicios etnocéntricos para un escritor de su época. Se considera a Cabeza de Vaca como el conquistador más iluminado en el sentido de que muestra en su crónica tanto como en su vida un verdadero respeto por los indios, un deseo de vivir en paz con ellos y una preferencia por la diplomacia en vez de la violencia.

NAUFRAGIOS

CAPÍTULO XII   *Cómo los indios nos trajeron de comer*

Otro día, saliendo el sol, que era la hora que los indios nos habían dicho, vinieron a nosotros, como lo habían prometido, y nos trajeron mucho pescado y de unas raíces que ellos comen, y son como nueces, algunas mayores o menores. La mayor parte de ellas se sacan de bajo del agua y con mucho trabajo. A la tarde volvieron, y nos trajeron más
5 pescado y de las mismas raíces, y hicieron venir sus mujeres e hijos para que nos viesen; y así se volvieron ricos de cascabeles y cuentas que les dimos. Otros días nos tornaron a visitar con lo mismo que esas otras veces. Como nosotros veíamos que estábamos proveídos de pescado y de raíces y de agua y de las otras cosas que pedimos, acordamos de tornarnos a embarcar y seguir nuestro camino y desenterramos la barca de la arena en que estaba
10 metida. Fué menester que nos desnudásemos todos y pasásemos gran trabajo para echarla al agua porque nosotros estábamos tales, que otras cosas muy más livianas bastaban para ponernos en él. Así embarcados, a dos tiros de ballesta dentro en la mar nos dió tal golpe de agua, que nos mojó a todos. Y como íbamos desnudos, y el frío que hacía era muy grande, soltamos los remos de las manos, y a otro golpe que la mar nos dió, trastornó la
15 barca. El veedor y otros dos se asieron de ella para escaparse; mas sucedió muy al revés, que la barca los tomó debajo y se ahogaron. Como la costa es muy brava, el mar de un tumbo echó a todos los otros, envueltos en las olas y medio ahogados, en la costa de la misma isla, sin que faltasen más de los tres que la barca había tomado debajo. Los que quedamos escapados, desnudos como nacimos, y perdido todo lo que traíamos; aunque todo valía
20 poco, pero entonces valía mucho. Y como entonces era por noviembre, y el frío muy grande, y nosotros tales, que con poca dificultad se nos podía contar los huesos, estábamos hechos propia figura de la muerte. De mí sé decir que desde el mes de mayo pasado yo no había comido otra cosa sino maíz tostado, y algunas veces me ví en necesidad de comerlo crudo; porque, aunque se mataron los caballos entre tanto que las barcas se hacían, yo
25 nunca pude comer de ellos, y no fueron diez veces las que comí pescado. Esto digo por excusar razones, porque pueda cada uno ver qué tales estaríamos.

Y sobre todo lo dicho, había sobrevenido viento norte, de suerte que más estábamos cerca de la muerte que de la vida. Plugo a nuestro Señor que buscando los tizones del fuego que allí habíamos hecho, hallamos lumbre, con que hicimos grandes fuegos; y así estuvimos
30 pidiendo a nuestro Señor misericordia y perdón de nuestros pecados, derramando muchas lágrimas, habiendo cada uno lástima, no sólo de sí, mas de todos los otros, que en el mismo estado veían. A hora de puesto el sol, los indios, creyendo que no nos habíamos ido, nos volvieron a buscar y a traernos de comer; mas, cuando ellos nos vieron así en tan diferente hábito del primero, y en manera tan extraña, espantáronse tanto, que se volvieron atrás. Yo

salí a ellos y llamélos, y vinieron muy espantados. Híceles entender por señas cómo se nos había hundido una barca, y se habían ahogado tres de nosotros; y allí, en su presencia, ellos mismos vieron dos muertos; y los que quedábamos íbamos aquel camino.

Los indios, de ver el desastre que nos había venido y el desastre en que estábamos, con tanta desventura y miseria, se sentaron entre nosotros, y con gran dolor y lástima que hubieron de vernos en tanta fortuna comenzaron todos a llorar recio, y tan de verdad, que lejos de allí se podía oír y esto les duró más de media hora. Y, cierto, ver que estos hombres tan sin razón y tan crudos, a manera de brutos, se dolían tanto de nosotros, hizo que en mí y en otros de la compañía creciese más la pasión y la consideración de nuestra desdicha.

Sosegado ya este llanto, yo pregunté a los cristianos, y dije que, si a ellos parecía, rogaría a aquellos indios que nos llevasen a sus casas. Algunos de ellos que habían estado en la Nueva España respondieron que no se debía hablar en ello, porque si a sus casas nos llevaban, nos sacrificarían a sus ídolos. Mas, visto que otro remedio no había, y que por cualquier otro camino estaba más cerca y más cierta la muerte, no curé de lo que decían, antes rogué a los indios que nos llevasen a sus casas. Ellos mostraron que habían gran placer de ello, y que esperásemos un poco, que ellos harían lo que queríamos. Luego treinta de éllos se cargaron de leña, y se fueron a sus casas, que estaban lejos de allí, y quedamos con los otros hasta cerca de la noche, que nos tomaron, y llevándonos asidos y con mucha prisa, fuimos a sus casas. Por el gran frío que hacía, y temiendo que en el camino alguno no muriese o desmayase, proveyeron que hubiese cuatro o cinco fuegos muy grandes puestos a trechos, y en cada uno de ellos nos calentaban. Desde que veían que habíamos tomado alguna fuerza y calor, nos llevaban hasta el otro tan aprisa, que casi los pies no nos dejaban poner en el suelo. De esta manera fuimos hasta sus casas, donde hallamos que tenían hecha una casa para nosotros, y muchos fuegos en ella. Desde a una hora que habíamos llegado, comenzaron a bailar y hacer grande fiesta que duró toda la noche, aunque para nosotros no había placer, fiesta ni sueño, esperando cuándo nos habían de sacrificar. A la mañana nos tornaron a dar pescado y raíces, y hacer tan buen tratamiento, que nos aseguramos algo, y perdimos algo el miedo del sacrificio.

CAPÍTULO XX   *De cómo nos huimos*

Después de habernos mudado, desde a dos días nos encomendamos a Dios nuestro Señor y nos fuimos huyendo, confiando que, aunque era ya tarde y las tunas se acababan, con los frutos que quedarían en el campo podríamos andar buena parte de tierra. Yendo aquel día nuestro camino con harto temor que los indios nos habían de seguir, vimos unos humos, y yendo a ellos, después de vísperas llegamos allá, donde vimos un indio que, como vió que íbamos a él, huyó sin querernos aguardar. Nosotros enviamos al negro tras de él y como vió que iba solo, aguardólo. El negro le dijo que íbamos a buscar aquella gente que hacía aquellos humos. Él respondió que cerca de allí estaban las casas, y que nos guiaría allá; y así, lo fuimos siguiendo; y él corrió a dar aviso de cómo íbamos. Y a puesta del sol vimos las casas, y dos tiros de ballesta antes que llegásemos a ellas hallamos cuatro indios que nos esperaban, y nos recibieron bien. Dijímosles en lengua de mariames que íbamos a buscarlos. Ellos mostraron que se holgaban con nuestra compañía; y así, nos llevaron a sus

75 casas, y a Dorantes y al negro aposentaron en casa de un físico, y a mí y a Castillo en casa de otro. Estos tienen otra lengua y llámanse avavares, y son aquellos que solían llevar los arcos a los nuestros e iban a contratar con ellos. Aunque son de otra nación y lengua, entienden la lengua de aquellos con quienes antes estábamos, y aquel mismo día habían llegado allí con sus casas. Luego el pueblo nos ofreció muchas tunas, porque ellos tenían

80 noticia de nosotros y cómo curábamos, y de las maravillas que nuestro Señor con nosotros obraba, que, aunque no hubiera otras, harto grandes eran abrirnos caminos por tierra tan despoblada, y darnos gente por donde muchos tiempos no la había, y librarnos de tantos peligros, y no permitir que nos matasen, y sustentarnos con tanta hambre, y poner aquellas gentes en corazón que nos tratasen bien, como adelante diremos.

CAPÍTULO XXI *De cómo curamos aquí unos dolientes*

85 Aquella misma noche que llegamos vinieron unos indios a Castillo, y dijéronle que estaban muy malos de la cabeza, rogándole que los curase. Después que los hubo santiguado y encomendado a Dios, en aquel punto los indios dijeron que todo el mal se les había quitado; y fueron a sus casas y trajeron muchas tunas y un pedazo de carne de venado; cosa que no sabíamos qué cosa era. Como esto entre ellos se publicó, vinieron

90 otros muchos enfermos en aquella noche a que los sanase, y cada uno traía un pedazo de venado; y tantos eran, que no sabíamos a dónde poner la carne. Dimos muchas gracias a Dios porque cada día iba creciendo su misericordia y mercedes. Después que se acabaron las curas comenzaron a bailar y hacer sus areitos y fiestas, hasta otro día que el sol salió; y duró la fiesta tres días por haber nosotros venido, y al cabo de ellos les preguntamos por

95 la tierra de adelante, y por la gente que en ella hallaríamos, y los mantenimientos que en ella había. Respondiéronnos que por toda aquella tierra había muchas tunas, mas que ya eran acabadas, y que ninguna gente había, porque todos eran idos a sus casas, con haber ya cogido las tunas; y que la tierra era muy fría y en ella había muy pocos cueros. Nosotros viendo esto, que ya el invierno y tiempo frío entraba, acordamos de pasarlo con estos.

100 A cabo de cinco días que allí habíamos llegado, se partieron a buscar otras tunas adonde había otra gente de otras naciones y lenguas. Andadas cinco jornadas con muy grande hambre, porque en el camino no había tunas ni otra fruta ninguna, allegamos a un río, donde asentamos nuestras casas. Después de asentadas, fuimos a buscar una fruta de unos árboles, que es como hieros, y como por toda esta tierra no hay caminos, yo me

105 detuve más en buscarla; la gente se volvió, y yo quedé solo, y viniendo a buscarlos aquella noche me perdí, y plugo a Dios que hallé un árbol ardiendo, y al fuego de él pasé aquel frío aquella noche. A la mañana yo me cargué de leña y tomé dos tizones, y volví a buscarlos, y anduve de esta manera cinco días, siempre con mi lumbre y carga de leña, porque si el fuego se me matase en parte donde no tuviese leña, como en muchas artes no la había,

110 tuviese de hacer otros tizones y no me quedase sin lumbre, porque para el frío yo no tenía otro remedio, por andar desnudo como nací; y para las noches yo tenía este remedio, que me iba a las matas del monte, que estaba cerca de los ríos, y paraba en ellas antes que el sol

se pusiese, y en la tierra hacía un hoyo y en él echaba mucha leña, que se cría en muchos árboles, de que por allí hay muy gran cantidad, y juntaba mucha leña de la que estaba caída y seca de los árboles, y al derredor de aquel hoyo hacía cuatro fuegos en cruz, y yo tenía cargo y cuidado de rehacer el fuego de rato en rato, y hacía unas gavillas de paja larga que por allí hay, con que me cubría en aquel hoyo, y de esta manera me amparaba del frío de las noches. Una de ellas el fuego cayó en la paja con que yo estaba cubierto, y estando yo durmiendo en el hoyo comenzó a arder muy recio, y por mucha prisa que yo me dí a salir, todavía saqué señal en los cabellos del peligro en que había estado. En todo este tiempo no comí bocado ni hallé cosa que pudiese comer; y como traía los pies descalzos, corrióme de ellos mucha sangre. Dios usó conmigo de misericordia, que en todo este tiempo no ventó el norte, porque de otra manera ningún remedio había de yo vivir. A cabo de cinco días llegué a una ribera de un río, donde yo hallé a mis indios, que ellos y los cristianos me contaban ya por muerto, y siempre creían que alguna víbora me había mordido. Todos hubieron gran placer de verme, principalmente los cristianos, y me dijeron que hasta entonces habían caminado con mucha hambre, que esta era la causa que no me habían buscado. Aquella noche me dieron las tunas que tenían, y otro día partimos de allí, y fuimos donde hallamos muchas tunas, con que todos satisficieron su gran hambre, y nosotros dimos muchas gracias a nuestro Señor porque nunca nos faltaba su remedio.

CAPÍTULO XXII   *Cómo otro día nos trajeron otros enfermos*

Otro día de mañana vinieron allí muchos indios y traían cinco enfermos que estaban tullidos y muy malos, y venían en busca de Castillo que los curase. Cada uno de los enfermos ofreció sus arcos y flechas, y él los recibió, y a puesta del sol los santiguó y encomendó a Dios nuestro Señor, y todos le suplicamos con la mejor manera que podíamos les enviase salud, pues él veía que no había otro remedio para que aquella gente nos ayudase, y saliésemos de tan miserable vida. Y él lo hizo tan misericordiosamente que, venida la mañana, todos amanecieron buenos y sanos, y se fueron tan recios como si nunca hubieran tenido mal ninguno. Esto causó entre ellos muy gran admiración, y a nosotros despertó que diésemos muchas gracias a nuestro señor, a que más enteramente conociésemos su bondad y tuviésemos firme esperanza que nos había de librar y traer donde le pudiésemos servir. Y de mí sé decir que tuve siempre esperanza en su misericordia que me había de sacar de aquella cautividad, y así lo hablé siempre a mis compañeros. Cuando los indios se fueron y llevaron a los indios sanos, partimos donde estaban otros comiendo tunas, y estos se llaman cutalches y maliacones, que son otras lenguas, y junto con ellos había otros que se llamaban coayos y susolas, y de otra parte otros llamados atayos, y estos tenían guerra con los susolas, con quien se flechaban cada día.

Y como por toda la tierra no se hablase sino de los misterios que Dios nuestro Señor con nosotros obraba, venían de muchas partes a buscarnos para que los curásemos. A cabo de dos días que allí llegaron, vinieron a nosotros unos indios de los susolas y rogaron a Castillo que fuese a curar un herido y otros enfermos. Dijeron que entre ellos quedaba uno que estaba muy al cabo. Castillo era médico muy temeroso, principalmente cuando las curas eran muy temerosas y peligrosas, y creía que sus pecados habían de estorbar que no todas veces sucediese bien el curar. Los indios me dijeron que yo fuese a curarlos, porque ellos me querían bien. Y se acordaban que les había curado en las nueces, y por aquello nos habían dado nueces y cueros. Y esto había pasado cuando yo vine a juntarme con los cristianos.

Y así hube de irme con ellos, y fueron conmigo Dorantes y Estebanico. Cuando llegué cerca de los ranchos que ellos tenían, yo ví el enfermo que íbamos a curar que estaba muerto, porque estaba mucha gente al derredor de él llorando y su casa deshecha, que es señal que el dueño estaba muerto. Así, cuando yo llegué hallé el indio los ojos vueltos y sin ningún pulso, y con todas señales de muerto, según a mí me pareció, y lo mismo dijo Dorantes. Yo le quité una estera que tenía encima, con que estaba cubierto, y lo mejor que pude supliqué a nuestro Señor fuese servido de dar salud a aquel y a todos los otros que de ella tenían necesidad. Después de santiguado y soplado muchas veces, me trajeron su arco y me lo dieron, y una sera de tunas molidas, y lleváronme a curar otros muchos que estaban malos de modorra, y me dieron otras dos seras de tunas, las cuales dí a nuestros indios, que con nosotros habían venido. Hecho esto nos volvimos a nuestro aposento, y nuestros indios, a quienes dí las tunas, se quedaron allá; y a la noche se volvieron a sus casas, y dijeron que aquel que estaba muerto y yo había curado en presencia de ellos, se había levantado bueno y se había paseado, y comido y hablado con ellos, y que todos cuantos había curado quedaban sanos y muy alegres.

Esto causó muy gran admiración y espanto, y en toda la tierra no se hablaba en otra cosa. Todos aquellos a quien esta fama llegaba nos venían a buscar para que los curásemos y santiguásemos sus hijos; y cuando los indios que estaban en compañía de los nuestros, que eran los cutalchiches, se hubieron de ir a su tierra, antes que se partiesen nos ofrecieron todas las tunas que para su camino tenían, sin que ninguna les quedase, y diéronnos pedernales tan largos como palmo y medio, con que ellos cortan, y es entre ellos cosa de muy gran estima. Rogáronnos que nos acordásemos de ellos y rogásemos a Dios que siempre estuviesen buenos, y nosotros se lo prometimos; y con esto partieron los más contentos hombres del mundo, habiéndonos dado todo lo mejor que tenían.

Nosotros estuvimos con aquellos indios avavares ocho meses, y esta cuenta hacíamos por las lunas. En todo este tiempo nos venían de muchas partes a buscar, y decían que verdaderamente éramos nosotros hijos del Sol. Dorantes y el negro hasta allí no habían curado; mas por la mucha importunidad que teníamos, viniéndonos de muchas partes a buscar, venimos todos a ser médicos, aunque en atrevimiento y osar acometer cualquier cura era yo más señalado entre ellos, y ninguno jamás curamos que no nos dijese que quedaba sano; y tanta confianza tenían que habían de sanar si nosotros los curásemos, que creían que en tanto que allí nosotros estuviésemos, ninguno de ellos había de morir. Éstos y los de más atrás nos contaron una cosa muy extraña, y por la cuenta que nos figuraron parecía que había quince o diez y seis años qué había acontecido, que decían que por aquella tierra anduvo un hombre, que ellos llaman Mala Cosa, y que era pequeño de cuerpo, y que tenía barbas, aunque nunca claramente le pudieron ver el rostro, y que cuando venía a la casa donde estaban se les levantaban los cabellos y temblaban, y luego aparecía a la puerta de la casa un tizón ardiendo; y luego aquel hombre entraba y tomaba al que quería de ellos; y dábales tres cuchilladas grandes por las ijadas con un pedernal muy agudo, tan ancho como una mano y dos palmos en luengo, y metía la mano por aquellas cuchilladas y sacábales las tripas; y que cortaba de una tripa más o menos de un palmo, y aquella que cortaba echaba en las brasas; y luego le daba tres cuchilladas en un brazo, y la segunda daba por la sangradura y desconcertábaselo, y poco después se lo tornaba a concertar y poníale las manos sobre las heridas, y decíannos que luego quedaban sanos, y que muchas veces cuando bailaban aparecía entre ellos, en hábito de mujer unas veces, y otras como hombre; y cuando él quería, tomaba el buhío o casa, y subíala en alto y poco después caía con ella y daba muy gran golpe. También nos contaron que muchas veces le dieron de comer y que jamás comió; y que le preguntaban dónde comía y a qué parte tenía su casa, y que les mostró una hendidura en la tierra, y dijo que su casa era allá debajo.

De estas cosas que ellos nos decían, nos reíamos mucho, burlando de ellas; y como ellos vieron que no lo creíamos, trajeron muchos de ellos que decían que él había tomado, y vimos las señales de las cuchilladas que él había dado en los lugares en la manera que ellos contaban. Nosotros les dijimos que aquel era un malo, y de la mejor manera que podimos les dábamos a entender que si ellos creyesen en Dios Nuestro Señor y fuesen cristianos como nosotros, no tendrían miedo de aquél, ni él osaría hacerles aquellas cosas y que tuviesen por cierto que en tanto nosotros en la tierra estuviésemos, él no osaría aparecer en ella. De eso ellos se holgaron mucho y perdieron mucha parte del temor que tenían. Estos indios nos dijeron que habían visto al asturiano y a Figueroa con otros, que adelante en la costa estaban, a quien nosotros llamábamos de los higos. Toda esta gente no conocía los tiempos por el Sol ni la Luna, ni tenían cuenta de mes y año, y más entienden y saben las diferencias de los tiempos cuando las frutas vienen a madurar, y en tiempo que muere el pescado y el aparecer de las estrellas, en que son muy diestros y ejercitados. Con éstos fuimos siempre bien tratados, aunque lo que habíamos de comer lo cavábamos y traíamos nuestras cargas de agua y leña. Sus casas y mantenimientos son como las de los pasados, aunque tienen muy mayor hambre, porque no alcanzan ni maíz ni bellotas ni nueces. Anduvimos siempre en cueros como ellos, y de noche nos cubríamos con cueros de venado. De ocho meses que estuvimos con ellos, los seis padecimos mucha hambre, que tampoco alcanzan pescado.

Y al cabo de este tiempo ya las tunas comenzaban a madurar, y sin que de ellos fuésemos sentidos, nos fuimos a otros que adelante estaban llamados maliacones; éstos estaban una jornada de allí, donde yo y el negro llegamos. Al cabo de los tres días envié a que trajese a Castillo y a Dorantes; y venidos, nos partimos todos juntos, con los indios que iban a comer una frutilla de unos árboles, de que se mantienen diez o doce días, entretanto las tunas vienen y allí se juntaron con estos otros indios que se llamaban albadaos, y a éstos hallamos muy enfermos y flacos y hinchados; tanto, que nos maravillamos mucho; y los indios con quien habíamos venido se volvieron por el mismo

camino; nosotros les dijimos que nos queríamos quedar con aquellos de que ellos
235 mostraron pesar; y así, nos quedamos en el campo con aquéllos, cerca de aquellas casas, y
cuando ellos nos sirvieron, juntáronse después de haber hablado entre sí, y cada uno de
ellos tomó el suyo por la mano y nos llevaron a sus casas. Con éstos padecimos más hambre
que con los otros, porque en todo el día no comíamos más que dos puños de aquella fruta,
que estaba muy verde; tenía tanta leche, que nos quemaba las bocas; y con tener falta de
240 agua daba mucha sed a quien la comía; y como la hambre fuese tanta, nosotros
comprámosles dos perros, y a trueco de ellos les dimos unas redes y otras cosas, y un cuero
con que yo me cubría.

Ya he dicho cómo por toda esta tierra anduvimos desnudos; y cómo ya estábamos
acostumbrados a ello, a manera de serpientes mudábamos los cueros dos veces al año, y con
245 el Sol y el aire hacíansenos en los pechos y en las espaldas unos empeines muy grandes, de
que recibíamos muy gran pena por razón de las muy grandes cargas que traíamos, que eran
muy pesadas; y hacían que las cuerdas se nos metían por los brazos; y la tierra es tan áspera
y tan cerrada, que muchas veces hacíamos leña en montes, que cuando la acabábamos de
sacar nos corría por muchas partes sangre de las espinas y matas con que topábamos, que
250 nos rompían por donde alcanzaban. A veces me aconteció hacer leña donde, después de
haberme costado mucha sangre, no la podía sacar ni a cuestas ni arrastrando. No tenía,
cuando en estos trabajos me veía, otro medio ni consuelo sino pensar en la pasión de
nuestro redentor Jesucristo y en la sangre que por mí derramó, y considerar cuánto más
sería el tormento que de las espinas él padeció que no aquel que yo entonces sufría.
255 Contrataba con unos indios haciéndoles peines, y con arcos y con flechas y con redes.
Hacíamos esteras, que son cosas de que ellos tienen mucha necesidad; y aunque lo saben
hacer, no quieren ocuparse de nada, por buscar entretanto que comer, y cuando entienden
en eso pasan muy gran hambre. Otras veces, me mandaban raer cueros y ablandarlos; y la
mayor prosperidad en que yo allí me vi era el día que me daban a raer alguno porque yo lo
260 raía muy mucho y comía de aquellas raeduras y aquello me bastaba para dos o tres días.
También nos aconteció con éstos y con los que atrás habíamos dejado, darnos un pedazo
de carne y comérnoslo así crudo, porque si lo pusiéramos a asar, el primer indio que llegaba
se lo llevaba y comía; parecíasnos que no era bien ponerla en esta ventura, y también
nosotros no estábamos tales, que nos dábamos pena comerlo asado, y no lo podíamos tan
265 bien pasar como crudo. Esta es la vida que allí tuvimos, y aquel poco sustentamiento lo
ganábamos por los rescates que por nuestras manos hicimos.

Sugerencias para el análisis de *Naufragios*

1. Analiza la evolución de las relaciones entre los españoles y los indios en el Capítulo XII.
   ¿Por qué al principio escribe Cabeza de Vaca "hicieron venir [los indios] sus mujeres e
   hijos para que nos viesen"? ¿Cómo se explica la compasión que sienten los indios al final
   cuando ven la situación patética de los españoles?

2. Usando un mínimo de cinco adjetivos, describe la actitud y el tono del narrador hacia los

problemas de los españoles relatados en el Capítulo XII.

3. Entre los Capítulos XII y XX, Cabeza de Vaca cuenta cómo su grupo de náufragos encuentra a otros españoles en la isla, cómo trata de escaparse y cómo por fin se queda allí hasta abril del año siguiente. A causa de las severas condiciones del tiempo, sólo 15 de los 80 que se encontraban allí sobrevivieron el primer invierno. Por eso, dan el nombre de "Malhado" *(bad luck)* a la isla. Al enfermarse, Cabeza de Vaca es transportado al continente y pierde la oportunidad de escaparse con doce de sus compañeros. En la primavera lo llevan otra vez a la isla, de donde, en el Capítulo XX, planea escaparse, empezando el recorrido por tierra de Texas a la ciudad de México, que hará con tres de sus compañeros. Comenta su recepción por la primera tribu de indios al final del Capítulo XX.

4. ¿A quién le atribuyen los españoles los poderes de sus curaciones? Explica la importancia de la religión para las expediciones en general y para Cabeza de Vaca como cronista. Analiza su profesión de fe al principio del Capítulo XXII.

5. Analiza el relato detallado de las penas que sufre Cabeza de Vaca durante los cinco días en que se pierde, según el Capítulo XXI. Haz una lista de los elementos necesarios para sobrevivir en tales circunstancias: en la primera columna anota las necesidades humanas y, en la segunda, cómo el narrador logra satisfacer estos requisitos.

6. Lee con atención la narración de la curación de los indios por los españoles en el segundo párrafo del Capítulo XXII. Compárala con esta descripción del Capítulo XV (la primera en la literatura española) de cómo los indios se curaban: "La manera que ellos tienen en curarse es ésta: [...] Lo que el médico hace es darle unas sajas donde tiene el dolor, y chúpanles al derredor de ellas. Dan cauterios de fuego, que es cosa entre ellos tenida por muy provechosa, y yo lo he experimentado, y me sucedió bien de ello; y después de esto, soplan aquel lugar que les duele, y con esto creen ellos que se les quita el mal". Analiza cómo los españoles integran las prácticas de la medicina indígena con sus propias creencias y prácticas.

7. Explica la importancia del título que los indios ponen a los españoles que los curan, "hijos de Sol". ¿Cómo entiendes el "milagro" producido en el Capítulo XXII cuando los españoles resucitan a un muerto?

8. Lee con atención la historia del hombre llamado Mala Cosa. ¿Te parece verosímil? ¿Cuál es su importancia para los indios, y para qué fines usan la historia los españoles?

9. Los españoles padecen de mucha hambre y trabajan como esclavos durante el tiempo que pasan con los indios arbadaos (al final del Capítulo XXII). Analiza la actitud de Cabeza de Vaca hacia los sufrimientos de esa temporada. ¿Por qué se compara con Jesucristo durante estas penas? ¿Te parece irónico que los hombres que habían venido como conquistadores trabajen de esclavos en esa época?

Temas de discusión y ensayo

1. Comenta el autorretrato de Cabeza de Vaca en estos capítulos: ¿en qué se parece y en que

se distingue del héroe tradicional?

2. Haz una lista de las tribus indias que menciona Cabeza de Vaca y trata de averiguar algo acerca de su idioma, localización geográfica y cultura. ¿Existen descendientes de estas tribus hoy en día?

3. Compara y contrasta la representación de los indios por Cabeza de Vaca con la de los indígenas en el cuento "La noche boca arriba" de Julio Cortázar. ¿Cuál es más realista?

4. En el Capítulo XIV de los *Naufragios*, Cabeza de Vaca cuenta la triste historia de cinco españoles de la expedición original que tienen tanta hambre el primer invierno que recurren al canibalismo: "A pocos días sucedió tal tiempo de fríos y tempestades, que los indios no podían arrancar las raíces, y de los cañales en que pescaban ya no había provecho ninguno, y como las casas eran tan desabrigadas, comenzóse a morir la gente; y cinco cristianos que estaban en rancho en la costa llegaron a tal extremo, que se comieron los unos a los otros, hasta que quedó uno solo, que por ser solo no hubo quien lo comiese". ¿Conoces otras historias de canibalismo? Si tuvieras tanta hambre como estos hombres, ¿qué harías?

5. En un artículo publicado en 1979, Gabriel García Márquez comenta el *realismo mágico* que ya existía en las crónicas del Nuevo Mundo: "No hay escritores menos creíbles y al mismo tiempo apegados a la realidad que los cronistas de Indias, porque el problema con que tuvieron que luchar era el de hacer creíble una realidad que iba más lejos que la imaginación". Compara los rasgos maravillosos o míticos en la crónica de Cabeza de Vaca con los de "Un señor muy viejo con unas alas enormes" o con "El ahogado más hermoso del mundo".

6. Al llegar a México al final de su primer viaje, Cabeza de Vaca cuenta que "el gobernador nos recibió muy bien, y de lo que tenía nos dio de vestir; lo cual yo por muchos días no pude traer, ni podíamos dormir sino en el suelo" (Capítulo XXXVI). En tu opinión, ¿por qué los cuatro sobrevivientes, desnudos como los indios por los ocho años de su viaje, no pueden acostumbrarse inmediatamente a las costumbres del mundo "civilizado"? ¿Han experimentado una transformación verdadera de una cultura a otra?

Actividades

1. Ver la película mexicana *Cabeza de Vaca* (1990, en español con subtítulos en inglés). Dirigida por Nicolás Echevarría y escrita por Guillermo Sheridan y Nicolás Echevarría, su guión está inspirado en *Naufragios*. Se puede conseguir en Facets o el Instituto Cervantes.

2. Hacer un mapa del suroeste de América del Norte trazando la ruta de Cabeza de Vaca y de otros exploradores del nuevo mundo.

3. Hacer, individualmente o por grupos, una investigación histórica de las culturas precolombinas para preparar un informe en PowerPoint. Como material se pueden utilizar los códices mayas y aztecas, libros de arte e información del internet.

4. Seleccionar por grupos los párrafos o aspectos de mayor interés para los lectores de aquella época y de la actual.

5. Tratar de identificar afirmaciones históricamente sorprendentes y explicar el por qué: ¿Ignorancia? ¿Deseos de informar al público de lo que quiere oír? ¿Interpretación personal para dar más interés al relato? ¿Hipérbole?

6. Cabeza de Vaca llega al Nuevo Mundo del siglo XXI. Por grupos o individualmente, los estudiantes escriben la crónica. Tienen que poner un título al estilo del autor y narrar una escena específica en primera persona y con gran detalle.

Garcilaso de la Vega

(1501-1536)

Datos biográficos

Toledano y de linaje noble, Garcilaso de la Vega encarnó en su vida uno de los ideales cortesanos del Renacimiento: la síntesis del hombre de letras y el hombre de armas. Educado en la corte, Garcilaso estudió con los grandes humanistas de su tiempo. También luchó con el ejército del emperador Carlos V en múltiples batallas, incluyendo la defensa de la isla de Rodas, la campaña de Francia de 1522, la guerra de los Comuneros en la que fue herido y el asalto de la fortaleza de Muy, donde sufrió una herida que le causó la muerte. Garcilaso contrajo matrimonio en 1525 con Elena de Zúñiga. La pasión de su vida e inspiración de muchos poemas, sin embargo, parece haber sido la portuguesa Isabel Freyre.

A pesar de su valentía y de haber asistido a la coronación de Carlos V, el soldado-poeta fue desterrado por el emperador a una isla del Danubio tras una ofensa personal: Garcilaso había servido de testigo, en contra de órdenes del emperador, en una boda. Pero gracias al esfuerzo del influyente Duque de Alba, quien ayudó a tramitar el perdón oficial, Garcilaso viajó a Nápoles con un cargo diplomático. Estas circunstancias biográficas serían de gran repercusión literaria. Fue en Italia donde entabló las amistades que le introdujeron a la poesía italiana, un encuentro que tendría profundo efecto en los versos de Garcilaso y en los de muchos poetas a quienes inspiró.

La poesía de Garcilaso

Garcilaso de la Vega y su amigo Juan Boscán son los primeros poetas españoles que incorporan con éxito la estética renacentista italiana al verso español. Siguiendo el modelo de Petrarca, Garcilaso y Boscán renuevan por completo la técnica de la poesía peninsular. Entre los cambios más importantes destacan: el uso en la métrica del verso endecasílabo; y en la estructura, la introducción de gran variedad de combinaciones de estrofas (sonetos, liras, silvas, octavas y tercetos) que aparecen en géneros como la canción, la égloga y la elegía. A partir de esta ruptura lírica, el verso de ocho sílabas se emplea casi exclusivamente en la poesía popular y se desprestigia el uso del de doce sílabas típico del arte mayor.

La obra de Petrarca sirve también de fuente temática para los versos de Garcilaso.

Predominan como temas el amor, la naturaleza y los mitos paganos frecuentemente tomados de los poetas romanos Ovidio, Virgilio y Horacio. Desviándose por entero de la poesía religiosa, la lírica de Garcilaso se enfoca en el hombre y en sus sentimientos. Se representa un deseo casi siempre melancólico que llora la pérdida de la amada o el amor no correspondido. El mundo bucólico o pastoril, en su armonía y belleza, sirve de marco para los encuentros amorosos y de modelo para la expresión artística. Las referencias a la antigüedad clásica también se enlazan íntimamente con las emociones del artista: se poetizan, por ejemplo, mitos de amantes clásicos y temas horacianos como el *carpe diem*. El "yo" poético, poseedor de una mirada autocontemplativa, estudia minuciosamente su estado afectivo.

Respetando el ideal de la naturalidad, el estilo de Garcilaso es estudiosamente sencillo. Se hallan en sus poemas figuras retóricas pero de simplicidad elegantemente armoniosa: la expresión es culta y delicada, pero siempre comedida.

SONETO XXIII

En tanto que de rosa y azucena[1]
se muestra la color en vuestro gesto[2],
y que vuestro mirar ardiente, honesto,
enciende el corazón y lo refrena[3];

5 y en tanto que el cabello, que en la vena
del oro se escogió, con vuelo presto[4],
por el hermoso cuello blanco, enhiesto[5],
el viento mueve, esparce[6] y desordena;

coged de vuestra alegre primavera
10 el dulce fruto, antes que el tiempo airado
cubra de nieve la hermosa cumbre[7].

Marchitará[8] la rosa el viento helado,
Todo lo mudará[9] la edad ligera[10],
Por no hacer mudanza en su costumbre.

1. white lily
2. face

3. reins in

4. quick
5. upright
6. scatters

7. peak

8. will wither
9. will change
10. light; fickle

Sugerencias para el análisis del poema

1. ¿Cuál es el tema central del poema? Explica qué pensamientos distintos introducen los dos cuartetos y los dos tercetos del soneto.

2. Identifica las imágenes naturales de las primeras dos estrofas. ¿Qué elementos de la naturaleza corresponden a qué partes del cuerpo? ¿Cómo emplea el poeta las imágenes para crear el retrato de una mujer?

3. Analiza la perspectiva dentro de este poema. ¿Quién habla? ¿A quién? ¿Se dirige la voz poética solamente a la mujer? Observa el último terceto.

4. Comenta los tiempos verbales. ¿Qué efecto tienen los cambios?

5. ¿Qué metáforas se emplean para sugerir la noción de la pérdida de la belleza?

6. ¿Qué significado tienen las estaciones del año en el poema? ¿Cómo se relacionan con el tema del *carpe diem*?

Temas de discusión y ensayos

1. Compara la representación de la naturaleza en Garcilaso y Góngora. ¿En qué se parecen y diferencian?

2. ¿Cómo es el retrato de la mujer en el poema? ¿Cuál es el resultado de una descripción tan fragmentada? ¿Obtiene el lector una visión completa de la mujer a través del poema?

3. ¿Cómo se diferencian los géneros masculino y femenino en el poema? ¿Quién posee la voz poética? A primera vista puede parecer que hay un solo poder dominante: comenta este tema. ¿Hay alguna ambigüedad?

4. Observa la fluidez que da al poema el hecho de que unos versos continúen en otros. ¿Cómo se llama este fenómeno? ¿Cómo se relaciona con el tema del poema?

5. En tu opinión, el tema recurrente de la celebración de la belleza femenina en la literatura y el arte, ¿responde a una consideración hacia la mujer? ¿O es una mera experimentación estética? Presenta ejemplos específicos históricos o contemporáneos.

Actividades

1. Presentar en clase cuadros de Boticelli (*El nacimiento de Venus o La primavera*), como retratos idealizados de la mujer.

2. Los estudiantes tratan de dibujar a la mujer del soneto, siguiendo literalmente los detalles mencionados por el poeta, para ver el sorprendente retrato que emerge.

La vida del Lazarillo de Tormes

1554

De autor desconocido, *La Vida del Lazarillo de Tormes* o *El Lazarillo*, como se suele llamar, es la primera novela de un género literario característico de la literatura española: *la picaresca*. Se llama así a un grupo de novelas escritas en el siglo XVI y XVII que parten de *El Lazarillo* y alcanzan su culminación con la historia de *Guzmán de Alfarache*. Se caracterizan estas novelas por una aguda sátira social. El protagonista entra en contacto con personajes muy variados y observa la vida de diferentes clases sociales con una gran mezcla de amargura, sarcasmo, ironía y escepticismo. El género picaresco tiende a desaparecer hacia la mitad del siglo XVII pero deja una huella importante: *El Lazarillo* se considera como un precursor clave de la novela moderna.

En 1554 aparecen tres ediciones de *El Lazarillo*, una de Burgos, otra de Amberes y otra de Alcalá. Desde el momento de su aparición, *El Lazarillo* tuvo un éxito inmenso. En ninguna de estas tres ediciones, que presentan algunas variantes, figura el nombre del autor. Aunque a lo largo de los años se han sugerido varios nombres, la crítica considera la obra anónima. Lo que sí sabemos es que el autor poseía un gran sentido de observación, una profunda sabiduría de la vida y una cultura amplia. En su obra nos da una aguda visión de la sociedad española y las costumbres de su tiempo. El concepto del honor y la corrupción del clero son algunos de los temas que el autor trata con un estilo muy personal.

Aunque el autor usa paradojas, antítesis, metáforas, arcaísmos y otros recursos estilísticos de la tradición literaria, *El Lazarillo* se caracteriza por un estilo natural, sencillo, vivo, directo y coloquial, lleno de expresiones populares como conviene a un muchacho joven. Se nos da una viva observación de la realidad, teñida a veces de ingenuidad pero no exenta de humor. *El Lazarillo* consta de un prólogo y siete tratados. Es un relato escrito en primera persona en el que el protagonista, ya adulto, cuenta de forma retrospectiva las peripecias de su infancia y juventud. Esta forma autobiográfica de la novela es uno de sus elementos más innovadores.

Nace Lázaro en las orillas del río Tormes y casi todas las aventuras de este muchacho insignificante, de ínfima extracción social, se desarrollan en tierras de Salamanca y Toledo. La vida de Lázaro es una vida vulgar, sin ambiciones o aspiraciones. La estructura episódica de la novela se basa en que el Lazarillo sirve sucesivamente a varios amos: un ciego, un clérigo, un fraile mercedario, un buldero, un maestro pintor y un alguacil. En la sucesión de amos, nos presenta el autor una variada galería de tipos humanos de la sociedad de la época (siglo XVI), particularmente el aspecto más negro de una sociedad marginada. La unidad de la novela se consigue por medio de la presencia constante del protagonista, pero se pueden leer los tratados independientemente. El tercer episodio es el más conocido: Lázaro sirve a un escudero a quien el honor impide trabajar, pero que no siente escrúpulos al consentir que Lázaro mendigue para ganar el sustento de los dos. Amo y criado están unidos por el hambre dándose la paradoja de que el sirviente alimente al amo. El autor nos describe esta relación con gran dignidad no exenta de compasión. *El Lazarillo* ve la luz en un momento en que España ostenta la hegemonía europea, pero se advierten ya los indicios que anuncian la decadencia. El protagonista de las novelas picarescas, el *pícaro*, viene a romper con la prosa anterior idealizante o pastoril donde los protagonistas son heroicos caballeros o artificiosos pastores. La figura del pícaro es una crítica contra la idea del honor basado en falsas apariencias, dinero y limpieza de sangre. Podemos considerar a Lázaro como un antihéroe, la contrafigura del caballero, conquistador y santo. Es un joven a quien la sociedad enseña a utilizar sus mañas e ingenio para integrarse en esa misma sociedad y prosperar. Su vida es un largo camino que le lleva de la inocencia a la experiencia.

Notas para facilitar la lectura

● *El Lazarillo* empieza con un prólogo en boca del mismo Lázaro. Está dirigido a "vuestra merced", persona importante de quien Lázaro va a ser empleado y que le ha pedido alguna explicación. Lázaro decide contarle toda su vida y aventuras que constituyen la narración.

- Además de algunos arcaísmos como *do* por *donde*, *aqueste* por *este*, *haber* por *tener*, etc., se puede ver en *El Lazarillo* el uso constante del pronombre después del verbo: *fuilo* por *lo fui*, *púseme* por *me puse*, *dióme* por *me dio* y otros semejantes.
- Como es normal en la época, se usa continuamente la conjunción *mas* en lugar de *pero*.

LA VIDA DEL LAZARILLO DE TORMES

TRATADO PRIMERO

CUENTA LÁZARO SU VIDA Y CUYO HIJO FUE

Pues sepa vuestra merced, ante todas cosas, que a mí llaman Lázaro de Tormes, hijo de Tomé Gonzáles y de Antona Pérez, naturales de Tejares, aldea de Salamanca. Mi nacimiento fue dentro del río Tormes, por la cual causa tomé el sobrenombre, y fue de esta manera. Mi padre, que Dios perdone, tenía cargo de proveer una molienda de una aceña,
5 que está en la ribera de aquel río, en la cual fue molinero más de quince años. Y estando mi madre una noche en la aceña, preñada de mí, tomóle el parto y parióme allí. De manera que con verdad me puedo decir nacido en el río.

Pues siendo yo niño de ocho años, achacaron a mi padre ciertas sangrías mal hechas en los costales de los que allí a moler venían, por lo cual fue preso y confesó y no negó y
10 padeció persecución por justicia. Espero en Dios que esté en la gloria, pues el Evangelio los llama bienaventurados. En este tiempo se hizo cierta armada contra moros, entre los cuales fue mi padre, que a la sazón estaba desterrado por el desastre ya dicho, con cargo de acemilero de un caballero que allá fue. Y con su señor, como leal criado, feneció su vida.

Mi viuda madre, como sin marido y sin abrigo se viese, determinó arrimarse a los
15 buenos por ser uno de ellos y vínose a vivir a la ciudad y alquiló una casilla y metióse a guisar de comer a ciertos estudiantes y lavaba la ropa a ciertos mozos de caballos del Comendador de la Magdalena, de manera que fue frecuentando las caballerizas.

Ella y un hombre moreno, de aquellos que las bestias curaban, vinieron en conocimiento. Este algunas veces se venía a nuestra casa y se iba a la mañana. Otras veces,
20 de día llegaba a la puerta en achaque de comprar huevos, y entrábase en casa. Yo, al principio de su entrada, pesábame con él y habíale miedo, viendo el color y mal gesto que tenía; mas, de que vi que con su venida mejoraba el comer, fuile1 queriendo bien, porque siempre traía pan, pedazos de carne y en el invierno leños a que nos calentábamos.

De manera que, continuando la posada y conversación, mi madre vino a darme un
25 negrito muy bonito, el cual yo brincaba y ayudaba a calentar.

Y acuérdome que, estando el negro de mi padrastro trebejando con el mozuelo, como el niño veía a mi madre y a mí blancos y a él no, huía de él, con miedo, para mi madre y, señalando con el dedo, decía: "¡Madre, coco!"

Respondió él riendo: "¡Hideputa!".
30 Yo, aunque bien muchacho, noté aquella palabra de mi hermanico y dije entre mí:

"¡Cuántos debe de haber en el mundo que huyen de otros porque no se ven a sí mismos!".

Quiso nuestra fortuna que la conversación del Zaide, que así se llamaba, llegó a oídos del Mayordomo y, hecha pesquisa, hallóse que la mitad por medio de la cebada que para las bestias le daban, hurtaba, y salvados, leña, almohazas, mandiles y las mantas y sábanas de los caballos hacía perdidas; y cuando otra cosa no tenía, las bestias desherraba, y con todo esto acudía a mi madre para criar a mi hermanico. No nos maravillemos de un clérigo ni fraile, porque el uno hurta de los pobres y el otro de casa para sus devotas y para ayuda de otro tanto, cuando a un pobre esclavo el amor le animaba a esto.

Y probósele cuanto digo y aún más. Porque a mí con amenazas me preguntaban, y como niño respondía y descubría cuanto sabía con miedo, hasta ciertas herraduras, que por mandado de mi madre a un herrero vendí.

Al triste de mi padrastro azotaron y pringaron y a mi madre pusieron pena por justicia, sobre el acostumbrado centenario, que en casa del sobredicho Comendador no entrase ni al lastimado, Zaide en la suya acogiese.

Por no echar la soga tras el caldero, la triste se esforzó y cumplió la sentencia. Y por evitar peligro y quitarse de malas lenguas se fue a servir a los que al presente vivían en el mesón de la Solana. Y allí, padeciendo mil importunidades, se acabó de criar mi hermanico, hasta que supo andar, y a mí hasta ser buen mozuelo, que iba a los huéspedes por vino y candelas y por lo demás que me mandaban.

En este tiempo vino a posar al mesón un ciego, el cual, pareciéndole que yo sería para adiestrarle, me pidió a mi madre, y ella me encomendó a él, diciéndole como era hijo de un buen hombre, el cual por ensalzar la fe había muerto en la de los Gelves y que ella confiaba en Dios no saldría peor hombre que mi padre y que le rogaba me tratase bien y mirase por mí, pues era huérfano.

El respondió que así lo haría y que me recibía no por mozo, sino por hijo. Y así le comencé a servir y adiestrar a mi nuevo y viejo amo.

Como estuvimos en Salamanca algunos días, pareciéndole a mi amo que no era la ganancia a su contento, determinó irse de allí; y cuando nos hubimos de partir, yo fui a ver a mi madre y, ambos llorando, me dio su bendición y dijo:

—Hijo, ya sé que no te veré más. Procura de ser bueno y Dios te guíe. Criado te he y con buen amo te he puesto; válete por ti.

Y así me fui para mi amo, que esperándome estaba.

Salimos de Salamanca, y llegando a la puente, está a la entrada de ella un animal de piedra, que casi tiene forma de toro, y el ciego mandóme que llegase cerca del animal y allí puesto, me dijo:

—Lázaro, llega el oído a este toro y oirás gran ruido dentro de él.

Yo simplemente llegué, creyendo ser así. Y como sintió que tenía la cabeza par de la piedra, afirmó recio la mano y dióme una gran calabazada en el diablo del toro, que más de tres días me duró el dolor de la cornada, y díjome:

—Necio, aprende, que el mozo del ciego un punto ha de saber más que el diablo.

Y rió mucho la burla.

Parecióme que en aquel instante desperté de la simpleza en que como niño dormido estaba.

Dije entre mí:

75 "Verdad dice éste, que me cumple avivar el ojo y avisar, pues solo soy, y pensar cómo me sepa valer".

Comenzamos nuestro camino y en muy pocos días me mostró jerigonza. Y como me viese de buen ingenio, holgábase mucho y decía:

—Yo oro ni plata no te lo puedo dar; mas avisos para vivir, muchos te mostraré.

80 Y fue así que después de Dios, éste me dio la vida, y siendo ciego me alumbró y adiestró en la carrera de vivir.

Huelgo de contar a vuestra merced estas niñerías, para mostrar cuánta virtud sea saber los hombres subir siendo bajos y dejarse bajar siendo altos, cuánto vicio.

Pues tornando al bueno de mi ciego y contando sus cosas, vuestra merced sepa que,
85 desde que Dios crió el mundo, ninguno formó más astuto ni sagaz. En su oficio era un águila. Ciento y tantas oraciones sabía de coro. Un tono bajo, reposado y muy sonable, que hacía resonar la iglesia donde rezaba; un rostro humilde y devoto, que con muy buen continente ponía cuando rezaba, sin hacer gestos ni visajes con boca ni ojos, como otros suelen hacer.

90 Allende de esto, tenía otras mil formas y maneras para sacar el dinero. Decía saber oraciones para muchos y diversos efectos: para mujeres que no parían, para las que estaban de parto, para las que eran malcasadas, que sus maridos las quisiesen bien. Echaba pronósticos a las preñadas, si traían hijo o hija.

Pues en caso de medicina, decía que Galeno no supo la mitad que él para muela,
95 desmayos, males de madre. Finalmente, nadie le decía padecer alguna pasión, que luego no le decía:

—Haced esto, haréis estotro, coged tal yerba, tomad tal raíz.

Con esto andábase todo el mundo tras él, especialmente mujeres, que cuanto les decía, creían. De éstas sacaba él grandes provechos con las artes que digo y ganaba más en un mes
100 que cien ciegos en un año.

Mas también quiero que sepa vuestra merced que, con todo lo que adquiría y tenía, jamás tan avariento ni mezquino hombre no vi, tanto que me mataba a mí de hambre y así no me remediaba de lo necesario. Digo verdad: si con mi sutileza y buenas mañas no me supiera remediar, muchas veces me finara de hambre; mas con todo su saber y aviso le
105 contraminaba de tal suerte, que siempre o las más veces me cabía lo más y mejor. Para esto le hacía burlas endiabladas, de las cuales contaré algunas, aunque no todas a mi salvo.

El traía el pan y todas las otras cosas en un fardel de lienzo, que por la boca se cerraba con una argolla de hierro y su candado y su llave; y al meter todas las cosas y sacarlas, era con tan gran vigilancia y tanto por contadero, que no bastara hombre en todo el mundo
110 hacerle menos una migaja. Mas yo tomaba aquella laceria que él me daba, la cual en menos de dos bocados era despachada.

Después que cerraba el candado y se descuidaba, pensando que yo estaba entendiendo en otras cosas, por un poco de costura, que muchas veces del un lado del fardel descosía y tornaba a coser, sangraba el avariento fardel, sacando no por tasa pan, mas buenos pedazos,

115   torreznos y longaniza. Y así buscaba conveniente tiempo para rehacer, no la chaza, sino la endiablada falta que el mal ciego me faltaba.

      Todo lo que podía sisar y hurtar traía en medias blancas y, cuando le mandaban rezar y le daban blancas, como él carecía de vista, no había el que se la daba amagado con ella, cuando yo la tenía lanzada en la boca y la media aparejada, que por presto que él echaba la

120   mano, ya iba de mi cambio aniquilada en la mitad del justo precio. Quejábaseme el mal ciego, porque al tiento luego conocía y sentía que no era blanca entera, y decía:

      —¿Qué diablo es esto, que, después que conmigo estás, no me dan sino medias blancas, y de antes una blanca y un maravedí hartas veces me pagaban? En ti debe estar esta desdicha.

125   También él abreviaba el rezar y la mitad de la oración no acababa, porque me tenía mandado que, en yéndose el que la mandaba rezar, le tirase por cabo del capuz. Yo así lo hacía. Luego él tornaba a dar voces, diciendo:

      —¿Mandan rezar tal y tal oración?, como suelen decir.

      Usaba poner cabe sí un jarrillo de vino, cuando comíamos, y yo muy de presto le asía

130   y daba un par de besos callados y tornábale a su lugar. Mas durome poco. Que en los tragos conocía la falta y por reservar su vino a salvo, nunca después desamparaba el jarro, antes lo tenía por el asa asido. Mas no había piedra imán, que así trajese a sí, como yo con una paja larga de centeno, que para aquel menester tenía hecha, la cual, metiéndola en la boca del jarro, chupando el vino, lo dejaba a buenas noches. Mas como fuese el traidor tan astuto,

135   pienso que me sintió, y de allí en adelante mudó propósito y asentaba su jarro entre las piernas, y atapábale con la mano y así bebía seguro.

      Yo, como estaba hecho al vino, moría por él y, viendo que aquel remedio de la paja no me aprovechaba ni valía, acordé en el suelo del jarro hacerle una fuentecilla y agujero sutil, y delicadamente, con una muy delgada tortilla de cera, taparlo; y al tiempo de comer,

140   fingiendo haber frío, entrábame entre las piernas del triste ciego a calentarme en la pobrecilla lumbre que teníamos, y al calor de ella luego derretida la cera, por ser muy poca, comenzaba la fuentecilla a destilarme en la boca, la cual yo de tal manera ponia, que maldita la gota se perdía. Cuando el pobreto iba a beber, no hallaba nada.

      Espantábase, maldecíase, daba al diablo el jarro y el vino, no sabiendo qué podía ser.

145   —No diréis, tío, que os lo bebo yo —decia—, pues no le quitáis de la mano.

      Tantas vueltas y tientos dio al jarro que halló la fuente y cayó en la burla; mas así lo disimuló como si no lo hubiera sentido.

      Y luego otro día, teniendo yo rezumando mi jarro como solía, no pensando el daño que me estaba aparejado, ni que el mal ciego me sentía, sentéme como solía, estando

150   recibiendo aquellos dulces tragos, mi cara puesta hacia el cielo, un poco cerrados los ojos por mejor gustar el sabroso licor; sintió el desesperado ciego que ahora tenía tiempo de tomar de mi venganza, y con toda su fuerza, alzando con dos manos aquel dulce y amargo jarro, le dejó caer sobre mi boca, ayudándose, como digo, con todo su poder, de manera

que el pobre Lázaro, que de nada de esto se guardaba, antes, como otras veces, estaba
descuidado y gozoso, verdaderamente me pareció que el cielo, con todo lo que en él hay,
me había caído encima.

Fue tal el golpecillo que me desatinó y sacó de sentido, y el jarrazo tan grande, que
los pedazos de él se me metieron por la cara, rompiéndomela por muchas partes, y me
quebró los dientes, sin los cuales hasta hoy día me quedé. Desde aquella hora quise mal al
mal ciego y aunque me quería y regalaba y me curaba, bien vi que se había holgado del cruel
castigo. Lavóme con vino las roturas que con los pedazos del jarro me había hecho, y
sonriéndose decía:

—¿Qué te parece, Lázaro? Lo que te enfermó te sana y da salud.

Y otros donaires que a mi gusto no lo eran.

Ya que estuve medio bueno de mi negra trepa y cardenales, considerando que a pocos
golpes tales el cruel ciego ahorraría de mí, quise yo ahorrar de él; mas no lo hice tan presto
por hacerlo más a mi salvo y provecho. Y aunque yo quisiera asentar mi corazón y
perdonarle el jarrazo, no daba lugar el mal tratamiento que el mal ciego de allí adelante me
hacía, que sin causa ni razón me hería, dándome coscorrones y repelándome.

Y si alguno le decía por qué me trataba tan mal, luego contaba el cuento del jarro,
diciendo:

—¿Pensaréis que este mi mozo es algún inocente? Pues oíd si el demonio ensayara otra
tal hazaña.

Santiguándose los que lo oían, decían:

—¡Mirad quién pensara de un muchacho tan pequeño tal ruindad!

Y reían mucho del artificio, y decíanle:

—Castigadlo, castigadlo, que de Dios lo habréis.

Y él, con aquello, nunca otra cosa hacía.

Y en esto yo siempre le llevaba por los peores caminos, y adrede, por le hacer mal
daño: si había piedras, por ellas; si lodo, por lo más alto; que, aunque yo no iba por lo más
enjuto, holgábame a mí de quebrar un ojo por quebrar dos al que ninguno tenía. Con esto,
siempre con el cabo alto del tiento me atentaba el colodrillo, el cual siempre traía lleno de
tolondrones y pelado de sus manos Y aunque yo juraba no lo hacer con malicia, sino por
no hallar mejor camino, no me aprovechaba ni me creía más: tal era el sentido y el
grandísimo entendimiento del traidor.

Y porque vea vuestra merced a cuanto se extendía el ingenio de este astuto ciego,
contaré un caso de muchos que con él me acaecieron, en el cual me parece dio bien a
entender su gran astucia. Cuando salimos de Salamanca, su motivo fue venir a tierra de
Toledo, porque decía ser la gente más rica, aunque no muy limosnera. Arrimábase a este
refrán: "Más da el duro que el desnudo". Y vinimos a este camino por los mejores lugares.
Donde hallaba buena acogida y ganancia, deteníamonos; donde no, al tercer día hacíamos
San Juan.

Acaeció que, llegando a un lugar que llaman Almorox al tiempo que cogían las uvas,
un vendimiador le dio un racimo de ellas en limosna. Y como suelen ir los cestos

195 maltratados y también porque la uva en aquel tiempo esta muy madura, desgranábasele el racimo en la mano. Para echarlo en el fardel tornábase mosto y lo que a él se llegaba.

Acordó de hacer un banquete, así por no lo poder llevar, como por contentarme, que aquel día me había dado muchos rodillazos y golpes. Sentámonos en un valladar, y dijo:

—Ahora quiero yo usar contigo de una liberalidad, y es que ambos comamos este
200 racimo de uvas y que hayas de él tanta parte como yo. Partirlo hemos de esta manera: tú picarás una vez y yo otra, con tal que me prometas no tomar cada vez más de una uva. Yo haré lo mismo hasta que lo acabemos y de esta suerte no habrá engaño.

Hecho así el concierto, comenzamos; mas luego al segundo lance el traidor mudó propósito y comenzó a tomar de dos en dos, considerando que yo debería hacer lo mismo.
205 Como vi que él quebraba la postura, no me contenté ir a la par con él; mas aún pasaba adelante: dos a dos y tres a tres y como podía las comía. Acabado el racimo, estuvo un poco con el escobajo en la mano, y, meneando la cabeza, dijo:

—Lázaro, engañado me has. Juraré yo a Dios que has tú comido las uvas tres a tres.

—No comí —dije yo—, mas, ¿por qué sospecháis eso?
210 Respondió el sagacísimo ciego:

—¿Sabes en qué veo que las comiste tres a tres?

—En que comía yo dos a dos y callabas.

A lo cual yo no respondí. Yendo que íbamos así por debajo de unos soportales, en Escalona, adonde a la sazón estábamos, en casa de un zapatero había muchas sogas y otras
215 cosas que de esparto se hacen, y parte de ellas dieron a mi amo en la cabeza. El cual, alzando la mano, tocó en ellas y viendo lo que era, dijome:

—Anda presto, muchacho; salgamos de entre tan mal manjar, que ahoga sin comerlo.

Yo, que bien descuidado iba de aquello, miré lo que era, y como no vi sino sogas y cinchas, que no era cosa de comer, dijele:
220 —Tío, ¿por qué decís eso?

Respondióme:

—Calla, sobrino; según las mañas que llevas, lo sabrás y verás cómo digo verdad.

Y así pasamos adelante por el mesmo portal y llegamos a un mesón, a la puerta del cual había muchos cuernos en la pared, donde ataban los recueros sus bestias, y como iba
225 tentando si era allí el mesón adonde él rezaba cada día por la mesonera la oración de la emparedada, asió de un cuerno, y con un gran suspiro dijo:

"¡Oh, mala cosa, peor que tienes la hechura!

¡De cuántos eres deseado poner tu nombre sobre cabeza ajena y de cuán pocos tenerte ni aún oír tu nombre, por ninguna via!".
230 Como le oí lo que decía, dije:

—Tío, ¿qué es esto que decís?

—Calla, sobrino, que algún día te dará éste que en la mano tengo alguna mala comida y cena.

—No le comeré yo —dije—, y no me la dará
235 —Yo te digo verdad; si no, verlo has, si vives.

Y así pasamos adelante hasta la puerta del mesón, adonde pluguiere a Dios nunca allá llegáramos, según lo que me sucedió en él.

Era todo lo más que rezaba por mesoneras, y por bodegoneras y turroneras y rameras y así por semejantes mujercillas; que por hombre casi nunca le vi decir oración.

240 Reíme entre mí, y aunque muchacho, noté mucho la discreta consideración del ciego.

Mas, por no ser prolijo, dejo de contar muchas cosas, así graciosas como de notar, que con este mi primer amo me acaecieron, y quiero decir el despidiente y con él acabar. Estábamos en Escalona, villa del duque de ella, en un mesón, y diome un pedazo de longaniza que le asase. Ya que la longaniza había pringado y comídose las pringadas, sacó

245 un maravedí de la bolsa y mandó que fuese por él de vino a la taberna. Púsome el demonio el aparejo delante los ojos, el cual, como suelen decir, hace al ladrón, y fue que había cabe el fuego un nabo pequeño, larguillo y ruinoso y tal que, por no ser para la olla, debió ser echado allí.

Y como al presente nadie estuviese sino él y yo solos, como me vi con apetito goloso,

250 habiéndome puesto dentro el sabroso olor de la longaniza, del cual solamente sabía que había de gozar, no mirando qué me podría suceder, pospuesto todo temor por cumplir con el deseo, en tanto que el ciego sacaba de la bolsa el dinero, saqué la longaniza y muy presto metí el sobredicho nabo en el asador; el cual, mi amo, dándome el dinero para el vino, tomó y comenzó a dar vueltas al fuego, queriendo asar al que de ser cocido, por sus deméritos

255 había escapado.

Yo fui por el vino, con el cual no tardé en despachar la longaniza y, cuando vine, hallé al pecador del ciego, que tenía entre dos rebanadas apretado el nabo, al cual aún no había conocido por no lo haber tentado con la mano. Como tomase las rebanadas y mordiese en ellas, pensado también llevar parte de la longaniza, hallóse en frío con el frío nabo. Alteróse

260 y dijo:

—¿Qué es esto, Lazarillo?

—¡Lacerado de mí! —dije yo—. ¿Si queréis a mí echar algo? ¿Yo no vengo de traer el vino? Alguno estaba ahí y por burlar haría esto.

—No, no —dijo él—, que yo no he dejado el asador de la mano; no es posible.

265 Yo torné a jurar y perjurar que estaba libre de aquel trueco y cambio; mas poco me aprovechó, pues a las astucias del maldito ciego nada se le escondía. Levantóse y asióme por la cabeza y llegóse a olerme. Y como debió sentir el huelgo, a uso de buen podenco, por mejor satisfacerse de la verdad y con la gran agonía que llevaba, asiéndome con las manos, abríame la boca más de su derecho y desatentadamente metía la nariz, la cual él tenía luenga

270 y afilada, y a aquella sazón, con el enojo, se había aumentado un palmo; con el pico de la cual me llegó a la gulilla.

Y con esto, y con el gran miedo que tenía, y con la brevedad del tiempo, la negra longaniza aún no había hecho asiento en el estómago, y lo más principal, con el destiento de la cumplidísima nariz, medio casi ahogándome, todas estas cosas se juntaron y fueron

275 causa que el hecho y golosina se manifestase y lo suyo fuese vuelto a su dueño. De manera que antes que el mal ciego sacase de mi boca su trompa, tal alteración sintió mi estómago,

que le dio con el hurto en ella, de suerte que su nariz y la negra mal mascada longaniza a un tiempo salieron de mi boca.

¡Oh gran Dios!, ¡quién estuviera aquella hora sepultado, que muerto ya lo estaba! Fue tal el coraje del perverso ciego que, si al ruido no acudieran, pienso que no me dejara con vida. Sacáronme de entre sus manos, dejándoselas llenas de aquellos pocos cabellos que tenía, arañada la cara y rasguñado el pescuezo y la garganta. Y esto bien lo merecía, pues por su maldad me venían tantas persecuciones.

Contaba el mal ciego a todos cuantos allí se allegaban mis desastres y dábales cuenta una y otra vez, así de la del jarro como de la del racimo y ahora de lo presente. Era la risa de todos tan grande que toda la gente que por la calle pasaba entraba a ver la fiesta: mas con tanta gracia y donaire recontaba el ciego mis hazañas que, aunque yo estaba tan maltratado y llorando, me parecía que hacía injusticia en no se las reír.

Y en cuanto esto pasaba, a la memoria me vino una cobardía y flojedad que hice porque me maldecía, y rue no dejarle sin narices, pues tan buen tiempo tuve para ello que la mitad del camino lo estaba pensando: que con sólo apretar los dientes se me quedaran en casa y, con ser de aquel malvado, por ventura, las retuviera mejor mi estómago que retuvo la longaniza, y, no pareciendo ellas, pudiera negar la demanda. Pluguiera a Dios que lo hubiera hecho, que eso fuera así que así.

Hiciéronnos amigos la mesonera y los que allí estaban, y con el vino que para beber le había traído, laváronme la cara y la garganta. Sobre lo cual discantaba el mal ciego donaires, diciendo:

—Por verdad, más vino me gasta este mozo en lavatorios al cabo del año que yo bebo en dos. A lo menos, Lázaro, eres en más cargo al vino que a tu padre, porque él una vez te engendró, mas el vino mil veces te ha dado la vida.

Y luego contaba cuántas veces me había descalabrado y harpado la cara que con vino luego sanaba.

—Yo te digo —dijo—, que si algún hombre en el mundo ha de ser bienaventurado con vino, ese serás tú.

Y reían mucho los que me lavaban con esto, aunque yo renegaba. Mas el pronóstico del ciego no salió mentiroso, y después acá me acuerdo muchas veces de aquel hombre, que sin duda debía tener espíritu de profecía, y me pesa de los sinsabores que le hice, aunque bien se lo pagué, considerando que lo que aquel día dijo me saliera tan verdadero como adelante vuestra merced oirá.

Visto esto y las malas burlas que el ciego burlaba de mí, determiné del todo y en todo dejarle, y, como lo traía pensado y lo tenía en voluntad, con este postrer juego que me hizo, afirmélo más. Y fue así que luego otro día salimos por la villa a pedir limosna y había llovido mucho la noche antes. Y porque el día también llovía, y andaba rezando debajo de unos portales que en aquel pueblo había, donde no nos mojábamos, mas como la noche se venía y el llover no cesaba, díjome el ciego:

—Lázaro, esta agua es muy porfiada, y cuanto la noche más cierra, más arrecia. Acojámonos a la posada con tiempo.

Para ir ahí habíamos de pasar un arroyo, que con la mucha agua iba grande.

Yo le dije:

—Tío, el arroyo va muy ancho; mas si queréis, yo veo por dónde atravesemos más aína sin nos mojar, porque se estrecha allí mucho y saltando pasaremos a pie enjuto.

Parecióle buen consejo y dijo:

—Discreto eres, por esto te quiero bien. Llévame a ese lugar donde el arroyo se nos angosta, que ahora es invierno y sabe mal el agua y más llevar los pies mojados.

Yo que vi el aparejo a mi deseo, saquéle debajo de los portales y llevélo derecho de un pilar o poste de piedra, que en la plaza estaba, sobre el cual y sobre otros cargaban saledizos de aquellas casas, y dígole:

—Tío, éste es el paso más angosto que en el arroyo hay.

Como llovía recio y el triste se mojaba, y con la prisa que llevábamos de salir del agua, que encima de nos caía, y, lo más principal, porque Dios le cegó aquella hora el entendimiento (fue por darme de él venganza), creyóse de mí y dijo:

—Ponme bien derecho y salta tú el arroyo.

Yo le puse bien derecho enfrente del pilar y doy un salto y póngome detrás del poste, como quien espera tope de toro, y díjele:

—¡Sus! Saltad todo lo que podáis, porque deis de este cabo del agua.

Aun apenas lo había acabado de decir, cuando se abalanza el pobre ciego como cabrón y de toda su fuerza arremete, tomando un paso atrás de la corrida para hacer mayor salto, ¡y da con la cabeza en el poste!, que sonó tan recio como si diera con una gran calabaza, y cayó luego para atrás medio muerto y hendida la cabeza.

—¿Cómo, y oliste la longaniza y no el poste? ¡Oledl! ¡Oled! —le dije yo.

Y dejéle en poder de mucha gente, que lo había ido a socorrer, y tomé la puerta de la villa en los pies de un trote y, antes que la noche viniese, di conmigo en Torrijos. No supe más lo que Dios de él hizo, ni curé de lo saber.

TRATADO SEGUNDO

CÓMO LÁZARO SE ASENTÓ CON UN CLÉRIGO Y DE LAS COSAS QUE CON EL PASÓ

Otro día, no pareciéndome estar allí seguro, fuime a un lugar que llaman Maqueda, adonde me toparon mis pecados con un clérigo que, llegando a pedir limosna, me preguntó si sabía ayudar a misa. Yo dije que sí como era verdad; que, aunque maltratado, mil cosas buenas me mostró el pecador del ciego y una de ellas fue ésta. Finalmente, el clérigo me recibió por suyo.

Escapé del trueno y di con el relámpago. Porque era el ciego para con éste un Alejandro Magno, con ser la misma avaricia, como he contado. No digo más, sino que toda la laceria del mundo estaba encerrada en éste. No sé si de su cosecha era, o lo había anexado con el hábito de clerecía.

El tenía un arcaz viejo y cerrado con su llave, la cual traía atada con una agujeta del paletoque. Y en viniendo el bodigo de la iglesia, por su mano era luego allí lanzado y tornada a cerrar el arca. Y en toda la casa no había ninguna cosa de comer, como suele estar en otras: algún tocino colgado al humero, algún queso puesto en alguna tabla o en el armario, algún canastillo con algunos pedazos de pan, que de la mesa sobran. Que me parece a mí que, aunque de ello no me aprovechara, con la vista de ello me consolara.

360 Solamente había una horca de cebollas y tras la llave de una cámara en lo alto de la casa. De éstas tenía yo de ración una para cada cuatro días y, cuando le pedía la llave para ir por ella, si alguno estaba presente, él echaba mano al falsopeto y con gran continencia la desataba y me la daba diciendo:

—Toma y vuélvela luego y no hagas sino golosinar.

365 Como si debajo de ella estuvieran todas las conservas de Valencia, con no haber en la dicha cámara, como dijo, maldita la otra cosa que las cebollas colgadas de un clavo; las cuales él tenía tan bien por cuenta, que si por mis malos pecados me desmandara a más de mi tasa, me costara caro.

Finalmente, yo me finaba de hambre. Pues, ya que conmigo tenía poca caridad, 370 consigo usaba más. Cinco blancas de carne era su ordinario para comer y cenar. Verdad es que partía conmigo del caldo. Que de la carne, ¡tan blanco el ojo!, sino un poco de pan, y ¡pluguiera a Dios que me demediara!

Los sábados cómense en esta tierra cabezas de carnero y enviábame por una, que costaba tres maravedís. Aquélla la cocía y comía los ojos y la lengua y el cogote y sesos y 375 la carne que en las quijadas tenía, y dábame todos los huesos roídos. Y dábamelos en el plato, diciendo:

—Toma, come, triunfa, que para ti es el mundo. Mejor vida tienes que el papa.

"¡Tal te la dé Dios!", decía yo paso entre mí.

A cabo de tres semanas que estuve con él, vine a tanta flaqueza que no me podía tener 380 en las piernas de pura hambre. Vime claramente ir a la sepultura si Dios y mi saber no me remediaban. Para usar de mis mañas no tenía aparejo, por no tener en qué darle salto. Y aunque algo hubiera, no podía cegarle, como hacía al que Dios perdone, si de aquella calabazada feneció; que todavía, aunque astuto, con faltarle aquel preciado sentido, no me sentía; mas estotro, ninguno hay que tan aguda vista tuviese como él tenía.

385 Cuando al ofertorio estábamos, ninguna blanca en la concha caía, que no era de el registrada. El un ojo tenía en la gente y el otro en mis manos. Bailábanle los ojos en el casco como si fueran de azogue. Cuantas blancas ofrecían tenía por cuenta. Y acabado el ofrecer, luego me quitaba la concheta y la ponía sobre el altar.

No era yo señor de asirle una blanca todo el tiempo que con él viví, o, por mejor decir, 390 morí. De la taberna nunca le traje una blanca de vino; mas aquel poco que de la ofrenda había metido en su arcaz, lo compasaba de tal forma que le duraba toda la semana.

Y por ocultar su gran mezquindad, decíame:

—Mira, mozo, los sacerdotes han de ser muy templados en su comer y beber y por esto yo no me desmando como otros.

395 Mas el lacerado mentía falsamente, porque en cofradías y mortuorios que rezamos, a costa ajena comía como lobo y bebía más que un saludador.

Y porque dije de mortuorios, Dios me perdone, que jamás fui enemigo de la

naturaleza humana, sino entonces. Y esto era porque comíamos bien y me hartaban.
Deseaba y aún rogaba a Dios que cada día matase el suyo. Y cuando dábamos sacramento
a los enfermos, especialmente la Extremaunción, como manda el clérigo rezar a los que
están allí, yo cierto no era el postrero de la oración y con todo mi corazón y buena voluntad
rogaba al Señor, no que la echase a la parte que mas servido fuese, como se suele decir, mas
que le llevase de aqueste mundo.

Y cuando alguno de éstos escapaba, ¡Dios me lo perdone!, que mil veces le daba al
diablo. Y el que se moría, otras tantas bendiciones llevaba de mí dichas. Porque en todo el
tiempo que allí estuve, que sería casi seis meses, sólo veinte personas fallecieron. y éstas bien
creo que las maté yo o, por mejor decir, murieron a mi recuesta. Porque viendo el Señor mi
rabiosa y continua muerte, pienso que holgaba de matarlos por darme a mí vida. Mas de
lo que al presente padecía, remedio no hallaba. Que si el día que enterrábamos yo vivía, los
días que no había muerto, por quedar bien vezado de la hartura, tornando a mi cotidiana
hambre, más lo sentía. De manera que en nada hallaba descanso, salvo en la muerte, que yo
también para mí, como para los otros, deseaba algunas veces; mas no la veía, aunque estaba
siempre en mí.

Pensé muchas veces irme de aquel mezquino amo, mas por dos cosas lo evitaba: La
primera por no me atrever a fiar de mis piernas, por temor de la flaqueza, que de pura
hambre me venía. Y la otra, consideraba y decía:

"Yo he tenido dos amos: el primero traíame muerto de hambre y dejándole, topé con
este otro, que me tiene ya con ella en la sepultura; pues, si de éste desisto y doy en otro más
bajo, ¿qué será sino fenecer?"

Con esto no me osaba menear, porque tenía por fe que todos los grados había de
hallar más ruines. Y a abajar otro punto, no sonara Lázaro ni se oyera en el mundo.

Pues estando en tal aflicción, cual plega al Señor librar de ella a todo fiel cristiano, y
sin saber darme consejo, viéndome ir de mal en peor, un día que el cuitado, ruin y lacerado
de mi amo había ido fuera del lugar, llegóse acaso a mi puerta un calderero, el cual yo creo
que fue ángel enviado a mí por la mano de Dios en aquel hábito. Preguntóme si tenía algo
que adobar.

—En mí tendríais bien que hacer y no haríais poco, si me remediáseis —dije tan paso
que no me oyó.

Mas, como no era tiempo de gastarlo en decir gracias, alumbrado por el Espíritu
Santo, le dije:

—Tío, una llave de este arcaz he perdido y temo mi señor me azote. Por vuestra vida,
veáis si en esas que traéis, hay alguna que le haga, que yo os lo pagaré.

Comenzó a probar el angélico calderero una y otra de un gran sartal que de ellas traía,
y yo ayudarle con mis flacas oraciones. Cuando no me cato, veo en figura de panes, como
dicen, la cara de Dios dentro del arcaz. Y abierto, díjele:

—Yo no tengo dineros que os dar por la llave; mas tomad de ahí el pago.

El tomó un bodigo de aquéllos, el que mejor le pareció, y dándome mi llave, se fue
muy contento, dejándome más a mí.

Mas no toqué en nada por el presente, porque no fuese la falta sentida y aún porque
me vi de tanto bien señor, que parecióme que la hambre no se me osaba a llegar. Vino el
Mísero de mi amo, y quiso Dios no mirara en la oblada que el ángel había llevado.

Y otro día, en saliendo de casa, abro mi paraíso panal y tomo entre las manos y
dientes un bodigo y en dos credos le hice invisible, no se me olvidando el arca abierta. Y
comienzo a barrer la casa con mucha alegría, pareciéndome con aquel remedio remediar de
allí en adelante la triste vida. Y así estuve con ello aquel día y otro gozoso. Mas no estaba
en mi dicha que me durase mucho aquel descanso, porque luego, al tercer día, me vino la
terciana derecha.

Y fue que veo a deshora al que me mataba de hambre sobre nuestro arcaz, volviendo
y revolviendo, contando y tornando a contar los panes. Yo disimulaba y en mi secreta
oración y devociones y plegarias decía:

"¡San Juan, ciégale!"

Después que estuvo un gran rato, echando la cuenta, por días y dedos contando, dijo:

—Si no tuviera a tan buen recaudo esta arca, yo dijera que me habían tomado de ella
panes; por eso hoy, y sólo por cerrar la puerta a la sospecha, quiero tener buena cuenta con
ellos. Nueve quedan y un pedazo.

"¡Nuevas malas te dé Dios!", dije yo entre mí.

Parecióme con lo que dijo traspasarme el corazón con saeta de montero y comenzóme
el estómago a escarbar de hambre, viéndose puesto en la dieta pasada.

Se fue fuera de casa. Yo, por consolarme, abro el arca y como vi el pan, comencéle a
adorar, no osando recibirlo. Contélos, si a dicha el lacerado se errara, y hallé su cuenta más
verdadera que yo quisiera. Lo más que yo pude hacer fue dar en ellos mil besos, y lo más
delicado que yo pude del partido partí un poco al pelo que él estaba y con aquél pasé aquel
día, no tan alegre como el pasado.

Mas como la hambre creciese, mayormente que tenía el estómago hecho a más pan
aquellos dos o tres días ya dichos, moría mala muerte; tanto que otra cosa no hacía en
viéndome solo sino abrir y cerrar el arca y contemplar en aquella cara de Dios, que así dicen
los niños. Mas el mismo Dios, que socorre a los afligidos, viéndome en tal estrecho, trajo
a mi memoria un pequeño remedio, que considerando entre mí, dije:

"Este arquetón es viejo y grande y roto por algunas partes, aunque pequeños agujeros.
Puédese pensar que ratones entrando en él hacen daño a este pan. Sacarlo entero no es cosa
conveniente, porque verá la falta el que en tanta me hace vivir. Esto bien se sufre".

Y comienzo a desmigajar el pan sobre unos no muy costosos manteles que allí
estaban, y tomo uno y dejo otro, de manera que en cada cual de tres o cuatro desmigajé un
poco. Después, como quien toma gragea, lo comí y algo me consolé. Mas él, como viniese
a comer y abriese el arca, vio el mal pesar y sin duda creyó ser ratones los que el daño
habían hecho; porque estaba muy al propio contrahecho de como ellos lo suelen hacer.
Miró todo el arcaz de un cabo a otro y vióle ciertos agujeros por do sospechaba habían
entrado. Llamóme diciendo:

—¡Lázaro!, ¡mira!, ¡mira qué persecución ha venido aquesta noche por nuestro pan!

480   Yo híceme muy maravillado, prejuntándole que sería.

    —¡Qué ha de ser! —dijo él—. Ratones, que no dejan cosa a vida.

    Pusímonos a comer y quiso Dios que aun en esto me fue bien. Que me cupo más pan que la laceria que me solía dar. Porque ralló con un cuchillo todo lo que pensó ser ratonado, diciendo:

485   —Cómete eso, que ratón cosa limpia es.

    Y así, aquel día, añadiendo la ración del trabajo de mis manos, o de mis uñas por mejor decir, acabamos de comer, aunque yo nunca empezaba.

    Y luego me vino otro sobresalto, que fue verle andar solícito quitando clavos de las paredes y buscando tablillas, con las cuales clavó y cerró todos los agujeros de la vieja arca.

490   "¡Oh Señor mío! dije yo entonces, ¡a cuánta miseria y fortuna y desastres estamos puestos los nacidos y cuán poco duran los placeres de esta nuestra trabajosa vida! Heme aquí, que pensaba con este pobre y triste remedio remediar y pasar mi laceria y estaba ya cuantoque alegre y de buena ventura. Mas no quiso mi desdicha, despertando a este lacerado de mi amo y poniéndole más diligencia de la que él de suyo se tenía (pues los

495 míseros, por la mayor parte, nunca de aquélla carecen), ahora cerrando los agujeros del arca, cerrase la puerta a mi consuelo y la abriese a mis trabajos."

    Así lamentaba yo, en tanto que mi solícito carpintero con muchos clavos y tablillas dio fin a sus obras diciendo:

    —Ahora, dones traidores ratones, conviéneos mudar propósito, que en esta casa mala

500 medra tenéis.

    De que salió de su casa, voy a ver la obra y hallé que no dejó en la triste y vieja arca agujero ni aun por donde le pudiese entrar un mosquito. Abro con mi desaprovechada llave, sin esperanza de sacar provecho, y vi los dos o tres panes comenzados, los que mi amo creyó ser ratonados, y de ellos todavía saqué alguna laceria, tocándolos muy ligeramente, a uso

505 de esgrimidor diestro. Como la necesidad sea tan gran maestra, viéndome con tanta siempre, noche y día estaba pensando la manera que tendría en sustentar el vivir. Y pienso, para hallar estos negros remedios, que me era luz la hambre, pues dicen que el ingenio con ella se avisa y al contrario con la hartura, y así era por cierto en mí.

    Pues estando una noche desvelado en este pensamiento, pensando cómo me podía

510 valer y aprovecharme del arcaz, sentí que mi amo dormía, porque lo mostraba con roncar y en unos resoplidos grandes que daba cuando estaba durmiendo. Levantéme muy quedito, y, habiendo en el día pensado lo que había de hacer y dejado un cuchillo viejo, que por allí andaba, en parte donde le hallase, voyme al triste arcaz y por donde había mirado tener menos defensa le acometí con el cuchillo, que a manera de barreno de él usé. Y como la

515 antiquísima arca, por ser de tantos años, la hallase sin fuerza y corazón, antes muy blanda y carcomida, luego se me rindió y consintió en su costado, por mi remedio, un buen agujero. Esto hecho, abro muy paso la llagada arca y, al tiento del pan que hallé partido, hice según deyuso está escrito. Y con aquello algún tanto consolado, tornando a cerrar, me volví a mis pajas, en las cuales reposé y dormí un poco.

520   Lo cual yo hacía mal y echábalo al no comer. Y así sería, porque cierto en aquel

tiempo no me debían de quitar el sueño los cuidados del rey de Francia.

Otro día fue por el señor mi amo visto el daño, así del pan como del agujero que yo había hecho, y comenzó a dar al diablo los ratones y decir:

—¿Qué diremos a esto? ¡Nunca haber sentido ratones en esta casa sino ahora!

525   Y sin duda debía de decir verdad. Porque, si casa había de haber en el reino justamente de ellos privilegiada, aquella, de razón, había de ser, porque no suelen morar donde no hay qué comer. Torna a buscar clavos por la casa y por las paredes, y tablillas a atapárselos. Venida la noche y su reposo, luego era yo puesto en pie con mi aparejo, y cuantos él tapaba de día, destapaba yo de noche.

530   En tal manera fue y tal prisa nos dimos, que sin duda por esto se debió decir: donde una puerta se cierra otra se abre. Finalmente, parecíamos tener a destajo la tela de Penélope, pues cuanto él tejía de día rompía yo de noche. Y en pocos días y noches pusimos la pobre despensa de tal forma, que quien quisiera propiamente de ella hablar, más corazas viejas de otro tiempo que no arcaz la llamara, según la clavazón y tachuelas sobre sí tenía.

535   De que vio no le aprovechar nada su remedio, dijo:

—Este arcaz está tan maltratado y es de madera tan vieja y flaca, que no habrá ratón a quien se defienda. Y va ya tal que, si andamos mas con él, nos dejará sin guarda. Y aun lo peor, que, aunque hace poca, todavía hará falta faltando y me pondrá en costa de tres o cuatro reales. El mejor remedio que hallo, pues es el de hasta aquí no me aprovecha: armaré

540   por de dentro a estos ratones malditos.

Luego buscó prestada una ratonera, y, con cortezas de queso que a los vecinos pedía, contino el gato estaba armado dentro del arca. Lo cual era para mí singular auxilio. Porque, puesto caso que yo no había menester muchas salsas para comer, todavía me holgaba con las cortezas del queso que de la ratonera sacaba, y sin esto no perdonaba el ratonar del

555   bodigo.

Como hallase el pan ratonado y el queso comido y no cayese el ratón que lo comía, dábase al diablo preguntaba a los vecinos qué podría ser comer el queso y sacarlo de la ratonera y no caer ni quedar dentro el ratón y hallar caída la trampilla del gato.

Acordaron los vecinos no ser el ratón el que este daño hacía, porque no fuera menos

560   de haber caído alguna vez. Díjole un vecino:

—En vuestra casa yo me acuerdo que solía andar una culebra y ésta debe de ser sin duda. Y lleva razón, que, como es larga, tiene lugar de tomar el cebo y, aunque la coja la trampilla encima, como no entre toda dentro, tórnase a salir.

Cuadró a todos lo que aquél dijo y alteró mucho a mi amo y de allí en adelante no

565   dormía tan a sueño suelto. Que cualquier gusano de la madera que de noche sonase, pensaba ser la culebra que le roía el arca. Luego era puesto en pie y con un garrote que a la cabecera, desde que aquello le dijeron, ponía, daba en la pecadora del arca grandes garrotazos, pensando espantar la culebra. A los vecinos despertaba con el estruendo que hacía y a mí no me dejaba dormir. Ibase a mis pajas y trastornábalas y a mí con ellas,

570   pensando que se iba para mí y se envolvía en mis pajas o en mi sayo. Porque le decían que de noche acaecía a estos animales, buscando calor, irse a las cunas donde están criaturas y

aun morderlas y hacerles peligrar. Yo las más veces hacía del dormido y en la mañana decíame él:

—¿Esta noche, mozo, no sentiste nada? Pues tras la culebra anduve, y aun pienso se ha de ir para ti a la cama, que son muy frías y buscan calor.

—Plegue a Dios que no me muerda —decía yo—, que harto miedo le tengo.

De esta manera andaba tan elevado y levantado del sueño, que, mi fe, la culebra o culebro, por mejor decir, no osaba roer de noche ni levantarse al arca; mas de día, mientras estaba en la iglesia o por el lugar, hacía mis saltos. Los cuales daños viendo él y el poco remedio que les podía poner, andaba de noche, como digo, hecho trasgo.

Yo hube miedo que con aquellas diligencias no me topase con la llave que debajo de las pajas tenía, y parecióme lo más seguro meterla de noche en la boca. Porque ya, desde que viví con el ciego, la tenía tan hecha bolsa, que me acaecía tener en ella doce o quince maravedís todo en medias blancas, sin que me estorbasen el comer. Porque de otra manera no era señor de una blanca, que el maldito ciego no cayese con ella, no dejando costura ni remiendo que no me buscaba muy a menudo.

Pues, así como digo, metía cada noche la llave en la boca y dormía sin recelo que el brujo de mi amo cayese con ella; más cuando la desdicha ha de venir, por demás es diligencia. Quisieron mis hados, o por mejor decir mis pecados, que una noche que estaba durmiendo, la llave se me puso en la boca, que abierta debía tener, de manera y tal postura, que el aire y resoplo que yo durmiendo echaba salía por lo hueco de la llave, que de cañuto era, y silbaba, según mi desastre quiso, muy recio, de tal manera que el sobresaltado de mi amo lo oyó y creyó sin duda ser el silbo de la culebra, y cierto lo debía parecer.

Levantóse muy paso con su garrote en la mano, y al tiento y sonido de la culebra se llegó a mí con mucha quietud, por no ser sentido de la culebra. Y como cerca se vio, pensó que allí en las pajas donde yo estaba echado, al calor mío se había venido. Levantando bien el palo, pensando tenerla debajo y darle tal garrotazo que la matase, con toda su fuerza me descargó en la cabeza un tan gran golpe, que sin ningún sentido y muy mal descalabrado me dejó.

Como sintió que me había dado, según yo debía hacer gran sentimiento con el fiero golpe, contaba él que se había llegado a mí, y dándome grandes voces llamándome, procuró recordarme; mas, como me tocase con las manos, tentó la mucha sangre que se me iba, y conoció el daño que me había hecho Y con mucha prisa fue a buscar lumbre y, llegando con ella, hallóme quejando, todavía con mi llave en la boca, que nunca la desamparé, la mitad fuera, bien de aquella manera que debía estar al tiempo que silbaba con ella.

Espantado el matador de culebras qué podría ser aquella llave, miróla sacándomela del todo de la boca, y vio lo que era, porque en las guardas nada de la suya diferenciaba. Fue luego a probarla y con ella probó el maleficio.

Debió de decir el cruel cazador:

"El ratón y culebra que me daban la guerra y me comían mi hacienda he hallado".

De lo que sucedió en aquellos tres días siguientes ninguna fe daré, porque los tuve en el vientre de la ballena; mas de como esto que he contado, oí, después que en mí torné, decir a mi amo, el cual a cuantos allí venían lo contaba por extenso.

A cabo de tres días yo torné en mi sentido y vime echado en mis pajas, la cabeza toda
emplastada y llena de aceites y ungüentos, y espantado dije:

—¿Qué es esto?

Respondióme el cruel sacerdote:

—A fe que los ratones y culebras que me destruían ya los he cazado

Y miré por mí y vime tan maltratado, que luego sospeché mi mal.

A esta hora entró una vieja que ensalmaba, y los vecinos. Y comiénzanme a quitar
trapos de la cabeza y curar el garrotazo. Y como me hallaron vuelto en mi sentido,
holgáronse mucho y dijeron:

—Pues ha tornado en su acuerdo, placerá a Dios no será nada.

Ahí tornaron de nuevo a contar mis cuitas y a reírlas, y yo, pecador, a llorarlas. Con
todo esto, diéronme de comer, que estaba transido de hambre y apenas me pudieron
remediar. Y así, de poco en poco, a los quince días me levanté y estuve sin peligro (mas no
sin hambre) y medio sano.

Luego otro día que fui levantado, el señor mi amo me tomó por la mano y sacóme la
puerta fuera y, puesto en la calle, díjome:

—Lázaro, de hoy más eres tuyo y no mío. Busca amo y vete con Dios; que yo no quiero
en mi compañía tan diligente servidor. No es posible sino que hayas sido mozo de ciego.

Y santiguándose de mí, como si yo estuviera endemoniado, tórnase a meter en casa y
cierra su puerta.

TRATADO TERCERO

CÓMO LÁZARO SE ASENTÓ CON UN ESCUDERO Y DE LO QUE LE ACAECIÓ CON ÉL

De esta manera me fue forzado sacar fuerzas de flaqueza, y poco a poco, con ayuda
de las buenas gentes, di conmigo en esta insigne ciudad de Toledo, adonde, con la merced
de Dios, de allí a quince días se me cerró la herida. Y mientras estaba malo, siempre me
daban alguna limosna; mas después que estuve sano, todos me decían:

—Tú, bellaco y gallofero eres. Busca, busca un amo a quien sirvas.

"¿Y adónde se hallará ése, decía yo entre mí, si Dios ahora de nuevo, como crió el
mundo, no le criase?"

Andando así discurriendo de puerta en puerta, con harto poco remedio, porque ya la
caridad se subió al cielo, topóme Dios con un escudero, que iba por la calle, con razonable
vestido, bien peinado, su paso y compás en orden. Miróme y yo a él y díjome:

—Muchacho, ¿buscas amo?

Yo le dije: —Sí, señor.

—Pues vente tras mí —me respondió—, que Dios te ha hecho merced en topar conmigo.
Alguna buena oración rezaste hoy.

Y seguíle dando gracias a Dios, por lo que le oí y también que me parecía, según su
hábito y continente, ser el que yo había menester.

Era de mañana cuando éste mi tercer amo topé. Y llevóme tras sí gran parte de la ciudad. Pasábamos por las plazas donde se vendía pan y otras provisiones. Yo pensaba, y aun deseaba, que allí me quería cargar de lo que se vendía, porque ésta era la hora propia cuando se suele proveer de lo necesario; mas muy a tendido paso pasaba por estas cosas.

655 "Por ventura no lo ve aquí a su contento, decía yo, y querrá que lo compremos en otro cabo."

De esta manera anduvimos hasta que dio las once. Entonces se entró en la iglesia mayor, y yo tras él, y muy devotamente le vi oír misa y los otros oficios divinos hasta que todo fue acabado y la gente ida. Entonces salimos de la iglesia.

A buen paso tendido comenzamos a ir por una calle abajo. Yo iba el más alegre del 660 mundo en ver que no nos habíamos ocupado en buscar de comer. Bien consideré que debía ser hombre, mi nuevo amo, que se proveía en junto, y que ya la comida estaría a punto y tal como yo la deseaba y aun la había menester.

En este tiempo dio el reloj la una después de mediodía, y llegamos a una casa, ante la cual mi amo se paró, y yo con él, y, derribando el cabo de la capa sobre el lado izquierdo, 665 sacó una llave de la manga y abrió su puerta y entramos en casa; la cual tenía la entrada oscura y lóbrega de tal manera, que parece que ponía temor a los que en ella entraban; aunque dentro de ella estaba un patio pequeño y razonables cámaras.

Después que fuimos entrados quita de sobre sí su capa, y, preguntando si tenía las manos limpias, la sacudimos y doblamos y, muy limpiamente, soplando un poyo que allí 670 estaba, la puso en él. Y hecho esto, sentóse cabo de ella, preguntándome muy por extenso de dónde era y cómo había venido a aquella ciudad.

Y yo le di más larga cuenta que quisiera, porque me parecía más conveniente hora de mandar poner la mesa y escudillar la olla que de lo que me pedía. Con todo eso, yo le satisfice de mi persona lo mejor que mentir supe, diciendo mis bienes y callando lo demás, 675 porque me parecía no ser para en cámara. Esto hecho, estuvo así un poco y yo luego vi mala señal, por ser ya casi las dos y no le ver más aliento de comer que a un muerto.

Después de esto, consideraba aquel tener cerrada la puerta con llave, ni sentir arriba ni abajo pasos de viva persona por la casa. Todo lo que yo había visto eran paredes, sin ver en ella silleta, ni tajo, ni banco, ni mesa, ni aun tal arcaz como el de marras. Finalmente, 680 esta parecía casa encantada. Estando así, díjome:

—Tú, mozo, ¿has comido?

—No, señor —dije yo—, que aún no eran dadas las ocho cuando con vuestra merced encontré.

—Pues aunque de mañana, yo había almorzado y, cuando así como algo, hágote saber 685 que hasta la noche me estoy así. Por eso, pásate como pudieres, que después cenaremos.

Vuestra merced crea, cuando esto le oí, que estuve en poco de caer de mi estado, no tanto de hambre como por conocer de todo en todo la fortuna serme adversa. Allí se me representaron de nuevo mis fatigas y torné a llorar mis trabajos; allí se me vino a la memoria la consideración que hacía cuando me pensaba ir del clérigo, diciendo que, aunque 690 aquél era desventurado y mísero, por ventura toparía con otro peor. Finalmente allí lloré mi trabajosa vida pasada y mi cercana muerte venidera.

Y con todo, disimulando lo mejor que pude, le dije:

—Señor, mozo soy, que no me fatigo mucho por comer, bendito Dios. De eso me podré yo alabar entre todos mis iguales, por de mejor garganta, y así fui yo loado de ella
695   hasta hoy día de los amos que yo he tenido.

—Virtud es ésa —dijo él—, y por eso te querré yo más, porque el hartar es de los puercos y el comer regladamente es de los hombres de bien.

"¡Bien te he entendido!, dije yo entre mí. ¡Maldita tanta medicina y bondad, como aquestos mis amos que yo hallo, hallan en la hambre!"
700   Púseme a un cabo del portal y saqué unos pedazos de pan del seno, que me habían quedado de los de por Dios. El, que vio esto, díjome:

—Ven acá, mozo. ¿Qué comes?

Yo lleguéme a él y mostréle el pan. Tomóme él un pedazo, de tres que eran, el mejor y más grande. Y díjome:
705   —Por mi vida, me parece éste buen pan.

—¡Y cómo! ¿Ahora —dije yo—, señor, es bueno?

—Sí, a fe —dijo él—. ¿Adónde lo hubiste? ¿Si es amasado de manos limpias?

—No sé yo eso —le dije—; mas a mí no me pone asco el sabor de ello.

—Así plegua a Dios —dijo el pobre de mi amo.
710   Y llevándolo a la boca, comenzó a dar en él tan fieros bocados como yo en lo otro.

—Sabrosísimo pan está —dijo—, por Dios.

Y como le sentí de qué pie cojeaba, dime prisa. Porque le vi en disposición, si acababa antes que yo, se comediría a ayudarme a lo que me quedase Y con esto acabamos casi a una. Y mi amo comenzó a sacudir con las manos unas pocas de migajas y bien menudas que en
715   los pechos se le habían quedado, y entró en una camareta que allí estaba, y sacó un jarro desbocado y no muy nuevo y, después que hubo bebido, convidóme con él. Yo, por hacer del continente, dije:

—Señor, no bebo vino.

—Agua es —me respondió—. Bien puedes beber.
720   Entonces tomé el jarro y bebí no mucho, porque de sed no era mi congoja.

Así estuvimos hasta la noche, hablando en cosas que me preguntaba, a las cuales yo le respondí lo mejor que supe. En este tiempo, metióme en la cámara donde estaba el jarro de que bebimos, y díjome:

—Mozo, párate allí y verás cómo hacemos esta cama, para que la sepas hacer de aquí
725   adelante.

Púseme de un cabo y él del otro e hicimos la negra cama, en la cual no había mucho que hacer, porque ella tenía sobre unos bancos un cañizo, sobre el cual estaba tendida la ropa que encima un negro colchón. Que por no estar muy continuada a lavarse no parecía colchón, aunque servía de él, con harta menos lana que era menester. Aquél tendimos,
730   haciendo cuenta de ablandarle lo cual era imposible, porque de lo duro mal se puede hacer blando. El diablo de la enjalma, maldita la cosa tenía dentro de sí. Que puesto sobre el cañizo, todas las cañas se señalaban, y parecían a lo propio entrecuesto de flaquísimo

puerco. Y sobre aquel hambriento colchón un alfamar del mismo jaez, del cual color yo no pude alcanzar.

735 Hecha la cama y la noche venida, díjome:

—Lázaro, ya es tarde y de aquí a la plaza hay gran trecho. También en esta ciudad andan muchos ladrones, que siendo de noche, capean. Pasemos como podamos y mañana; venido el día, Dios hará merced. Porque yo por estar solo no estoy proveido, antes he comido estos días por allá fuera. Mas ahora hacerlo hemos de otra manera.

740 —Señor, de mí —dije yo—, ninguna pena tenga vuestra merced, que sé pasar una noche y aún más, si es menester, sin comer.

—Vivirás más y más sano —me respondió—, porque como decíamos hoy, no hay tal cosa en el mundo para vivir mucho que comer poco.

"Si por esa vía es, dije entre mí, nunca yo moriré, que siempre he guardado esa regla 745 por fuerza y aun espero en mi desdicha tenerla toda mi vida."

Y acostóse en la cama, poniendo por cabecera las calzas y el jubón. Y mandóme echar a sus pies, lo cual yo hice. Mas, ¡maldito el sueño que yo dormí! Porque las cañas y mis salidos huesos en toda la noche dejaron de rifar y encenderse; que con mis trabajos, males y hambre, pienso que en mi cuerpo no había libra de carne, y también, como aquel día no 750 había comido casi nada, rabiaba de hambre, la cual con el sueño no tenía amistad. Maldíjeme mil veces (¡Dios me lo perdone!) y a mi ruin fortuna, allí, lo más de la noche; y, lo peor, no osándome revolver por no despertarle, pedí a Dios muchas veces la muerte.

La mañana venida, levantámonos y comienza a limpiar y sacudir sus calzas y jubón y sayo y capa. ¡Y yo, que le servía de pelillo! Y vístese muy a su placer de espacio. Echéle 755 aguamanos, peinóse y puso su espada en el talabarte; y al tiempo que la ponía, díjome:

—¡Oh, si supieses, mozo, qué pieza es ésta! No hay marco de oro en el mundo por que yo la diese. Más así, ninguna de cuantas Antonio hizo, no acertó a ponerle los aceros tan prestos como ésta los tiene.

Y sacóla de la vaina y tentóla con los dedos, diciendo:

760 —¿Vesla aquí? Yo me obligo con ella cercenar un copo de lana.

Y yo dije entre mí: "Y yo con mis dientes, aunque no son de acero, un pan de cuatro libras."

Tornóla a meter y ciñósela, y un sartal de cuentas gruesas del talabarte. Y con un paso sosegado y el cuerpo derecho, haciendo con él y con la cabeza muy gentiles meneos, 765 echando el cabo de la capa sobre el hombro y continente, que quien no le conociera pensara ser el costado, salió por la puerta, diciendo:

—Lázaro, mira por la casa en tanto que voy a oir misa, y haz la cama y ve por la vasija de agua al río, que aquí bajo está, y cierra la puerta con llave, no nos hurten algo, y ponla aquí al quicio, por que si yo viniere en tanto pueda entrar.

770 Y súbese por la calle arriba con tan gentil semblante muy cercano pariente del conde Alarcos, o a lo menos al camarero que le daba de vestir.

"¡Bendito seáis vos, Señor —quedé yo diciendo—, que dais la enfermedad y ponéis el remedio! ¿Quién encontrará a aquel mi señor que no piense, según el contento de sí lleva,

haber anoche bien cenado y dormido en buena cama, y, aunque ahora es de mañana, no le
cuenten por muy bien almorzado? ¡Grandes secretos son, Señor, los que vos hacéis y las
gentes ignoran! ¿A quién no engañara aquella buena disposición y razonable capa y sayo?
¿Y quién pensara que aquel gentilhombre se pasó ayer todo el día sin comer, con aquel
mendrugo de pan que su criado Lázaro trajo un día y una noche en el arca de su seno, do
no se le podía pegar mucha limpieza, y hoy, lavándose las manos y cara, a falta de paño de
manos, se hacía servir de la halda del sayo? Nadie, por cierto, lo sospechara. ¡Oh Señor, y
cuantos de aquéstos debéis vos tener por el mundo derramados, que padecen por la negra
que llaman honra, lo que por vos no sufrirían!"

Así estaba yo a la puerta, mirando y considerando estas cosas y otras muchas, hasta
que el señor mi amo traspuso la larga y angosta calle. Y como lo vi trasponer, tornéme a
entrar en casa y en un credo la anduve toda, alto y bajo, sin hacer represa ni hallar en qué.
Hago la negra dura cama y tomo el jarro y doy conmigo en el río, donde en una huerta vi
a mi amo en gran recuesta con dos rebozadas mujeres, al parecer de las que en aquel lugar
no hacen falta; antes, muchas tienen por estilo de irse a las mañanicas del verano a refrescar
y almorzar, sin llevar qué, por aquellas frescas riberas, con confianza que no ha de faltar
quien se lo dé, según las tienen puestas en esta costumbre aquellos hidalgos del lugar:

Y como digo, él estaba entre ellas, hecho un Macías, diciéndoles más dulzuras que
Ovidio escribió. Pero, como sintieron de él que estaba bien enternecido, no se les hizo de
vergüenza pedirle de almorzar con el acostumbrado pago.

El, sintiéndose tan frío de bolsa cuanto estaba caliente de estómago, tomóle tal
calofrío que le robó la color del gesto y comenzó a turbarse en la plática y a poner excusas
no válidas. Ellas, que debían ser bien instituidas, como le sintieron la enfermedad, dejáronle
para el que era.

Yo, que estaba comiendo ciertos tronchos de berzas con los cuales me desayuné, con
mucha diligencia, como mozo nuevo, sin ser visto de mi amo, torné a casa, de la cual pensé
barrer alguna parte, que era bien menester; mas no hallé con qué. Púseme a pensar qué
haría, y parecióme esperar a mi amo hasta que el día demediase y si viniese y por ventura
trajese algo que comiésemos; mas en vano fue mi experiencia.

Después que vi ser las dos y no venía y la hambre me aquejaba, cierro mi puerta y
pongo llave do mandó y tórnome a mi menester. Con baja y enferma voz e inclinadas mis
manos en los senos, puesto Dios ante mis ojos y la lengua en su nombre, comienzo a pedir
pan por las puertas y casas más grandes que me parecía. Mas, como yo a este oficio le
hubiese mamado en la leche, quiero decir que con el gran maestro, el ciego, lo aprendí, tan
suficiente discípulo salí que, aunque en este pueblo no había caridad ni el año fuese muy
abundante, tan buena maña me di, que antes que el reloj diese las cuatro, ya yo tenía otras
tantas libras de pan ensiladas en el cuerpo y más de otras dos en las mangas y senos.
Volvíme a la posada, y al pasar por la tripería pedí a una de aquellas mujeres y dióme un
pedazo de uña de vaca con otras pocas de tripas cocidas.

Cuando llegué a casa, ya el bueno de mi amo estaba en ella, doblada su capa y puesta
en el poyo, y él paseándose por el patio. Como entro, vinose para mí. Pensé que me querií

815 reñir la tardanza; mas mejor lo hizo Dios.

Preguntóme dó venía.

Yo le dije:

—Señor, hasta que dio las dos estuve aqui, y de que vi que vuestra merced no venía, fuime por esa ciudad a encomendarme a las buenas gentes, y hanme dado esto que veis.

820 Mostréle el pan y las tripas, que en un cabo de la halda traía, a la cual él mostró buen semblante, y dijo:

—Pues, esperado te he a comer, y, de que vi que no viniste, comí. Mas tú haces como hombre de bien en eso, que más vale pedirlo por Dios, que no hurtarlo. Y así El me ayude, como ello me parece bien, y solamente te encomiendo no sepan que vives conmigo por lo

825 que toca a mi honra. Aunque bien creo que será secreto, según lo poco que en este pueblo soy conocido. ¡Nunca a él yo hubiera de venir!

—De eso pierda, señor, cuidado —le dije yo—, que maldito aquel que ninguno tiene de pedirme esa cuenta ni yo de darla.

—Ahora, pues, come, pecador; que, si a Dios place, presto nos veremos sin necesidad.

830 Aunque te digo que después que en esta casa entré, nunca bien me ha ido. Debe ser de mal suelo. Que hay casas desdichadas y de mal pie, que a los que viven en ellas pegan la desdicha. Esta debe de ser sin duda de ellas; mas yo te prometo, acabado el mes, no quedaré en ella, aunque me la den por mía.

Sentéme al cabo del poyo y, porque no me tuviese por glotón, callé la merienda. Y

835 comienzo a cenar y morder en mis tripas y pan, y tan disimuladamente miraba al desventurado señor mio, que no partía sus ojos de mis faldas, que aquella sazón servían de plato.

Tanta lástima haya Dios de mí como yo había de él, porque sentí lo que sentía y muchas veces había por ello pasado y pasaba cada día. Pensaba si sería bien comedirme a

840 convidarle; mas, por me haber dicho que había comido, temíame no aceptaría el convite. Finalmente, yo deseaba aquel pecador ayudase a su trabajo del mío y se desayunase como el día antes hizo, pues había mejor aparejo, por ser mejor la vianda y menos mi hambre.

Quiso Dios cumplir mi deseo y aun pienso que el suyo; porque como comencé a comer y él se andaba paseando, llegóse a mí y díjome:

845 —Dígote, Lázaro, que tienes en comer la mejor gracia que en mi vida vi a hombre, y que nadie te lo verá hacer que no le pongas gana aunque no la tenga.

"La muy buena que tú tienes, dije yo entre mí, te hace parecer la mía hermosa."

Con todo, parecióme ayudarle, pues se ayudaba y me abría camino para ello, y díjele:

—Señor, el buen aparejo hace buen artífice. Este pan está sabrosísimo y esta uña de

850 vaca tan bien cocida y sazonada, que no habrá a quien no convide con su sabor.

—¿Uña de vaca es?

—Si, señor.

—Dígote que es el mejor bocado del mundo y que no hay faisán que así me sepa.

—Pues pruebe, señor, y vera qué tal está.

855 Póngole en las uñas la otra y tres o cuatro raciones de pan de lo más blanco. Y

asentóseme al lado y comienza a comer como aquel que lo había gana, royendo cada huesecillo de aquéllos mejor que un galgo suyo lo hiciera.

—Con almodrote —decía—, es éste singular manjar.

"Con mejor salsa lo comes tu", respondí yo paso.

860 —Por Dios, que me ha sabido como si hoy no hubiera comido bocado.

"¡Así me vengan los buenos años como es ello!", dije yo entre mí.

Pidióme el jarro del agua, y díselo como lo había traído. Es señal que, pues no le faltaba el agua, que no le había a mi amo sobrado la comida. Bebimos y muy contentos nos fuimos a dormir, como la noche pasada.

865 Y por evitar prolijidad, de esta manera estuvimos ocho o diez días, yéndose el pecador en la mañana con aquel contento y paso contado a papar aire por las calles, teniendo en el pobre Lázaro una cabeza de lobo.

Contemplaba yo muchas veces mi desastre: que, escapando de los amos ruines que había tenido, y buscando mejoría, viniese a topar con quien, no sólo no me mantuviese, 870 mas a quien yo había de mantener. Con todo, le quería bien, con ver que no tenía ni podía más. Y antes le había lástima que enemistad. Y muchas veces, por llevar a la posada con que el lo pasase, yo lo pasaba mal.

Porque una mañana, levantándose el triste en camisa, subió a lo alto de la casa a hacer sus menesteres y, en tanto yo, por salir de sospecha, desenvolvíle el jubón y las calzas, que 875 a la cabecera dejó, y hallé una bolsilla de terciopelo raso, hecha cien dobleces y sin maldita la blanca ni señal que la hubiese tenido mucho tiempo.

"Este —decía yo— es pobre, y nadie da lo que no tiene; mas el avariento ciego y el malaventurado mezquino clérigo, que, con dárselo Dios a ambos, al uno de mano besada y al otro de lengua suelta, me mataban de hambre, aquéllos es justo desamar y aquéste de 880 haber mancilla."

Dios es testigo que hoy día, cuando topo con alguno de su hábito con aquel paso y pompa, le he lástima con pensar si padece lo que aquél le vi sufrir. Al cual, con toda su pobreza, holgaría de servir más que a los otros por lo que he dicho. Sólo tenía de él un poco de descontento: que quisiera yo que no tuviera tanta presunción, mas que abajara un 885 poco su fantasía con lo mucho que subía su necesidad. Mas, según me parece, es regla ya entre ellos usada y guardada: aunque no haya cornado de trueco, ha de andar el birrete en su lugar. El Señor lo remedie, que ya con este mal han de morir.

Pues estando yo en tal estado, pasando la vida que digo, quiso mi mala fortuna, que de perseguirme no era satisfecha, que en aquella trabajada y vergonzosa vivienda no durase. 890 Y fue, como el año en esta tierra fuese estéril de pan, acordaron el ayuntamiento que todos los pobres extranjeros se fuesen de la ciudad, con pregón que el que de allí adelante topasen fuese punido con azotes. Y asi, ejecutando la ley, desde a cuatro días que el pregón se dio, vi llevar una procesión de pobres azotando por las Cuatro Calles. Lo cual me puso tan gran espanto que nunca osé desmandarme a demandar.

895 Aquí viera, quien verlo pudiera, la abstinencia de mi casa y la tristeza y silencio de los moradores; tanto, que nos acaeció estar dos o tres días sin comer bocado ni hablar palabra.

A mí diéronme la vida unas mujercillas hilanderas de algodón, que hacían bonetes y vivían par de nosotros, con las cuales yo tuve vecindad y conocimiento. Que de la laceria que les traían me daban alguna cosilla, con la cual muy pasado me pasaba.

900 Y no tenía tanta lástima de mí como del lastimado de mi amo, que en ocho días maldito el bocado que comió. A lo menos en casa bien lo estuvimos sin comer. No sé yo cómo o dónde andaba y qué comía. ¡Y verle venir a mediodía la calle abajo, con estirado cuerpo, más largo que galgo de buena casta! Y por lo que toca a su negra, que dicen, honra, tomaba una paja, de las que aún asaz no había en casa, y salía a la puerta escarbando los

905 dientes que nada entre sí tenían, quejándose todavía de aquel mal solar, diciendo:

"Malo está de ver, que la desdicha de esta vivienda lo hace. Como ves, es lóbrega, triste, oscura. Mientras aquí estuviéremos, hemos de padecer. Ya deseo que se acabe este mes por salir de ella."

Pues estando en esta afligida y hambrienta persecución, un día, no sé por cuál dicha

910 o ventura, en el pobre poder de mi amo entró un real, con el cual él vino a casa tan ufano como si tuviera el tesoro de Venecia y con gesto muy alegre y risueño me lo dio, diciendo:

—Toma, Lázaro, que Dios ya va abriendo su mano. Ve a la plaza y merca pan y vino y carne; ¡quebremos el ojo al diablo! Y más te hago saber, porque te huelgues, que he alquilado otra casa y en esta desastrada no hemos de estar más de en cumpliendo el mes.

915 ¡Maldita sea ella y el que en ella puso la primera teja, que con mal en ella entré! Por nuestro Señor, cuanto ha que en ella vivo, gota de vino ni bocado de carne no he comido ni he habido descanso ninguno; mas, ¡tal vista tiene y tal oscuridad y tristeza! Ve y ven presto, y comamos hoy como condes.

Tomo mi real y jarro y, a los pies dándoles prisa, comienzo a subir mi calle

920 encaminando mis pasos para la plaza, muy contento y alegre.

Mas, ¿qué me aprovecha, si está constituido en mi triste fortuna que ningún gozo me venga sin zozobra? Y así fue éste. Porque yendo la calle arriba, echando mi cuenta en lo que le emplearía que fuese mejor y más provechosamente gastado, dando infinitas gracias a Dios que a mi amo había hecho con dinero, a deshora me vino al encuentro un muerto,

925 que por la calle abajo muchos clérigos y gente en unas andas traían.

Arriméme a la pared por darles lugar y, después que el cuerpo pasó, venían luego a par del lecho una que debía ser mujer del difunto, cargada de luto, y con ella otras muchas mujeres; la cual iba llorando a grandes voces y diciendo:

—Marido y señor mío, ¿adónde os me llevan? ¡A la casa triste y desdichada, a la casa

930 lóbrega y oscura, a la casa donde nunca comen ni beben!

Yo, que aquello oí, juntóseme el cielo con la tierra y dije:

—¡Oh desdichado de mí! Para mi casa llevan este muerto.

Dejo el camino que llevaba y hendí por medio de la gente y vuelvo por la calle abajo a todo el más correr que puede para mi casa. Y entrando en ella, cierro a grande prisa,

935 invocando el auxilio y favor de mi amo abrazándome de él, que me venga a ayudar y a defender la entrada. El cual, algo alterado, pensando que fuese otra cosa, me dijo:

—¿Qué es eso, mozo? ¿Qué voces das? ¿Qué has? ¿Por qué cierras la puerta con tal furia?

—¡Oh, señor —dije yo—, acuda aquí que nos traen acá un muerto!

940 —¿Cómo así? —respondió él.

—Aquí arriba lo encontré y venía diciendo su mujer: "Marido y señor mío. ¿Adónde os llevan? ¡A la casa lóbrega y oscura, a la casa triste y desdichada, a la casa donde nunca comen ni beben!" Acá, señor, nos le traen.

Y ciertamente, cuando mi amo esto oyó, aunque no tenía por qué estar muy risueño, 945 rió tanto, que muy gran rato estuvo sin poder hablar. En este tiempo tenía yo echada la aldaba a la puerta y puesto el hombro en ella por más defensa. Pasó la gente con su muerto y yo todavía me recelaba que nos le habían de meter en casa. Y después que fue ya mas harto de reír que de comer el bueno de mi amo, díjome:

—Verdad es, Lázaro; según la viuda lo va diciendo tú tuviste razón de pensar lo que 950 pensaste; mas, pues Dios lo ha hecho mejor y pasan adelante, abre, abre y ve por de comer.

—Dejadlos, señor, acaben de pasar la calle —dije yo.

Al fin vino mi amo a la puerta de la calle y ábrela esforzándome, que bien era menester según el miedo y alteración, y me torno a encaminar. Mas, aunque comimos bien aquel día, maldito el gusto yo tomaba en ello. Ni en aquellos tres días torné en mi color. 955 Y mi amo, muy risueño todas las veces que se le acordaba aquella mi consideración.

De esta manera estuve con mi tercero y pobre amo, que fue este escudero, algunos días, y en todos deseando saber la intención de su venida y estada en esta tierra. Porque desde el primer día que con él asenté, le conocí ser extranjero, por el poco conocimiento y trato que con los naturales de ella tenía.

960 Al fin se cumplió mi deseo y supe lo que deseaba. Porque un día que habíamos comido razonablemente y estaba algo contento, contóme su hacienda, y díjome ser de Castilla la Vieja y que había dejado su tierra no más de por no quitar el bonete a un caballero su vecino.

—Señor —dije yo—, si él era lo que decís y tenía más que vos, ¿no errábais en no 965 quitárselo primero, pues decís que él también os lo quitaba?

—Sí es y sí tiene y también me lo quitaba él a mí; mas, de cuantas veces yo se lo quitaba primero, no fuera malo comedirse él alguna y ganarme por la mano.

—Paréceme, señor, le dije yo, que en eso no mirara, mayormente con mis mayores que yo y que tienen más.

970 —Eres muchacho —me respondió— y no sientes las cosas de la honra, en que el día de hoy está todo el caudal de los hombres de bien. Pues te hago saber que yo soy, como ves, un escudero; mas ¡vótote a Dios!, Si al conde topo en la calle y no me quita muy bien quitado del todo el bonete, que otra vez que venga, me sepa yo entrar en una casa, fingiendo yo en ella algún negocio, o atravesar otra calle, si la hay, antes que llegue a mí, por no 975 quitárselo. Que un hidalgo no debe a otro que a Dios y al rey nada, ni es justo, siendo hombre de bien, se descuide un punto de tener en mucho su persona. Acuérdome que un día deshonré en mi tierra a un oficial y quise ponerle las manos, porque, cada vez que le topaba, me decía: "Mantenga Dios a vuestra merced". "Vos, don villano ruin —le dije yo—,

¿por qué no sois bien criado? ¿Manténgaos Dios, me habéis de decir, como si fuese quienquiera?" De allí adelante, de aquí acullá, me quitaba el bonete y hablaba como debía.

—¿Y no es buena manera de saludar un hombre a otro —dije yo— decirle que le mantenga Dios?

—¡Mira mucho de enhoramala! —dijo él—. A los hombres de poca arte dicen eso; mas a los más altos, como yo, no les han de hablar menos de: "Beso las manos de vuestra merced", o por lo menos: "Bésoos, señor, las manos", si el que me habla es caballero. Y así, aquel de mi tierra, que me atestaba de mantenimiento, nunca más le quise sufrir, ni sufriría ni sufriré a hombre del mundo, del rey abajo, que "Manténgaos Dios" me diga.

"Pecador de mí —dije yo—, por eso tiene tan poco cuidado de mantenerte, pues no sufre que nadie se lo ruegue."

—Mayormente —dijo— que no soy tan pobre que no tenga en mi tierra un solar de casas, que de estar ellas en pie y bien labradas, a diez y seis leguas de donde nací, en aquella costanilla de Valladolid, valdrían más de doscientas veces mil maravedís, según se podrían hacer grandes y buenas. Y tengo un palomar que, a no estar derribado como está, daría cada año más de doscientos palominos. Y otras cosas que me callo, que dejé por lo que tocaba a mi honra.

Y vine a esta ciudad pensando que hallaría un buen asiento mas no me ha sucedido como pensé. Canónigos y señores de la iglesia, muchos hallo; mas es gente tan limitada que no los sacaran de su paso todo el mundo. Caballeros de media talla también me ruegan; mas servir con éstos es gran trabajo, porque de hombre os habéis de convertir en malilla, y si no, andad con Dios os dicen. Y las más veces son los pagamentos a largos plazos, y las más ciertas comido por servido. Ya, cuando quieren reformar conciencia y satisfaceros vuestros sudores, sois librados en la recámara, en un sudado jubón o raída capa o sayo. Ya cuando asienta un hombre con un señor de titulo, todavía pasa su laceria. ¿Pues, por ventura, no hay en mi habilidad para servir y contentar a éstos? Por Dios, si con él topase, muy gran su privado pienso que fuese y que mil servicios le hiciese, porque yo sabría mentirle tan bien como otro y agradarle a las mil maravillas. Le reiría mucho sus donaires y costumbres, aunque no fuesen las mejores del mundo. Nunca decirle cosa que le pesase, aunque mucho le cumpliese. Ser muy diligente en su persona, en dicho y hecho. No me matar por no hacer bien las cosas que él no había de ver. Y ponerme a reñir, donde lo oyese, con la gente de servicio, porque pareciese tener gran cuidado de lo que a él tocaba. Si riñese con algún su criado, dar unos puntillos agudos para le encender la ira y que pareciesen en favor del culpado. Decirle bien de lo que bien le estuviese y, por el contrario, ser malicioso, mofador, malsinar a los de casa; y a los de fuera, pesquisar y procurar de saber vidas ajenas para contárselas, y otras muchas galas de esta calidad, que hoy día se usan en palacio y a los señores de él parecen bien. Y no quieren ver en sus casas hombres virtuosos; antes los aborrecen y tienen en poco y llaman necios y que no son personas de negocios ni con quien el señor se puede descuidar. Y con éstos los astutos usan, como digo, el día de hoy, de lo que yo usaría; mas no quiere mi ventura que le halle.

De esta manera lamentaba también su adversa fortuna mi amo, dándome relación de su persona valerosa.

Pues estando en esto, entró por la puerta un hombre y una vieja. El hombre le pide el alquiler de la casa y la vieja el de la cama. Hacen cuenta y de dos meses le alcanzaron lo que él en un año no alcanzara. Pienso que fueron doce o trece reales. Y él les dio muy buena respuesta: que saldría a la plaza a trocar una pieza de a dos y que a la tarde volviesen; mas su salida fue sin vuelta.

Por manera que a la tarde ellos volvieron; mas fue tarde. Yo les dije que aún no era venido. Venida la noche y él no, yo hube miedo de quedar en casa solo y fuime a las vecinas y contéles el caso, y allí dormí.

Venida la mañana, los acreedores vuelven y preguntan por el vecino; mas a estotra puerta. Las mujeres les responden:

—Veis aquí su mozo y la llave de la puerta.

Ellos me preguntaron por él, y díjeles que no sabía adónde estaba y que tampoco había vuelto a casa desde que salió a trocar la pieza y que pensaba que de mí y de ellos se había ido con el trueco.

De que esto me oyeron, van por un alguacil y un escribano. Y helos do vuelven luego con ellos y toman la llave y llámanme, y llaman testigos y abren la puerta y entran a embargar la hacienda de mi amo hasta ser pagados de su deuda. Anduvieron toda la casa y halláronla desembarazada, como he contado, y dícenme:

—¿Qué es de la hacienda de tu amo, sus arcas y paños de pared y alhajas de casa?

—No sé yo eso —les respondí.

—Sin duda —dicen ellos— esta noche lo deben de haber alzado y llevado a alguna parte. Señor alguacil, prended a este mozo, que él sabe dónde está.

En esto vino el alguacil y echóme mano por el collar del jubón, diciendo:

—Muchacho, tú eres preso si no descubres los bienes de este tu amo.

Yo, como en otra tal no me hubiese visto (porque asido del collar sí había sido muchas e infinitas veces; mas era mansamente de él trabado para que mostrase el camino al que no veía), yo hube mucho miedo y llorando prometíle de decir lo que preguntaban.

—Bien está —dicen ellos—. Pues di todo lo que sabes y no hayas temor.

Sentóse el escribano en un poyo para escribir el inventario, preguntándome qué tenía.

—Señores —dije yo—, lo que este mi amo tiene, según él me dijo, es un muy buen solar de casas y un palomar derribado.

—Bien está —dicen ellos—. Por poco que eso valga, hay para nos entregar de la deuda. ¿Y a qué parte de la ciudad tiene eso? —me preguntaron.

—En su tierra —les respondí.

—Por Dios, que está bueno el negocio —dijeron ellos—. ¿Y adónde es su tierra?

—De Castilla la Vieja me dijo él que era —les dije yo.

Riéronse mucho el alguacil y el escribano, diciendo:

—Bastante relación es ésta para cobrar vuestra deuda, aunque mejor fuese.

Las vecinas, que estaban presentes, dijeron:

—Señores, éste es un niño inocente y ha pocos días que está con ese escudero y no sabe de él más que vuestras mercedes; sino cuando el pecadorcico se llega aquí a nuestra casa, y le damos de comer lo que podemos, por amor de Dios, y a las noches se iba a dormir con él.

1065 Vista mi inocencia, dejáronme, dándome por libre. Y el alguacil y el escribano piden al hombre y a la mujer sus derechos. Sobre lo cual tuvieron gran contienda y ruido, porque ellos alegaron no ser obligados a pagar, pues no había de qué ni se hacía el embargo. Los otros decían que habían dejado de ir a otro negocio que les importaba más por venir a aquél.

1070 Finalmente, después de dadas muchas voces, al cabo carga un porquerón con el viejo alfamar de la vieja; aunque no iba muy cargado. Allá van todos cinco dando voces. No sé en qué paró. Creo yo que el pecador alfamar pagara por todos. Y bien se empleaba, pues el tiempo que había de reposar y descansar de los trabajos pasados, se andaba alquilando.

Así, como he contado, me dejó mi pobre tercer amo, donde acabé de conocer mi ruin 1075 dicha. Pues, señalándose todo lo que podía contra mí, hacía mis negocios tan al revés, que los amos, que suelen ser dejados de los mozos, en mí no fuese así, mas que mi amo me dejase y huyese de mí.

TRATADO SÉPTIMO

COMO LÁZARO SE ASENTÓ CON UN ALGUACIL Y DE LO QUE LE ACAECIÓ CON ÉL

Despedido del capellán, asenté por hombre de justicia con un alguacil. Mas muy poco viví con él, por parecerme oficio peligroso. Mayormente, que una noche nos corrieron a mí 1080 y a mi amo a pedradas y a palos unos retraídos. Y a mi amo, que esperó, trataron mal; mas a mi no me alcanzaron. Con esto renegué del trato.

Y pensando en qué modo de vivir haría mi asiento, por tener descanso y ganar algo para la vejez, quiso Dios alumbrarme y ponerme en camino y manera provechosa. Y con favor que tuve de amigos y señores, todos mis trabajos y fatigas hasta entonces pasados 1085 fueron pagados con alcanzar lo que procuré. Que fue un oficio real, viendo que no hay nadie que medre sino los que le tienen.

En el cual el día de hoy vivo y resido a servicio de Dios y de vuestra merced. Y es que tengo cargo de pregonar los vinos, que en esta ciudad se venden, y en almonedas y cosas perdidas, acompañar los que padecen persecuciones por justicia y declarar a voces sus 1090 delitos: pregonero, hablando en buen romance.

(En el cual oficio, un día que ahorcábamos un apañador en Toledo y llevaba una buena soga de esparto, conocí y caí en la cuenta de la sentencia que aquel mi ciego amo había dicho en Escalona, y me arrepentí del mal pago que le di por lo mucho que me enseñó. Que, después de Dios, él me dio industria para llegar al estado que ahora estoy.)

1095 Me ha sucedido tan bien, yo le he usado tan fácilmente, que casi todas las cosas al oficio tocantes pasan por mi mano. Tanto, que en toda la ciudad el que ha de echar vino a vender, o algo, si Lázaro de Tormes no entiende en ello, hacen cuenta de no sacar provecho.

En este tiempo, viendo mi habilidad y buen vivir, teniendo noticia de mi persona el señor arcipreste de San Salvador, mi señor, y servidor y amigo de vuestra merced, porque le pregonaba sus vinos, procuró casarme con una criada suya. Y visto por mí que de tal persona no podía venir sino bien y favor, acordé de lo hacer. Y así me casé con ella y hasta ahora no estoy arrepentido.

Porque, además de ser buena hija y diligente, servicial, tengo en mi señor arcipreste todo favor y ayuda. Y siempre en el año le da en veces al pie de una carga de trigo; por las Pascuas su carne y cuándo el par de los bodigos, las calzas viejas que deja. Y nos hizo alquilar una casilla cerca de la suya. Los domingos y fiestas casi todas las comíamos en su casa.

Mas malas lenguas, que nunca faltaron ni faltarán, no nos dejan vivir, diciendo no sé qué y sí sé qué, de que ven a mi mujer irle a hacer la cama y guisarle de comer. Y mejor les ayude Dios que ellos dicen la verdad.

(Aunque en este tiempo siempre he tenido alguna sospechuela y habido algunas malas cenas por esperarla algunas noches hasta las laudes y aún más, y se me ha venido a la memoria lo que mi amo el ciego me dijo en Escalona, estando asido del cuerno. Aunque de verdad siempre pienso que el diablo me lo trae a la memoria por hacerme malcasado, y no le aprovecha.)

Porque, además de no ser ella mujer que se pague de estas burlas, mi señor me ha prometido lo que pienso cumplirá; que él me habló un día muy largo delante de ella y me dijo:

—Lázaro de Tormes, quien ha de mirar a dichos de malas lenguas nunca medrará. Digo esto, porque no me maravillaría alguno, viendo entrar en mi casa a tu mujer y salir de ella. Ella entra muy a tu honra y suya. Y esto te lo prometo. Por tanto, no mires a lo que pueden decir, sino a lo que te toca, digo a tu provecho.

—Señor —le dije—, yo determiné de arrimarme a los buenos. Verdad es que algunos de mis amigos me han dicho algo de eso y aun por más de tres veces me han certificado que, antes que conmigo casase, había parido tres veces, hablando con reverencia de vuestra merced, porque está ella delante.

Entonces mi mujer echó juramentos sobre sí, que yo pensé la casa se hundiera con nosotros. Y después tomóse a llorar y a echar maldiciones sobre quien conmigo la había casado; en tal manera que quisiera ser muerto antes que se me hubiera soltado aquella palabra de la boca. Más yo de un cabo y mi señor de otro, tanto le dijimos y otorgamos que cesó su llanto, con juramento que le hice de nunca más en mi vida mentarle nada de aquello, y que yo holgaba y había por bien de que ella entrase y saliese de noche y de día, pues estaba bien seguro de su bondad. Y así quedamos todos tres bien conformes.

Hasta el día de hoy nunca nadie nos oyó sobre el caso; antes, cuando alguien siento que quiere decir algo de ella, le atajo y le digo:

—Mirad, si sois amigo, no me digáis cosa con que me pese, que no tengo por mi amigo al que me hace pesar. Mayormente, si me quieren meter mal con mi mujer, que es la cosa del mundo que yo más quiero y la amo más que a mí. Y me hace Dios con ella mil mercedes y más bien que yo merezco. Que yo juraré sobre la hostia consagrada que es tan buena mujer como vive dentro de las puertas de Toledo. Quien otra cosa me dijere, yo me mataré con él.

De esta manera no me dicen nada y yo tengo paz en mi casa.

Esto fue el mismo año que nuestro victorioso emperador en esta insigne ciudad de
1145   Toledo entró y tuvo en ella cortes y se hicieron grandes regocijos, como vuestra merced
habrá oído.

Pues en este tiempo estaba en mi prosperidad y en la cumbre de toda buena fortuna.

(De lo que de aquí adelante me sucediere, avisaré a vuestra merced.)

Sugerencias para el análisis de los Tratados 1, 2, 3 y 7

1. Piensa en los orígenes del joven. ¿Cómo es la familia de Lázaro? ¿Es irónico su apellido?
   ¿Por qué?

2. Explica qué quieren decir las siguientes palabras del clérigo, "Lázaro, de hoy más eres tuyo
   que mío".

3. ¿Qué artimañas o mentiras se inventa Lázaro para matar el hambre?

4. Identifica y describe el papel de los personajes femeninos en *El Lazarillo*.

5. Comenta estas líneas del primer tratado, "Verdad dice éste que cumple avivar el ojo y
   avisar, pues solo soy, y pensar como me sepa valer". ¿Por qué marcan un momento
   importante en el desarrollo y la educación de Lázaro?

6. Describe en detalle la personalidad de Lázaro. Menciona los sucesos que provocan
   cambios en su personalidad.

7. ¿Por qué usa el autor de *El Lazarillo* el recurso de escribir una carta a "Vuestra Merced"?

8. ¿Qué importancia tiene en la narración el uso de los tiempos verbales? (Por ejemplo, el
   empleo del presente en lugar del pasado, de pretéritos que se interpretan como
   presentes).

9. Busca ejemplos de lenguaje coloquial y de lenguaje culto. Describe el efecto de la mezcla.

Temas de discusión y ensayo

1. ¿Cómo se logra el efecto realista de la novela? ¿Qué tipo de acontecimiento se narra y
   con qué detalle?

2. Los héroes y los conquistadores tenían a sus cronistas para narrar sus vidas. Lázaro, como
   los otros protagonistas de la picaresca, cuenta sus propias aventuras de manera
   autobiográfica. ¿Crees que es casual esta forma de relato o responde a una intención?

3. ¿Se nos presenta a Lázaro como una persona deshonesta y sin principios? ¿Qué peso
   tienen la herencia familiar y las circunstancias en la conducta de Lázaro? Cita evidencia de
   diferentes partes de la obra en tu respuesta.

4. Usando citas para apoyar tus explicaciones, caracteriza la sociedad de la época. ¿Qué
   ejemplos ilustran la crueldad, la hipocresía, la avaricia, la mezquindad y el engaño en los
   personajes de *El Lazarillo*? ¿Qué grupos sociales introduce la obra? ¿Presenta una crítica

social? ¿Es satírica?

5. Compara la relación entre pares famosos de la literatura, Lázaro y el hidalgo, Sancho y Don Quijote, Huckleberry Finn y Tom Sawyer.

6. ¿Tiene *El Lazarillo* intención moralizante? Basa tu respuesta en pasajes específicos.

7. La picaresca surge en el XVI como reacción a las novelas de caballería y sus fabulosas hazañas. Coincide en ello, hasta cierto punto, con el *Quijote*. Compara y contrasta a los dos antihéroes, Lázaro y don Quijote. Compara también a los heroicos caballeros que parodia Cervantes con Lazarillo.

8. *El Lazarillo* fue inmediatamente un éxito. Se leyó y comentó tanto que las palabras "lázaro" y "lazarillo" se incorporaron al lenguaje para significar "persona que acompaña y guía a un ciego". ¿Cuáles crees tú son las razones de este éxito popular?

9. Compara el tipo de aventuras de Lázaro con las de Cabeza de Vaca.

Actividades

1. Debatir estas dos posiciones: Lázaro es un pequeño delincuente y ladrón que no tiene lealtades y actúa sin principios morales. Lázaro hace legítimamente lo que debe para sobrevivir.

2. Hacer un mapa de las andanzas de Lázaro. Con un modelo adecuado, obtenido en la biblioteca o en el internet, los estudiantes pueden hacer una imitación ilustrada de un mapa antiguo.

3. Por grupos, los estudiantes comparan una versión moderna de *El Lazarillo* con la presentada en *Azulejo* y hacen una lista de las diferencias que ha sufrido el español desde el siglo XVI. Añaden a esta lista sus observaciones del *Quijote* para concluir cuatro o cinco diferencias fundamentales (la posición de los pronombres es un ejemplo).

4. Los alumnos seleccionan los momentos que les parecen más interesantes y los dramatizan con sus propias palabras.

5. Los estudiantes buscan representaciones artísticas de los siglos XVI y XVII de niños (Velázquez, Ribera, otros). Comentan sus ocupaciones y manera de vestirse y las relacionan con su visión de Lázaro.

6. En clase, entre todos los estudiantes se pueden encontrar "pícaros" contemporáneos de novelas, televisión o películas.

7. Los estudiantes pueden ver la película *El Lazarillo de Tormes* (o algunos fragmentos). Se puede obtener a través del Instituto Cervantes.

Miguel de Cervantes Saavedra

(1547-1616)

Datos biográficos

Nacido en la ciudad castellana de Alcalá de Henares, Miguel de Cervantes Saavedra (1547-1616) provenía de una familia hidalga pero pobre. Buscando mejor suerte en sucesivas ciudades españolas, su padre, médico cirujano, trasladó numerosas veces a su familia sin poder eliminar nunca deudas ni escaseces económicas. Se ha dado la hipótesis de una posible procedencia judía pero la teoría, que se basa en la interpretación de las obras cervantinas más que en datos concretos, ha quedado sin comprobar. En el año 1569, comenzó una etapa aventurera en la vida del autor. Marchó primero a Italia, fugitivo de la ley. Se dice que escapaba de una orden de castigo debida a un lance en el que quedó herido otro hombre. Al año de exilio, Cervantes sentó plaza de soldado y luchó contra los turcos en la batalla de Lepanto, donde fue herido gravemente y perdió el brazo izquierdo. Después de recuperarse, siguió ejerciendo de soldado durante los cinco años siguientes hasta que la galera en la que navegaba hacia España fue capturada por argelinos. Todos los soldados de la nave, entre los que se contaban Miguel y su hermano Rodrigo, fueron capturados y llevados de esclavos a Argel. Cervantes trató repetidas veces de escapar hasta que en 1580, tras cinco años de cautiverio, una orden religiosa pagó una suma para redimirle y dejarle en libertad.

Al regresar a España, Cervantes dejó la carrera de las armas por las letras. Sin embargo, no había terminado del todo la era de cautiverio, ya que cayó varias veces más en la cárcel por problemas con la Hacienda pública. En 1605 se imprimió la primera parte del *Quijote* y en rápida sucesión varios libros más, entre ellos la segunda parte del *Quijote* en 1615. El público de la época reconoció inmediatamente el humor del *Quijote* y pronto se conocía el nombre de Cervantes en todas partes. Sin embargo, a la fama no le acompañó la prosperidad económica. Cervantes murió, todavía pobre, el 23 de abril de 1616, la misma fecha de la muerte de William Shakespeare.

El ingenioso hidalgo don Quijote de la Mancha

Este libro, considerado la primera novela moderna, logró un éxito inmediato en la Europa de su tiempo. La mezcla de humor y drama que encarna el personaje atrajo un público muy amplio. Entre las innovaciones del *Quijote* están la complejidad y evolución de los personajes. A diferencia de la literatura de su tiempo que tiende a representar seres enaltecidos o criminales, ambos idealizaciones uni-dimensionales, los personajes del *Quijote* son a menudo mediocres, contradictorios y reales. Además sus personalidades, lejos de mostrarse incambiables, crecen y evolucionan a lo largo de la novela. El desarrollo del personaje es un rasgo que se ha convertido en requisito de la novela moderna, pero que no se había visto hasta el *Quijote*.

Son numerosos los aciertos técnicos e intelectuales de la obra maestra pero destacan entre ellos:

- la re-escritura de otros tipos de literatura
- el juego constante entre la realidad y la ficción
- la utilización de distintos puntos de vista

El *Quijote* elabora en su narrativa una parodia de casi todos los subgéneros literarios de su época, en particular del libro de caballería, la novela pastoril y la novela picaresca. Con finalidad cómica, el texto contrapone la fantasía que se imagina don Quijote con la realidad que le rodea. Don Quijote, ávido lector de novelas, decide un día restaurar la arcaica caballería, pero no escribiendo la mejor novela sobre un caballero andante sino *viviéndola*. Sale de su casa en busca de aventuras que siempre encuentra; es decir, que siempre imagina. En el famoso episodio de los molinos de viento, don Quijote ve gigantes; y en lugar de una campesina vulgar, don Quijote ve a su enamorada doncella, Dulcinea del Toboso. Parte del humor del libro surge a partir de este contraste, de la degradación de un modelo literario que en la narrativa del *Quijote* se sustituye con una realidad tosca, cotidiana, incluso desagradable. Don Quijote percibe y se enfrenta valientemente a gigantes monstruosos mientras que nosotros los lectores vemos meros molinos. Es importante añadir que de esta situación paródica surge no sólo la comicidad, sino también un patetismo que da mayor profundidad a la obra: al enfrentarse a los gigantes, don Quijote no parodia sino *actúa como* los grandes héroes de los libros de caballería. Muestra rasgos heroicos: es inteligente, noble y valiente. La profunda humanidad de don Quijote, que destaca tanto en sus éxitos como en sus fracasos cómicos, da una dimensión a la obra que va más allá de la parodia inicial. Al mismo tiempo que el *Quijote* se burla de otros subgéneros literarios, logra crear el máximo ejemplo de sus posibilidades.

El episodio de los molinos de viento es engañosamente sencillo y cómico. Pero desde el punto de vista de la crítica literaria es de alta complejidad por la manera en que se entrecruzan la fantasía y la realidad. Los libros de caballería, que conocía bien Cervantes, obligan a su lector a adentrarse en el mundo imaginario de magos y gigantes y aceptarlo como el plano real de la narrativa. Estos libros eran la "literatura fantástica" de la época, comparables a la serie de *Star Wars* hoy día. En contraste, el *Quijote* empareja diversos planos, aparentemente irreconciliables, en una misma escena. En su llamada demencia, don Quijote convierte a su realidad cotidiana en cosa de libros y sueños. Pero Sancho Panza no permite que la narrativa se deslice al plano de pura fantasía: donde el hidalgo ve maravillas, Sancho encuentra lo rutinario y vulgar. Se mantiene de este modo a lo largo de la obra una especie de visión doble que desafía los límites de la ficción. Alonso Quijano se convierte así en don Quijote, protagonista de su propia ficción, en una fantasía de la que los demás personajes dudan. Éstos se ven involucrados en el mundo de don Quijote a pesar, a veces, de ellos mismos.

El éxito del *Quijote* fue tal que en poco tiempo se convirtió en el libro español más leído y muchas de sus frases se incorporaron al habla popular. Estimulado Cervantes a escribir una segunda parte, pudo incluir en ella el conocimiento que los lectores tenían de las andanzas de don Quijote y hacerlos de este modo parte de su ficción. Añadió, así, un nivel más a los planos de fantasía y realidad que se mezclan en el libro. Además de cuestionar los límites de la creación literaria, la visión doble del *Quijote* introduce la idea de la movilidad del punto de vista en la novela. Al cambiar la perspectiva, aparecen no una realidad sino múltiples realidades en la obra.

Notas para facilitar la lectura

Por el simple hecho de vivir en la época, los lectores del *Quijote* de los siglos XVI y XVII tenían en común información y conocimientos con los que Cervantes contaba al escribir su obra. Los libros y los personajes a los que hace referencia Cervantes formaban parte de la cultura popular de una manera similar a las películas o programas de televisión de nuestra época. Parte del efecto humorístico de la obra depende de saber contrastar las hazañas heroicas de los caballeros andantes por todos conocidas con las del infortunado don Quijote. Las breves notas a continuación ofrecen parte de la información de fondo.

● Capítulo I

Había tres categorías en la nobleza en orden de superior a inferior: los grandes, los caballeros y los hidalgos.

Los libros de caballería eran enormemente populares, los primeros *best-sellers* de la literatura española. Los más leídos en España eran el *Amadís de Gaula* y el *Palmerín de Oliva*. Feliciano de Silva es un autor real que publicó numerosas novelas de caballería o continuaciones de obras famosas (a la manera de *soap-operas*) en un estilo afectado y ampuloso. El Caballero de la Ardiente Espada, Bernardo del Carpio, Roldán y los otros nombres mencionados son famosos protagonistas de cantares de gesta y libros de caballería. Estos ficticios "caballeros andantes" recorren las tierras ayudando a víctimas inocentes, impartiendo justicia y realizando hazañas portentosas, siempre al servicio de su dama.

Para parecer o, en su imaginación, ser un caballero como ellos, Alonso Quijano necesita armas, un caballo, un nombre adecuado y una dama a quien amar y servir. Antes de salir, trata de cumplir con todos los requisitos, tomando como modelo a los personajes ficticios.

● Capítulo II

Las armas del caballero tradicional eran la armadura (*armor*), con su peto (*breast plate*), espaldar (*back plate*), yelmo (*helmet that covers the head and the face*), visera (*visor*), celada (*helmet that covers the head*) y gola (*gorget*); lanza (*lance*), el escudo o rodela o adarga (*shield*) y la espada (*sword*). Don Quijote se ve obligado a llevarlas por los calurosos campos de Castilla.

Don Quijote, cuando habla a las damas imita el lenguaje pomposo de los libros que lee.

Don Quijote recita un romance muy conocido y popular:

> Nunca fuera caballero
> de damas tan bien servido
> como fuera Lanzarote
> cuando de Bretaña vino.

Sin estorbar la métrica, cambia a "Lanzarote" (*Lancelot*) por "don Quijote".

● Capítulo III

El minucioso y culto lector don Quijote conoce todas las reglas y fórmulas caballerescas y no quiere saltarse ninguna. Para ser un verdadero caballero, don Quijote se da cuenta de que tiene que haber sido "armado caballero". La ceremonia de armarse caballero, según la tradición caballeresca, era muy solemne. Durante la noche el caballero velaba las armas y al día siguiente, en la capilla, recibía de una figura de autoridad la pescozada (un golpe suave en el cuello) y el espaldarazo (un golpe en el hombro con la espada). Durante la ceremonia, se leían las oraciones apropiadas mientras nobles doncellas y caballeros asistían a la recepción.

- Capítulo IV

Imitando a sus héroes, don Quijote se detiene en una encrucijada para decidir a donde va, dejando la decisión a su caballo.

La terrible ofensa que el mercader hace a don Quijote es pedir un retrato de Dulcinea antes de decir que es la dama más hermosa del mundo.

Don Quijote habla numerosas veces en un español ya arcaico en la época de Cervantes, para mejor emular el lenguaje de los caballeros antiguos. Por ejemplo, dice: "Non fuyáis…", en un habla sorprendente para quien la escucha.

- Capítulo V

Caído en el suelo y dolorido, don Quijote recuerda en seguida un episodio de un romance con el que se identifica, el de *Valdovinos y el Marqués de Mantua*. Todo lo que ocurre después lo relaciona con el romance o con el libro de caballerías *El Abencerraje y la hermosa Jarifa*.

- Capítulo VIII

De nuevo, tras la aventura de los molinos de viento, don Quijote recuerda el episodio de un libro para imitarlo y otra vez decide qué es o no correcto hacer según lo que ha leído en la orden de caballería.

"Vizcaíno" es aquí sinónimo de vasco. Como tal, el mercader no sabe expresarse bien en castellano y el efecto de su habla es ridículo. El estereotipo del vizcaíno con su lenguaje incomprensible está frecuentemente presente como elemento cómico en la literatura de los siglos XVI y XVII.

Al final del capítulo, deja Cervantes la aventura inacabada e introduce la idea de que hay dos autores, parodia también de los libros de caballería.

PRIMERA PARTE DEL INGENIOSO HIDALGO DON QUIJOTE DE LA MANCHA

CAPÍTULO I

QUE TRATA DE LA CONDICIÓN Y EJERCICIO DEL FAMOSO HIDALGO DON QUIJOTE DE LA MANCHA

En un lugar de la Mancha de cuyo nombre no quiero acordarme, no ha mucho tiempo que vivía un hidalgo de los de lanza en astillero, adarga antigua, rocín flaco y galgo corredor. Una olla de algo más vaca que carnero, salpicón las más noches, duelos y quebrantos los sábados, lentejas los viernes, algún palomino de añadidura los domingos
5   consumían las tres partes de su hacienda. El resto della[1] concluían sayo de velarte, calzas de velludo para las fiestas, con sus pantuflos de lo mesmo,[2] y los días de entresemana se honraba con su vellorí de lo más fino. Tenía en su casa una ama que pasaba de los cuarenta,

1. della = de ella
2. mesmo = mismo

y una sobrina que no llegaba a los veinte, y un mozo de campo y plaza, que así ensillaba el rocín como tomaba la podadera. Frisaba la edad de nuestro hidalgo con los cincuenta años;
10 era de complexión recia, seco de carnes, enjuto de rostro, gran madrugador y amigo de la caza. Quieren decir que tenía el sobrenombre de Quijada, o Quesada, que en esto hay alguna diferencia en los autores que deste[1] caso escriben; aunque por conjeturas verosímiles se deja entender que se llamaba Quejana. Pero esto importa poco a nuestro cuento: basta que en la narración dél[2] no se salga un punto de la verdad.

15 Es, pues, de saber que este sobredicho hidalgo los ratos que estaba ocioso (que eran los más del año), se daba a leer libros de caballería con tanta afición y gusto, que olvidó casi de todo punto el ejercio de la caza, y aun la adminstración de su hacienda; y llegó a tanto su curiosidad y desatino en esto, que vendió muchas hanegas de tierra de sembradura para comprar libros de caballerías en que leer, y así, llevó a su casa todos cuantos pudo
20 haber dellos;[3] y de todos, ningunos le parecían tan bien como los que compuso el famoso Feliciano de Silva, porque la claridad de su prosa y aquellas entricadas razones suyas le parecían de perlas, y mas cuando llegaba a leer aquellos requiebros y cartas de desafíos, donde en muchas partes hallaba escrito: "la razón de la sinrazón que a mi razón se hace, de tal manera mi razón enflaquece, que con razón me quejo de la vuestra fermosura"[4]. Y
25 también cuando leía: "...los altos cielos que de vuestra divinidad divinamente con las estrellas os fortifican y os hacen merecedora del merecimiento que merece la vuestra grandeza".

Con estas razones perdía el pobre caballero el juicio, y desvelábase por entenderlas y desentrañarles el sentido, que no se lo sacara ni las entendiera el mismo Aristóteles si
30 resucitara para sólo ello. No estaba muy bien con las heridas que don Belianís daba y recibía, porque se imaginaba que por grandes maestros que le hubiesen curado no dejaría de tener el rostro y todo el cuerpo lleno de cicatrices y señales. Pero, con todo, alababa en su autor aquel acabar su libro con la promesa de aquella inacabable aventura, y muchas veces le vino deseo de tomar la pluma, y dalle[5] fin al pie de la letra, como allí se promete,
35 y sin duda alguna lo hiciera, y aun saliera con ello, si otros mayores y continuos pensamientos no se lo estorbaran. Tuvo muchas veces competencia con el cura de su lugar (que era hombre docto, graduado en Sigüenza), sobre cuál había sido mejor caballero: Palmerín de Inglaterra o Amadís de Gaula; mas maese Nicolás, barbero del mismo pueblo, decía que ninguno llegaba al Caballero del Febo, y que si alguno se le podía comparar era
40 don Galaor, hermano de Amadís de Gaula, porque tenía muy acomodada condición para todo; que no era caballero melindroso ni tan llorón como su hermano y que en lo de la valentía no le iba en zaga.

En resolución, él se enfrascó tanto en su lectura, que se le pasaban las noches leyendo de claro en claro y los días de turbio en turbio; y así del poco dormir y del mucho leer se
45 le secó el cerebro de manera que vino a perder el juicio. Llenósele la fantasía de todo aquello que leía en los libros, así de encantamientos como de pendencias, batallas, desafíos, heridas, requiebros, amores, tormentas y disparates imposibles; y asentósele[6] de tal modo en la imaginación que era verdad toda aquella máquina de aquellas soñadas invenciones que

1. deste = de este

2. dél = de él

3. dellos = de ellos

4. fermosura = hermosura

5. dalle = darle

6. asentósele = se le asentó

leía, que para él no había otra historia más cierta en el mundo. Decía él que el Cid Ruy
Diaz había sido muy buen caballero; pero que no tenía que ver con el Caballero de la
Ardiente Espada, que de sólo un revés había partido por medio dos fieros y descomunales
gigantes. Mejor estaba con Bernardo del Carpio, porque en Roncesvalles había muerto a
Roldán el encantado valiéndose de la industria de Hércules, cuando ahogó a Anteo, el hijo
de la Tierra, entre los brazos. Decía mucho bien del gigante Morgante, porque con ser de
aquella generación gigantea, que todos son soberbios y descomedidos, él sólo era afable y
bien criado. Pero, sobre todos, estaba bien con Reynaldos de Montalbán, y más cuando le
veía salir de su castillo y robar cuantos topaba, y cuando en allende robó aquel ídolo de
Mahoma que era todo de oro, según dice su historia. Diera él, por dar una mano de coces
al traidor de Galalón, al ama que tenía y aun a su sobrina de añadidura.

En efecto, rematado ya su juicio, vino a dar en el más extraño pensamiento que jamás
dió loco en el mundo, y fué que le pareció convenible y necesario, así para el aumento de
su honra como para el servicio de su república, hacerse caballero andante y irse por todo
el mundo con sus armas y caballo a buscar las aventuras y a ejercitarse en todo aquello que
él había leído que los caballeros andantes se ejercitaban, deshaciendo todo género de
agravio y poniéndose en ocasiones y peligros donde, acabándolos, cobrase eterno nombre
y fama. Imaginábase el pobre ya coronado por el valor de su brazo, por lo menos, del
imperio de Trapisonda; y así, con estos tan agradables pensamientos, llevado del extraño
gusto que en ellos sentía, se dió prisa a poner en efecto lo que deseaba. Y lo primero que
hizo fué limpiar unas armas que habían sido de sus bisabuelos, que, tomadas de orín y
llenas de moho, luengos siglos hacía que estaban puestas y olvidadas en un rincón.
Limpiólas y aderezólas lo mejor que pudo; pero vió que tenían una gran falta, y era que no
tenían celada de encaje, sino morrión simple; mas a esto suplió su industria, porque de
cartones hizo un modo de media celada, que, encajada con el morrión hacía una apariencia
de celada entera. Es verdad que para probar si era fuerte y podía estar al riesgo de una
cuchillada, sacó su espada y le dió dos golpes, y con el primero y en un punto deshizo lo
que había hecho en una semana; y no dejó de parecerle mal la facilidad con que la había
hecho pedazos, y, por asegurarse deste peligro, la tornó a hacer de nuevo, poniéndole unas
barras de hierro por dentro, de tal manera, que él quedó satisfecho de su fortaleza, y sin
querer hacer nueva experiencia della, la diputó y tuvo por celada finísima de encaje.

Fué luego a ver a su rocín, y aunque tenía más cuartos que un real y más tachas que
el caballo de Gonela, que *tantum pellis et ossa fuit*, le pareció que ni el Bucéfalo de Alejandro
ni Babieca el del Cid con él se igualaban. Cuatro días se le pasaron en imaginar qué nombre
le pondría: porque (según se decía él a sí mismo) no era razón que caballo de caballero tan
famoso, y tan bueno él por sí, estuviese sin nombre conocido; y así, procuraba
acomodársele de manera que declarase quién había sido antes que fuese de caballero
andante, y lo que era entonces; pues estaba muy puesto en razón que, mudando su señor
estado, mudase él también el nombre, y le cobrase famoso y de estruendo, como convenía
a la nueva orden y al nuevo ejercicio que ya profesaba; y así, después de muchos nombres
que formó, borró y quitó, añadió, deshizo y tornó a hacer en su memoria e imaginación,

al fin le vino a llamar Rocinante, nombre, a su parecer, alto, sonoro y significativo de lo que había sido cuando fué rocín, antes de lo que ahora era, que era antes y primero de todos los rocines del mundo.

Puesto nombre, y tan a su gusto, a su caballo, quiso ponérselo a sí mismo, y en este pensamiento duró otros ocho días, y al cabo se vino a llamar don Quijote, de donde, como queda dicho, tomaron ocasión los autores desta tan verdadera historia que, sin duda, se debía de llamar Quijada, y no Quesada, como otros quisieron decir. Pero, acordándose que el valeroso Amadís no sólo se había contentado con llamarse Amadís a secas, sino que añadió el nombre de su reino y patria, por hacerla famosa, y se llamó Amadís de Gaula, así quiso, como buen caballero añadir al suyo el nombre de la suya y llamarse don Quijote de la Mancha, con que, a su parecer, declaraba muy al vivo su linaje y patria, y la honraba con tomar el sobrenombre della.

Limpias, pues, sus armas, hecho del morrión celada, puesto nombre a su rocín, y confirmándose a sí mismo, se dió a entender que no le faltaba otra cosa sino buscar una dama de quien enamorarse: porque el caballero andante sin amores era árbol sin hojas y sin fruto y cuerpo sin alma. Decíase él:

—Si yo, por malos de mis pecados, o por mi buena suerte, me encuentro por ahí con algún gigante, como de ordinario les acontece a los caballeros andantes, y le derribo de un encuentro, o le parto por mitad del cuerpo, o, finalmente, le venzo y le rindo, ¿no será bien tener a quien enviarle presentado, y que entre y se hinque de rodillas ante mi dulce señora, y diga con voz humilde y rendida: "Yo, señora, soy el gigante Caraculiambro, señor de la ínsula Malindrania, a quien venció en singular batalla el jamás como se debe alabado caballero don Quijote de la Mancha, el cual me mandó que me presentase ante la vuestra merced, para que la vuestra grandeza disponga de mí a su talante".

¡Oh, cómo se holgó nuestro buen caballero cuando hubo hecho este discurso, y más cuando halló a quien dar nombre de su dama! Y fué, a lo que se cree, que en un lugar cerca del suyo había una moza labradora de muy buen parecer, de quien él un tiempo anduvo enamorado, aunque, según se entiende, ella jamás lo supo ni se dió cata dello. Llamábase Aldonza Lorenzo, y a ésta le pareció ser bien darle título de señora de sus pensamientos; y, buscándole nombre que no desdijese mucho del suyo y que tirase y se encaminase al de princesa y gran señora, vino a llamarla Dulcinea del Toboso, porque era natural del Toboso: nombre, a su parecer, músico y peregrino y significativo, como todos los demás que a él y a sus cosas había puesto.

CAPÍTULO II

QUE TRATA DE LA PRIMERA SALIDA QUE DE SU TIERRA HIZO EL INGENIOSO DON QUIJOTE

Hechas, pues, estas prevenciones, no quiso aguardar más tiempo a poner en efecto su

pensamiento, apretándole a ello la falta que él pensaba que hacía en el mundo su tardanza,
según eran los agravios que pensaba deshacer, tuertos que enderezar, sinrazones que
enmendar, y abusos que mejorar, y deudas que satisfacer. Y así, sin dar parte a persona
alguna de su intención y sin que nadie le viese, una mañana, antes del día, que era uno de
los calurosos del mes de julio, se armó de todas sus armas, subió sobre Rocinante, puesta
su mal compuesta celada, embrazó su adarga, tomó su lanza, y por la puerta falsa de un
corral salió al campo, con grandísimo contento y alborozo de ver con cuánta facilidad
había dado principio a su buen deseo. Mas apenas se vió en el campo, cuando le asaltó un
pensamiento terrible, y tal que por poco le hiciera dejar la comenzada empresa; y fué que
le vino a la memoria que no era armado caballero y que, conforme a la ley de caballería, ni
podía ni debía tomar armas con ningún caballero; y puesto que lo fuera, había de llevar
armas blancas, como novel caballero, sin empresa en el escudo, hasta que por su esfuerzo
la ganase. Estos pensamientos le hicieron titubear en su propósito; mas, pudiendo más su
locura que otra razón alguna, propuso de hacerse armar caballero del primero que topase,
a imitación de otros muchos que así lo hicieron, según él había leído en los libros que tal
le tenían. En lo de las armas blancas, pensaba limpiarlas de manera, en teniendo lugar, que
lo fuesen más que un armiño; y con esto se quietó y prosiguió su camino, sin llevar otro
que aquel que su caballo quería, creyendo que en aquello consistía la fuerza de las aventuras.

Yendo, pues, caminando nuestro flamante aventurero, iba hablando consigo mismo y
diciendo:

—¿Quién duda sino que en los venideros tiempos, cuando salga a la luz la verdadera
historia de mis famosos hechos, que el sabio que los escribiere no ponga, cuando llegue a
contar esta mi primera salida tan de mañana, desta manera?: "Apenas había el rubicundo
Apolo tendido por la faz de la ancha y espaciosa tierra las doradas hebras de sus hermosos
cabellos, y apenas los pequeños y pintados pajarillos con sus harpadas lenguas habían
saludado con dulce y meliflua armonía la venida de la rosada aurora, que, dejando la blanda
cama del celoso marido, por las puertas y balcones del manchego horizonte a los mortales
se mostraba, cuando el famoso caballero Don Quijote de la Mancha, dejando las ociosas
plumas, subió sobre su famoso caballo Rocinante, y comenzó a caminar por el antiguo y
conocido campo de Montiel."

Y era la verdad que por él caminaba. Y añadió diciendo:

—Dichosa edad y siglo dichoso aquel adonde saldrán a luz las famosas hazañas mías,
dignas de entallarse en bronces, esculpirse en mármoles y pintarse en tablas, para memoria
en lo futuro. ¡Oh tú, sabio encantador, quienquiera que seas, a quien ha de tocar ser el
cronista desta peregrina historia! Ruégote que no te olvides de mi buen Rocinante,
compañero eterno mío en todos mis caminos y carreras.

Luego volvía diciendo, como si verdaderamente fuera enamorado:

—¡Oh princesa Dulcinea, señora deste cautivo corazón! Mucho agravio me habéis
fecho[1] en despedirme y reprocharme con el riguroso afincamiento de mandarme no parecer
ante la vuestra fermosura. Plégaos, señora, de membraros deste vuestro sujeto corazón, que
tantas cuitas por vuestro amor padece.

1. fecho = hecho

Con éstos iba ensartando otros disparates, todos al modo de los que sus libros le habían enseñado, imitando en cuanto podía su lenguaje; y, con esto, caminaba tan despacio, y el sol entraba tan apriesa y con tanto ardor, que fuera bastante a derretirle los sesos, si algunos tuviera.

Casi todo aquel día caminó sin acontecerle cosa que de contar fuese, de lo cual se desesperaba, porque quisiera topar luego con quien hacer experiencia del valor de su fuerte brazo. Autores hay que dicen que la primera aventura que le avino fue la de Puerto Lápice; otros dicen que la de los molinos de viento; pero lo que yo he podido averiguar en este caso, y lo que he hallado escrito en los anales de la Mancha, es que él anduvo todo aquel día, y, al anochecer, su rocín y él se hallaron cansados y muertos de hambre; y que, mirando a todas partes por ver si descubriría algún castillo o alguna majada de pastores donde recogerse y adonde pudiese remediar su mucha necesidad, vió, no lejos del camino por donde iba, una venta, que fué como si viera una estrella que, no a los portales, sino a los alcázares de su redención le encaminaba. Dióse prisa a caminar, y llegó a ella a tiempo que anochecía.

Estaban acaso a la puerta dos mujeres mozas, destas que llaman del partido, las cuales iban a Sevilla con unos arrieros que en la venta aquella noche acertaron a hacer jornada; y como a nuestro aventurero todo cuanto pensaba, veía o imaginaba le parecía ser hecho y pasar al modo de lo que había leído, luego que vió la venta se le representó que era un castillo con sus cuatro torres y chapiteles de luciente plata, sin faltarle su puente levadizo y honda cava, con todos aquellos adherentes que semejantes castillos se pintan. Fuése llegando a la venta que a él le parecía castillo, y a poco trecho della detuvo las riendas a Rocinante esperando que algún enano se pusiese entre las almenas a dar señal con alguna trompeta de que llegaba caballero al castillo. Pero como vió que se tardaban y que Rocinante se daba prisa por llegar a la caballeriza, se llegó a la puerta de la venta, y vió a las dos distraídas mozas que allí estaban, que a él le parecieron dos hermosas doncellas o dos graciosas damas que delante de la puerta del castillo se estaban solazando. En esto sucedió acaso que un porquero que andaba recogiendo de unos rastrojos una manada de puercos (que, sin perdón, así se llaman) tocó un cuerno, a cuya señal ellos se recogen, y al instante se le representó a don Quijote lo que deseaba, que era que algún enano hacía señal de su venida, y así, con extraño contento llegó a la venta y a las damas, las cuales, como vieron venir un hombre de aquella suerte armado, y con lanza y adarga, llenas de miedo se iban a entrar en la venta; pero don Quijote, coligiendo por su huída su miedo, alzándose la visera de papelón y descubriendo su seco y polvoroso rostro, con gentil talante y voz reposada les dijo:

—Non fuyan[1] las vuestras mercedes, ni teman desaguisado alguno; ca[2] a la orden de caballería que profeso non toca ni atañe facerle[3] a ninguno, cuanto más a tan altas doncellas como vuestras presencias demuestran.

Mirábanle las mozas, y andaban con los ojos buscándole el rostro, que la mala visera le encubría; mas como se oyeron llamar doncellas, cosa tan fuera de su profesión, no pudieron tener la risa, y fué de manera que don Quijote vino a correrse, y a decirles:

1. non fuyan = no huyan
2. ca = porque
3. facerle = hacerle

—Bien parece la mesura en las fermosas, y es mucha sandez, además, la risa que de leve causa procede; pero non vos[1] lo digo porque os acuitedes ni mostredes[2] mal talante; que el mío non es de al que de serviros.

El lenguaje, no entendido de las señoras, y el mal talle de nuestro caballero acrecentaba en ellas la risa, y en él el enojo, y pasara muy delante si a aquel punto no saliera el ventero, hombre que, por ser muy gordo, era muy pacífico, el cual, viendo aquella figura contrahecha, armada de armas tan desiguales como eran la brida, lanza, adarga y coselete, no estuvo en nada acompañar a las doncellas en las muestras de su contento. Mas, en efecto, temiendo la máquina de tantos pertrechos, determinó de hablarle comedidamente, y así le dijo:

—Si vuestra merced, señor caballero, busca posada, amén del lecho (porque en esta venta no hay ninguno), todo lo demás se hallará en ella en mucha abundancia.

Viendo don Quijote la humildad del alcaide de la fortaleza, que tal le pareció a él el ventero y la venta, respondió:

—Para mí, señor castellano, cualquiera cosa basta, porque mis arreos son las armas, mi descanso el pelear, etcétera.

Pensó el huésped que el haberle llamado castellano había sido por haberle parecido de los sanos de Castilla, aunque él era andaluz, y de los de la playa de Sanlúcar, no menos ladrón que Caco, ni menos maleante que el estudiante o paje, y así le respondió:

—Según eso, las camas de vuestra merced serán duras penas, y su dormir, siempre velar; y siendo así, bien se puede apear, con seguridad de hallar en esta choza ocasión y ocasiones para no dormir en todo un año, cuanto más en una noche.

Y diciendo esto, fué a tener del estribo a don Quijote, el cual se apeó con mucha dificultad y trabajo, como aquel que en todo aquel día no se había desayunado.

Dijo luego al huésped que le tuviese mucho cuidado de su caballo, porque era la mejor pieza que comía pan en el mundo. Miróle el ventero, y no le pareció tan bueno como don Quijote decía, ni aun la mitad; y acomodándole en la caballeriza volvió a ver lo que su huésped mandaba, al cual estaban desarmando las doncellas, que ya se habían reconciliado con él; las cuales, aunque le habían quitado el peto y el espaldar, jamás supieron ni desencajalle[3] la gola, ni quitalle la contrahecha celada, que traía atada con unas cintas verdes, y era menester cortarlas, por no poderse quitar los nudos; mas él no lo quiso consentir en ninguna manera, y así, se quedó toda aquella noche con la celada puesta, que era la más graciosa y extraña figura que se pudiera pensar; y al desarmarle, como él se imaginaba que aquellas traídas y llevadas que le desarmaban eran algunas principales señoras y damas de aquel castillo, les dijo con mucho donaire:

—Nunca fuera caballero
de damas tan bien servido
como fuera don Quijote
cuando de su aldea vino:
doncellas curaban dél;
princesas, de su rocino,

1. non vos = no os
2. os acuitéis ni mostréis

3. desencajalle = desencajarle

—Rocinante; que éste es el nombre, señoras mías, de mi caballo, y don Quijote de la Mancha el mío; que, puesto que no quisiera descubrirme fasta que las fazañas fechas[1] en vuestro servicio y pro[2] me descubrieran, la fuerza de acomodar al propósito presente este romance viejo de Lanzarote ha sido causa que sepáis mi nombre antes de toda sazón; pero tiempo vendrá en que las vuestras señorías me manden y yo obedezca, y el valor de mi brazo descubra el deseo que tengo de serviros.

Las mozas, que no estaban hechas a oír semejantes retóricas, no respondían palabra; sólo le preguntaron si quería comer alguna cosa.

—Cualquiera yantaría yo —respondió don Quijote—, porque, a lo que entiendo, me haría mucho al caso.

A dicha, acertó a ser viernes aquel día, y no había en toda la venta sino unas raciones de un pescado que en Castilla llaman abadejo, y en Andalucía bacalao, y en otras partes curadillo, y en otras truchuela. Preguntáronle si por ventura comería su merced truchuela; que no había otro pescado que dalle a comer.

—Como haya muchas truchuelas —respondió don Quijote—, podrán servir de una trucha; porque eso se me da que me den ocho reales en sencillos que una pieza de a ocho. Cuanto más que podría ser que fuesen estas truchuelas como la ternera, que es mejor que la vaca, y el cabrito que el cabrón. Pero, sea lo que fuere, venga luego; que el trabajo y peso de las armas no se puede llevar sin el gobierno de las tripas.

Pusiéronle la mesa a la puerta de la venta, por el fresco, y trájole el huésped una porción del mal remojado y peor cocido bacalao y un pan tan negro y mugriento como sus armas; pero era materia de grande risa verle comer, porque, como tenía puesta la celada y alzada la visera, no podía poner nada en la boca con sus manos si otro no se lo daba y ponía, y ansí, una de aquellas señoras servía deste menester. Mas al darle de beber, no fué posible, ni lo fuera si el ventero no horadara una caña, y puesto él un cabo en la boca, por el otro le iba echando el vino; y todo esto lo recibía con paciencia, a trueco de no romper las cintas de la celada. Estando en esto, llegó acaso a la venta un castrador de puercos, y así como llegó, sonó su silbato de cañas cuatro o cinco veces, con lo cual acabó de confirmar don Quijote que estaba en algun famoso castillo, y que le servían con música, y que el abadejo eran truchas; el pan, candeal; y las rameras, damas; y el ventero, castellano del castillo, y con esto daba por bien empleada su determinación y salida. Mas lo que más le fatigaba era el no verse armado caballero, por parecerle que no se podría poner legítimamente en aventura alguna sin recibir la orden de caballería.

CAPÍTULO III

DONDE SE CUENTA LA GRACIOSA MANERA QUE TUVO DON QUIJOTE DE ARMARSE CABALLERO

Y así, fatigado deste pensamiento, abrevió su venteril y limitada cena; la cual acabada, llamó al ventero y, encerrándose con él en la caballeriza, se hincó de rodillas ante él,

1. hasta, hazañas, hechas
2. pro = pro vecho

diciéndole:

—No me levantaré jamás de donde estoy, valeroso caballero, hasta que la vuestra cortesía me otorgue un don que pedirle quiero, el cual redundará en alabanza vuestra y en pro del género humano.

El ventero, que vió a su huésped a sus pies y oyó semejantes razones, estaba confuso mirándole, sin saber qué hacerse ni decirle, y porfiaba con él que se levantase, y jamás quiso, hasta que le hubo de decir que él le otorgaba el don que le pedía.

—No esperaba yo menos de la gran magnificencia vuestra, señor mío —respondió don Quijote—; y así, os digo que el don que os he pedido y de vuestra liberalidad me ha sido otorgado es que mañana en aquel día me habéis de armar caballero, y esta noche en la capilla de vuestro castillo velaré las armas, y mañana, como tengo dicho, se cumplirá lo que tanto deseo, para poder, como se debe, ir por todas las cuatro partes del mundo buscando las aventuras, en pro de los menesterosos, como está a cargo de la caballería y de los caballeros andantes, como yo soy, cuyo deseo a semejantes fazañas es inclinado.

El ventero, que, como está dicho, era un poco socarrón y ya tenía algunos barruntos de la falta de juicio de su huésped, acabó de creerlo cuando acabó de oírle semejantes razones, y, por tener que reír aquella noche, determinó de seguirle el humor; y así le dijo que andaba muy acertado en lo que deseaba y pedía, y que tal prosupuesto era propio y natural de los caballeros tan principales como él parecía y como su gallarda presencia mostraba; y que él asimismo, en los años de su mocedad, se había dado a aquel honroso ejercicio, andando por diversas partes del mundo, buscando sus aventuras, sin que hubiese dejado los Percheles de Málaga, Islas de Riarán, Compás de Sevilla, Azoguejo de Segovia, la Olivera de Valencia, Rondilla de Granada, Playa de Sanlúcar, Potro de Córdoba y las Ventillas de Toledo y otras diversas partes, donde había ejercitado la ligereza de sus pies y sutileza de sus manos, haciendo muchos tuertos, recuestando muchas viudas, deshaciendo algunas doncellas y engañando a algunos pupilos, y, finalmente, dándose a conocer por cuantas audiencias y tribunales hay casi en toda España; y que, a lo último, se había venido a recoger a aquel su castillo, donde vivía con su hacienda y con las ajenas, recogiendo en él a todos los caballeros andantes, de cualquiera calidad y condición que fuesen, sólo por la mucha afición que les tenía y porque partieran con él de sus haberes, en pago de su buen deseo.

Díjole también que en aquel su castillo no había capilla alguna donde poder velar las armas, porque estaba derribada para hacerla de nuevo; pero que en caso de necesidad él sabía que se podían velar dondequiera, y que aquella noche las podría velar en un patio del castillo; que a la mañana, siendo Dios servido, se harían las debidas ceremonias, de manera que él quedase armado caballero, y tan caballero que no pudiese ser más en el mundo.

Preguntóle si traía dineros; respondióle don Quijote que no traía blanca, porque él nunca había leído en las historias de los caballeros andantes que ninguno los hubiese traído. A esto dijo el ventero que se engañaba; que, puesto caso que en las historias no se escribía, por haberles parecido a los autores dellas que no era menester escribir una cosa tan clara y tan necesaria de traerse como eran dinero y camisas limpias, no por eso se había de creer que no los trajeron; y así, tuviese por cierto y averiguado que todos los caballeros andantes, de que tantos libros están llenos y atestados, llevaban bien herradas las bolsas, por lo que

325 pudiese sucederles; y que asimismo llevaban camisas y una arqueta pequeña llena de ungüentos para curar las heridas que recibían, porque no todas veces en los campos y desiertos donde combatían y salían heridos había quien los curase, si ya no era que tenían algún sabio encantador por amigo, que luego los socorría, trayendo por aire, en alguna nube, alguna doncella o enano con alguna redoma de agua de tal virtud que, en gustando

330 alguna gota della, mal alguno hubiesen tenido; mas que en tanto que esto no hubiese, tuvieron los pasados caballeros por cosa acertada que sus escuderos fuesen proveídos de dineros y de otras cosas necesarias, como eran hilas y ungüentos para curarse; y cuando sucedía que los tales caballeros no tenían escuderos (que eran pocas y raras veces), ellos mismos lo llevaban todo en unas alforjas muy sutiles, que casi no se parecían, a las ancas

335 del caballo, como que era otra cosa de más importancia; porque, no siendo por ocasión semejante, esto de llevar alforjas no fué muy admitido entre los caballeros andantes; y por esto le daba por consejo, pues aún se lo podía mandar como a su ahijado, que tan presto lo había de ser, que no caminase de allí adelante sin dineros y sin las prevenciones referidas, y que vería cuán bien se hallaba con ellas, cuando menos se pensase.

340 Prometióle don Quijote de hacer lo que se le aconsejaba, con toda puntualidad, y así se dió luego orden como velase las armas en un corral grande que a un lado de la venta estaba; y recogiéndolas don Quijote todas, las puso sobre una pila que junto a un pozo estaba, y, embrazando su adarga, asió de su lanza, y con gentil continente se comenzó a pasear delante de la pila; y cuando comenzó el paseo comenzaba a cerrar la noche.

345 Contó el ventero a todos cuantos estaban en la venta la locura de su huésped, la vela de las armas y la armazón de caballería que esperaba. Admirándose de tan extraño género de locura y fuéronselo a mirar desde léjos, y vieron que, con sosegado ademán, unas veces se paseaba; otras, arrimado a su lanza, ponía los ojos en las armas, sin quitarlos por un buen espacio dellas. Acabó de cerrar la noche; pero con tanta claridad de la luna, que podía

350 competir con el que se la prestaba; de manera que cuanto el novel caballero hacía era bien visto de todos. Antojósele en esto a uno de los arrieros que estaban en la venta ir a dar agua a su recua, y fué menester quitar las armas de don Quijote, que estaban sobre la pila; el cual, viéndole llegar, en voz alta le dijo:

—¡Oh tú, quienquiera que seas, atrevido caballero, que llegas a tocar las armas del más

355 valeroso andante que jamás se ciñó espada! Mira lo que haces, y no las toques, si no quieres dejar la vida en pago de tu atrevimiento.

No se curó el arriero destas razones (y fuera mejor que se curara, porque fuera curarse en salud); antes, trabando de las correas, las arrojó gran trecho de sí. Lo cual visto por don Quijote, alzó los ojos al cielo y, puesto el pensamiento (a lo que pareció) en su señora

360 Dulcinea, dijo:

—Socorredme, señora mía, en esta primera afrenta que a este vuestro avasallado pecho se le ofrece: no me desfallezca en este primer trance vuestro favor y amparo.

Y diciendo estas y otras semejantes razones, soltando la adarga, alzó la lanza a dos

manos y dió con ella tan gran golpe al arriero en la cabeza, que le derribó en el suelo tan
maltrecho que, si se segundara con otro, no tuviera necesidad de maestro que le curara.
Hecho esto, recogió sus armas y tornó a pasearse con el mismo reposo que primero. Desde
allí a poco, sin saberse lo que había pasado (porque aún estaba aturdido el arriero), llegó
otro con la misma intención de dar agua a sus mulos y, llegando a quitar las armas para
desembarazar la pila, sin hablar don Quijote palabra y sin pedir favor a nadie, soltó otra
vez la adarga, y alzó otra vez la lanza, y, sin hacerla pedazos, hizo más de tres la cabeza del
segundo arriero, porque se la abrió por cuatro. Al ruido acudió toda la gente de la venta, y
entre ellos el ventero. Viendo esto don Quijote, embrazó su adarga y, puesta mano a su
espada, dijo:

—¡Oh, señora de la fermosura, esfuerzo y vigor del debilitado corazón mío! Ahora es
tiempo que vuelvas los ojos de tu grandeza a este tu cautivo caballero, que tamaña aventura
está atendiendo.

Con esto cobró, a su parecer, tanto ánimo, que si le acometieran todos los arrieros del
mundo, no volviera el pié atrás. Los compañeros de los heridos, que tales los vieron,
comenzaron desde lejos a llover piedras sobre don Quijote, el cual, lo mejor que podía, se
reparaba con su adarga, y no se osaba apartar de la pila, por no desamparar las armas. El
ventero daba voces que le dejasen, porque ya les había dicho como era loco, y que por loco
se libraría, aunque los matase a todos. También don Quijote las daba, mayores, llamándolos
de alevosos y traidores, y que el señor del castillo era un follón y mal nacido caballero, pues
de tal manera consentía que se tratasen los andantes caballeros; y que si él hubiera recibido
la orden de caballería, que él le diera a entender su alevosía:

—Pero de vosotros, soez y baja canalla, no hago caso alguno; tirad, llegad, venid, y
ofendedme en cuanto pudiereis; que vosotros veréis el pago que lleváis de vuestra sandez y
demasía.

Decía esto con tanto brío y denuedo, que infundió un terrible temor en los que le
acometían; y así por esto como por las persuasiones del ventero le dejaron de tirar; y él dejó
retirar a los heridos, y tornó a la vela de sus armas, con la misma quietud y sosiego que
primero.

No le parecieron bien al ventero las burlas de su huésped, y determinó abreviar y darle
la negra orden de caballería luego, antes que otra desgracia sucediese. Y así, llegándose a él,
se desculpó de la insolencia que aquella gente baja con él había usado, sin que él supiese
cosa alguna; pero que bien castigados quedaban de su atrevimiento. Díjole como ya le había
dicho que en aquel castillo no había capilla, y para lo que restaba de hacer tampoco era
necesaria; que todo el toque de quedar armado caballero consistía en la pescozada y en el
espaldarazo, según él tenía noticia del ceremonial de la orden, y que aquello en mitad del
campo se podía hacer; y que ya había cumplido con lo que tocaba al velar de las armas, que
con solas dos horas de vela se cumplía, cuanto más que él había estado más de cuatro. Todo
se lo creyó don Quijote, y dijo que él estaba allí pronto para obedecerle y que concluyese
con la mayor brevedad que pudiese; porque si fuese otra vez acometido y se viese armado
caballero, no pensaba dejar persona viva en el castillo, excepto aquellas que él le mandase,

405 a quien por su respeto dejaría.

Advertido y medroso desto el castellano, trajo luego un libro donde asentaba la paja y la cebada que daba a los arrieros, y con un cabo de vela que le traía un muchacho, y con las dos ya dichas doncellas, se vino adonde don Quijote estaba, al cual mandó hincar de rodillas; y, leyendo en su manual (como que decía alguna devota oración), en mitad de la
410 leyenda alzó la mano y dióle sobre el cuello un buen golpe, y tras él, con su misma espada, un gentil espaldarazo, siempre murmurando entre dientes, como que rezaba. Hecho esto, mandó a una de aquellas damas que le ciñese la espada, la cual lo hizo con mucha desenvoltura y discreción, porque no fué menester poca para no reventar de risa a cada punto de las ceremonias; pero las proezas que ya habían visto del novel caballero les tenían
415 la risa a raya. Al ceñirle la espada dijo la buena señora:

—Dios haga a vuestra merced muy venturoso caballero y le dé ventura en lides.

Don Quijote le preguntó cómo se llamaba, porque él supiese de allí adelante a quién quedaba obligado por la merced recibida, porque pensaba darle alguna parte de la honra que alcanzase por el valor de su brazo. Ella respondió con mucha humildad que se llamaba
420 la Tolosa, y que era hija de un remendón natural de Toledo, que vivía a las tendillas de Sancho Bienaya, y que dondequiera que ella estuviese le serviría y le tendría por señor. Don Quijote le replicó que, por su amor, le hiciese merced que de allí adelante se pusiese don, y se llamase doña Tolosa. Ella se lo prometió, y la otra le calzó la espuela; con la cual le pasó casi el mismo coloquio que con la de la espada. Preguntóle su nombre, y dijo que se
425 llamaba la Molinera y que era hija de un honrado molinero de Antequera; a la cual también rogó don Quijote que se pusiese don, y se llamase doña Molinera, ofreciéndole nuevos servicios y mercedes.

Hechas, pues, de galope y aprisa las hasta allí nunca vistas ceremonias, no vió la hora don Quijote de verse a caballo y salir buscando las aventuras; y, ensillando luego a
430 Rocinante, subió en él y, abrazando a su huésped, le dijo cosas tan extrañas agradeciéndole la merced de haberle armado caballero, que no es posible acertar a referirlas. El ventero, por verle ya fuera de la venta, con no menos retóricas, aunque con más breves palabras, respondió a las suyas, y, sin pedirle la costa de la posada, le dejó ir a la buena hora.

CAPÍTULO IV

DE LO QUE LE SUCEDIÓ A NUESTRO CABALLERO CUANDO SALIÓ DE LA VENTA

La del alba sería cuando don Quijote salió de la venta, tan contento, tan gallardo, tan
435 alborozado por verse ya armado caballero, que el gozo le reventaba por las cinchas del caballo. Mas viniéndole a la memoria los consejos de su huésped acerca de las prevenciones tan necesarias que había de llevar consigo, especial la de los dineros y camisas, determinó volver a su casa y acomodarse de todo y de un escudero, haciendo cuenta de recibir a un

labrador vecino suyo, que era pobre y con hijos, pero muy a propósito para el oficio escuderil de la caballería. Con este pensamiento guió a Rocinante hacia su aldea, el cual, casi conociendo la querencia, con tanta gana comenzó a caminar que parecía que no ponía los pies en el suelo.

No había andado mucho, cuando le pareció que a su diestra mano, de la espesura de un bosque que allí estaba, salían unas voces delicadas, como de persona que se quejaba; y apenas las hubo oído, cuando dijo:

—Gracias doy al cielo por la merced que me hace, pues tan presto me pone ocasiones delante donde yo pueda cumplir con lo que debo a mi profesión, y donde pueda coger el fruto de mis buenos deseos. Estas voces, sin duda, son de algún menesteroso, o menesterosa, que ha menester mi favor y ayuda.

Y volviendo las riendas, encaminó a Rocinante hacia donde le pareció que las voces salían. Y a pocos pasos que entró por el bosque, vió atada una yegua a una encina, y atado en otra un muchacho, desnudo de medio cuerpo arriba, hasta de edad de quince años, que era el que las voces daba, y no sin causa, porque le estaba dando con una pretina muchos azotes un labrador de buen talle, y cada azote le acompañaba con una represión y consejo. Porque decía:

—La lengua queda y los ojos listos.

Y el muchacho respondia:

—No lo haré otra vez, señor mío; por la pasión de Dios que no lo haré otra vez, y yo prometo de tener de aquí adelante más cuidado con el hato.

Y viendo don Quijote lo que pasaba, con voz airada dijo:

—Descortés caballero, mal parece tomaros con quien defender no se puede; subid sobre vuestro caballo y tomad vuestra lanza —que también tenía una lanza arrimada a la encina adonde estaba arrendada la yegua—; que yo os haré conocer ser de cobardes lo que estáis haciendo.

El labrador, que vió sobre sí aquella figura llena de armas blandiendo la lanza sobre su rostro, túvose por muerto, y con buenas palabras respondió:

—Señor caballero, este muchacho que estoy castigando es un mi criado, que me sirve de guardar una manada de ovejas que tengo en estos contornos; el cual es tan descuidado, que cada día me falta una; y porque castigo su descuido o bellaquería, dice que lo hago de miserable, por no pagalle la soldada que le debo, y en Dios y en mi ánima que miente.

—¿"Miente" delante de mí, ruin villano? —dijo don Quijote—. Por el sol que nos alumbra, que estoy por pasaros de parte a parte con esta lanza: Pagadle luego sin más réplica; si no, por el Dios que nos rige que os concluya y aniquile en esta punto. Desatadlo luego.

El labrador bajó la cabeza, y, sin responder palabra, desató a su criado, al cual preguntó don Quijote que cuánto le debía su amo. Él dijo que nueve meses, a siete reales cada mes. Hizo la cuenta don Quijote y halló que montaban sesenta y tres reales, y díjole al labrador que al momento los desembolsase, si no quería morir por ello. Respondió el medroso villano que para el paso en que estaba y juramento que había hecho (y aún no

480 había jurado nada), que no eran tantos; porque se le habían de descontar y recibir en cuenta tres pares de zapatos que le habían dado y un real de dos sangrías que le habían hecho estando enfermo.

—Bien está todo eso —replicó don Quijote—; pero quédense los zapatos y las sangrías por los azotes que sin culpa le habéis dado; que si él rompió el cuero de los zapatos que
485 vos pagastes, vos le habéis rompido el de su cuerpo; y si le sacó el barbero sangre estando enfermo, vos en sanidad se la habéis sacado: ansí[1] que, por esta parte, no os debe nada.

1. ansí = así

—El daño está, señor caballero, en que no tengo aquí dineros: véngase Andrés conmigo a mi casa; que yo se los pagaré un real sobre otro.

—¿Irme yo con él —dijo el muchacho— más? ¡Mal año! No, señor, ni por pienso:
490 porque, en viéndose sólo, me desollará como a un San Bartolomé.

—No hará tal —replicó don Quijote—; basta que yo se lo mande para que me tenga respeto; y con que él me lo jure por la ley de caballería que ha recibido, le dejaré ir libre y aseguraré la paga.

—Mire vuestra merced, señor, lo que dice —dijo el muchacho—: que este mi amo no es
495 caballero ni ha recibido orden de caballería alguna; que es Juan Haldudo el rico, el vecino del Quintanar.

—Importa poco eso —respondió don Quijote—; que Haldudos puede haber caballeros; cuanto más que cada uno es hijo de sus obras.

—Así es verdad —dijo Andrés—; pero este mi amo, ¿de qué obras es hijo, pues me niega
500 mi soldada y mi sudor y trabajo?

—No niego, hermano Andrés —respondió el labrador—; y hacedme placer de veniros conmigo; que yo juro por todas las órdenes que de caballerías hay en el mundo de pagaros, como tengo dicho, un real sobre otro, y aún sahumados.

—Del sahumerio os hago gracia —dijo don Quijote—; dádselos en reales, que con eso
505 me contento; y mirad que lo cumpláis como lo habéis jurado; si no, por el mismo juramento os juro de volver a buscaros y a castigaros, y que os tengo de hallar aunque os escondáis más que una lagartija. Y si queréis saber quién os manda esto, para quedar con más veras obligado a cumplirlo, sabed que yo soy el valeroso don Quijote de la Mancha, el desfacedor de agravios y sinrazones, y a Dios quedad, y no se os parta de las mientes lo
510 prometido y jurado, so pena de la pena pronunciada.

Y en diciendo esto, picó a su Rocinante, y en breve espacio se apartó dellos. Siguióle el labrador con los ojos, y cuando vió que había traspuesto del bosque y que ya no parecía, volvióse a su criado Andrés, y díjole:

—Venid acá, hijo mío, que os quiero pagar lo que os debo, como aquel deshacedor de
515 agravios me dejó mandado.

—Eso juro yo —dijo Andrés—; y cómo que andará vuestra merced acertado en cumplir el mandamiento de aquel buen caballero, que mil años viva; que, según es de valeroso y de buen juez, vive Roque, que si no me paga, que vuelva y ejecute lo que dijo!

—También lo juro yo —dijo el labrador—; pero, por lo mucho que os quiero, quiero
520 acrecentar la deuda, por acrecentar la paga.

Y asiéndole del brazo, le tornó a atar a la encina, donde le dió tantos azotes, que le dejó por muerto.

—Llamad, señor Andrés, ahora —decía el labrador— al desfacedor[1] de agravios; veréis
cómo no desface aquéste. Aunque creo que no está acabado de hacer, porque me viene gana de desollaros vivo, como vos temíais.

Pero, al fin, le desató, y le dió licencia que fuese a buscar a su juez para que ejecutase la pronunciada sentencia. Andrés se partió algo mohino, jurando de ir a buscar al valeroso don Quijote de la Mancha y contalle punto por punto lo que había pasado, y que se lo había de pagar con las setenas. Pero, con todo esto, él se partió llorando y su amo se quedó riendo. Y desta manera deshizo el agravio el valeroso don Quijote; el cual, contentísimo de lo sucedido, pareciéndole que había dado felicísimo y alto principio a sus caballerías, con gran satisfacción de sí mismo iba caminando hacia su aldea, diciendo a media voz:

—Bien te puedes llamar dichosa sobre cuantas hoy viven sobre la tierra, ¡oh, sobre las bellas, bella Dulcinea del Toboso!, pues te cupo en suerte tener sujeto y rendido a toda tu voluntad y talante a un tan valiente y tan nombrado caballero como lo es y será don Quijote de la Mancha; el cual, como todo el mundo sabe, ayer recibió la orden de caballería, y hoy ha desfecho el mayor tuerto y agravio que formó la sinrazón y cometió la crueldad: hoy quitó el látigo de la mano de aquel despiadado enemigo que tan sin ocasión vapulaba a aquel delicado infante.

En esto llegó a un camino que en cuatro se dividía, y luego se le vino a la imaginación las encrucijadas donde los caballeros andantes se ponían a pensar cuál camino de aquéllos tomarían; y por imitarlos, estuvo un rato quedo, y al cabo de haberlo muy bien pensado, soltó la rienda a Rocinante, dejando a la voluntad del rocín la suya, el cual siguió su primer intento, que fué el irse camino de su caballeriza. Y habiendo andando como dos millas, descubrió don Quijote un grande tropel de gente, que, como después se supo, eran unos mercaderes toledanos que iban a comprar seda a Murcia. Eran seis, y venían con sus quitasoles, con otros cuatro criados a caballo y tres mozos de mulas a pies. Apenas los divisó don Quijote, cuando se imaginó ser cosa de nueva aventura; y, por imitar en todo cuanto a él le parecía posible los pasos que había leído en sus libros, le pareció venir allí de molde uno que pensaba hacer. Y así, con gentil continente y denuedo, se afirmó bien en los estribos, apretó la lanza, llegó la adarga al pecho y, puesto en la mitad del camino, estuvo esperando que aquellos caballeros andantes llegasen, que ya él por tales los tenía y juzgaba; y cuando llegaron a trecho que se pudieron ver y oír, levantó don Quijote la voz y con ademán arrogante dijo:

—Todo el mundo se tenga, si todo el mundo no confiesa que no hay en el mundo todo doncella más hermosa que la Emperatriz de la Mancha, la sin par Dulcinea del Toboso.

Paráronse los mercaderes al son destas razones y a ver la extraña figura del que las decía, y por las razones luego echaron de ver la locura de su dueño; mas quisieron ver despacio en qué paraba aquella confesión que se les pedía, y uno de ellos, que era un poco burlón y muy mucho discreto, le dijo:

—Señor caballero, nosotros no conocemos quién sea esa buena señora que decís;

mostrádnosla: que si ella fuere de tanta hermosura como significáis, de buena gana y sin apremio alguno confesaremos la verdad que por parte vuestra nos es pedida.

—Si os la mostrara —replicó don Quijote—, ¿qué hicierais vosotros en confesar una verdad tan notoria? La importancia está en que sin verla lo habéis de creer, confesar, afirmar, jurar y defender: si no, conmigo sois en batalla, gente descomunal y soberbia. Que, ahora vengáis uno a uno, como pide la orden de caballería; ahora todos juntos, como es costumbre y mala usanza de los de vuestra ralea, aquí os aguardo y espero, confiado en la razón que de mi parte tengo.

—Señor caballero —replicó el mercader—, suplico a vuestra merced en nombre de todos estos príncipes que aquí estamos, que, porque no encarguemos nuestras conciencias confesando una cosa por nosotros jamás vista ni oída, y más siendo tan en perjuicio de las emperatrices y reinas del Alcarria y Extremadura, que vuestra merced sea servido de mostrarnos algún retrato de esa señora, aunque sea tamaño como un grano de trigo; que por el hilo se sacará el ovillo, y quedaremos con esto satisfechos y seguros, y vuestra merced quedará contento y pagado; y aun creo que estamos ya tan de su parte, que, aunque su retrato nos muestre que es tuerta de un ojo y que del otro le mana bermellón y piedra azufre, con todo eso, por complacer a vuestra merced, diremos en su favor todo lo que quisiere.

—No le mana, canalla infame —respondió don Quijote encendido en cólera—; no le mana, digo, eso que decís, sino ámbar y algalia entre algodones; y no es tuerta ni corcovada, sino más derecha que un huso de Guadarrama. Pero ¡vosotros pagaréis la grande blasfemia que habéis dicho contra tamaña beldad como es la de mi señora!

Y en diciendo esto, arremetió con la lanza baja contra el que lo había dicho con tanta furia y enojo, que si la buena suerte no hiciera que en la mitad del camino tropezara y cayera Rocinante, lo pasara mal el atrevido mercader. Cayó Rocinante, y fué rodando su amo una buena pieza por el campo; y queriéndose levantar, jamás pudo: tal embarazo le causaban la lanza, adarga, espuelas y celada, con el peso de las antiguas armas. Y entre tanto que pugnaba por levantarse y no podía, estaba diciendo:

—Non fuyáis,[I] gente cobarde; gente cautiva, atended; que no por culpa mía, sino de mi caballo, estoy aquí tendido.

Un mozo de mulas de los que allí venían, que no debía de ser muy bien intencionado, oyendo decir al pobre caído tantas arrogancias, no lo pudo sufrir sin darle la respuesta en las costillas. Y llegándose a él, tomó la lanza, y después de haberla hecho pedazos, con uno dellos comenzó a dar a nuestro don Quijote tantos palos, que, a despecho y pesar de sus armas, le molió como cibera. Dábanle voces sus amos que no le diese tanto y que le dejase; pero estaba ya el mozo picado y no quiso dejar el juego hasta envidar todo el resto de su cólera; y acudiendo por los demás trozos de la lanza, los acabó de deshacer sobre el miserable caído, que, con toda aquella tempestad de palos que sobre él vía no cerraba la boca, amenazando al cielo y a la tierra, y a los malandrines, que tal le parecían.

Cansóse el mozo, y los mercaderes siguieron su camino, llevando que contar en todo él del pobre apaleado. El cual, después que se vió solo, tornó a probar si podía levantarse;

I. non fuyáis = no huyáis

pero si no lo pudo hacer cuando sano y bueno, ¿cómo lo haría molido y casi deshecho? Y aún se tenía por dichoso, pareciéndole que aquélla era propia desgracia de caballeros andantes, y toda la atribuía a la falta de su caballo; y no era posible levantarse, según tenía brumado todo el cuerpo.

CAPÍTULO V

DONDE SE PROSIGUE LA NARRACIÓN DE LA DESGRACIA DE NUESTRO CABALLERO.

610 Viendo, pues, que, en efeto, no podía menearse, acordó de acogerse a su ordinario remedio, que era pensar en algún paso de sus libros, y trájole su locura a la memoria aquel de Valdovinos y del Marqués de Mantua, cuando Carloto le dejó herido en la montaña, historia sabida de los niños, no ignorada de los mozos, celebrada y aun creída de los viejos, y, con todo esto, no más verdadera que los milagros de Mahoma. Ésta, pues, le pareció a

615 él que le venía de molde para el paso en que se hallaba; y así, con muestras de grande sentimiento, se comenzó a volcar por la tierra y a decir con debilitado aliento lo mismo que dicen decía el herido caballero del bosque:

> —¿Dónde estás, señora mía,
> que no te duele mi mal?
620 > O no lo sabes, señora,
> o eres falsa y desleal.

Y desta manera fué prosiguiendo el romance, hasta aquellos versos que dicen:

> ¡Oh noble Marqués de Mantua,
> mi tío y señor carnal!

625 Y quiso la suerte que, cuando llegó a este verso, acertó a pasar por allí un labrador de su mismo lugar y vecino suyo, que venía de llevar una carga de trigo al molino; el cual, viendo aquel hombre allí tendido, se llegó a él y le preguntó que quién era y qué mal sentía, que tan tristemente se quejaba. Don Quijote creyó, sin duda, que aquél era el Marqués de Mantua, su tío, y así, no le respondió otra cosa sino fué proseguir en su romance, donde le

630 daba cuenta de su desgracia y de los amores del hijo del Emperante con su esposa, todo de la misma manera que el romance lo canta.

El labrador estaba admirado oyendo aquellos disparates; y quitándole la visera, que ya estaba hecha pedazos, de los palos, le limpió el rostro, que lo tenía cubierto de polvo, y apenas le hubo limpiado, cuando le conoció y le dijo:

635 —Señor Quijana —que así se debía de llamar cuando él tenía juicio y no había pasado de hidalgo sosegado a caballero andante—, ¿quién ha puesto a vuestra merced de esta suerte?

Pero él seguía con su romance a cuanto le preguntaba. Viendo esto el buen hombre, lo mejor que pudo le quitó el peto y espaldar, para ver si tenía alguna herida; pero no vió sangre ni señal alguna. Procuró levantarle del suelo, y no con poco trabajo le subió sobre su jumento, por parecer caballería más sosegada. Recogió las armas, hasta las astillas de la lanza, y lió las sobre Rocinante, al cual tomó de la rienda y del cabestro al asno, y se encaminó hacia su pueblo, bien pensativo de oír los disparates que don Quijote decía; y no menos iba don Quijote, que, de puro molido y quebrantado, no se podía tener sobre el borrico, y de cuando en cuando daba unos suspiros que los ponía en el cielo; de modo que de nuevo obligó a que el labrador le preguntase qué mal sentía; y no parece sino que el diablo le traía a la memoria los cuentos acomodados a sus sucesos; porque en aquel punto, olvidándose de Valdovinos, se acordó del moro Abindarráez, cuando el alcaide de Antequera, Rodrigo de Narváez, le prendió y llevó cautivo a su alcaidía. De suerte que cuando el labrador le volvió a preguntar que cómo estaba y qué sentía, le respondió las mismas palabras y razones que el cautivo abencerraje respondía a Rodrigo de Narváez, del mismo modo que él había leído la historia en la Diana de Jorge de Montemayor, donde se escribe; aprovechándose della tan a propósito, que el labrador se iba dando al diablo de oír tanta máquina de necedades; por donde conoció que su vecino estaba loco, y dábase prisa a llegar al pueblo, por excusar el enfado que don Quijote le causaba con su larga arenga. Al cabo de la cual dijo:

—Sepa vuestra merced, señor don Rodrigo de Narváez, que esta hermosa Jarifa que he dicho es ahora la linda Dulcinea del Toboso, por quien yo he hecho, hago y haré los más famosos hechos de caballerías que se han visto, vean ni verán en el mundo.

A esto respondió el labrador:

—Mire vuestra merced, señor, pecador de mí, que yo no soy don Rodrigo de Narváez, ni el Marqués de Mantua, sino Pedro Alonso, su vecino; ni vuestra merced es Valdovinos ni Abindarráez, sino el honrado hidalgo del señor Quijana.

—Yo sé quién soy —respondió don Quijote—, y sé que puedo ser, no sólo los que he dicho, sino todos los doce Pares de Francia, y aun todos los nueve de la Fama, pues a todas las hazañas que ellos todos juntos y cada uno por sí hicieron se aventajarán las mías.

En estas pláticas y en otras semejantes llegaron al lugar, a la hora que anochecía; pero el labrador aguardó a que fuese algo más tarde, porque no viesen al molido hidalgo tan mal caballero. Llegada, pues la hora que le pareció, entró en el pueblo y en la casa de don Quijote, la cual halló toda alborotada, y estaban en ella el cura y el barbero del lugar, que eran grandes amigos de don Quijote, que estaba diciéndoles su ama a voces:

—¿Qué le parece a vuestra merced, señor licenciado Pero Pérez —que así se llamaba el cura—, de la desgracia de mi señor? Tres días ha que no parecen él, ni el rocín, ni la adarga, ni la lanza, ni las armas. ¡Desventurada de mí!, que me doy a entender, y así es ello la verdad como nací para morir, que estos malditos libros de caballerías que él tiene y suele leer tan de ordinario le han vuelto el juicio; que ahora me acuerdo haberle oído decir muchas veces, hablando entre sí, que quería hacerse caballero andante e irse a buscar las aventuras por esos mundos. Encomendados sean a Satanás y a Barrabás tales libros, que así han echado a perder el más delicado entendimiento que había en toda la Mancha.

680   La sobrina decía lo mismo, y aun decía más:

—Sepa, señor maese Nicolás —que éste era el nombre del barbero—, que muchas veces le aconteció a mi señor tío estarse leyendo en estos desalmados libros de desventuras dos días con sus noches, al cabo de los cuales arrojaba el libro de las manos y ponía mano a la espada y andaba a cuchilladas con las paredes; y cuando estaba muy cansado decía que
685   había muerto a cuatro gigantes como cuatro torres, y el sudor que sudaba del cansancio decía que era sangre de las heridas que había recibido en la batalla, y bebíase luego un gran jarro de agua fría, y quedaba sano y sosegado, diciendo que aquella agua era una preciosísima bebida que le había traído el sabio Esquife, un grande encantador y amigo suyo. Mas yo me tengo la culpa de todo, que no avisé a vuestras mercedes de los disparates
690   de mi señor tío para que los remediaran antes de llegar a lo que ha llegado y quemaran todos estos descomulgados libros; que tiene muchos que bien merecen ser abrasados, como si fuesen de herejes.

—Esto digo yo también —dijo el Cura—, y a fe que no se pase el día de mañana sin que dellos no se haga auto público, y sean condenados al fuego, porque no den ocasión a quien
695   los leyere de hacer lo que mi buen amigo debe de haber hecho.

Todo esto estaban oyendo el labrador y don Quijote, con que acabó de entender el labrador la enfermedad de su vecino, y así, comenzó a decir a voces:

—Abran vuestras mercedes al señor Valdovínos y al señor Marqués de Mantua, que viene mal herido, y al señor moro Abindarráez, que trae cautivo el valeroso Rodrigo de
700   Narváez, alcaide de Antequera.

A estas voces salieron todos, y como conocieron los unos a su amigo, las otras a su amo y tío, que aun no se había apeado del jumento, porque no podía, corrieron a abrazarle. Él dijo:

—Ténganse todos; que vengo malherido por la culpa de mi caballo. Llévenme a mi
705   lecho, y llámese, si fuera posible, a la sabia Urganda, que cure y cate de mis heridas.

—¡Mirá, en hora mala —dijo a este punto el Ama—, si me decía a mí bien mi corazón del pie que cojeaba mi señor! Suba vuestra merced en buen hora; que sin que venga esa hurgada, le sabremos aquí curar. ¡Malditos, digo, sean otra vez y otras ciento estos libros de caballerías, que tal han parado a vuestra merced!

710   Lleváronle luego a la cama, y, catándole las heridas, no le hallaron ninguna; y él dijo que todo era molimiento, por haber dado una gran caída con Rocinante, su caballo, combatiéndose con diez jayanes, los más desaforados y atrevidos que se pudieran hallar en gran parte de la tierra.

—¡Ta, ta! —dijo el cura—. ¿Jayanes hay en la danza? Para mi santiguada que yo los queme
715   mañana antes que llegue la noche.

Hiciéronle a don Quijote mil preguntas, y a ninguna quiso responder otra cosa sino que le diesen de comer y le dejasen dormir, que era lo que más le importaba. Hízose así, y el Cura se informó muy a la larga del labrador del modo que había hallado a don Quijote. Él se lo contó todo, con los disparates que al hallarle y al traerle había dicho, que fué poner
720   más deseo en el licenciado de hacer lo que otro día hizo, que fué llamar a su amigo el barbero maese Nicolás, con el cual se vino a casa de don Quijote.

CAPÍTULO VIII

DEL BUEN SUCESO QUE EL VALEROSO DON QUIJOTE TUVO EN LA ESPANTABLE Y JAMÁS IMAGINADA AVENTURA DE LOS MOLINOS DE VIENTO, CON OTROS SUCESOS DIGNOS DE FELIZ RECORDACIÓN

En esto descubrieron treinta o cuarenta molinos de viento que hay en aquel campo, y así como don Quijote los vió, dijo a su escudero:

—La ventura va guiando nuestras cosas mejor de lo que acertáramos a desear; porque
725   ves allí, amigo Sancho Panza, dónde se descubren treinta, o pocos más desaforados gigantes, con quien pienso hacer batalla y quitarles a todos las vidas, con cuyos despojos comenzaremos a enriquecer, que ésta es buena guerra, y es gran servicio de Dios quitar tan mala simiente de sobre la faz de la tierra.

—¿Qué gigantes? —dijo Sancho Panza.

730   —Aquellos que allí ves —respondió su amo— de los brazos largos, que los suelen tener algunos de casi dos leguas.

—Mire vuestra merced —respondió Sancho— que aquellos que allí se parecen no son gigantes, sino molinos de viento, y lo que en ellos parecen brazos son las aspas, que, volteadas del viento, hacen andar la piedra del molino.

735   —Bien parece —respondió don Quijote— que no estás cursado en esto de las aventuras: ellos son gigantes; y si tienes miedo, quítate de ahí, y ponte en oración en el espacio que yo voy a entrar con ellos en fiera y desigual batalla.

Y diciendo esto, dio de espuelas a su caballo Rocinante, sin atender a las voces que su escudero Sancho le daba, advirtiéndole que, sin duda alguna, eran molinos de viento y
740   no gigantes aquellos que iba a acometer. Pero él iba tan puesto en que eran gigantes, que ni oía las voces de su escudero Sancho, ni echaba de ver aunque estaba ya bien cerca, lo que eran; antes iba diciendo en voces altas:

—Non fuyades,[I] cobardes y viles criaturas; que un solo caballero es el que os acomete.

Levantóse en esto un poco de viento, y las grandes aspas comenzaron a moverse, lo
745   cual visto por don Quijote, dijo:

—Pues aunque mováis más brazos que los del gigante Briareo, me lo habéis de pagar.

Y diciendo esto, y encomendándose de todo corazón a su señora Dulcinea, pidiéndole que en tal trance le socorriese, bien cubierto de su rodela, con la lanza en el
750   ristre, arremetió a todo el galope de Rocinante y embistió con el primer molino que estaba delante; y dándole una lanzada en el aspa, la volvió el viento con tanta furia, que hizo la lanza pedazos, llevándose tras sí al caballo y al caballero, que fue rodando muy maltrecho por el campo. Acudió Sancho Panza a socorrerle, a todo el correr de su asno, y cuando llegó halló que no se podía menear: tal fué el golpe que dió con él Rocinante.

755   —¡Válgame Dios! —dijo Sancho—. ¿No le dije yo a vuestra merced que mirase bien lo que hacía, que no eran sino molinos de viento, y no lo podía ignorar sino quien llevase otros tales en la cabeza?

I. non fuyades = no huyáis

—Calla, amigo Sancho —respondió don Quijote—; que las cosas de la guerra, más que otras, están sujetas a continua mudanza; cuanto más, que yo pienso, y así es verdad, que aquel sabio Frestón, que me robó el aposento y los libros ha vuelto estos gigantes en molinos, por quitarme la gloria de su vencimiento: tal es la enemistad que me tiene; más al cabo, han de poder poco sus malas artes contra la bondad de mi espada.

—Dios lo haga como puede —respondió Sancho Panza. Y, ayudándole a levantar, tornó a subir sobre Rocinante, que medio despaldado estaba. Y, hablando de la pasada aventura, siguieron el camino del Puerto Lápice, porque allí decía don Quijote que no era posible dejar de hallarse muchas y diversas aventuras, por ser lugar muy pasajero, sino que iba muy pesaroso por haberle faltado la lanza; y diciéndoselo a su escudero, le dijo:

—Yo me acuerdo haber leído que un caballero español llamado Diego Pérez de Vargas, habiéndosele en una batalla roto la espada, desgajó de una encina un pesado ramo o tronco, y con él hizo tales cosas aquel día y machacó tantos moros, que le quedó por sobrenombre Machuca, y así él como sus descendientes se llamaron desde aquel día en adelante Vargas y Machuca. Te he dicho esto porque de la primera encina o roble que se me depare pienso desgajar otro tronco, tal y tan bueno como aquel que me imagino; y pienso hacer con él tales hazañas, que tú te vengas por bien afortunado de haber merecido venir a vellas y a ser testigo de cosas que apenas podrán ser creídas.

—A la mano de Dios —dijo Sancho—; yo lo creo todo así como vuestra merced lo dice; pero enderécese un poco, que parece que va de medio lado, y debe de ser del molimiento de la caída.

—Así es la verdad —respondió don Quijote—; y si no me quejo del dolor es porque no es dado a los caballeros andantes quejarse de herida alguna, aunque se les salgan las tripas por ella.

—Si eso es así, no tengo yo que replicar —respondió Sancho—; pero sabe Dios si yo me holgara que vuestra merced se quejara cuando alguna cosa le doliera. De mí sé decir que me he de quejar del más pequeño dolor que tenga, si ya no se entiende también con los escuderos de los caballeros andantes eso del no quejarse.

No se dejó de reír don Quijote de la simplicidad de su escudero; y así le declaró que podía muy bien quejarse cómo y cuándo quisiese sin gana o con ella; que hasta entonces no había leído cosa en contrario en la orden de caballería. Díjole Sancho que mirase que era hora de comer. Respondióle su amo que por entónces no le hacía menester; que comiese él cuando se le antojase. Con esta licencia, se acomodó Sancho lo mejor que pudo sobre su jumento, y sacando de las alforjas lo que en ellas había puesto, iba caminando y comiendo detrás de su amo muy de su espacio, y de cuando en cuando empinaba la bota con tanto gusto, que le pudiera envidiar el más regalado bodegonero de Málaga. Y en tanto que él iba de aquella manera menudeando tragos, no se le acordaba de ninguna promesa que su amo le hubiese hecho, ni tenía por ningún trabajo, sino por mucho descanso andar buscando las aventuras, por peligrosas que fuesen.

En resolución aquella noche la pasaron entre unos árboles, y del uno dellos desgajó don Quijote un ramo seco que casi le podía servir de lanza, y puso en él el hierro que quitó

800 de la que se le había quebrado. Toda aquella noche no durmió don Quijote pensando en su señora Dulcinea, por acomodarse a lo que había leído en sus libros, cuando los caballeros pasaban sin dormir muchas noches en las florestas y despoblados entretenidos con las memorias de sus señoras. No la pasó ansí Sancho Panza; que, como tenía el estómago lleno, y no de agua de chicoria, de un sueño se la llevó toda, y no fueran parte

805 para despertarle, si su amo no le llamara, los rayos del sol, que le daban en el rostro, ni el canto de las aves, que, muchas y muy regocijadamente, la venida del nuevo día saludaban. Al levantarse dió un tiento a la bota, y hallóla algo más flaca que la noche antes, y afligiósele el corazón, por parecerle que no llevaban camino de remediar tan presto su falta. No quiso desayunarse don Quijote, porque, como está dicho, dió en sustentarse de

810 sabrosas memorias. Tornaron a su comenzado camino del Puerto Lápice, y a obra de las tres del día le descubrieron.

—Aquí, —dijo en viéndole don Quijote— podemos, hermano Sancho Panza, meter las manos hasta los codos en esto que llaman aventuras. Mas advierte que, aunque me veas en los mayores peligros del mundo, no has de poner mano a tu espada para defenderme, si ya

815 no vieres que los que me ofenden es canalla y gente baja, que en tal caso bien puedes ayudarme; pero si fueren caballeros, en ninguna manera te es lícito ni concedido por las leyes de caballería que me ayudes, hasta que seas armado caballero.

—Por cierto, señor —respondió Sancho—, que vuestra merced sea muy bien obedecido en esto; y más, que yo de mío me soy pacífico y enemigo de meterme en ruidos ni

820 pendencias: bien es verdad que en lo que tocare a defender mi persona, no tendré mucha cuenta con esas leyes, pues las divinas y humanas permiten que cada uno se defienda de quien quisiere agraviarle.

—No digo yo ménos —respondió don Quijote—; pero en esto de ayudarme contra caballeros has de tener a raya tus naturales ímpetus.

825 —Digo que así lo haré —respondió Sancho—, y que guardaré ese precepto tan bien como el día del domingo.

Estando en estas razones, asomaron por el camino dos frailes de la orden de San Benito, caballeros sobre dos dromedarios; que no eran más pequeñas dos mulas en que venían. Traían sus antojos de camino y sus quitasoles. Detrás dellos venía un coche, con

830 cuatro o cinco de a caballo que le acompañaban y dos mozos de mulas a pie. Venía en el coche, como después se supo, una señora vizcaína, que iba a Sevilla, donde estaba su marido, que pasaba a las Indias con un muy honroso cargo. No venían los frailes con ella, aunque iban el mismo camino; mas apenas los divisó don Quijote, cuando dijo a su escudero:

835 —O yo me engaño, o ésta ha de ser la más famosa aventura que se haya visto; porque aquellos bultos negros que allí parecen deben de ser, y son, sin duda, algunos encantadores que llevan hurtada alguna princesa en aquel coche, y es menester deshacer este tuerto a todo mi poderío.

—Peor será esto que los molinos de viento —dijo Sancho—. Mire, señor, que aquellos

840 son frailes de San Benito, y el coche debe de ser de alguna gente pasajera. Mire que digo

que mire bien lo que hace, no sea el diablo que le engañe.

—Ya te he dicho, Sancho —respondió don Quijote—, que sabes poco de achaque de aventuras: lo que yo digo es verdad, y ahora lo verás.

Y diciendo esto, se adelantó y se puso en la mitad del camino por donde los frailes venían, y en llegando tan cerca que a él le pareció que le podrían oír lo que dijese, en alta voz dijo:

—Gente endiablaba y descomunal, dejad luego al punto las altas princesas que en ese coche lleváis forzadas; si no, aparejaos a recibir presta muerte, por justo castigo de vuestras malas obras.

Detuvieron los frailes las riendas, y quedaron admirados, así de la figura de don Quijote como de sus razones, a las cuales respondieron:

—Señor caballero, nosotros no somos endiablados ni descomunales, sino dos religiosos de San Benito que vamos nuestro camino, y no sabemos si en este coche vienen, o no, ningunas forzadas princesas.

—Para conmigo no hay palabras blandas; que ya yo os conozco, fementida canalla —dijo don Quijote.

Y sin esperar más repuesta, picó a Rocinante y, la lanza baja, arremetió contra el primero fraile, con tanta furia y denuevo, que si el fraile no se dejara caer de la mula, él le hiciera venir al suelo mal de su grado y aun mal herido, si no cayera muerto. El segundo religioso, que vió del modo que trataban a su compañero, puso piernas al castillo de su buena mula, y comenzó a correr por aquella campaña más ligero que el mismo viento.

Sancho Panza, que vió en el suelo al fraile, apeándose ligeramente de su asno, arremetió a él y le comenzó a quitar los hábitos. Llegaron en esto dos mozos de los frailes y preguntáronle que por qué le desnudaba. Respondióles Sancho que aquello le tocaba a él legítimamente, como despojos de la batalla que su señor don Quijote había ganado. Los mozos, que no sabían de burlas, ni entendían aquello de despojos ni batallas, viendo que ya don Quijote estaba desvíado de allí, hablando con las que en el coche venían, arremetieron con Sancho y dieron con él en el suelo, y, sin dejarle pelo en las barbas, le molieron a coces y le dejaron tendido en el suelo, sin aliento ni sentido; y, sin detenerse un punto, tornó a subir el fraile, todo temeroso y acobardado y sin color en el rostro; y cuando se vió a caballo, picó tras su compañero, que un buen espacio de allí le estaba aguardando, y esperando en qué paraba aquel sobresalto, y sin querer aguardar el fin de todo aquel comenzado suceso, siguieron su camino, haciéndose más cruces que si llevaran al diablo a las espaldas. Don Quijote estaba, como se ha dicho, hablando con la señora del coche, diciéndole:

—La vuestra hermosura, señora mía, puede hacer de su persona lo que más le viniere en talante, porque ya la soberbia de vuestros robadores yace por el suelo, derribada por este mi fuerte brazo; y porque no penéis por saber el nombre de vuestro libertador, sabed que yo me llamo don Quijote de la Mancha, caballero andante y aventurero, y cautivo de la sin par y hermosa doña Dulcinea del Toboso; y en pago del beneficio que de mí habéis recibido, no quiero otra cosa sino que volváis al Toboso y que de mi parte, os presentéis ante esta señora y le digáis lo que por vuestra libertad he hecho.

Todo esto que don Quijote decía escuchaba un escudero de los que el coche acompañaban, que era vizcaíno; el cual, viendo que no quería dejar pasar el coche adelante, sino que decía que luego había de dar la vuelta al Toboso, se fué para don Quijote y, asiéndole de la lanza, le dijo, en mala lengua castellana y peor vizcaína, desta manera:

—Anda, caballero que mal andes; por el Dios que crióme, que, si no dejas coche, así te matas como estás ahí vizcaíno.

Entendióle muy bien don Quijote, y con mucho sosiego le respondió:

—Si fueras caballero, como no lo eres, ya yo hubiera castigado tu sandez y atrevimiento, cautiva criatura.

A lo cual replicó el vizcaíno:

—¿Yo no caballero? Juro a Dios tan mientes como cristiano. Si lanza arrojas y espada sacas, ¡el agua cuán presto verás que al gato llevas! Vizcaíno por tierra, hidalgo por mar, hidalgo por el diablo, y mientes que mira si otra dices cosa.

—Ahora lo veréis, dijo Agrages —respondió don Quijote.

Y arrojando la lanza en el suelo, sacó su espada y embrazó su rodela, y arremetió al vizcaíno con determinación de quitarle la vida. El vizcaíno, que así le vió venir, aunque quisiera apearse de la mula, que, por ser de las malas de alquiler, no había que fiar en ella, no pudo hacer otra cosa sino sacar su espada; pero avínole bien que se halló junto al coche, de donde pudo tomar una almohada, que le sirvió de escudo, y luego se fueron el uno para el otro como si fueran dos mortales enemigos. La demás gente quisiera ponerlos en paz; mas no pudo, porque decía el vizcaíno en sus mal trabadas razones que si no le dejaban acabar su batalla, que él mismo había de matar a su ama y a toda la gente que se lo estorbase. La señora del coche, admirada y temerosa de lo que veía, hizo al cochero que se desvíase de allí algún poco, y desde lejos se puso a mirar la rigurosa contienda, en el discurso de la cual dió el vizcaíno una gran cuchillada a don Quijote encima de un hombro, por encima de la rodela, que, a dársela sin defensa, le abriera hasta la cintura. Don Quijote, que sintió la pesadumbre de aquel desaforado golpe, dió una gran voz diciendo:

—¡Oh, señora de mi alma, Dulcinea, flor de la fermosura, socorred a este vuestro caballero, que, por satisfacer a la vuestra mucha bondad, en este riguroso trance se halla!

El decir esto, y el apretar la espada, y el cubrirse bien de su rodela, y el arremeter al vizcaíno todo fué en un tiempo, llevando determinación de aventurarlo todo a la de un golpe solo.

El vizcaíno, que así le vió venir contra él, bien entendió por su denuedo su coraje, y determinó de hacer lo mismo que don Quijote; y así, le aguardó bien cubierto de su almohada, sin poder rodear la mula a una ni a otra parte; que ya de puro cansada y no hecha a semejantes niñerías, no podía dar un paso.

Venía pues, como se ha dicho, don Quijote contra el cauto vizcaíno, con la espada en alto, con determinación de abrirle por medio, y el vizcaíno le aguardaba ansímismo levantada la espada y aforrado con su almohada, y todos los circunstantes estaban temerosos y colgados de lo que había de suceder de aquellos tamaños golpes que se amenazaban; y la señora del coche y las demás criadas suyas estaban haciendo mil votos y ofrecimientos a todas las imágenes y casas de devoción de España, por que Dios librase a

925 su escudero y a ellas de aquel tan grande peligro en que se hallaban. Pero está el daño de todo esto que en este punto y término deja pondiente el autor desta historia esta batalla, disculpándose que no halló más escrito destas hazañas de don Quijote, de las que deja referidas. Bien es verdad que el segundo autor desta obra no quiso creer que tan curiosa historia estuviese entregada a las leyes del olvido, ni que hubiesen sido tan poco curiosos

930 los ingenios de la Mancha, que no tuviesen en sus archivos o en sus escritorios algunos papeles que deste famoso caballero tratasen; y así, con esta imaginación, no se desesperó de hallar el fin desta apacible historia, el cual, siéndole el cielo favorable, le halló del modo que se contará en la segunda parte.

Sugerencias para el análisis de los capítulos I, II, III, IV, V y VIII

1. Haz una lectura detallada del primer párrafo de la novela. Compara la descripción de don Quijote con los rasgos de un héroe tradicional de la corte del Rey Arturo.

2. Describe el origen y carácter de la "locura" de don Quijote.

3. Estudia la introducción de Rocinante. Observa cómo se diferencia la perspectiva de don Quijote de la perspectiva del narrador. ¿Cuál es la importancia de dar un nombre al caballo?

4. ¿Qué otros episodios en los que se dan denominaciones ocurren en el primer capítulo? Analiza de dónde surge el humor en estas situaciones.

5. ¿De qué manera sirven de modelo los libros a don Quijote? Da varios ejemplos, tanto de su comportamiento como de sus palabras.

6. Analiza algunas situaciones en que don Quijote confunde la realidad y la ficción. ¿En qué momento reconoce el haberse equivocado? ¿Cuál es su explicación? ¿Tiene sentido su explicación?

7. Describe la personalidad de Sancho. ¿Es simplemente un ejemplo contrario al personaje de don Quijote, su antítesis?

8. Contrasta las figuras del ventero de los capítulos II y III y de don Quijote. Explica el humor que surge de su interacción. ¿Cuál de los dos resulta más digno y respetable ante los ojos de los lectores?

9. Contrasta la forma de hablar de Sancho y de don Quijote. ¿Cuál es el efecto buscado?

10. Como lector, ¿qué te inspira más frecuentemente don Quijote, lástima, simpatía o risa? Da ejemplos.

Temas de discusión y ensayo

1. Compara y contrasta los personajes de don Quijote y Sancho. ¿Cómo se relacionan sus personalidades con la distinción entre idealismo y pragmatismo o entre fantasía y realidad?

2. Basándote en lo que has leído, describe los ideales de don Quijote.

3. Según lo que has leído en estos capítulos, ¿es don Quijote un personaje que causa más admiración o desprecio? ¿Es una figura trágica o cómica? ¿Es un héroe o un payaso? Recuerda que muchos de los personajes con los que se encuentra don Quijote –Sancho entre ellos– no se burlan de él, a pesar de su aspecto y actitud. ¿Por qué ocurre esto, en tu opinión?

4. Selecciona y comenta alguno de los personajes secundarios. Junto con don Quijote y Sancho dibujan un retrato de la sociedad de la época. Descríbela. ¿Cuál es la actitud de Cervantes hacia ella?

5. Si el *Quijote* es, como se ha dicho, una representación de la vida real, ¿cómo es la vida según Cervantes?

6. En la imaginación pública, la figura de don Quijote cobró una dimensión más elevada en la época del Romanticismo (siglo XIX) que en la contemporánea de Cervantes. ¿Podrías explicar por qué? Piensa en los rasgos heroicos de don Quijote. ¿Qué tipo de héroe es? ¿Con qué frecuencia logra cumplir sus deseos?

7. Comenta las diferentes mujeres que salen en estos capítulos del *Quijote*. ¿Cómo las trata don Quijote? Piensa sobre todo en la adoración de don Quijote por Dulcinea.

8. De los dos arquetipos universales, don Quijote y Sancho, ¿cuál se acerca más a una sociedad deseable? ¿Debiera nuestra sociedad "quijotizarse" o "sanchizarse"?

9. ¿Cuáles crees que son las razones principales del éxito inmediato del *Quijote*? ¿Por qué hoy no goza de la misma popularidad y se considera lectura intelectual?

10. En el Capítulo IV aparece el personaje de Andrés, un muchacho de 15 años que trabaja de criado por un sueldo miserable del que su amo le descuenta zapatos y medicaciones y a quien azota porque se deja escapar unas ovejas. Lazarillo también vive de su trabajo recibiendo malos tratos. ¿Qué visión se nos presenta de los niños de la época? ¿Qué protección social tienen? ¿Hay concepto de que se considere la niñez una etapa de desarrollo fundamentalmente distinta de la edad adulta, como ocurre en nuestra época?

Actividades

1. Discusión por grupos y después conjunta: Haz un esfuerzo por imaginar a don Quijote y Sancho en nuestro mundo contemporáneo. ¿Qué aventuras tendrían? ¿A qué obstáculos, personas o instituciones se enfrentarían? ¿Y con qué resultados? ¿Cómo los describiría una persona corriente?

2. Los estudiantes buscan personajes quijotescos en la vida o ficción contemporáneas. Por ejemplo, ¿es la protagonista de *Nurse Betty* un personaje quijotesco?

3. Después de haber leído parte del *Quijote*, discute con tus compañeros tu definición del término "quixotic".

4. Un estudiante elabora un mapa de España, señalando Castilla, la Mancha y las andanzas de don Quijote y Sancho.

5. Comparar el lenguaje moderno, el de Cervantes y el de don Quijote. Los estudiantes pueden elegir unas frases específicas y dar las tres versiones. También pueden agrupar y analizar las diferencias para ver la evolución del español.

6. Con la ayuda del internet, los estudiantes pueden buscar, por grupos, representaciones artísticas de don Quijote y Sancho en diferentes épocas, como las de Gustave Doré y Picasso, por ejemplo.

7. Se pueden dramatizar algunas de las escenas más gráficas: los molinos o la escena de armar caballero.

8. Al terminar de leer, entre todos, hacer una descripción física lo más detallada posible de don Quijote y Sancho, incluyendo ropa y armadura. El artista de la clase puede plasmar las descripciones orales en su versión artística de los personajes.

9. Los estudiantes pueden consultar las siguientes páginas: www.cervantes.alcala.es/, www.csdl.tamu.edu/cervantes/ y aache.com/quijote, que tienen a su vez numerosos enlaces. La biblioteca virtual del Instituto Cervantes (www.Cervantes.es/portada.htm) es excelente. Tiene el texto completo del *Quijote* por capítulos con todo tipo de notas y aclaraciones.

10. A través del Instituto Cervantes se pueden conseguir una serie de cinco videos sobre el *Quijote*, producida por televisión española. El primer video contiene el material de lectura del curso.

Luis de Góngora y Argote

(1561-1627)

Datos biográficos

Los acontecimientos más notables de la vida de Luis de Góngora se relacionan directamente con el mundo literario. Hijo de una familia ilustre de Córdoba, Góngora inició su vida de hombre de letras a los quince años cuando fue a estudiar a la universidad de Salamanca. Allí se distinguió más por sus actividades profanas —su asistencia a comedias y otros espectáculos— que por sus estudios. Pero aquellos años estimularon su creatividad y el cordobés empezó a cultivar la poesía. Recibió elogios casi inmediatos, incluyendo el honor de aparecer mencionado en *La Galatea* de Cervantes en 1584. A partir de esta época, Góngora se dedicó a escribir versos desde diferentes ciudades hasta que en 1617 realizó su deseo de establecerse en Madrid, como miembro de la corte de Felipe III. Gastador pródigo y aficionado al juego, Góngora tuvo algunos problemas financieros en la corte. Al final de su vida, enfermo desde hacía años, regresó a su ciudad natal donde murió.

A diferencia de Garcilaso, Góngora no ejerció nunca el trabajo de soldado. Sus mayores polémicas fueron con otros hombres de letras. Los intercambios más conocidos se dieron con Lope de Vega, que por su parte parecía estimar a Góngora, y con Quevedo. Los crueles e insultantes versos que intercambiaron se han hecho legendarios. Sin embargo, el duelo entre los dos no se limitó a la satírica expresión en verso de diferentes opiniones literarias: al final de la vida del poeta cordobés, Quevedo compró la casa donde vivía Góngora para obligarle a mudarse.

La poesía de Góngora

Aunque también escribió versos populares de contenido satírico, Góngora es sobre todo conocido por su poesía culta, por aquellos poemas que experimentan con recursos retóricos y estilísticos. Estos versos, que con su técnica desafían los límites de la estética de la época, parecen tener como finalidad el crear un mundo hiperbólicamente transformado, a veces bello y otras grotesco, pero siempre una estilización de la realidad.

La profusión de recursos que emplea -el hipérbaton, los latinismos, los neologismos, las alusiones mitológicas y las metáforas sorprendentes- es tan llamativa que el nombre de Góngora se ha convertido en casi sinónimo del concepto de *culteranismo*. Sin embargo, la obra del poeta cordobés no supone tanto una ruptura radical con respecto a la lírica del Renacimiento como una expansión de la tradición que hereda directamente de ella. Igual que los sonetos de Garcilaso, sus obras más conocidas (el *Polifemo y Galatea*, las *Soledades* y los sonetos) están compuestas en endecasílabos. Góngora también hace uso de temas clásicos. Se podría decir que lleva al último extremo estético las prácticas de Garcilaso. Lo que se pierde en el Barroco es aquella búsqueda de la naturalidad. Se prestigia, en cambio, la artificiosidad, la genial poetización de la realidad.

Debido a su intento de lograr una poesía depurada, una poesía que imita no lo natural sino lo artificial de la naturaleza, Góngora ha sido una figura muy importante para los poetas del siglo XX. Los poetas de la "Generación del 27", entre los que se encuentra Federico García Lorca, eligieron este nombre en conmemoración del tercer centenario de la muerte de Góngora. Los versos de Góngora siempre han presentado, incluso en tiempos del escritor, un reto especial para los lectores de poesía. Sus culteranismos eruditos pueden crear confusión inicial, efecto que parece buscar el poeta. Sus poemas, búsquedas tanto en forma como en contenido de la belleza, se dirigen a una minoría educada y culta. Sin embargo, la atención detenida a las imágenes y a los recursos estilísticos nos puede abrir los ojos a un mundo de creatividad inesperada, más accesible de lo que parece a primera vista y sorprendentemente moderno.

SONETO CLXVI

Mientras por competir con tu cabello
    oro bruñido[1] al sol relumbra[2] en vano;
    mientras con menosprecio[3] en medio el llano
    mira tu blanca frente el lilio[4] bello;

5   mientras a cada labio, por cogello[5],
    siguen más ojos que el clavel[6] temprano,
    y mientras triunfa con desdén [7] lozano[8]
    del luciente cristal tu gentil cuello,

goza cuello, cabello, labio y frente,

1. polished
2. shines brightly
3. scorn
4. lily
5. cogerlo
6. carnation
7. scorn
8. arrogant

10   antes que lo que fue en tu edad dorada[1]
      oro, lilio, clavel, cristal luciente,

  no sólo en plata o viola[2] truncada[3]
      se vuelva, más tú y ello juntamente
      en tierra, en humo[4], en polvo[5], en sombra[6], en nada.

1. golden

2. violet (archaic)

3. severed

4. smoke

5. dust

6. shade

Sugerencias para el análisis del soneto

1. ¿A quién se dirige la voz poética?

2. Identifica las imágenes naturales de las primeras dos estrofas del soneto. ¿De qué parte de la naturaleza se toman? ¿Cuál es su función en el poema?

3. ¿Qué tipo de "competición" se representa en estos versos? ¿Quiénes participan en la competición?

4. Estudia la sinécdoque. ¿Cuáles son los elementos que representan a la mujer? ¿Por qué esa selección?

5. ¿Qué metáforas se emplean para evocar la caducidad de la belleza?

6. ¿De qué recursos formales típicos del culteranismo se sirve Góngora en este poema y con qué resultado?

7. Haz una lista de los elementos de belleza femenina y de sus correspondientes términos metafóricos mencionados por el poeta en los dos cuartetos. Contrástalos con los componentes del verso final.

8. Describe el efecto que produce el terceto final, especialmente el último verso. Observa la ausencia de la conjunción "y" (asíndeton.) ¿Qué efecto tiene?

Temas de discusión y ensayos

1. ¿Hay más de un tema en este poema? ¿Cuál es en tu opinión el sentido último del poema y dónde está expresado?

2. Compara la representación del tema del *carpe diem* en el Soneto CLXVI de Góngora y el Soneto XXIII de Garcilaso. Contrasta el tono de ambos poemas, la manera de dirigirse el poeta a la mujer, la conclusión de cada poema.

3. Haz una comparación entre las metáforas de los sonetos de Garcilaso y Góngora. ¿Cómo se transforman las típicas metáforas renacentistas de la belleza femenina en el poema de Góngora?

4. El tema del *carpe diem* sigue apareciendo en la literatura, arte y cine contemporáneos. Elige un ejemplo específico y compáralo con lo que has aprendido sobre este tema en la literatura del Siglo de Oro.

Actividades

1. Un alumno hace una presentación histórica del imperio español en esta época.

2. Los estudiantes presentan en clase el arte de los grandes pintores del siglo de Oro, como contraste con la decadencia política.

 # Francisco de Quevedo

(1580-1645)

Datos biográficos

La narrativa de la vida de Francisco de Quevedo, al igual que su obra literaria, muestra una variedad sumamente barroca. Quevedo se crió en la corte donde sus padres servían a la familia real. Estudió en el Colegio Imperial de los Jesuitas y en las universidades de Alcalá de Henares y de Valladolid. A lo largo de su vida aprendió a hablar numerosos idiomas y desde muy joven empezó a ser conocido por sus versos. La primera década del siglo XVII fue una época enormemente productiva para el escritor: compuso una novela, ensayos eruditos y políticos, sátiras en prosa y múltiples poemas, entre ellos una serie religiosa. Tales contrastes literarios encuentran cierta resonancia en la personalidad inconstante de Quevedo: tal vez más conocido como crítico cínico y mordaz, el escritor también se mostraba a veces agudo observador de su época y amigo apasionado.

En 1613, la vida de Quevedo tomó una dirección radicalmente diferente cuando empezó a servir de diplomático y consejero del poderoso duque de Osuna, entonces virrey de Nápoles. Continuó la etapa política hasta que el duque perdió el favor del rey y fue encarcelado en 1620. A partir de entonces, Quevedo se trasladó al pueblo castellano de La Torre de Juan Abad y volvió a dedicarse a sus actividades literarias. Aun así fue encarcelado cuatro veces, primero por su asociación con el duque y más tarde, en 1639, debido a la sospecha de una ofensa contra el rey. Este último encarcelamiento duró, en pésimas condiciones, hasta 1643. Tras ser liberado por el rey, Quevedo, que era de salud débil, regresó a La Torre donde murió al poco tiempo.

La poesía de Quevedo

En la poesía de Quevedo se encuentran numerosos temas: su obra incluye desde la lírica burlesca a la moralizadora, la satírica a la severa, la de amor a la de humor. Hay tanta variedad dentro de este género que difícilmente se puede calificar a Quevedo como poeta de un estilo. La división radical que parece darse en los autores del Siglo de Oro entre los que crean un mundo estético altamente estilizado y los que se dedican a representar la realidad sea cotidiana, vulgar o sórdida, no sirve para delimitar la obra de Quevedo. Sus escritos se mueven entre categorías y las desestabilizan.

Sin embargo, hay unos rasgos que caracterizan la mayor parte de su poesía. Si a Góngora se le considera el mejor representante del *culteranismo*, Quevedo es el máximo ejemplo del otro gran movimiento literario del siglo XVII, el *conceptismo*. Sus obras se valen de constantes rasgos de ingenio y de imaginación lingüística, y experimentan con la capacidad expresiva del idioma. Entre las típicas figuras estilísticas que emplea se hallan los juegos de palabras, los equívocos, los experimentos gramaticales y los juegos de contrarios.

A sus versos endecasílabos tampoco les faltan ni recursos estilísticos ni elegancia formal. Frecuentemente el poeta se sirve de la aliteración o la anáfora, por ejemplo, para poner de relieve sus pensamientos. Quevedo aporta a la poesía barroca una conciencia moral, en general muy pesimista, de la vida y de la muerte. Pero lo que más destaca en su poesía no es tanto la profundidad de sus ideas como las imágenes sorprendentes y los atrevidos juegos lingüísticos con que las expresa.

SALMO XVII

Miré los muros de la patria mía,
si un tiempo fuertes, ya desmoronados[1],
de la carrera[2] de la edad cansados,
por quien caduca[3] ya su valentía.

5   Salíme[4] al campo; vi que el sol bebía
los arroyos[5] del yelo[6] desatados[7],
y del monte quejosos[8] los ganados[9]
que con sombras hurtó[10] su luz al día.

Entré en mi casa; vi que, amancillada[11],
10   de anciana habitación[12] era despojos[13];
mi báculo[14], más corvo[15] y menos fuerte.

Vencida[16] de la edad sentí mi espada[17],
y no hallé[18] cosa en que poner los ojos
que no fuese recuerdo de la muerte.

1. decrepit
2. race
3. fails
4. *salí*
5. brooks
6. *hielo*
7. broken free
8. complaining
9. cattle
10. stole
11. tarnished
12. dwelling
13. wreckage
14. cane
15. crooked
16. conquered
17. sword
18. I did not find

Sugerencias para el análisis del poema

1. Observa y comenta el sonido que producen los versos "Miré los muros de la patria mía... desmoronados". Analiza el uso de la aliteración en los primeros versos.

2. ¿Qué temas diferentes están expresados en el primer cuarteto?

3. ¿Cuál es la imagen recurrente en el poema? Estudia su progresión a lo largo de los dos cuartetos y los dos tercetos.

4. ¿Qué imágenes emplea Quevedo para representar el avance del tiempo? ¿Cómo representa la inestabilidad de lo que es supuestamente estable?

5. Estudia la posición y el sentido de los adjetivos en el poema.

6. Haz un análisis de los tiempos verbales del poema. ¿Cómo se relacionan con las ideas expresadas en el poema?

7. Comenta el tono del poema. ¿Es simplemente pesimista? Identifica los elementos que lo producen.

8. ¿Cuál es, pues, el tema del poema?

Temas de discusión y ensayos

1. Varios poetas del Siglo de Oro componen obras sobre el paso vertiginoso del tiempo. Compara en la poesía de Garcilaso, Góngora y Quevedo el tema de la decadencia o la fugacidad de lo terreno. Estudia específicamente las imágenes que escogen. Contrasta también el tono de los versos.

2. Compara y contrasta las técnicas del *culteranismo* y el *conceptismo*. ¿Cómo experimentan con el lenguaje? ¿Cuáles son sus efectos? ¿Cuál prefiere Quevedo? Menciona ejemplos específicos de los poemas del Siglo de Oro que has leído.

3. Una de las preocupaciones recurrentes en la obra de Quevedo es la decadencia espiritual de España. ¿Piensas que este poema hace referencia a este tema o es exclusivamente una metáfora política?

4. Repasa la historia de España en la época de Quevedo y comenta el poema a la luz de los acontecimientos de este momento.

Actividades

1. Encargar a un grupo la investigación histórica de la época, desarrollando en mayor detalle lo expuesto en la introducción para que puedan explicar el soneto desde el punto de vista histórico.

2. Quevedo y Góngora fueron acérrimos enemigos y escritores de estilos muy diferentes. Los estudiantes pueden crear una conversación entre ambos, viejos ya en una casa de ancianos, sobre su vida y su arte.

3. Los estudiantes pueden consultar la página sobre Quevedo: http://www.usc.es/~quevd/

Tirso de Molina

(1583-1648)

Datos biográficos

Gabriel Téllez, generalmente conocido por su seudónimo Tirso de Molina, es una de las figuras más destacadas del teatro del Siglo de Oro. A pesar de su importancia literaria, gran parte de su biografía sigue siendo un misterio, lo que ha llevado a algunos estudiosos a especular sobre ella. Se ha pensado, aunque sin probarse de manera satisfactoria, que Tirso podría ser el hijo ilegítimo del poderoso duque de Osuna. Lo único cierto de su juventud es que a los dieciséis años era novicio en un convento en Guadalajara y que se hizo fraile a los diecisiete. No fue, sin embargo, un recluso apartado de la vida social, sino un agudo crítico de su época.

Tirso de Molina compuso sus primeras obras dramáticas en el claustro. Vivió en varias ciudades españolas e incluso en la colonia americana de Santo Domingo hasta los años 20, cuando se mudó a la corte. En esa época su teatro gozaba de una inmensa popularidad y por eso es un poco difícil comprender los acontecimientos que prosiguen, sobre todo, su huida de la corte. Al parecer, en 1625 Tirso se vio metido en un escándalo. Fue acusado de obscenidad y de retratar vicios en sus obras, sancionado y desterrado. No se sabe hoy día si sus enemigos eran literarios o políticos, posiblemente irritados por sus escritos satíricos. Aunque el fraile escritor no dejó de componer obras, a partir de entonces decayó considerablemente su producción literaria.

La obra dramática de Tirso

El teatro de Tirso de Molina pertenece al "ciclo de Lope". Es decir, sus obras siguen el patrón cultivado por el gran dramaturgo de la época, el denominado inventor del teatro español, Lope de Vega. Las obras de este ciclo contienen una estructura relativamente libre. Tienden a esquivar las tres unidades (de lugar, tiempo y acción) y a valerse del lenguaje popular. Destacan en Tirso algunos aspectos que le diferencian de otros autores del ciclo: cultiva en sus personajes una psicología compleja y muestra en sus versos frecuentes notas de ingenio, culteranismos y, sobre todo, conceptismos.

Su obra más importante, *El burlador de Sevilla*, reelabora una leyenda con ciertos precedentes en la época. El mito de don Juan no era desconocido antes del drama de Tirso pero ningún autor había logrado convertir al personaje libertino en un carácter universal. Desde la obra de Tirso, el mito de la figura que se burla de los hombres y engaña a las mujeres por el mero placer que le produce, ha reaparecido en tan numerosas obras (Molière, Byron, Mozart, Zorrilla entre otros) que ha llegado a considerarse más que un personaje literario, una forma de ser, un arquetipo humano. Tirso da vida a un personaje no sólo abusador, sino elegante y seductor; que huye de la ley y desafía a otros poderes. Es un carácter tan rico y complejo que ha provocado su propio culto en innumerables interpretaciones hasta el día de hoy.

Notables también en *El burlador de Sevilla* son el uso de otro mito de la época –el convidado de piedra o invitado muerto– en el desafío entre don Juan y la estatua del Comendador, y el justo final impuesto a las aventuras pecadoras del protagonista.

EL BURLADOR DE SEVILLA

Notas para facilitar la lectura

- Tirso utiliza algunos arcaísmos a los que es fácil acostumbrarse. Por ejemplo, usa a veces *érades* por *erais*, *aquesta* por *esta*. Cuando le conviene por la métrica o el efecto sonoro, Tirso coloca los pronombres después del verbo: *vite, adoréte, abraséme*, por *te vi, te adoré, me abrasé; amparéle, hospedéle*, por *le amparé, le hospedé*. Frecuentemente, el infinitivo con un pronombre ve transformada su ortografía: *porfialla* por *porfiarla*, *asomalle* por *asomarle*, *gozalla* por *gozarla* y otros.
- Repetidas veces aparece la frase "*¡Tan (Qué) largo me lo fiáis!*", que significa "*Plenty of time for*

me to pay that debt!". Esta expresión era de fácil comprensión en la época, cuando pedir préstamos y pagar más tarde con intereses era práctica común.

● Del verso 375 al 512 hay un largo monólogo en el que Tisbea nos narra su vida, su carácter y su actitud de dureza hacia los hombres que la aman. Habla, aquí y más adelante, con un lenguaje elegante y refinado, sorprendente en labios de una humilde pescadora.

● De nuevo, del verso 746 al 882 hay un monólogo en el que don Gonzalo, Comendador del rey y padre de doña Ana, habla de Lisboa de donde acaba de llegar.

● *"Dar perro muerto"*, versos 1326 y 1632 de la Jornada Segunda, quiere decir no pagar a una prostituta.

● Dos Hermanas, donde comienza la acción en la Jornada Tercera, es un pueblo al sur de Sevilla.

● Los nombres Lucrecia y Emilia, nombradas por Aminta en los versos 2195 y siguientes, hacen alusión a dos damas romanas de probada virtud y fortaleza.

● La serie de mujeres burladas por don Juan en las tres jornadas son la Duquesa Isabela, Tisbea, doña Ana de Ulloa y Arminta, nobles y plebeyas sin distinción. La trama está complicada para el lector por la relación de estas mujeres con los personajes masculinos: el Duque Octavio que está enamorado de Isabela; el Marqués de la Mota, amigo de don Juan, enamorado de doña Ana; don Gonzalo de Ulloa, el Comendador, padre de doña Ana; el rey, que a pesar de conocer las acciones de don Juan, decide casar a Octavio con doña Ana y a Isabela con don Juan.

● Los versos entre paréntesis son apartes (*asides*) que son audibles para los espectadores, pero no para los otros personajes en la escena.

EL BURLADOR DE SEVILLA
y
CONVIDADO DE PIEDRA

HABLAN EN ELLA LAS PERSONAS SIGUIENTES:

ISABELA, *duquesa*
DON JUAN TENORIO, *hijo*
EL REY DE NÁPOLES
DON PEDRO TENORIO, *embajador de España en la Corte del Rey de Nápoles*
EL DUQUE OCTAVIO
RIPIO, *su criado*
TISBEA, *pescadora*
CATALINÓN, *lacayo de Don Juan*
CORIDÓN, *pescador*
ANFRISO, *pescador*
EL REY CASTILLA, *Alfonso XI*

DON GONZALO DE ULLOA, *Comendador de Calatrava*
BELISA, *pescadora*
DON JUAN TENORIO, *el viejo*
EL MARQUÉS DE LA MOTA
DOÑA ANA DE ULLOA, *hija de don Gonzalo*
BATRICIO, *pastor*
AMINTA, *pastora*
GASENO, *pastor viejo, padre de Aminta*
BELISA, *pastora*
FABIO, *criado de Isabela*

JORNADA PRIMERA

[SALA EN EL PALACIO DEL REY DE NÁPOLES]

ES DE NOCHE, NO HAY LUZ

Salen DON JUAN TENORIO, *embozado, y* ISABELA, *duquesa.*

ISABELA.	Duque Octavio, por aquí	
	podrás salir más seguro.	
D. JUAN.	Duquesa, de nuevo os juro	
	de cumplir el dulce sí.	
ISABELA.	¿Mis glorias serán verdades,	5
	promesas y ofrecimientos,	
	regalos y cumplimientos,	
	voluntades y amistades?	
D. JUAN.	Sí, mi bien.	
ISABELA.	Quiero sacar	10
	una luz.	
D. JUAN.	Pues ¿para qué?	
ISABELA.	Para que al alma dé fe	
	del bien que llego a gozar.	
D. JUAN.	Mataréte la luz yo.	
ISABELA.	¡Ah, cielo! ¿Quién eres, hombre?	15
D. JUAN.	¿Quién soy? Un hombre sin nombre.	
IISABELA.	¿Que no eres el duque?	
D. JUAN.	No.	
ISABELA.	¡Ah, de palacio!	
D. JUAN.	Detente.	
	Dame, duquesa, la mano.	
ISABELA.	No me detengas, villano.	
	¡Ah, del rey! ¡Soldados, gente!	20

Sale EL REY DE NÁPOLES *con una vela.*

REY.	¿Qué es esto?	
ISABELA.	(¡El rey! ¡Ay, triste!)	
REY.	¿Quién eres?	
D. JUAN.	¿Quién ha de ser?	
	Un hombre y una mujer.	
REY.	(Esto en prudencia consiste.)	
	¡Ah, de mi guarda! Prended	25
	a este hombre.	

ISABELA.	(*Cúbrese el rostro*). ¡Ay, perdido	
	[honor!	

Sale D. PEDRO TENORIO, *embajador de España, y* GUARDA.

D. PEDRO.	¡En tu cuarto, gran señor,	
	voces! ¿Quién la causa fue?	
REY.	Don Pedro Tenorio, a vos	
	esta prisión os encargo.	30
	Si ando corto, andad vos largo;	
	mirad quién son estos dos.	
	Y con secreto ha de ser,	
	que algún mal suceso creo,	
	porque si yo aquí lo veo,	35
	no me queda más que ver. *Vase.*	
D. PEDRO.	Prendedle.	
D. JUAN.	¿Quién ha de osar?	
	Bien puedo perder la vida,	
	mas ha de ir tan bien vendida	
	que a alguno le ha de pesar.	40
D. PEDRO.	¡Matadle!	
D. JUAN.	¿Quién os engaña?	
	Ved que caballero soy.	
D. PEDRO.	Rabiando de enojo estoy.	
D. JUAN.	El embajador de España	
	llegue; que sólo ha de ser	45
	él quien me rinda.	
D. PEDRO.	(*A la* GUARDA). Apartad.	
	A ese cuarto os retirad	
	todos con esa mujer.—	
	Vanse la GUARDA *y* ISABELA.	
	Ya estamos solos los dos;	
	muestra aquí tu esfuerzo y brío.	50
D. JUAN.	Aunque tengo esfuerzo, tío,	
	no lo tengo para vos.	

D. PEDRO.	¡Di quién eres!
D. JUAN.	Ya lo digo:
	tu sobrino.

Se desemboza.

D. PEDRO.	(¡Ay, corazón,
	que temo alguna traición!) 55
	¿Qué es lo que has hecho, enemigo?
	¿Cómo estás de aquesta suerte?
	Dime presto lo que ha sido.
	¡Desobediente, atrevido!
	Estoy por darte la muerte. 60
	Acaba.
D. JUAN.	Tío y señor,
	mozo soy y mozo fuiste;
	y pues que de amor supiste,
	tenga disculpa mi amor.
	Y pues a decir me obligas 65
	la verdad, oye y diréla:
	yo engañé y gocé a Isabela
	la duquesa.
D. PEDRO.	No prosigas;
	tente. ¿Cómo la engañaste?
	Habla quedo, y cierra el labio. 70
D. JUAN.	Fingí ser el duque Octavio.
D. PEDRO.	No digas más; calla, baste.
	(Perdido soy si el rey sabe
	este caso. ¿Qué he de hacer?
	Industria me ha de valer 75
	en un negocio tan grave.)
	Di, vil, ¿no bastó emprender
	con ira y con fuerza extraña
	tan gran traición en España
	con otra noble mujer, 80
	sino en Nápoles también
	y en el palacio real,
	con mujer tan principal?
	¡Castíguete el cielo, amén!
	Tu padre desde Castilla 85
	a Nápoles te envió,
	y en sus márgenes te dio

	tierra la espumosa orilla
	del mar de Italia, atendiendo
	que el haberte recibido 90
	pagaras agradecido,
	¡y estás su honor ofendiendo.
	y en tan principal mujer!
	Pero en aquesta ocasión
	nos daña la dilación; 95
	mira qué quieres hacer.
D. JUAN.	No quiero daros disculpa;
	que la habré de dar siniestra.
	Mi sangre es, señor, la vuestra;
	sacadla, y pague la culpa. 100
	A esos pies estoy rendido,
	y ésta es mi espada, señor.
D. PEDRO.	Álzate y muestra valor,
	que esa humildad me ha vencido.
	¿Atreveráste a bajar 105
	por ese balcón?
D. JUAN.	Sí atrevo,
	que alas en tu favor llevo.
D. PEDRO.	Pues yo te quiero ayudar.
	Vete a Sicilia o Milán,
	donde vivas encubierto. 110
D. JUAN.	Luego me iré.
D. PEDRO.	¿Cierto?
D. JUAN.	Cierto.
D. PEDRO.	Mis cartas te avisarán
	en qué para este suceso
	triste que causado has.
D. JUAN.	(Para mí alegre, dirás.) 115
	Que tuve culpa confieso.
D. PEDRO.	Esa mocedad te engaña.
	Baja, pues, ese balcón.
D. JUAN.	(Con tan justa pretensión
	gozoso me parto a España.) 120

Vase D. JUAN *y entra* EL REY.

D. PEDRO.	Ejecutando, señor,
	lo que mandó vuestra alteza,
	el hombre...

REY.   ¿Murió?

D. PEDRO.   Escapóse
de las cuchillas soberbias.

REY.   ¿De qué forma?

D. PEDRO.   Desta forma: 125
Aun no lo mandaste apenas
cuando, sin dar más disculpa,
    la espada en la mano aprieta,
revuelve la capa al brazo,
y con gallarda presteza,   130
ofendiendo a los soldados
y buscando su defensa,
viendo vecina la muerte,
por el balcón de la huerta
se arroja desesperado.   135
Siguióle con diligencia
tu gente; cuando salieron
por esa vecina puerta,
le hallaron agonizando
como enroscada culebra.   140
Levantóse, y al decir
los soldados, «¡Muera, muera!,»
bañado con sangre el rostro,
con tan heroica presteza
se fue, que quedé confuso.   145
La mujer, que es Isabela,
—que para admirarte nombro—
retirada en esa pieza,
dice que es el duque Octavio
que con engaño y cautela   150
la gozó.

REY.   ¿Qué dices?

D. PEDRO.   Digo
lo que ella propia confiesa.

REY.   (¡Ah, pobre honor! Si eres alma
del hombre, ¿por qué te dejan
en la mujer inconstante,   155
si es la misma ligereza?)
¡Hola!

Sale un CRIADO.

CRIADO.   ¡Gran señor!

REY.   Traed
delante de mi presencia
esa mujer.

D. PEDRO.   Ya la guardia
viene, gran señor, con ella.   160

Trae LA GUARDA *a* ISABELA.

ISABELA.   (¿Con qué ojos veré al rey?)—

REY.   Idos, y guardad la puerta
de esa cuadra. Di, mujer,
¿qué rigor, qué airada estrella
te incitó, que en mi palacio,   165
con hermosura y soberbia,
profanases sus umbrales?

ISABELA.   Señor...

REY.   Calla, que la lengua
no podrá dorar el yerro
que has cometido en mi ofensa.   170
¿Aquél era el duque Octavio?

ISABELA.   Señor...

REY.   (¡No importan fuerzas,
guardas, criados, murallas,
fortalecidas almenas,
para amor, que la de un niño   175
hasta los muros penetra!)
Don Pedro Tenorio, al punto
a esa mujer llevad presa
a una torre, y con secreto
haced que al duque le prendan;   180
que quiero hacer que le cumpla
la palabra a la promesa.

ISABELA.   Gran señor, volvedme el rostro.

REY.   Ofensa a mi espalda hecha
es justicia y es razón   185
castigalla a espaldas vueltas.

D. PEDRO.   Vamos, duquesa

Vase EL REY.

ISABELA.   (Mi culpa

no hay disculpa que la venza;
mas no será el yerro tanto
si el duque Octavio lo enmienda.) 190

[SALA DE CASA DEL DUQUE OCTAVIO EN
NÁPOLES]

Salen EL DUQUE *y* RIPIO, *su criado.*

RIPIO.   ¿Tan de mañana, señor,
             te levantas?
OCTAVIO.   No hay sosiego
             que pueda apagar el fuego
             que enciende en mi alma Amor.
             Porque, como al fin es niño,   195
             no apetece cama blanda
             entre regalada holanda,
             cubierta de blanco armiño.
             Acuéstase, no sosiega,
             siempre quiere madrugar   200
             por levantarse a jugar;
             que, al fin, como niño, juega.
             Pensamientos de Isabela
             me tienen, amigo, en calma;
             que como vive en el alma,   205
             anda el cuerpo siempre en vela,
             guardando ausente y presente
             el castillo del honor.
RIPIO.   Perdóname, que tu amor
             es amor impertinente.   210
OCTAVIO.   ¿Qué dices, necio?
RIPIO.   Esto digo:
             impertinencia es amar
             como amas. ¿Vas a escuchar?
OCTAVIO.   ¡Sí, prosigue!
RIPIO.   Ya prosigo.
             ¿Quiérete Isabela a ti?   215
OCTAVIO.   ¿Eso, necio, has de dudar?
RIPIO.   No, mas quiero preguntar.
             ¿Y tú, no la quieres?
OCTAVIO.   Sí.
RIPIO.   Pues ¿no seré majadero,
             y de solar conocido,   220

si pierdo yo mi sentido
por quien me quiere y la quiero?
   Si ella a ti no te quisiera,
fuera bien el porfialla,
regalalla y adoralla,   225
y aguardar que se rindiera;
   mas si los dos os queréis
con una misma igualdad,
dime, ¿hay más dificultad
de que luego os desposéis?   230
OCTAVIO.   Eso fuera, necio, a ser
             de lacayo o lavandera
             la boda.
RIPIO.   Pues, ¿es quienquiera
             una lavandriz mujer,
             lavando y fregatrizando,   235
             defendiendo y ofendiendo,
             los paños suyos tendiendo,
             regalando y remendando?
             Dando dije, porque al dar
             no hay cosa que se le iguale;   240
             y si no, a Isabela dale,
             a ver si sabe tomar.

Sale UN CRIADO.

CRIADO.   El embajador de España
             en este punto se apea
             en el zaguán, y desea,   245
             con ira y fiereza extraña
             hablarte. Y si no entendí
             yo mal, entiendo es prisión.
OCTAVIO.   ¿Prisión? Pues, ¿por qué ocasión?
             Decid que entre.

Sale DON PEDRO TENORIO, *con guardas.*

D. PEDRO.   Quien así   250
             con tanto descuido duerme,
             limpia tiene la conciencia.
OCTAVIO.   Cuando viene Vuexcelencia
             a honrarme y favorecerme,

	no es justo que duerma yo;	255
	velaré toda mi vida.	
	¿A qué y por qué es la venida?	
D. PEDRO.	Porque aquí el rey me envió.	
OCTAVIO.	Si el rey mi señor se acuerda	
	de mí en aquesta ocasión,	260
	será justicia y razón	
	que por él la vida pierda.	
	Decidme, señor, ¿qué dicha	
	o qué estrella me ha guiado,	
	que de mí el rey se ha acordado?	265
D. PEDRO.	Fue, duque, vuestra desdicha.	
	Embajador del rey soy;	
	de él os traigo una embajada.	
OCTAVIO.	Marqués, no me inquieta nada.	
	Decid, que aguardando estoy.	270
D. PEDRO.	A prenderos me ha enviado	
	el rey; no os alborotéis.	
OCTAVIO.	¡Vos por el rey me prendéis!	
	Pues, ¿en qué he sido culpado?	
D. PEDRO.	Mejor lo sabéis que yo.	275
	Mas, por si acaso me engaño,	
	escuchad el desengaño,	
	y a lo que el rey me envió.	
	Cuando los negros gigantes,	
	plegando funestos toldos,	280
	ya del crepúsculo huyen,	
	tropezando unos con otros,	
	estando yo con su alteza	
	tratando ciertos negocios	
	—porque antípodas del sol	285
	son siempre los poderosos—,	
	voces de mujer oímos,	
	cuyos ecos, medio roncos	
	por los artesones sacros,	
	nos repitieron «¡socorro!»	290
	A las voces y al ruido	
	acudió, duque, el rey propio.	
	Halló a Isabela en los brazos	
	de algún hombre poderoso;	
	mas quien al cielo se atreve,	295

	sin duda es gigante o monstruo.	
	Mandó el rey que los prendiera.	
	Quedé con el hombre solo;	
	llegué y quise desarmalle;	
	pero pienso que el Demonio	300
	en él tomó forma humana,	
	pues que, envuelto en humo y polvo,	
	se arrojó por los balcones,	
	entre los pies de esos olmos	
	que coronan del palacio	305
	los chapiteles hermosos.	
	Hice prender la duquesa,	
	y en la presencia de todos	
	dice que es el duque Octavio	
	el que con mano de esposo	310
	la gozó.	
OCTAVIO.	¿Qué dices?	
D. PEDRO.	Digo	
	lo que al mundo es ya notorio	
	y que tan claro se sabe:	
	que a Isabela por mil modos...	
OCTAVIO.	Dejadme, no me digáis	315
	tan gran traición de Isabela.	
	Mas si fue su amor cautela,	
	mal hacéis si lo calláis.	
	Proseguid, que me matáis	
	dulcemente en mi porfía,	320
	que es vuestra lengua sangría,	
	y la muerte no se siente,	
	que morir tan dulcemente	
	lisonja a mi mal sería.	
	¿Será verdad que Isabela,	325
	alma, se olvidó de mí	
	para darme muerte? Sí;	
	que el bien suena y el mal vuela.	
	Ya el pecho nada recela	
	juzgando si son antojos;	330
	que, por darme más enojos,	
	al entendimiento entró	
	y por la oreja escuchó	
	lo que acreditan los ojos.	

Señor marqués, ¿es posible   335
que Isabela me ha engañado,
y que mi amor ha burlado?
¡Parece cosa imposible!
¡Oh, mujer! ¡Ley tan terrible
de honor, a quien me provoco   340
a emprender! Mas ya no toco
en tu honor esta cautela.
¿Anoche con Isabela
hombre en palacio? ¡Estoy loco!

D. PEDRO.   Como es verdad que en los vientos   345
hay aves, en el mar peces,
que participan a veces
de todos cuatro elementos;
como en la gloria hay contentos,
lealtad en el buen amigo,   350
traición en el enemigo,
en la noche oscuridad,
y en el día claridad,
así es verdad lo que digo.

OCTAVIO.   Marqués, yo os quiero creer,   355
ya no hay cosa que me espante;
que la mujer más constante
es, en efecto, mujer.
No me queda más que ver,
pues es patente mi agravio.   360

D. PEDRO.   Pues que sois prudente y sabio,
elegid el mejor medio.

OCTAVIO.   Ausentarme es mi remedio.

D. PEDRO.   Pues sea presto, duque Octavio.

OCTAVIO.   Embarcarme quiero a España,   365
y darle a mis males fin.

D. PEDRO.   Por la puerta del jardín,
duque, esta prisión se engaña.

OCTAVIO.   ¡Ah, veleta! ¡Débil caña!
A más furor me provoco,   370
y extrañas provincias toco,
huyendo de esta cautela.
¡Patria, adiós! ¡Con Isabela
hombre en palacio! ¡Estoy loco!

Vanse.

[PLAYA DE TARRAGONA]

Sale TISBEA, *pescadora, con una caña de pescar en la mano.*

TISBEA.   Yo, de cuantas el mar   375
pies de jazmín y rosa
en sus riberas besa
con fugitivas olas,
aquí donde el sol pisa
soñolientas las ondas,   380
alegrando zafiros
las que espantaba sombras.
Por la menuda arena,
—unas veces aljófar
y átomos otras veces   385
del sol que así le adora—
oyendo de las aves
las quejas amorosas,
y los combates dulces
del agua entre las rocas.   390
Ya con la sutil caña
que al débil peso dobla
del necio pececillo
que el mar salado azota;
o ya con la atarraya   395
—que en sus moradas hondas
prende cuantos habitan
aposentos de conchas—
segura me entretengo;
que en libertad se goza   400
el alma que amor áspid
no le ofende ponzoña.
En pequeñuelo esquife
y en compañía de otras
tal vez al mar le peino   405
la cabeza espumosa;
y cuando más perdidas
querellas de amor forman,
como de todos río,
envidia soy de todas.   410

¡Dichosa yo mil veces,
amor, pues me perdonas,
si ya, por ser humilde,
no desprecias mi choza!
Obeliscos de paja   415
mi edificio coronan,
nidos, si no hay cigarras,
a tortolillas locas.
Mi honor conservo en pajas,
como fruta sabrosa,   420
vidrio guardado en ellas
para que no se rompa.
De cuantos pescadores
con fuego Tarragona
de piratas defiende   425
en la argentada costa,
desprecio soy y encanto;
a sus suspiros sorda,
a sus ruegos terrible,
a sus promesas roca.   430
Anfriso, a quien el cielo
con mano poderosa,
prodigó un cuerpo y alma,
dotó de gracias todas,
medido en las palabras,   435
liberal en las obras,
sufrido en los desdenes,
modesto en las congojas,
mis pajizos umbrales,
que heladas noches ronda,   440
a pesar de los tiempos,
las mañanas remoza;
pues con los ramos verdes
que de los olmos corta,
mis pajas amanecen   445
ceñidas de lisonjas.
Ya con vigüelas dulces
y sutiles zampoñas
músicas me consagra;
y todo no le importa,   450
porque en tirano imperio

vivo, de amor señora;
que halla gusto en sus penas
y en sus infiernos gloria.
Todas por él se mueren,   455
y yo, todas las horas,
le mato con desdenes:
    de amor condición propia,
querer donde aborrecen,
despreciar donde adoran;   460
que si le alegran, muere,
y vive si le oprobian.
En tan alegre día
segura de lisonjas,
mis juveniles años   465
amor no los malogra;
que en edad tan florida,
amor, no es suerte poca
no ver entre estas redes
las tuyas amorosas.   470
Pero, necio discurso
que mi ejercicio estorbas,
en él no me diviertas
en cosa que no importa.
Quiero entregar la caña   475
al viento, y a la boca
del pececillo el cebo.
Pero al agua se arrojan
dos hombres de una nave,
antes que el mar la sorba,   480
que sobre el agua viene
y en un escollo aborda,
como hermoso pavón,
hace las velas cola,
adonde los pilotos   485
todos los ojos pongan.
Las olas va escarbando
y ya su orgullo y pompa
casi la desvanece.
Agua un costado toma...   490
Hundióse y dejó al viento
la gavia, que la escoja

para morada suya;
que un loco en gavias mora.

Dentro: ¡Que me ahogo!

Un hombre al otro aguarda   495
que dice que se ahoga.
¡Gallarda cortesía!
En los hombros le toma.
Anquises le hace Eneas,
si el mar está hecho Troya.   500
Ya, nadando, las aguas
con valentía corta,
y en la playa no veo
quién le ampare y socorra.
Daré voces: «¡Tirso,   505
Anfriso, Alfredo, hola!»
Pescadores me miran,
¡plega a Dios que me oigan!
Mas milagrosamente
ya tierra los dos toman,   510
sin aliento el que nada,
con vida el que le estorba.

Saca en brazos CATALINÓN. *a* DON JUAN, *mojados.*

CATALINÓN.   ¡Válgame la Cananea,
y qué salado es el mar!
Aquí bien puede nadar   515
el que salvarse desea,
   que allá dentro es desatino,
donde la muerte se fragua.
Donde Dios juntó tanta agua,
¿no juntara tanto vino?   520
   Agua salada, ¡extremada
cosa para quien no pesca!
Si es mala aun el agua fresca,
¿qué será el agua salada?
   ¡Oh quién hallara una fragua   525
de vino, aunque algo encendido!
Si del agua que he bebido

escapo yo, no más agua.
   Desde hoy abrenuncio de ella;
que la devoción me quita   530
tanto, que aun agua bendita
no pienso ver, por no vella.
   ¡Ah, señor! Helado y frío
está. ¿Si estará ya muerto?
Del mar fue este desconcierto,   535
y mío este desvarío.
   ¡Mal haya aquel que primero
pinos en el mar sembró,
y que sus rumbos midió
con quebradizo madero!   540
   ¡Maldito sea el vil sastre
que cosió el mar que dibuja
con astronómica aguja,
causa de tanto desastre!
   ¡Maldito sea Jasón,   545
y Tifis maldito sea!
Muerto está. No hay quien lo crea.
¡Mísero Catalinón!
   ¿Qué he de hacer?

TISBEA.   Hombre, ¿qué tienes   550
en desventura iguales?

CATALINÓN. Pescadora, muchos males,
y falta de muchos bienes.
   Veo, por librarme a mí,
sin vida a mi señor. Mira   555
si es verdad.

TISBEA.   No, que aún respira.

CATALINÓN. ¿Por dónde? ¿Por aquí?

TISBEA.   Sí;
pues ¿por dónde?   560

CATALINÓN.   Bien podía
respirar por otra parte.

TISBEA. Necio estás.

CATALINÓN.   Quiero besarte
las manos de nieve fría.   565

TISBEA. Ve a llamar los pescadores
que en aquella choza están.

CATALINÓN. Y si los llamo, ¿vendrán?

TISBEA.   Vendrán presto. No lo ignores.
                  ¿Quién es este caballero?   570
CATALINÓN.   Es hijo aqueste señor
             del Camarero mayor
             del rey, por quien ser espero
                  antes de seis días conde
             en Sevilla, donde va,   575
             y adonde su alteza está,
             si a mi amistad corresponde.
TISBEA.   ¿Cómo se llama?
CATALINÓN.   Don Juan
             Tenorio.   580
TISBEA.   Llama a mi gente.
CATALINÓN.   Ya voy.   *Vase.*

Coge en el regazo TISBEA *a* DON JUAN.

TISBEA.   (Mancebo excelente,
             gallardo, noble y galán.)
                  Volved en vos, caballero.   585
D. JUAN.   ¿Dónde estoy?
TISBEA.   Ya podéis ver;
             en brazos de una mujer.
D. JUAN.   Vivo en vos, si en el mar muero.
                  Ya perdí todo el recelo   590
             que me pudiera anegar,
             pues del infierno del mar
             salgo a vuestro claro cielo.
                  Un espantoso huracán
             dio con mi nave al través,   595
             para arrojarme a esos pies
             que abrigo y puerto me dan.
                  Y en vuestro divino oriente
             renazco, y no hay que espantar,
             pues ves que hay de amar a mar   600
             una letra solamente.
TISBEA.   Muy grande aliento tenéis
             para venir sin aliento,
             y tras de tanto tormento,
             mucho tormento ofrecéis.   605
                  Pero si es tormento el mar,

             y son sus ondas crueles,
             la fuerza de los cordeles
             pienso que os hacen hablar.
                  Sin duda que habéis bebido   610
             del mar la oración pasada,
             pues, por ser de agua salada,
             con tan grande sal ha sido.
             Mucho habláis cuando no habláis,
             y cuando muerto venís,   615
             mucho al parecer sentís;
             ¡plega a Dios que no mintáis!
                  Parecéis caballo griego
             que el mar a mis pies desagua,
             pues venís formado de agua   620
             y estáis preñado de fuego.
                  Y si mojado abrasáis,
             estando enjuto, ¿qué haréis?
             Mucho fuego prometéis;
             ¡plega a Dios que no mintáis!   625
D. JUAN.   A Dios, zagala, pluguiera
             que en el agua me anegara
             para que cuerdo acabara
             y loco en vos no muriera;
                  que el mar pudiera anegarme   630
             entre sus olas de plata
             que sus límites desata,
             mas no pudiera abrasarme.
                  Gran parte del sol mostráis,
             pues que el sol os da licencia,   635
             pues sólo con la apariencia,
             siendo de nieve, abrasáis.
TISBEA.   Por más helado que estáis,
             tanto fuego en vos tenéis,
             que en este mío os ardéis.   640
             ¡plega a Dios que no mintáis!

Salen CATALINÓN, CORIDÓN y ANFRISO,
                pescadores.

CATALINÓN.   Ya vienen todos aquí.
TISBEA.   Y ya tu dueño vivo.

D. JUAN.	(*a* TISBEA)
	Con tu presencia recibo
	el aliento que perdí. 645
CORIDÓN.	¿Qué nos mandas?
TISBEA.	Coridón,
	Anfriso, amigos...
CORIDÓN.	Todos
	buscamos por varios modos 650
	esta dichosa ocasión.
	Di qué nos mandas, Tisbea,
	que por labios de clavel
	no lo habrás mandado a aquél
	que idolatrarte desea, 655
	apenas, cuando al momento,
	sin cesar, en llano, o sierra,
	surque el mar, tale la tierra,
	pise el fuego, y pare el viento.
TISBEA.	(¡Oh, qué mal me parecían 660
	estas lisonjas ayer,
	y hoy echo en ellas de ver
	que sus labios no mentían!)
	Estando, amigos, pescando
	sobre este peñasco, vi 665
	hundirse una nave allí,
	y entre las olas nadando
	dos hombres; y compasiva,
	di voces, y nadie oyó;
	y en tanta aflicción llegó 670
	libre de la furia esquiva
	del mar, sin vida a la arena,
	de éste en los hombros cargado,
	un hidalgo ya anegado,
	y envuelta en tan triste pena 675
	a llamaros envié.
ANFRISO.	Pues aquí todos estamos,
	manda que en tu gusto hagamos,
	lo que pensado no fue.
TISBEA.	Que a mi choza los llevemos 680
	quiero, donde agradecidos,
	reparemos sus vestidos
	y allí los regalemos;

	que mi padre gusta mucho
	desta debida piedad. 685
CATALINÓN.	(¡Extremada es su beldad!)
D. JUAN.	(*a* CATALINÓN.)
	Escucha aparte.
CATALINÓN.	Ya escucho.
D. JUAN.	Si te pregunta quién soy,
	di que no sabes. 690
CATALINÓN.	¡A mí...
	quieres advertirme a mí
	lo que he de hacer!
D. JUAN.	Muerto voy
	por la hermosa pescadora. 695
	Esta noche he de gozalla.
CATALINÓN.	¿De qué suerte?
D. JUAN.	Ven, y calla.
CORIDÓN.	Anfriso, dentro de un hora
	los pescadores prevén 700
	que canten y bailen.
ANFRISO.	Vamos,
	y esta noche nos hagamos
	rajas, y palos también.
D. JUAN.	(*a* TISBEA) Muerto soy. 705
TISBEA.	¿Cómo, si andáis?
D. JUAN.	Ando en pena, como veis.
TISBEA.	Mucho habláis.
D. JUAN.	Mucho encendéis.
TISBEA.	¡Plega a Dios que no mintáis! 710
	Vanse.

[EL ALCÁZAR DE SEVILLA]
Salen DON GONZALO DE ULLOA, *y* EL REY
DON ALONSO DE CASTILLA

REY.	¿Cómo os ha sucedido en la
	embajada,
	Comendador Mayor?
D. GONZALO.	Hallé en Lisboa
	al rey don Juan, tu primo, 715
	[previniendo
	treinta naves de armada.

REY.   ¿Y para dónde?

D. GONZALO. Para Goa me dijo, mas yo entiendo
　　　　　　que a otra empresa más fácil apercibe.
　　　　　　A Ceuta o Tánger pienso que pretende　720
　　　　　　cercar este verano.

REY.   Dios le ayude,
　　　　　　y premie el celo de aumentar su
　　　　　　　　　　　　　　　　　　[gloria.
　　　　　　¿Qué es lo que concertasteis?

D. GONZALO.   Señor, pide　725
　　　　　　a Serpa, y Mora, y Olivencia y Toro;
　　　　　　y por eso te vuelve a Villaverde,
　　　　　　al Almendral, a Mértola y Herrera
　　　　　　entre Castilla y Portugal.

REY.   Al punto　730
　　　　　　se firman los conciertos, don
　　　　　　Gonzalo. Mas decidme primero
　　　　　　cómo ha ido en el camino; que
　　　　　　vendréis cansado y alcanzado
　　　　　　también.　735

D. GONZALO.   Para serviros,
　　　　　　nunca, señor, me canso.

REY.   ¿Es buena tierra
　　　　　　Lisboa?

D. GONZALO.   La mayor ciudad de　740
　　　　　　España; y si mandas que diga lo
　　　　　　que he visto de lo exterior y célebre,
　　　　　　en un punto en tu presencia te
　　　　　　pondré un retrato.

REY.   Yo gustaré de oíllo. Dadme silla.　745

D. GONZALO. Es Lisboa una octava maravilla.
　　　　　　De las entrañas de España,
　　　　　　que son las tierras de Cuenca,
　　　　　　nace el caudaloso Tajo,
　　　　　　que media España atraviesa.　750
　　　　　　Entra en el mar Oceáno,
　　　　　　en las sagradas riberas
　　　　　　de esta ciudad por la parte
　　　　　　del sur; mas antes que pierda
　　　　　　su curso y su claro nombre,　755
　　　　　　hace un puerto entre dos sierras,

donde están de todo el orbe
barcas, naves, caravelas.
Hay galeras y saetías
tantas, que desde la tierra　760
parece una gran ciudad
adonde Neptuno reina.
A la parte del poniente
guardan del puerto dos fuerzas,
de Cascaes y San Gián,　765
las más fuertes de la tierra.
Está desta gran ciudad
poco más de media legua
Belén, convento del santo
conocido por la piedra,　770
y por el león de guarda,
donde los reyes y reinas
católicos y cristianos
tienen sus casas perpetuas.
Luego esta máquina insigne,　775
desde Alcántara comienza
una gran legua a tenderse
al convento de Jabregas.
En medio está el valle hermoso
coronado de tres cuestas,　780
que quedara corto Apeles
cuando pintarlos quisiera;
porque miradas de lejos,
parecen piñas de perlas
que están pendientes del cielo,　785
en cuya grandeza inmensa
se ven diez Romas cifradas
en conventos y en iglesias,
en edificios y calles,
en solares y encomiendas,　790
en las letras y en las armas,
en la justicia tan recta,
y en una Misericordia
que está honrando su ribera,
y pudiera honrar a España　795
y aun enseñar a tenerla.
Y en lo que yo más alabo

de esta máquina soberbia,
es que del mismo castillo
en distancia de seis leguas   800
se ven sesenta lugares
que llega el mar a sus puertas,
uno de los cuales es
el convento de Olivelas,
en el cual vi por mis ojos   805
seiscientas y treinta celdas,
y entre monjas y beatas
pasan de mil y doscientas.
Tiene desde allí Lisboa,
en distancia muy pequeña,   810
mil y ciento y treinta quintas,
que en nuestra provincia Bética
llaman cortijos, y todas
con sus huertos y alamedas.
En medio de la ciudad   815
hay una plaza soberbia
que se llama del Ruzío,
grande, hermosa y bien dispuesta,
que habrá cien años y aun más
que el mar bañaba su arena;   820
y ahora de ella a la mar
    hay treinta mil casas hechas;
que, perdiendo el mar su curso,
se tendió a partes diversas.
Tiene una calle que llaman   825
rua Nova o calle Nueva,
donde se cifra el oriente
en grandezas y riquezas;
tanto, que el rey me contó
que hay un mercader en ella   830
que, por no poder contarlo,
mide el dinero a fanegas.
El terrero, donde tiene
Portugal su casa regia,
tiene infinitos navíos,   835
varados siempre en la tierra,
de sólo cebada y trigo
de Francia y de Inglaterra.

Pues el palacio real,
que el Tajo sus manos besa,   840
es edificio de Ulises,
que basta para grandeza,
de quien toma la ciudad
nombre en la latina lengua,
llamándose Ulisibona,   845
cuyas armas son la esfera,
por pedestal de las llagas
que en la batalla sangrienta
al rey don Alfonso Enríquez
dio la Majestad inmensa.   850
Tiene en su gran Tarazana
diversas naves, y entre ellas,
las naves de la Conquista,
tan grandes, que de la tierra
miradas, juzgan los hombres   855
que tocan en las estrellas.
Y lo que de esta ciudad
te cuento por excelencia
es, que estando sus vecinos
comiendo, desde las mesas   860
ven los copos del pescado
que junto a sus puertan pescan,
que, bullendo entre las redes,
vienen a entrarse por ellas;
y sobre todo, el llegar   865
cada tarde a su ribera
más de mil barcos cargados
de mercancías diversas,
y de sustento ordinario:
pan, aceite, vino y leña,   870
frutas de infinita suerte,
nieve de Sierra de Estrella
que por las calles a gritos,
puesta sobre las cabezas,
las venden. Mas, ¿qué me canso?   875
porque es contar las estrellas
querer contar una parte
de la ciudad opulenta.
Ciento y treinta mil vecinos

	tiene, gran señor, por cuenta;	880
	y por no cansarte más,	
	un rey que tus manos besa.	
REY.	Más estimo, don Gonzalo,	
	escuchar de vuestra lengua	
	esa relación sucinta,	885
	que haber visto su grandeza.	
	¿Tenéis hijos?	
D. GONZALO.	Gran señor,	
	una hija hermosa y bella,	
	en cuyo rostro divino	890
	se esmeró Naturaleza.	
REY.	Pues yo os la quiero casar	
	de mi mano.	
D. GONZALO.	Como sea	
	tu gusto, digo, señor,	895
	que yo lo acepto por ella.	
	Pero ¿quién es el esposo?	
REY.	Aunque no está en esta tierra,	
	es de Sevilla, y se llama	
	don Juan Tenorio.	900
D. GONZALO.	Las nuevas	
	voy a llevar a doña Ana.	
REY.	Id en buena hora, y volved,	
	Gonzalo, con la respuesta. *Vanse.*	

[PLAYA DE TARRAGONA]
Sale DON JUAN TENORIO *y* CATALINÓN

D. JUAN.	Esas dos yeguas prevén,	905
	pues acomodadas son.	
CATALINÓN.	Aunque soy Catalinón,	
	soy, señor, hombre de bien;	
	que no se dijo por mí,	
	"Catalinón es el hombre";	910
	que sabes que aqueste nombre	
	me asienta al revés a mí.	
D. JUAN.	Mientras que los pescadores	
	van de regocijo y fiesta,	
	tú las dos yeguas apresta;	915

	que de sus pies voladores	
	sólo nuestro engaño fío.	
CATALINÓN.	Al fin, ¿pretendes gozar	
	a Tisbea?	
D. JUAN.	Si burlar	920
	es hábito antiguo mío,	
	¿qué me preguntas, sabiendo	
	mi condición?	
CATALINÓN.	Ya sé que eres	
	castigo de las mujeres.	925
D. JUAN.	Por Tisbea estoy muriendo,	
	que es buena moza.	
CATALINÓN.	¡Buen pago	
	a su hospedaje deseas!	
D. JUAN.	Necio, lo mismo hizo Eneas	930
	con la reina de Cartago.	
CATALINÓN.	Los que fingís y engañáis	
	las mujeres de esa suerte	
	lo pagaréis con la muerte.	
D. JUAN.	¡Qué largo me lo fiáis!	935
	Catalinón con razón	
	te llaman.	
CATALINÓN.	Tus pareceres	
	sigue, que en burlar mujeres	
	quiero ser Catalinón.	940
	Ya viene la desdichada.	
D. JUAN.	Vete, y las yeguas prevén.	
CATALINÓN.	¡Pobre mujer! Harto bien	
	te pagamos la posada.	

Vase CATALINÓN *y sale* TISBEA.

TISBEA.	El rato que sin ti estoy,	945
	estoy ajena de mí.	
D. JUAN.	Por lo que finges así,	
	ningún crédito te doy.	
TISBEA.	¿Por qué?	
D. JUAN.	Porque si me amaras,	950
	mi alma favorecieras.	
TISBEA.	Tuya soy.	
D. JUAN.	Pues di, ¿qué esperas,	

	o en qué, señora, reparas?
TISBEA.	Reparo en que fue castigo 955
	de amor el que he hallado en ti.
D. JUAN.	Si vivo, mi bien, en ti,
	a cualquier cosa me obligo.
	Aunque yo sepa perder
	en tu servicio la vida, 960
	la diera por bien perdida,
	y te prometo de ser
	tu esposo.
TISBEA.	Soy desigual
	a tu ser.
D. JUAN.	Amor es rey 965
	que iguala con justa ley
	la seda con el sayal.
TISBEA.	Casi te quiero creer,
	mas sois los hombres traidores.
D. JUAN.	¿Posible es, mi bien, que ignores 970
	mi amoroso proceder?
	Hoy prendes con tus cabellos
	mi alma.
TISBEA.	Yo a ti me allano
	bajo la palabra y mano
	de esposo. 975
D. JUAN.	Juro, ojos bellos,
	que mirando me matáis,
	de ser vuestro esposo.
TISBEA.	Advierte,
	mi bien, que hay Dios y hay muerte. 980
D. JUAN.	(¡Qué largo me lo fiáis!)
	Y mientras Dios me dé vida,
	yo vuestro esclavo seré.
	Esta es mi mano y mi fe.
TISBEA.	No seré en pagarte esquiva. 985
D. JUAN.	Ya en mí mismo no sosiego.
TISBEA.	Ven, y será la cabaña
	del amor que me acompaña
	tálamo de nuestro fuego.
	Entre estas cañas te esconde 990
	hasta que tenga lugar.
D. JUAN.	¿Por dónde tengo de entrar?

TISBEA.	Ven, y te diré por dónde.
D. JUAN.	Gloria al alma, mi bien, dais.
TISBEA.	Esa voluntad te obligue, 995
	y si no, Dios te castigue.
D. JUAN.	(¡Qué largo me lo fiáis!)

Vanse, y salen CORIDÓN, ANFRISO, BELISA *y* MÚSICOS.

CORIDÓN.	Ea, llamad a Tisbea,
	y las zagalas llamad
	para que en la soledad 1000
	el huésped la corte vea.
ANFRISO.	¡Tisbea, Usindra, Atandra!
	No vi cosa más cruel.
	¡Triste y mísero de aquél
	que en su fuego es salamandra! 1005
	Antes que el baile empecemos
	a Tisbea prevengamos.
BELISA.	Vamos a llamarla.
CORIDÓN.	Vamos.
BELISA.	A su cabaña lleguemos. 1010
CORIDÓN.	¿No ves que estará ocupada
	con los huéspedes dichosos
	de quien hay mil envidiosos?
ANFRISO.	Siempre es Tisbea envidiada.
BELISA.	Cantad algo mientras viene, 1015
	porque queremos bailar.
ANFRISO.	(¿Cómo podrá descansar
	cuidado que celos tiene?)
	(Cantan.)
	A pescar salió la niña
	tendiendo redes; 1020
	y en lugar de peces,
	las almas prende.
	Sale TISBEA.
TISBEA.	¡Fuego, fuego, que me quemo,
	que mi cabaña se abrasa!
	Repicad a fuego, amigos, 1025
	que ya dan mis ojos agua.

Mi pobre edificio queda
hecho otra Troya en las llamas;
que después que faltan Troyas
quiere Amor quemar cabañas.   1030
Mas si Amor abrasa peñas
con gran ira y fuerza extraña,
mal podrán de su rigor
reservarse humildes pajas.
¡Fuego, zagales, fuego, agua, agua! 1035
¡Amor, clemencia, que se abrasa el
                              [alma!

¡Ay, choza, vil instrumento
de mi deshonra y mi infamia!
¡Cueva de ladrones fiera,
que mis agravios amparas!   1040
Rayos de ardientes estrellas
en tus cabelleras caigan,
porque abrasadas estén,
si del viento mal peinadas.
¡Ah, falso huésped, que dejas   1045
una mujer deshonrada!
Nube que del mar salió,
para anegar mis entrañas.
¡Fuego, zagales, fuego, agua, agua!
¡Amor, clemencia, que se abrasa el   1050
                              [alma!

Yo soy la que hacía siempre
de los hombres burla tanta;
que siempre las que hacen burla
vienen a quedar burladas.
Engañóme el caballero   1055
debajo de fe y palabra
de marido, y profanó

mi honestidad y mi cama.
Gozóme al fin, y yo propia
le di a su rigor las alas   1060
en dos yeguas que crié,
con que me burló y se escapa.
Seguidle todos, seguidle.
Mas no importa que se vaya,
que en la presencia del rey   1065
tengo de pedir venganza.
¡Fuego, zagales, fuego, agua, agua!
¡Amor, clemencia, que se abrasa el
                              [alma!

Vase TISBEA

CORIDÓN.   Seguid al vil caballero.
ANFRISO.   (¡Triste del que pena y calla!   1070
           Mas, ¡vive el cielo, que en él
           me he de vengar de esta ingrata!)
           Vamos tras ella nosotros,
           porque va desesperada,
           y podrá ser que ella vaya   1075
           buscando mayor desgracia.
CORIDÓN.   Tal fin la soberbia tiene.
           Su locura y confianza
           paró en esto.

           Dice TISBEA *dentro*: ¡Fuego, fuego!

ANFRISO.   ¡Al mar se arroja!   1080
CORIDÓN.   ¡Tisbea, detente y para!
TISBEA. (*Dentro*) ¡Fuego, zagales, fuego, fuego y rabia!
               ¡Amor, clemencia, que se abrasa el
                              [alma!

JORNADA SEGUNDA

[EL ALCÁZAR DE SEVILLA]
Salen EL REY DON ALONSO *y* DON JUAN TENORIO, *el Viejo*

REY.   ¿Qué me dices?
TENORIO.   Señor, la verdad   1085

digo. Por esta carta estoy del caso
cierto, que es de tu embajador y de mi

[hermano.
Halláronle en la cuadra del rey mismo
con una hermosa dama de palacio.

REY. ¿Qué calidad? 1090

TENORIO. Señor, es la duquesa
Isabela.

REY. ¿Isabela?

TENORIO. Por lo menos.

REY. ¡Atrevimiento temerario! ¿Y dónde
ahora está? 1095

TENORIO. Señor, a vuestra alteza
no he de encubrille la verdad; anoche
a Sevilla llegó con un criado.

REY. Ya conocéis, Tenorio, que os estimo,
y al rey informaré del caso luego, 1100
casando a ese rapaz con Isabela,
volviendo a su sosiego al duque
[Octavio,
que inocente padece; y luego al punto
haced que don Juan salga desterrado.

TENORIO. ¿Adónde, mi señor? 1105

REY. Mi enojo vea
en el destierro de Sevilla; salga
a Lebrija esta noche, y agradezca
sólo al merecimiento de su padre...
Pero, decid, don Juan, ¿qué diremos 1110
a Gonzalo de Ulloa, sin que erremos?
Caséle con su hija, y no sé cómo
lo puedo ahora remediar.

TENORIO. Pues mira,
gran señor, qué mandas que yo haga 1115
que esté bien al honor de esta
señora, hija de un padre tal.

REY. Un medio
tomo con que absolvello del enojo
entiendo: Mayordomo mayor 1120
pretendo hacelle.

Sale UN CRIADO.

CRIADO. Un caballero llega de camino,

y dice, señor, que es el duque Octavio.

REY. ¿El duque Octavio? 1125

CRIADO. Sí, señor.

REY. Sin duda
que supo de don Juan el desatino,
y que viene, incitado a la venganza,
a pedir que le otorgue desafío. 1130

TENORIO. Gran señor, en tus heroicas manos
está mi vida, que mi vida propia
es la vida de un hijo inobediente;
que, aunque mozo, gallardo y veleroso,
y le llaman los mozos de su tiempo 1135
el Héctor de Sevilla, porque ha hecho
tantas y tan extrañas mocedades,
la razón puede mucho. No permitas
el desafío, si es posible.

REY. Basta. 1140
Entre el duque.

TENORIO. Señor, dame esas plantas.
¿Cómo podré pagar mercedes tantas?

Sale EL DUQUE OCTAVIO, *de camino.*

OCTAVIO. A esos pies, gran señor, un peregrino,
mísero y desterrado, ofrece el labio, 1145
juzgando por más fácil el camino
en vuestra grata presencia.

REY. ¡Duque Octavio!

OCTAVIO. Huyendo vengo el fiero desatino
de una mujer, el no pensado agravio 1150
de un caballero que la causa ha sido
de que así a vuestros pies haya venido.

REY. Ya, duque Octavio, sé vuestra
[inocencia.
Yo al rey escribiré que os restituya
en vuestro estado, puesto que el 1155
[ausencia
que hicisteis algún daño os atribuya.
Yo os casaré en Sevilla, con licencia
y también con perdón y gracia suya;
que puesto que Isabela un ángel sea,

mirando la que os doy, ha de ser fea. 1160
Comendador mayor de Calatrava
es Gonzalo de Ulloa, un caballero
a quien el moro por temor alaba;
que siempre es el cobarde lisonjero.
Este tiene una hija en quien bastaba 1165
en dote la virtud, que considero,
después de la beldad, que es maravilla;
y es sol de las estrellas de Sevilla.
Esta quiero que sea vuestra esposa.

OCTAVIO.	Cuando este viaje le emprendiera 1170
sólo eso, mi suerte era dichosa,
sabiendo yo que vuestro gusto fuera.

REY. (A D. JUAN, *el Viejo.*)
Hospedaréis al duque, sin que cosa
en su regalo falte.

OCTAVIO.	Quien espera 1175
en vos, señor, saldrá de premios lleno.
Primero Alfonso sois, siendo el
[Onceno.

Vanse

[UNA CALLE DE SEVILLA]
Salen EL DUQUE OCTAVIO *y* RIPIO.

RIPIO.	¿Qué ha sucedido?
OCTAVIO.	Que he dado
el trabajo recibido, 1180
conforme me ha sucedido,
desde hoy por bien empleado.
Hablé al rey, vióme y honróme.
César con él César fui,
pues vi, peleé y vencí; 1185
y hace que esposa tome
de su mano, y se prefiere
a desenojar al rey
en la fulminada ley.

RIPIO.	Con razón el nombre adquiere 1190
de generoso en Castilla.
Al fin ¿te llegó a ofrecer
mujer?

OCTAVIO.	Sí, amigo, mujer
de Sevilla, que Sevilla
da, si averiguarlo quieres, 1195
porque de oíllo te asombres,
si fuertes y airosos hombres,
también gallardas mujeres.
Un manto tapado, un brío,
donde un puro sol se esconde, 1200
si no es en Sevilla, ¿adónde
se admite? El contento mío
es tal, que ya me consuela
en mi mal.

Salen DON JUAN *y* CATALINÓN.

CATALINÓN.	Señor, detente; 1205
que aquí está el duque, inocente
Sagitario de Isabela,
aunque mejor le diré
Capricornio.

D. JUAN.	Disimula.
CATALINÓN. (Cuando le vende, le adula.) 1210
D. JUAN. (*Al* DUQUE). Como a Nápoles dejé
y la casa de mi tío
por un pleito de su alteza,
Octavio, con tal presteza
aunque fue el intento mío 1215
el despedirme de vos,
no tuve lugar.

OCTAVIO.	Por eso,
don Juan, amigo os confieso;
que aquí nos vemos los dos 1220
en Sevilla. ¿Quién pensara,
don Juan, que en Sevilla os viera?

D. JUAN.	¿Vos Puzol, vos la ribera
desde Parténope clara
dejáis? Aunque es un lugar 1225
Nápoles tan excelente,
por Sevilla solamente
se puede, amigo, dejar.

OCTAVIO.	Si en Nápoles os oyera

y no en la parte que estoy, 1230
del crédito que ahora os doy
sospecho que me riera.

    Mas llegándola a habitar
es, por lo mucho que alcanza,
corta cualquier alabanza 1235
que a Sevilla queréis dar.

    ¿Quién es el que viene allí?

D. JUAN.   El que viene es el marqués
de la Mota.

OCTAVIO.   Descortés 1240
es fuerza ser.

D. JUAN.   Si de mí
algo hubiereis menester,
aquí brazo y espada está.

CATALINÓN.   (Y si importa, gozará 1245
en su nombre otra mujer;
que tiene buena opinión.)

OCTAVIO.   De vos estoy satisfecho.

CATALINÓN.   Si fuere de algún provecho,
señores, Catalinón, 1250
    vuarcedes continuamente
me hallarán para servillos...

RIPIO.   ¿Y dónde?

CATALINÓN.   En los Pajarillos,
tabernáculo excelente. 1255

Vanse OCTAVIO *y* RIPIO *y sale* EL MARQUÉS DE
LA MOTA.

MOTA.   Todo hoy os ando buscando,
y no os he podido hallar.
¿Vos, don Juan, en el lugar
y vuestro amigo penando
    en vuestra ausencia? 1260

D. JUAN.   ¡Por Dios,
amigo, que me debéis
esa merced que me hacéis!

CATALINÓN.   (Como no le entreguéis vos
    moza o cosa que lo valga, 1265
bien podéis fiaros dél;

que en cuanto a esto es cruel,
tiene condición hidalga.)

D. JUAN.   ¿Qué hay de Sevilla?

MOTA.   Está ya 1270
toda esta corte mudada.

D. JUAN.   ¿Mujeres?

MOTA.   Cosa juzgada.

D. JUAN.   ¿Inés?

MOTA.   A Vejel se va. 1275

D. JUAN.   Buen lugar para vivir
la que tan dama nació.

MOTA.   El tiempo la desterró
a Vejel.

D. JUAN.   Irá a morir. 1280
    ¿Constanza?

MOTA.   Es lástima vella
lampiña de frente y ceja.
Llámala el portugués vieja,
y ella imagina que bella. 1285

D. JUAN.   Sí, que *velha* en portugués
suena vieja en castellano.
¿Y Teodora?

MOTA.   Este verano
se escapó del mal francés 1290
    por un río de sudores,
y está tan tierna y reciente
que anteayer me arrojó un diente
envuelto entre muchas flores.

D. JUAN.   ¿Julia, la del Candilejo? 1295

MOTA.   Ya con sus afeites lucha.

D. JUAN.   ¿Véndese siempre por trucha?

MOTA.   Ya se da por abadejo.

D. JUAN.   El barrio de Cantarranas,
¿tiene buena población? 1300

MOTA.   Ranas las más de ellas son.

D. JUAN.   ¿Y viven las dos hermanas?

MOTA.   Y la mona de Tolú
de su madre Celestina
que les enseña doctrina. 1305

D. JUAN.   ¡Oh vieja de Bercebú!
    ¿Cómo la mayor está?

MOTA.	¿Blanca? Sin blanca ninguna; tiene un santo a quien ayuna.	
D. JUAN.	¿Ahora en vigilias da?	1310
MOTA.	Es firme y santa mujer.	
D. JUAN.	¿Y esa otra?	
MOTA.	Mejor principio tiene; no desecha ripio.	
D. JUAN.	Buen albañil quiere ser. Marqués, ¿qué hay de perros [muertos?	1315
MOTA.	Yo y don Pedro Esquivel dimos anoche uno cruel, y esta noche tengo ciertos otros dos.	1320
D. JUAN.	Iré con vos; que también recorreré cierto nido que dejé en huevos para los dos. ¿Qué hay de terrero?	1325
MOTA.	No muero en terrero, que enterrado me tiene mayor cuidado.	
D. JUAN.	¿Cómo?	
MOTA.	Un imposible quiero.	1330
D. JUAN.	Pues, ¿no os corresponde?	
MOTA.	Sí, me favorece y me estima.	
D. JUAN.	¿Quién es?	
MOTA.	Doña Ana, mi prima, que es recién llegada aquí.	1335
D. JUAN.	Pues, ¿dónde ha estado?	
MOTA.	En Lisboa, con su padre en la embajada.	
D. JUAN.	¿Es hermosa?	1340
MOTA.	Es extremada, porque en doña Ana de Ulloa se extremó Naturaleza.	
D. JUAN.	¿Tan bella es esa mujer? ¡Vive Dios, que la he de ver!	1345
MOTA.	Veréis la mayor belleza que los ojos del sol ven.	

D. JUAN.	Casaos, si es tan extremada.	
MOTA.	El rey la tiene casada, y no se sabe con quién.	1350
D. JUAN.	¿No os favorece?	
MOTA.	Y me escribe.	
CATALINÓN.	(No prosigas, que te engaña el gran burlador de España.)	
D. JUAN.	Quien tan satisfecho vive de su amor, ¿desdichas teme? Sacadla, solicitadla, escribidla y engañadla, y el mundo se abrase y queme.	1355
MOTA.	Ahora estoy aguardando la postrer resolución.	1360
D. JUAN.	Pues no perdáis la ocasión, que aquí os estoy aguardando.	
MOTA.	Ya vuelvo.	

Vase EL MARQUÉS.

| CATALINÓN. | (*Al* CRIADO.) Señor Cuadrado, o señor Redondo, adiós. | 1365 |
| CRIADO. | Adiós. | |

Vase EL CRIADO.

| D. JUAN. | Pues solos los dos, amigo, habemos quedado, síguele el paso al marqués, que en el palacio se entró. | 1370 |

Vase CATALINÓN. *Habla por una reja* UNA MUJER.

MUJER.	¡Ce!, ¿a quién digo?	
D. JUAN.	¿Quién llamó?	
MUJER.	Pues sois prudente y cortés y su amigo, dadle luego al marqués este papel; mirad que consiste en él de una señora el sosiego.	1375
D. JUAN.	Digo que se lo daré.	

	Soy su amigo y caballero.	1380
MUJER.	Basta, señor forastero.	
	Adiós. *Vase.*	
D. JUAN.	Ya la voz se fue.	
	¿No parece encantamento	
	esto que ahora ha pasado?	1385
	A mí el papel ha llegado	
	por la estafeta del viento.	
	Sin duda que es la dama	
	que el marqués me ha encarecido.	
	Venturoso en esto he sido.	1390
	Sevilla a voces me llama	
	el *Burlador*, y el mayor	
	gusto que en mí puede haber	
	es burlar una mujer	
	y dejarla sin honor.	1395
	¡Vive Dios, que le he de abrir,	
	pues salí de la plazuela!	
	Mas ¿si hubiese otra Isabela?	
	Gana me da de reír.	
	Ya está abierto el tal papel,	1400
	y que es suyo es cosa llana,	
	porque aquí firma doña Ana.	
	Dice así: «Mi padre infiel	
	en secreto me ha casado	
	sin poderme resistir;	1405
	no sé si podré vivir,	
	porque la muerte me ha dado.	
	Si estimas, como es razón,	
	mi amor y mi voluntad;	
	y si tu amor fue verdad,	1410
	muéstralo en esta ocasión.	
	Porque veas que te estimo,	
	ven esta noche a la puerta,	
	que estará a las once abierta,	
	donde tu esperanza, primo,	1415
	goces, y el fin de tu amor.	
	Traerás, mi gloria, por señas	
	de Leonorilla y las dueñas,	
	una capa de color.	
	Mi amor todo de ti fío,	1420

	y adiós.»— ¡Desdichado amante!	
	¿Hay suceso semejante?	
	Ya de la burla me río.	
	Gozaréla, ¡vive Dios!,	
	con el engaño y cautela	1425
	que en Nápoles a Isabela.	

Sale CATALINÓN

CATALINÓN.	Ya el marqués viene.	
D. JUAN.	Los dos	
	aquesta noche tenemos	
	que hacer.	1430
CATALINÓN.	¿Hay engaño nuevo?	
D. JUAN.	Extremado.	
CATALINÓN.	No lo apruebo.	
	Tú pretendes que escapemos	
	una vez, señor, burlados;	1435
	que el que vive de burlar	
	burlado habrá de escapar,	
	pagando tantos pecados	
	de una vez.	
D. JUAN.	¿Predicador	1440
	te vuelves, impertinente?	
CATALINÓN.	La razón hace al valiente.	
D. JUAN.	Y al cobarde hace el temor.	
	El que se pone a servir	
	voluntad no ha de tener,	1445
	y todo ha de ser hacer	
	y nada ha de ser decir.	
	Sirviendo, jugando estás,	
	y si quieres ganar luego,	
	haz siempre, porque en el juego	1450
	quien más hace, gana más.	
CATALINÓN.	Y también quien hace y dice	
	pierde por la mayor parte.	
D. JUAN.	Esta vez quiero avisarte	
	porque otra vez no te avise.	1455
CATALINÓN.	Digo que de aquí adelante	
	lo que me mandes haré,	
	y a tu lado forzaré	

un tigre y un elefante.

    Guárdese de mí un prior; 1460
que si me mandas que calle
y le fuerce, he de forzalle
sin réplica, mi señor.

D. JUAN.   Calla, que viene el marqués.

CATALINÓN. Pues ¿ha de ser el forzado? 1465

Sale EL MARQUÉS DE LA MOTA.

D. JUAN.   Para vos, marqués, me han dado
un recaudo harto cortés
    por esa reja, sin ver
el que me lo daba allí;
sólo en la voz conocí 1470
que me lo daba mujer.

    Dícete al fin que a las doce
vayas secreto a la puerta—
que estará esperando abierta,
donde tu esperanza goce 1475
    la posesión de tu amor,
y que llevases por señas
de Leonorilla y las dueñas
una capa de color.

MOTA.   ¿Qué decís? 1480

D. JUAN.   Que este recaudo
de una ventana me dieron,
sin ver quién.

MOTA.   Con él pusieron
sosiego en tanto cuidado. 1485
    ¡Ay amigo! Sólo en ti
mi esperanza renaciera.
Dame esos pies.

D. JUAN.   Considera
que no está tu prima en mí. 1490
    Eres tú quien ha de ser
quien la tiene de gozar,
¿y me llegas a abrazar
los pies?

MOTA.   Es tal el placer 1495
que me ha sacado de mí.
¡Oh sol! Apresura el paso.

D. JUAN.   Ya el sol camina al ocaso.

MOTA.   Vamos, amigos, de aquí,
    y de noche nos pondremos. 1500
¡Loco voy!

D. JUAN.   (Bien se conoce;
mas yo bien sé que a las doce
harás mayores extremos.)

MOTA.   ¡Ay, prima del alma, prima, 1505
que quieres premiar mi fe!

CATALINÓN. (¡Vive Cristo, que no dé
una blanca por su prima!)

Vase EL MARQUÉS, *y sale* DON JUAN, *el Viejo.*

TENORIO. ¿Don Juan?

CATALINÓN.   Tu padre te llama. 1510

D. JUAN. ¿Qué manda vueseñoría?

TENORIO. Verte más cuerdo quería,
más bueno y con mejor fama.
    ¿Es posible que procuras
todas las horas mi muerte? 1515

D. JUAN. ¿Por qué vienes de esa suerte?

TENORIO. Por tu trato, y tus locuras.
    Al fin el rey me ha mandado
que te eche de la ciudad,
porque está de una maldad 1520
con justa causa indignado.
Que, aunque me lo has encubierto,
ya en Sevilla el rey lo sabe,
cuyo delito es tan grave,
que a decírtelo no acierto. 1525
    ¿En el palacio real
traición, y con un amigo?
Traidor, Dios te dé el castigo
que pide delito igual.
    Mira que, aunque al parecer 1530
Dios te consiente y aguarda,
su castigo no se tarda,
y que castigo ha de haber
    para los que profanáis
su nombre, que es juez fuerte 1535

Dios en la muerte.

D. JUAN.   ¿En la muerte?
          ¿Tan largo me lo fiáis?
          De aquí allá hay gran jornada.
TENORIO. Breve te ha de parecer.   1540
D. JUAN. Y la que tengo de hacer,
          pues a su Alteza le agrada
          ahora, ¿es larga también?
TENORIO. Hasta que el injusto agravio
          satisfaga el duque Octavio,   1545
          y apaciguados estén
              en Nápoles de Isabela,
          los sucesos que has causado,
          en Lebrija retirado
          por tu traición y cautela   1550
              quiere el rey que estés ahora,
          pena a tu maldad ligera.
CATALINÓN. (Si el caso también supiera
          de la pobre pescadora,
              más se enojara el buen viejo.)   1555
TENORIO. Pues no te vence castigo
          con cuanto hago y cuanto digo,
          a Díos tu castigo dejo.   Vase
CATALINÓN.   Fuése el viejo enternecido.
D. JUAN. Luego las lágrimas copia,   1560
          condición de viejo propia.
          Vamos, pues ha anochecido,
              a buscar al marqués.
CATALINÓN.   Vamos,
          y al fin gozarás su dama.   1565
D. JUAN. Ha de ser burla de fama.
CATALINÓN. Ruego al cielo que salgamos
              de ella en paz.
D. JUAN.   ¡Catalinón,
          en fin!
CATALINÓN.   Y tú, señor, eres   1570
          langosta de las mujeres,
          y con público pregón,
              porque de ti se guardara,
          cuando a noticia viniera
          de la que doncella fuera,   1575

fuera bien se pregonara:
          "Guárdense todos de un hombre
          que a las mujeres engaña,
          y es el burlador de España".
D. JUAN. Tú me has dado gentil nombre.   1580

Sale EL MARQUÉS, *de noche, con* MÚSICOS, *y pasea el
tablado y se entran cantando.*

MÚSICOS. (*Cantan.*)   El que un bien gozar espera,
                         cuando espera desespera.
D. JUAN.   ¿Qué es esto?
CATALINÓN.   Música es.
MOTA.   Parece que habla conmigo   1585
          el poeta. ¿Quién va?
D. JUAN.   Amigo.
MOTA.   ¿Es don Juan?
D. JUAN.   ¿Es el marqués?
MOTA.   ¿Quién puede ser sino yo?   1590
D. JUAN. Luego que la capa vi,
          que érades vos conocí.
MOTA.   Cantad, pues don Juan llegó.
MÚSICOS. (*Cantan.*)   El que un bien gozar espera,
                       cuando espera desespera.   1595
D. JUAN.   ¿Qué casa es la que miráis?
MOTA.   De don Gonzalo de Ulloa.
D. JUAN. ¿Dónde iremos?
MOTA.   A Lisboa.
D. JUAN. ¿Cómo, si en Sevilla estáis?   1600
MOTA.   Pues, ¿aqueso os maravilla?
          ¿No vive, con gusto igual,
          lo peor de Portugal
          en lo mejor de Castilla?
D. JUAN.   ¿Dónde viven?   1605
MOTA.   En la calle
          de la Sierpe, donde ves
          a Adán vuelto en portugués;
          que en aqueste amargo valle
              con bocados solicitan   1610
          mil Evas que, aunque dorados,
          en efecto, son bocados

          con que el dinero nos quitan.

CATALINÓN.   Ir de noche no quisiera
          por esa calle cruel,   1615
          pues lo que de día en miel
          entonces lo dan en cera.
              Una noche, por mi mal,
          la vi sobre mí vertida,
          y hallé que era corrompida   1620
          la cera de Portugal.

D. JUAN.   Mientras a la calle vais,
          yo dar un perro quisiera.

MOTA.   Pues cerca de aquí me espera
          un bravo.   1625

D. JUAN.   Si me dejáis,
          señor marqués, vos veréis
          cómo de mí no se escapa.

MOTA.   Vamos, y poneos mi capa,
          para que mejor lo deis.   1630

D. JUAN.   Bien habéis dicho. Venid,
          y me enseñaréis la casa.

MOTA.   Mientras el suceso pasa,
          la voz y habla fingid.
               ¿Veis aquella celosía?   1635

D. JUAN.   Ya la veo.

MOTA.   Pues llegad,
          y decid «Beatriz» y entrad.

D. JUAN.   ¿Qué mujer?

MOTA.   Rosada, y fría.   1640

CATALINÓN.   Será mujer cantimplora.

MOTA.   En Gradas os aguardamos.

D. JUAN.   Adiós, marqués.

CATALINÓN.   ¿Dónde vamos?

D. JUAN.   Adonde la burla ahora   1645
          ejecute.

CATALINÓN.   No se escapa
          nadie de ti.

D. JUAN.   El trueque adoro.

CATALINÓN.   Echaste la capa al toro.   1650

D. JUAN.   No, el toro me echó la capa.

Vanse DON JUAN *y* CATALINÓN.

MOTA.   La mujer ha de pensar
          que soy yo.

MUSICO.   ¡Qué gentil perro!

MOTA.   Esto es acertar por yerro.   1655

MUSICO.   Todo este mundo es errar.

Cantan.   *El que un bien gozar espera,*
          cuando espera desespera.

                         Vanse

[SALA EN CASA DE DON GONZALO DE
ULLOA]
DOÑA ANA DE ULLOA, *dentro.*

DOÑA ANA   ¡Falso, no eres el marqués!
          ¡Que me has engañado!   1660

D. JUAN. (*Dentro*)   Digo
          que lo soy.

DOÑA ANA. (*Dentro*) ¡Fiero enemigo,
          mientes, mientes!

Sale DON GONZALO *con la espada desnuda.*

D. GONZALO.   La voz es   1665
          de doña Ana la que siento.

DOÑA ANA.   ¿No hay quien mate este traidor,
          homicida de mi honor?

D. GONZALO. ¿Hay tan grande atrevimiento?
          "Muerto honor", dijo, ¡ay de mí! 1670
          y es su lengua tan liviana
          que aquí sirve de campana.

DOÑA ANA. (*Dentro*) ¡Matadle!

Salen DON JUAN *y* CATALINÓN, *con las espadas
desnudas.*

D. JUAN.   ¿Quién está aquí?

D. GONZALO.   La barbacana caída   1675
          de la torre de este honor
          que has combatido, traidor,
          donde era alcaide la vida.

D. JUAN.   Déjame pasar.

122 · *LOS SIGLOS XVI Y XVII*

D. GONZALO.	¿Pasar?	1680

D. GONZALO.   ¿Pasar?   1680
                     Por la punta de esta espada.
D. JUAN.   Morirás.
D. GONZALO.   No importa nada.
D. JUAN.   Mira que te he de matar.   *Riñen.*
D. GONZALO.   ¡Muere, traidor!   1685
D. JUAN.   De esta suerte
                     muero yo.   *Le hiere.*
CATALINÓN.   Si escapo de aquesta,
                     no más burlas, no más fiesta.
D. GONZALO.   (*Cayendo.*)
                     ¡Ay, que me has dado la muerte!   1690
                        Mas, si el honor me quitaste,
                     ¿de qué la vida servía?
D. JUAN.   ¡Huye!

Vanse DON JUAN *y* CATALINÓN.

D. GONZALO.   Aguarda, que es sangría
                     con que el valor me aumentaste.   1695
                     Muerto soy; no hay quién aguarde.
                     Seguiréle mi furor;
                     que es traidor, y el que es traidor
                     es traidor porque es cobarde.

Entran muerto a DON GONZALO.
[CALLE]
Sale EL MARQUÉS DE LA MOTA *y* MÚSICOS.

MOTA.   Presto las doce darán,   1700
                     y mucho don Juan se tarda.
                     ¡Fiera prisión del que aguarda!

Salen DON JUAN *y* CATALINÓN.

D. JUAN.   ¿Es el marqués?
MOTA.   ¿Es don Juan?
D. JUAN.   Yo soy; tomad vuestra capa.   1705
MOTA.   ¿Y el perro?
D. JUAN.   Funesto ha sido.
                     Al fin, marqués, muerto ha habido.

CATALINÓN.   Señor, del muerto te escapa.
MOTA.   ¿Burlásteisla?   1710
D. JUAN.   Sí, burlé.
CATALINÓN.   (Y así a vos os ha burlado.)
D. JUAN.   Cara la burla ha costado.
MOTA.   Yo, don Juan, lo pagaré,
                     porque estará la mujer   1715
                     quejosa de mí.
D. JUAN.   Las doce
                     darán.
MOTA.   Como mi bien goce,
                     nunca llegue a amanecer.
D. JUAN.   Adiós, marqués.   1720
CATALINÓN.   (Muy buen lance
                     el desdichado hallará.)
D. JUAN.   Huyamos.
CATALINÓN.   Señor, no habrá
                     aguilita que me alcance.   1725
                              Vanse.
MOTA.   Vosotros os podéis ir
                     todos a casa, que yo
                     he de ir solo.
                              Dios crïó
                     las noches para dormir.   1730

Vanse, y queda EL MARQUÉS.

Una voz dentro.   ¿Vióse desdicha mayor,
                     y vióse mayor desgracia?
MOTA.   ¡Válgame Dios! Voces siento
                     en la plaza del Alcázar.
                     ¿Qué puede ser a estas horas?   1735
                     Un hielo me baña el alma.
                     Desde aquí parece todo
                     una Troya que se abrasa,
                     porque tantas hachas juntas
                     hacen gigantes de llamas.   1740
                     Un grande escuadrón de luces
                     se acerca hacia mí; ¿por qué anda
                     el fuego emulando estrellas
                     dividiéndose en escuadras?

Quiero preguntar lo que es. 1745

Sale DON JUAN TENORIO, el *Viejo y* LA
GUARDA *con hachas.*

TENORIO. ¿Qué gente?
MOTA. Gente que aguarda
saber de aqueste ruido
la ocasión.
TENORIO. Esta es la capa 1750
que dijo el Comendador
en las postreras palabras.
Prendeldo.
MOTA. ¿Prenderme a mí?
TENORIO. Volved la espada a la vaina, 1755
que la mayor valentía
es no tratar de las armas.
MOTA. ¿Cómo al marqués de la Mota
hablan así?
TENORIO. Dad la espada; 1760
que el rey os manda prender.
MOTA. ¡Vive Dios!

Sale EL REY *y* ACOMPAÑAMIENTO.

REY. En toda España
no ha de caber, ni tampoco
en Italia, si va a Italia. 1765
TENORIO. Señor, aquí está el marqués.
MOTA. ¿Vuestra alteza a mí me manda
prender?
REY. Llevalde y ponelde
la cabeza en una escarpia. 1770
¿En mi presencia te pones?
MOTA. (¡Ah, glorias de amor tiranas,
siempre en el pasar ligeras,
como en el vivir pesadas!
Bien dijo un sabio que había 1775
entre la boca y la taza
peligro; mas el enojo
del rey me admira y me espanta)

¿No sabré por qué voy preso?
TENORIO. ¿Quién mejor sabrá la causa 1780
que vueseñoría?
MOTA. ¿Yo?
TENORIO. Vamos.
MOTA. ¡Confusión extraña!
REY. Fulmínesele el proceso 1785
al marqués luego, y mañana
le cortarán la cabeza.
Y al Comendador, con cuanta
solemnidad y grandeza
se da a las personas sacras 1790
y reales, el entierro
se haga; en bronce y piedras varias
un sepulcro con un bulto
le ofrezcan, donde en mosaicas
labores, góticas letras 1795
den lengua a sus venganzas.
Y entierro, bulto y sepulcro
quiero que a mi costa se haga.
¿Dónde doña Ana se fue?
TENORIO. Fuese al sagrado, doña Ana, 1800
de mi señora la reina.
REY. Ha de sentir esta falta
Castilla; tal capitán
ha de llorar Calatrava. *Vanse todos.*

[CAMPO A LA ENTRADA DE DOS
HERMANAS]
Sale BATRICIO, *desposado con* AMINTA; GASENO,
viejo; BELISA, *pastora, y* PASTORES *y* MÚSICOS.
(*Cantan*)
Lindo sale el sol de abril, 1805
con trébol y torongil;
y aunque le sirva de estrella,
Aminta sale más bella.
BATRICIO. Sobre esta alfombra florida,
adonde, en campos de escarcha, 1810
el sol sin aliento marcha
con su luz recién nacida,
os sentad, pues nos convida

	al tálamo el sitio hermoso.	
AMINTA.	Cantadle a mi dulce esposo	1815
	favores de mil en mil.	

(Cantan.)

Lindo sale el sol de abril,
con trébol y torongil.

GASENO.	Ya, Batricio, os he entregado	
	el alma y ser en mi Aminta.	1820
BATRICIO.	Por eso se baña y pinta	
	de más colores el prado;	
	con deseos la he ganado,	
	con obras le he merecido.	
MÚSICOS.	Tal mujer y tal marido	1825
	vivan juntos años mil.	

Lindo sale el sol de abril
con trébol y torongil.

BATRICIO.	No sale el sol de Oriente	
	como el sol que al alma sale,	1830
	que no hay sol que al sol se iguale	
	de sus niñas y su frente;	
	de este sol claro y luciente	
	que eclipsa al sol su arrebol,	
	y así cantadle a mi sol	1835
	motetes de mil en mil.	

| MÚSICOS. | *Lindo sale el sol de abril* |
| | *por trébol y torongil.* |

AMINTA.	Batricio, yo lo agradezco,	
	falso y lisonjero estás.	1840
	Mas si tus rayos me das,	
	por ti ser luna merezco.	
	Tú eres el sol por quien crezco	
	después de salir menguante,	
	para que el alba te cante	1845
	la salva en tono sutil.	

(Cantan)

Lindo sale el sol de abril,
con trébol y torongil

Sale UN PASTOR.

| PASTOR. | Señores, el desposorio |

PASTOR.		1850
	huéspedes ha de tener.	
GASENO.	A todo el mundo ha de ser	
	este contento notorio.	
BATRICIO.	¿Quién viene?	
PASTOR.	Don Juan Tenorio.	
GASENO.	¿El viejo?	1855
PASTOR.	No ese don Juan,	
	sino su hijo el galán.	
BATRICIO.	Téngolo por mal agüero,	
	que galán y caballero	
	quitan gusto y celos dan.	1860
	Pues ¿quién noticias le dio	
	de mis bodas?	
PASTOR.	De camino	
	pasa a Lebrija.	
BATRICIO.	Imagino	1865
	que el demonio le envió;	
	mas, ¿de qué me aflijo yo?	
	Vengan a mis dulces bodas	
	del mundo las gentes todas.	
	Mas, con todo, ¿un caballero	1870
	en mis bodas? ¡mal agüero!	
GASENO.	Venga el Coloso de Rodas,	
	venga el Papa, el Preste Juan	
	y don Alfonso el Onceno	
	con su corte; que en Gaseno	1875
	ánimo y valor verán.	
	Montes en casa hay de pan,	
	Guadalquivides de vino,	
	Babilonias de tocino,	
	y entre ejércitos cobardes	1880
	de aves, para que los lardes,	
	el pollo y el palomino.	
	Venga tan gran caballero	
	a ser hoy en Dos Hermanas	
	honra destas viejas canas.	1885
PASTOR.	Es hijo del Camarero	
	mayor.	
BATRICIO.	(Todo es mal agüero	
	para mí, pues le han de dar	
	junto a mi esposa lugar.	1890

Aún no gozo, y ya los cielos
me están condenando a celos.
Amor, sufrir y callar.)

Sale DON JUAN *y* CATALINÓN, *de camino.*

D. JUAN.   Pasando acaso he sabido
que hay bodas en el lugar,   1895
y de ellas quise gozar,
pues tan venturoso he sido.

GASENO.   Vueseñoría ha venido
a honrallas y engrandecellas.

BATRICIO.   (Yo, que soy el dueño de ellas,   1900
digo entre mí que vengáis
en hora mala.)

GASENO.   ¿No dais
lugar a este caballero?

D. JUAN.   Con vuestra licencia quiero   1905
sentarme aquí.
Siéntase junto a la novia.

BATRICIO.   Si os sentáis
delante de mí, señor,
seréis de aquesa manera   1910
el novio.

D. JUAN.   Cuando lo fuera,
no escogiera lo peor.

GASENO.   ¡Que es el novio!

D. JUAN.   De mi error   1915
y ignorancia perdón pido.

CATALINÓN.   (¡Desventurado marido!)

D. JUAN. (*A* CATALINÓN.)
¡Corrido está!

CATALINÓN. (*A* DON JUAN.) No lo ignoro;
mas si tiene de ser toro,   1920
¿qué mucho que esté corrido?
(No daré por su mujer
ni por su honor un cornado.
¡Desdichado tú, que has dado
en manos de Lucifer!)   1925

D. JUAN.   ¿Posible es que vengo a ser,
señora, tan venturoso?

Envidia tengo al esposo.

AMINTA.   Parecéisme lisonjero.

BATRICIO.   (¡Bien dije que es mal agüero   1930
en bodas un poderoso!)

D. JUAN.   Hermosas manos tenéis
para esposa de un villano.

CATALINÓN.   (Si al juego le dais la mano,
vos la mano perderéis.)   1935

BATRICIO.   (¡Celos, muerte no me deis!)

GASENO.   ¡Ea! Vamos a almorzar,
porque pueda descansar
un rato su señoría.

Tómale DON JUAN *la mano a la novia.*

D. JUAN.   ¿Por qué la escondéis?   1940

AMINTA.   No es mía.

GASENO.   Vamos.

BELISA.   Volved a cantar.

D. JUAN. (*A* CATALINÓN.)
¿Qué dices tú?

CATALINÓN.   ¿Yo? Que temo   1945
muerte vil de estos villanos.

D. JUAN. (*A* CATALINÓN.)
Buenos ojos, blancas manos;
en ellos me abraso y quemo.

CATALINÓN. (*A* DON JUAN.)
¡Almagrar y echar a extremo!
Con ésta cuatro serán.   1950

D. JUAN. (*A* CATALINÓN.)
Ven, que mirándome están.

BATRICIO.   (¿En mis bodas caballero?
¡Mal agüero!)

GASENO.   Cantad.

BATRICIO.   (Muero.)   1955

CATALINÓN.   (Canten; que ellos llorarán)
Vanse todos, con que da fin la segunda jornada.

JORNADA TERCERA

[CALLE DE DOS HERMANAS]

Sale BATRICIO, *pensativo*

BATRICIO.　　Celos, reloj de cuidados,
que a todas las horas dais
tormentos con que matáis,
aunque dais desconcertados;　　　　　　1960
　　celos, del vivir desprecios,
con que ignorancias hacéis,
pues todo lo que tenéis
de ricos, tenéis de necios,
　　dejadme de atormentar,　　　　　　1965
pues es cosa tan sabida
que, cuando amor me da vida,
la muerte me queréis dar.
　　¿Qué me queréis, caballero,
que me atormentáis así?　　　　　　　1970
Bien dije cuando le vi
en mis bodas, "¡mal agüero!"
　　¡No es bueno que se sentó
a cenar con mi mujer,
y a mí en el plato meter　　　　　　　1975
la mano no me dejó!
　　Pues cada vez que quería
metella, la desviaba,
diciendo a cuanto tomaba:
"¡Grosería, grosería!"　　　　　　　1980
　　Pues llegándome a quejar
a algunos, me respondían
y con risa me decían:
"No tenéis de qué os quejar;
　　eso no es cosa que importe.　　　　1985
No tenéis de qué temer;
callad, que debe de ser
uso de allá en la corte."
　　¡Buen uso, trato extremado!
¡Más no se usara en Sodoma!　　　　　1990
¡Que otro con la novia coma,
y que ayune el desposado!
　　Pues el otro bellacón
a cuanto comer quería:
"¿Esto no come?" decía;　　　　　　　1995
"No tenéis, señor, razón".
　　Y de adelante al momento
me lo quitaba. Corrido
estoy; bien sé yo que ha sido
culebra, y no casamiento.　　　　　　2000
　　Ya no se puede sufrir
ni entre cristianos pasar,
y acabando de cenar
con los dos, ¿mas que a dormir
　　se ha de ir también, si porfía,　　2005
con nosotros, y ha de ser,
al llegar yo a mi mujer,
"grosería, grosería?"
　　Ya viene, no me resisto;
aquí me quiero esconder.　　　　　　2010
Pero ya no puede ser,
que imagino que me ha visto.

Sale DON JUAN TENORIO.

D. JUAN.　　¡Batricio!
BATRICIO.　　　　　　Su señoría
¿qué manda?　　　　　　　　　　　2015
D. JUAN.　　　　　　　Haceros saber...
BATRICIO.　(¿Mas que ha de venir a ser
alguna desdicha mía?)
D. JUAN.　　Que ha muchos días, Batricio,
que a Aminta el alma le di,　　　　　2020
y he gozado...
BATRICIO.　　　　¿Su honor?
D. JUAN.　　　　　　　　　Sí.
BATRICIO.　(Manifiesto y claro indicio
de lo que he llegado a ver;　　　　　2025

que si bien no la quisiera,
nunca a su casa viniera.
Al fin, al fin es mujer.)

D. JUAN.　　　Al fin, Aminta celosa,
o quizá desesperada　　　　　　　2030
de verse de mí olvidada
y de ajeno dueño esposa,
esta carta me escribió

　　　　　　Le muestra un papel.

enviándome a llamar,　　　　　　　2035
y yo prometí gozar
lo que el alma prometió.
　　Esto pasa de esta suerte.
Dad a vuestra vida un medio,
que le daré sin remedio　　　　　　2040
a quien lo impida, la muerte.

BATRICIO.　　Si tú en mi elección lo pones,
tu gusto pretendo hacer,
que el honor y la mujer
son males en opiniones.　　　　　　2045
　　La mujer en opinión
siempre más pierde que gana,
que son como la campana,
que se estima por el son.
　　Y así es cosa averiguada　　　　2050
que opinión viene a perder
cuando cualquier mujer
suena a campana quebrada.
　　No quiero, pues me reduces
el bien que mi amor ordena,　　　　2055
mujer entre mala y buena,
que es moneda entre dos luces.
　　Gózala, señor, mil años,
que yo quiero resistir,
desengañar y morir,　　　　　　　2060
y no vivir con engaños.　　*Vase.*

D. JUAN.　　　Con el honor le vencí,
porque siempre los villanos
tienen su honor en las manos,
y siempre miran por sí.　　　　　　2065
　　Que por tantas falsedades,

es bien que se entienda y crea
que el honor se fue al aldea
huyendo de las ciudades.
　　Pero antes de hacer el daño　　2070
le pretendo reparar;
a su padre voy a hablar
para autorizar mi engaño.
　　Bien lo supe negociar.
Gozarla esta noche espero.　　　　2075
La noche camina, y quiero
su viejo padre llamar.
　　Estrellas que me alumbráis,
dadme en este engaño suerte,
si el galardón en la muerte　　　　2080
tan largo me lo guardáis.　　*Vase.*

[LA CASA DE GASENO]
Sale AMINTA *y* BELISA.

BELISA.　　　Mira que vendrá tu esposo;
entra a desnudarte, Aminta.

AMINTA.　　De estas infelices bodas
no sé qué siento, Belisa.　　　　　2085
Todo hoy mi Batricio ha estado
bañado en melancolía;
todo en confusión y celos.
¡Mirad qué grande desdicha!
Di, ¿qué caballero es éste　　　　2090
que de mi esposo me priva?
La desvergüenza en España
se ha hecho caballería.
Déjame, que estoy sin seso,
déjame, que estoy perdida.　　　　2095
¡Mal hubiese el caballero
que mis contentos me priva!

BELISA.　　　Calla, que pienso que viene,
que nadie en la casa pisa
de un desposado tan recio.　　　　2100

AMINTA.　　Queda a Dios, Belisa mía.

BELISA.　　　Desenójale en los brazos.

AMINTA.　　¡Plega a los cielos que sirvan

mis suspiros de requiebros,
mis lágrimas de caricias!   2105

Sale DON JUAN, CATALINóN *y* GASENO.

D. JUAN.   Gaseno, quedad con Dios.
GASENO.   Acompañaros querría,
             por darle de esta ventura
             el parabién a mi hija.
D. JUAN.   Tiempo mañana nos queda.   2110
GASENO.   Bien decís. El alma mía
             en la muchacha os ofrezco.
                          Vase GASENO.
D. JUAN.   Mi esposa decid. Ensilla,
             Catalinón.   2115
CATALINÓN.   ¿Para cuándo?
D. JUAN.   Para el alba, que de risa
             muerta, ha de salir mañana,
             de este engaño.
CATALINÓN.   Allá, en Lebrija,   2120
             señor, nos está aguardando
             otra boda. Por tu vida
             que despaches presto en ésta.
D. JUAN.   La burla más escogida
             de todas ha de ser ésta.   2125
CATALINÓN.   Que saliésemos querría
             de todas bien.
D. JUAN.   Si es mi padre
             el dueño de la justicia,
             y es la privanza del rey,   2130
             ¿qué temes?
CATALINÓN.   De los que privan
             suele Dios tomar venganza,
             si delitos no castigan;
             y se suelen en el juego   2135
             perder también los que miran.
             Yo he sido mirón del tuyo,
             y por mirón no querría
             que me cogiese algún rayo
             y me trocase en ceniza.   2140
D. JUAN.   Vete, ensilla, que mañana

he de dormir en Sevilla.
CATALINÓN.   ¿En Sevilla?
D. JUAN.   Sí.
CATALINÓN.   ¿Qué dices?   2145
             Mira lo que has hecho, y mira
             que hasta la muerte, señor,
             es corta la mayor vida,
             y que hay tras la muerte infierno.
D. JUAN.   Si tan largo me lo fías,   2150
             vengan engaños.
CATALINÓN.   Señor...
D. JUAN.   Vete, que ya me amohinas
             con tus temores estraños.
CATALINÓN.   Fuerza al turco, fuerza al scita,   2155
             al persa y al garamante,
             al gallego, al troglodita,
             al alemán y al Japón,
             al sastre con la agujita
             de oro en la mano, imitando   2160
             contino a la *Blanca niña*.   *Vase.*
D. JUAN.   La noche en negro silencio
             se extiende, y ya las Cabrillas
             entre racimos de estrellas
             el Polo más alto pisan.   2165
             Yo quiero poner mi engaño
             por obra. El amor me guía
             a mi inclinación, de quien
             no hay hombre que se resista.
             Quiero llegar a la cama.   2170
             ¡Aminta!

Acércase a la puerta de la alcoba. Sale AMINTA, *como que
está acostada.*

AMINTA.   ¿Quién llama a Aminta?
             ¿Es mi Batricio?
D. JUAN.   No soy
             tu Batricio.   2175
AMINTA.   Pues, ¿quién?
D. JUAN.   Mira
             de espacio, Aminta, quién soy.

AMINTA.	¡Ay de mí! ¡Yo soy perdida!	
	¿En mi aposento a estas horas?	2180
D. JUAN.	Estas son las horas mías.	
AMINTA.	Volvéos, que daré voces.	
	No excedáis la cortesía	
	que a mi Batricio se debe.	
	Ved que hay romanas Emilias	2185
	en Dos Hermanas también,	
	y hay Lucrecias vengativas.	
D. JUAN.	Escúchame dos palabras	
	y esconde de las mejillas	
	en el corazón la grana,	2190
	por ti más preciosa y rica.	
AMINTA.	Vete, que vendrá mi esposo.	
D. JUAN.	Yo lo soy; ¿de qué te admiras?	
AMINTA.	¿Desde cuándo?	
D. JUAN.	Desde ahora.	2195
AMINTA.	¿Quién lo ha tratado?	
D. JUAN.	Mi dicha.	
AMINTA.	¿Y quién nos casó?	
D. JUAN.	Tus ojos.	
AMINTA.	¿Con qué poder?	2200
D. JUAN.	Con la vista.	
AMINTA.	¿Sábelo Batricio?	
D. JUAN.	Sí,	
	que te olvida.	
AMINTA.	¿Que me olvida?	2205
D. JUAN.	Sí, que yo te adoro.	
AMINTA.	¿Cómo?	
D. JUAN.	Con mis dos brazos. *Acércase a ella.*	
AMINTA.	Desvía.	
D. JUAN.	¿Cómo puedo, si es verdad	2210
	que muero?	
AMINTA.	¡Qué gran mentira!	
D. JUAN.	Aminta, escucha y sabrás,	
	si quieres que te lo diga,	
	la verdad, que las mujeres	2215
	sois de verdades amigas.	
	Yo soy noble caballero	
	cabeza de la familia	
	de los Tenorios, antiguos,	

	ganadores de Sevilla.	2220
	Mi padre, después del rey,	
	se reverencia y se estima,	
	y en la corte, de sus labios	
	pende la muerte o la vida.	
	Corriendo el camino acaso,	2225
	llegué a verte, que amor guía	
	tal vez las cosas de suerte	
	que él mismo de ellas se admira.	
	Víte, adoréte, abraséme	
	tanto, que tu amor me anima	2230
	a que contigo me case.	
	Mira qué acción tan precisa.	
	Y aunque lo murmure el reino,	
	y aunque el rey lo contradiga,	
	y aunque mi padre enojado	2235
	con amenazas lo impida,	
	tu esposo tengo de ser.	
	¿Qué dices?	
AMINTA.	No sé qué diga,	
	que se encubren tus verdades	2240
	con retóricas mentiras.	
	Porque si estoy desposada,	
	como es cosa conocida,	
	con Batricio, el matrimonio	
	no se absuelve aunque él desista.	2245
D. JUAN.	En no siendo consumado,	
	por engaño o por malicia,	
	puede anularse.	
AMINTA.	En Batricio	
	todo fue verdad sencilla.	2250
D. JUAN.	Ahora bien: dame esa mano,	
	y esta voluntad confirma	
	con ella.	
AMINTA.	¿Que no me engañas?	
D. JUAN.	Mío el engaño sería.	2255
AMINTA.	Pues jura que cumplirás	
	la palabra prometida.	
D. JUAN.	Juro a esta mano, señora,	
	infierno de nieve fría,	
	de cumplirte la palabra.	2260

AMINTA.   Jura a Dios que te maldiga
          si no la cumples.

D. JUAN.   Si acaso
          la palabra y la fe mía
          te faltare, ruego a Dios   2265
          que a traición y a alevosía
          me dé muerte un hombre... (muerto,
          que vivo, ¡Dios no permita!)

AMINTA.   Pues con ese juramento
          soy tu esposa.   2270

D. JUAN.   El alma mía
          entre los brazos te ofrezco.

AMINTA.   Tuya es el alma y la vida.

D. JUAN.   ¡Ay, Aminta de mis ojos!
          Mañana sobre virillas   2275
          de tersa plata estrellada
          con clavos de oro de Tíbar
          pondrás los hermosos pies,
          y en prisión de gargantillas
          la alabastrina garganta,   2280
          y los dedos en sortijas,
          en cuyo engaste parezcan
          transparentes perlas finas.

AMINTA.   A tu voluntad, esposo,
          la mía desde hoy se inclina.   2285
          Tuya soy.

D. JUAN.   (¡Qué mal conoces
          al Burlador de Sevilla!)   *Vanse.*

[PLAYA DE TARRAGONA]
Salen ISABELA *y* FABIO, *de camino.*

ISABELA.   ¡Que me robase el dueño
          la prenda que estimaba y más quería! 2290
          ¡Oh, riguroso empeño
          de la verdad! ¡Oh, máscara del día!
          ¡Noche al fin tenebroso
          antípoda del sol, del sueño esposo!

FABIO.   ¿De qué sirve, Isabela,   2295
          la tristeza en el alma y en los ojos,
          si amor todo es cautela

y en campos de desdenes causa enojos,
y el que se ríe ahora,
en breve espacio desventuras llora?   2300
      El mar está alterado,
y en grave temporal, tiempo se corre.
El abrigo han tomado
las galeras, duquesa, de la torre
que esta playa corona.   2305

ISABELA.   ¿Dónde estamos, ahora?

FABIO.   En Tarragona.
De aquí a poco espacio
daremos en Valencia, ciudad bella,
del mismo sol palacio.
Divertiráste algunos días en ella,   2310
y después a Sevilla
irás a ver la octava maravilla.
      Que si a Octavio perdiste,
más galán es don Juan, y de Tenorio
solar. ¿De qué estás triste?   2315
Conde dicen que es ya don Juan   [Tenorio,
el rey con él te casa,
y el padre es la privanza de su casa.

ISABELA.   No nace mi tristeza   [mundo
de ser esposa de don Juan, que el   2320
conoce su nobleza.
en la esparcida voz mi agravio fundo,
que esta opinión perdida
es de llorar mientras tuviere vida.

FABIO.   Allí una pescadora   2325
tiernamente suspira y se lamenta,
y dulcemente llora.
Acá viene, sin duda, y verte intenta.
Mientras llamo a tu gente,
lamentaréis las dos más dulcemente.   2330

Vase FABIO, *y sale* TISBEA.

TISBEA.   Robusto mar de España,
ondas del fuego en fugitivas olas,
cuya costa el mar baña
dándole por tributo conchas solas,

aunque a veces preñadas   2335
de traiciones en ti medio anegadas;
　　pues conoces mis quejas
y de ti mis tormentos han nacido,
a tus sordas orejas　　　　　　　[sido
quiero dar voces, pues la causa has   2340
de que el honor perdiera
la que siempre cruel con hombres era.

ISABELA.　　　¿Por qué del mar te quejas?
¿Estas del mar celosa, pescadora?

TISBEA.　　El mar parió mis quejas.   2345
¡Dichosa vos, que sin cuidado ahora
de él os estáis riendo!

ISABELA.　　También furias del mar estoy sintiendo.

TISBEA.　　　¿Sois vos la Europa hermosa?
¿Que esos toros os llevan?   2350

ISABELA.　　　　　　　　　A Sevilla
llévanme a ser esposa
contra mi voluntad.

TISBEA.　　　　　　　Si mi mancilla
a lástima os provoca,   2355
y si injurias del mar os tienen loca,
　　en vuestra compañía
para serviros como humilde esclava
me llevad; que querría,
si el dolor o la afrenta no me acaba,   2360
pedir al rey justicia
de un engaño cruel, de una malicia.
　　Del agua derrotado
a esta tierra llegó un don Juan Tenorio,
difunto y anegado.   2365
Amparéle, hospedéle en tan
notorio peligro, y el vil huesped
víbora fue a mi planta en tierno
césped.
　　Con palabra de esposo,
la que de esta costa burla hacía   2370
se rindió al engañoso.
¡Mal haya la mujer que en hombres fía!
Mira si es justo que venganza
tome.

ISABELA.　　¡Calla, mujer maldita!
Vete de mi presencia, que me has
　　　　　　　　　　　　　[muerto.   2375
Mas, si el dolor te incita,
no tienes culpa tú. Prosigue, ¿es cierto?

TISBEA.　　Tan claro es como el día.

ISABELA.　　¡Mal haya la mujer que en hombres fía!
　　¿Quién tiene de ir contigo?   2380

TISBEA.　　Un pescador, Anfriso, y un pobre
de mis males testigo.　　　　　[padre

ISABELA.　　(No hay venganza
que a mi mal tanto cuadre.)
　　Ven en mi compañía.   2385

TISBEA.　　¡Mal haya la mujer que en hombres fía!

Vanse.

[IGLESIA DE SEVILLA, CON EL SEPULCRO
DE DON GONZALO DE ULLOA Y SU
ESTATUA]
Salen DON JUAN *y* CATALINÓN.

CATALINÓN.　　Todo en mal estado está.

D. JUAN.　¿Cómo?

CATALINÓN.　　　　Que Octavio ha sabido
la traición de Italia ya,   2390
y el de Mota ofendido
de ti justas quejas da,
　　y dice al fin que el recado
que de su prima le diste
fue fingido y disimulado,   2395
y con su capa emprendiste
la traición que la ha infamado.
　　Dice que viene Isabela
a que seas su marido,
y dicen...   2400

D. JUAN.　　　　¡Calla!　　*Le da un bofetón.*

CATALINÓN.　　　Una muela
en la boca me has rompido.

D. JUAN.　Hablador, ¿quién te revela
　　tanto disparate junto?   2405

CATALINÓN.　¡Disparate, disparate!

Verdades son.

D. JUAN.   No pregunto
si lo son. Cuando me mate
Octavio, ¿estoy yo difunto?   2410
                    ¿No tengo manos también?
¿Dónde me tienes posada?

CATALINÓN. En calle oculta.

D. JUAN.   Está bien.

CATALINÓN. La iglesia es tierra sagrada.   2415

D. JUAN.   Di que de día me den
en ella la muerte. ¿Viste
al novio de Dos Hermanas?

CATALINÓN. También le vi ansiado y triste.

D. JUAN.   Aminta estas dos semanas   2420
no ha de caer en el chiste.

CATALINÓN.   Tan bien engañada está
que se llama doña Aminta.

D. JUAN.   Graciosa burla será.

CATALINÓN. Graciosa y sucinta,   2425
mas siempre la llorará.

Descúbrese el sepulcro de DON GONZALO.

D. JUAN.   ¿Qué sepulcro es éste?

CATALINÓN.   Aquí
don Gonzalo está enterrado.

D. JUAN.   Este es al que muerte di.   2430
¡Gran sepulcro le han labrado!

CATALINÓN. Ordenólo el rey ansí.
                ¿Cómo dice este letrero?

D. JUAN. *lee:* "Aquí aguarda del Señor
el más leal caballero   2435
la venganza de un traidor."
Del mote reírme quiero.
                ¿Y habéisos vos de vengar,
buen viejo, barbas de piedra?

Asiendo la barba a la estatua.   2440

CATALINÓN. No se las podrás pelar,
que en barbas muy fuertes medra.

D. JUAN. (*A la estatua.*)
                Aquesta noche a cenar

os aguardo en mi posada.
Allí el desafío haremos,   2445
si la venganza os agrada;
aunque mal reñir podremos
si es de piedra vuestra espada.

CATALINÓN. (*Inquieto.*)
                Ya, señor, ha anochecido;
vámonos a recoger.   2450

D. JUAN.   Larga esta venganza ha sido.
Si es que vos la habéis de hacer,
importa no estar dormido;
                que si a la muerte aguardáis
la venganza, la esperanza   2455
ahora es bien que perdáis,
pues vuestro enojo y venganza
tan largo me lo fiáis.   *Vanse.*

[HABITACIÓN DE DON JUAN EN LA
POSADA]

Ponen la mesa DOS CRIADOS.

CRIADO 1.º   Apercibamos la cena,
que vendrá a cenar don Juan.   2460

CRIADO 2.º Las mesas puestas están;
mas ¿quién a don Juan ordena
venir temprano a cenar,
si a veces suele venir
cuando el sol quiere salir?   2465

CRIADO 1.º Para tener más lugar
de rondar de noche, ordena
cenar temprano.

Sale DON JUAN *y* CATALINÓN.

D. JUAN.   ¿Cerraste?

CATALINÓN. Ya cerré como mandaste.   2470

D. JUAN.   ¡Hola! Tráiganme la cena.

CRIADO.   Ya está aquí.

D. JUAN.   Catalinón,
siéntate.

CATALINÓN.   Yo soy amigo   2475

de cenar de espacio.

D. JUAN.   Digo
que te sientes.

CATALINÓN.   La razón
haré.   2480

CRIADO 1.º   (También es camino
éste, si come con él).

D. JUAN.   Siéntate.   *Un golpe dentro.*

CATALINÓN.   Golpe es aquél.

D. JUAN.   Que llamaron imagino;   2485
              mira quién es.   *A un criado*

CRIADO 1.º   Voy volando.

CATALINÓN.   ¿Si es la justicia, señor?

D. JUAN.   Sea, no tengas temor.

Vuelve EL CRIADO, huyendo.

D. JUAN.   ¿Quién es? ¿De qué estás temblando?   2490

CATALINÓN.   De algún mal da testimonio.

D. JUAN.   Mal mi cólera resisto.
              Habla, responde, ¿qué has visto?
              ¿Asombróte algún demonio?

A CATALINÓN.   Ve tú, y mira aquella puerta.   2495
              ¡Presto, acaba!

CATALINÓN.   ¿Yo?

D. JUAN.   Tú, pues.
              Acaba, menea los pies.

CATALINÓN.   A mi abuela hallaron muerta   2500
              como racimo colgado,
              y desde entonces se suena
              que anda siempre en pena.
              Tanto golpe no me agrada.

D. JUAN.   Acaba.   2505

CATALINÓN.   Señor, si sabes
              que soy un Catalinón...

D. JUAN.   Acaba.

CATALINÓN.   ¡Fuerte ocasión!

D. JUAN.   ¿No vas?   2510

CATALINÓN.   ¿Quién tiene las llaves
              de la puerta?

CRIADO 2:   Con la aldaba

está cerrada no más.

D. JUAN.   ¿Qué tienes? ¿Por qué no vas?   2515

CATALINÓN.   (Hoy Catalinón acaba.
              ¿Mas si las forzadas vienen
              a vengarse de los dos?)

Llega CATALINÓN a la puerta, y viene corriendo, cae y levántase.

D. JUAN.   ¿Qué es eso?   2520

CATALINÓN.   ¡Válgame Dios!
              ¡que me matan, que me tienen!

D. JUAN.   ¿Quién te tiene, quién te mata?
              ¿Qué has visto?

CATALINÓN.   Señor, yo allí   2525
              vide cuando... luego fui...
              ¿quién me ase, quién me arrebata?
                  Llegué, cuando después ciego...
              cuando vile, ¡juro a Dios!...
              Habló y dijo, ¿quién sois vos?   2530
              respondió respondí luego...
                  topé y vide...

D. JUAN.   ¿A quién?

CATALINÓN.   No sé.

D. JUAN.   ¡Cómo el vino desatina!   2535
              Dame la vela, gallina,
              y yo a quien llama veré.

Toma DON JUAN la vela y llega a la puerta. Sale al encuentro DON GONZALO, en la forma que estaba en el sepulcro, y DON JUAN se retira atrás turbado, empuñando la 2540 espada, y en la otra la vela, y DON GONZALO hacia él, con pasos menudos, y al compás DON JUAN, retirándose hasta estar en medio del teatro.

D. JUAN.   ¿Quién va?

D. GONZALO.   Yo soy.   2545

D. JUAN.   ¿Quién sois vos?

D. GONZALO. Soy el caballero honrado
              que a cenar has convidado.

D. JUAN.   Cena habrá para los dos,

y si vienen más contigo,   2550
para todos cena habrá.
Ya puesta la mesa está.
Siéntate.

CATALINÓN.   ¡Dios sea conmigo!
              ¡San Panuncio, San Antón!   2555
              Pues ¿los muertos comen? ¡Di!

La estatua baja la cabeza.
              Por señas dice que sí.

D. JUAN.   Siéntate Catalinón.

CATALINÓN.   No señor; yo lo recibo   2560
              por cenado.

D. JUAN.   Es desconcierto.
              ¿Qué temor tienes a un muerto!
              ¿Qué hicieras estando vivo?
              ¡Necio y villano temor!   2565

CATALINÓN. Cena con tu convidado,
              que yo, señor, ya he cenado.

D. JUAN.   ¿He de enojarme?

CATALINÓN.   Señor,
              ¡vive Dios que huelo mal!   2570

D. JUAN.   Llega, que aguardando estoy.

CATALINÓN. Yo pienso que muerto soy,
              y está muerto mi arrabal.

Tiemblan LOS CRIADOS.

D. JUAN.   Y vosotros, ¿qué decís?
              ¿Qué hacéis? ¡Necio temblar!   2575

CATALINÓN. Nunca quisiera cenar
              con gente de otro país.
                  ¿Yo, señor con convidado
              de piedra?

D. JUAN.   ¡Necio temer!   2580
              Si es piedra, ¿qué te ha de hacer?

CATALINÓN. Dejarme descalabrado.

D. JUAN.   Háblale con cortesía.

CATALINÓN. (*A* DON GONZALO.)
              ¿Está bueno? ¿Es buena tierra   2585
              la otra vida? ¿Es llano o sierra?

¿Prémiase allá la poesía?

CRIADO I.º A todo dice que sí
              con la cabeza.

CATALINÓN.   ¿Hay allá   2590
              muchas tabernas? Sí habrá,
              si Noé reside allí.

D. JUAN.   ¡Hola! Dadnos de cenar.

CATALINÓN. Señor muerto, ¿allá se bebe
              con nieve?   *La estatua baja la cabeza.* 2595
                  Así que hay nieve;
              ¡Buen país!

D. JUAN.   Si oír cantar
              queréis, cantarán.

La estatua baja la cabeza.

CRIADO 2.º   Sí, dijo.   2600

D. JUAN.   Cantad.

CATALINÓN.   Tiene el señor muerto
              buen gusto.

CRIADO I.º   Es noble, por cierto,
              y amigo de regocijo.   2605

Cantan de dentro.
              Si de mi amor aguardáis,
              señora, de aquesta suerte,
              el galardón a la muerte,
              ¡qué largo me lo fiáis!   2610

CATALINÓN.   O es sin duda veraniego
              el señor muerto, o debe ser
              hombre de poco comer.
              Temblando al plato me llego.
                  Poco beben por allá;   2615
              Yo beberé por los dos.   *Bebe.*
              Brindis de piedra, ¡por Dios!
              Menos temor tengo ya.

Cantan.   *Si ese plazo me convida*
              para que pagaros pueda,   2620
              pues larga vida me queda,
              dejad que pase la vida.
                  Si de mi amor aguardáis,
              señora, de aquesta suerte

	el galardón a la muerte,	2625
	¡qué largo me lo fiáis!	
CATALINÓN.	¿Con cuál de tantas mujeres	
	como has burlado, señor,	
	hablan?	
D. JUAN.	De todas me río,	2630
	amigo, en esta ocasión.	
	En Nápoles a Isabela...	
CATALINÓN.	Esa, señor, ya no es hoy	
	burlada, porque se casa	
	contigo, como es razón.	2635
	Burlaste a la pescadora	
	que del mar te redimió,	
	pagándole el hospedaje	
	en moneda de rigor.	
	Burlaste a doña Ana...	2640
D. JUAN.	Calla,	
	que hay parte aquí que lastó	
	por ella, y vengarse aguarda.	
CATALINÓN.	Hombre es de mucho valor,	
	que él es piedra, tú eres carne.	2645
	No es buena resolución.	

Hace señas la estatua que se quite la mesa y queden solos.

D. JUAN.	¡Hola, quitad esa mesa,	
	que hace señas que los dos	
	nos quedemos y se vayan	
	los demás.	2650
CATALINÓN. (*A DON JUAN.*)		
	¡Malo, por Dios!	
	No te quedes, porque hay muerto	
	que mata de un mojicón	
	a un gigante.	
D. JUAN.	Salíos todos.	2655
	¡A ser yo Catalinón...!	
	Vete, ya viene.	

Vanse y quedan los dos solos, y el muerto hace señas que cierre la puerta.

D JUAN.	La puerta	
	ya está cerrada. Ya estoy	
	aguardando. Di, ¿qué quieres,	2660
	sombra o fantasma o visión?	
	Si andas en pena o si aguardas	
	alguna satisfación,	
	para tu remedio, dilo,	
	que mi palabra te doy	2665
	de hacer lo que ordenares.	
	¿Estás gozando de Dios?	
	¿Díte la muerte en pecado?	
	Habla, que suspenso estoy.	

El muerto habla paso, como cosa del otro mundo.

D. GONZALO.	¿Cumplirásme una palabra,	2670
	como caballero?	
D. JUAN.	Honor	
	tengo, y las palabras cumplo,	
	porque caballero soy.	
D. GONZALO.	Dame esa mano; no temas.	2675
D. JUAN.	¿Eso dices? ¿Yo temor?	
	Si fueras el mismo infierno,	
	la mano te diera yo. *Dale la mano.*	
D. GONZALO.	Bajo esta palabra y mano,	
	mañana a las diez estoy	2680
	para cenar aguardando.	
	¿Irás?	
D. JUAN.	Empresa mayor	
	entendí que me pedías.	
	Mañana tu huesped soy.	2685
	¿Dónde he de ir?	
D. GONZALO.	A mi capilla.	
D. JUAN.	¿Iré solo?	
D. GONZALO.	No, id dos,	
	y cúmpleme la palabra	2690
	como la he cumplido yo.	
D. JUAN.	Digo que la cumpliré,	
	que soy Tenorio.	
D. GONZALO.	Yo soy	
	Ulloa.	2695

D. JUAN.   Yo iré sin falta.

D. GONZALO. Yo lo creo. Adiós.   *Va a la puerta.*

D. JUAN.   Adiós.
Aguarda, te alumbraré.

D. GONZALO. No alumbres, que en gracia estoy.   2700

Vase el muerto muy poco a poco, mirando a DON JUAN, *y*
DON JUAN *a él, hasta que desaparece, y queda* DON
JUAN *con pavor.*

D. JUAN.   ¡Válgame Dios! Todo el cuerpo
se ha bañado de un sudor,
y dentro de las entrañas
se me hiela el corazón.
Cuando me tomó la mano,   2705
de suerte me la abrasó
que un infierno parecía
más que no vital calor.
Un aliento respiraba,
organizando la voz,   2710
tan frío, que parecía
infernal respiración.
Pero todas son ideas
que da la imaginación;
el temor y temer muertos   2715
es más villano temor;
que si un cuerpo noble, vivo,
con potencias y razón
y con alma, no se teme,
¿quién cuerpos muertos temió?   2720
Mañana iré a la capilla
donde convidado soy,
porque se admire y espante
Sevilla de mi valor.   *Vase.*

[SALÓN DEL ALCÁZAR]

Sale EL REY *y* DON JUAN TENORIO, *el Viejo, y*
ACOMPAÑAMIENTO.

REY.   ¿Llegó al fin Isabela?   2725

TENORIO.   Y disgustada.

REY.   Pues ¿no ha tomado bien el
casamiento?

TENORIO.   Siente, señor, el nombre de infamada.

REY.   De otra causa procede su tormento.   2730
¿Dónde está?

TENORIO.   En el convento está alojada
de las Descalzas.

REY.   Salga del convento
luego al punto, que quiero que en
          [palacio
asista con la reina más de espacio.   2735

TENORIO.   Si ha de ser con don Juan el
                    [desposorio,
manda, señor, que tu presencia vea.

REY.   Véame, y galán salga, que notorio
quiero que este placer al mundo sea.   2740
Conde será desde hoy don Juan Tenorio,
de Lebrija; él la mande y posea; que
si Isabela a un duque corresponde,
ya que ha perdido un duque, gane un
          [conde.

TENORIO.   Todos por la merced tus pies   2745
                    [besamos.

REY.   Merecéis mi favor tan dignamente
que si aquí los servicios ponderamos,
me quedo atrás con el favor presente.
Paréceme, don Juan, que hoy hagamos
las bodas de doña Ana juntamente.   2750

TENORIO.   ¿Con Octavio?

REY.   No es bien que el duque Octavio
sea el restaurador de aqueste agravio.
Doña Ana con la reina me ha pedido
que perdone al marqués, porque doña   2755
                    [Ana,
ya que el padre murió, quiere marido;
porque si le perdió, con él gana.
Iréis con poca gente y sin ruido
luego a hablarle a la fuerza de Triana;
por su satisfacción y por su abono   2760
de su agraviada prima, le perdono.

TENORIO.   Ya he visto lo que tanto deseaba.

REY.   Que esta noche han de ser, podéis
                    [decille,

los desposorios.

TENORIO.   Todo en bien se acaba, 2765
fácil será al marqués el persuadille,
que de su prima amartelado estaba.

REY. También podéis a Octavio prevenille.
Desdichado es el duque con mujeres;
son todas opinión y pareceres. 2770
  Hanme dicho que está muy enojado
con don Juan.

TENORIO. No me espanta si ha sabido
de don Juan el delito averiguado,
que la causa de tanto daño ha sido. 2775
El duque viene.

REY.   No dejéis mi lado,
que en el delito sois comprehendido.

Sale EL DUQUE OCTAVIO.

OCTAVIO. Los pies, invicto rey, me dé tu alteza.

REY. Alzad, duque, y cubrid vuestra cabeza. 2780
  ¿Qué pedís?

OCTAVIO.   Vengo a pediros,
postrado ante vuestras plantas,
una merced, cosa justa,
digna de serme otorgada. 2785

REY. Duque, como justo sea,
digo que os doy mi palabra
de otorgárosla. Pedid.

OCTAVIO. Ya sabes, señor, por cartas
de tu embajador, y el mundo 2790
por la lengua de la fama
sabe que don Juan Tenorio,
con española arrogancia,
en Nápoles una noche,
para mí noche tan mala, 2795
con mi nombre profanó
el sagrado de una dama.

REY. No paséis más adelante.
Ya supe vuestra desgracia.
En efecto. ¿qué pedís? 2800

OCTAVIO. Licencia que en la campaña

defienda como es traidor.

TENORIO. ¡Eso no! Su sangre clara
es tan honrada...

REY.   ¡Don Juan! 2805

TENORIO. ¡Señor!

OCTAVIO. ¿Quién eres que hablas
en la presencia del rey
de esa suerte?

TENORIO. Soy quien calla 2810
porque me lo manda el rey;
que si no, con esta espada
te respondiera.

OCTAVIO. Eres viejo.

TENORIO. Ya he sido mozo en Italia, 2815
a vuestro pesar, un tiempo.
Ya conocieron mi espada
en Nápoles y Milán.

OCTAVIO. Tienes ya la sangre helada.
No vale *fui*, sino *soy*. 2820

TENORIO. Pues fui y soy. *Empuña.*

REY.   ¡Tened, basta!
Bueno está. Callad, don Juan,
que a mi persona se guarda
poco respeto. Y vos, duque, 2825
después que las bodas se hagan,
más despacio me hablaréis.
Gentilhombre de mi cámara
es don Juan, y hechura mía;
y de aqueste tronco rama. 2830
Mirad por él.

OCTAVIO. Yo lo haré,
gran señor, como lo mandas.

REY. Venid conmigo, don Juan.

TENORIO. (¡Ay hijo, qué mal me pagas 2835
el amor que te he tenido!)

REY. Duque.

OCTAVIO. Gran señor.

REY.   Mañana
vuestras bodas se han de hacer. 2840

OCTAVIO. Háganse, pues tú lo mandas.

Vase el REY *y* DON JUAN, *el* Viejo, *y sale* GASENO *y*
AMINTA.

GASENO.   Este señor nos dirá
            dónde está don Juan Tenorio.
            Señor, ¿si está por acá
            un don Juan a quien notorio   2845
            ya su apellido será?
OCTAVIO.   Don Juan Tenorio diréis.
AMINTA.   Sí, señor, ese don Juan.
OCTAVIO.   Aquí está. ¿Qué le queréis?
AMINTA.   Es mi esposo ese galán.   2850
OCTAVIO.   ¿Cómo?
AMINTA.   Pues, ¿no lo sabéis
            siendo del alcázar vos?
OCTAVIO.   No me ha dicho don Juan nada.
GASENO.   ¿Es posible?   2855
OCTAVIO.   Sí, por Dios.
GASENO.   Doña Aminta es muy honrada.
            Cuando se casen los dos,
            —que cristiana vieja es
            hasta los huesos, y tiene   2860
            de la hacienda el interés
            que en Dos Hermanas mantiene,
            más bien que un conde o
            marqués...
                   Casóse don Juan con ella,   2865
            y quitósela a Batricio.
AMINTA.   Decid cómo fui doncella
            a su poder.
GASENO.   No es juicio
            esto, ni aquésta querella.   2870
OCTAVIO.   (Esta es burla de don Juan,
            y para venganza mía
            éstos diciéndola están.)
            ¿Qué pedís, al fin?
GASENO.   Querría,   2875
            porque los días se van,
            que se hiciese el casamiento,
            o querellarme ante el rey.
OCTAVIO.   Digo que es justo ese intento.

GASENO.   Y razón y justa ley.   2880
OCTAVIO.   (Medida a mi pensamiento
            ha venido la ocasión.)
            En el alcázar tenemos
            bodas.
AMINTA.   ¿Si las mías son?   2885
OCTAVIO.   (Quiero, para que acertemos,
            valerme de una invención.)
            Venid donde os vestiréis,
            señora, a lo cortesano,
            y a un cuarto del rey saldréis   2890
            conmigo.
AMINTA.   ¿Vos de la mano
            a don Juan me llevaréis?
OCTAVIO.   (Que de esta suerte es cautela).
GASENO.   El arbitrio me consuela.   2895
OCTAVIO.   (Estos venganza me dan
            de aqueste traidor don Juan
            y el agravio de Isabela.)   [*Vanse.*

[CALLE, CON VISTA DE LA IGLESIA DONDE
      ESTÁ SEPULTADO DON GONZALO]
Salen don JUAN *y* CATALINÓN.

CATALINÓN.   ¿Cómo el rey te recibió?
D. JUAN.   Con más amor que mi padre.   2900
CATALINÓN. ¿Viste a Isabela?
D. JUAN.   También.
CATALINÓN. ¿Cómo viene?
D. JUAN.   Como un ángel.
CATALINÓN. ¿Recibióte bien?   2905
D. JUAN.   El rostro
            bañado de leche y sangre,
            como la rosa que al alba
            revienta la verde cárcel.
CATALINÓN. ¿Al fin, esta noche son   2910
            las bodas?
D. JUAN.   Sin falta.
CATALINÓN.   Si antes
            hubieran sido, no hubieras,
            señor, engañado a tantas.   2915

	Pero tú tomas esposas,	
	señor, con cargas muy grandes.	
D. JUAN.	Di, ¿comienzas a ser necio?	
CATALINÓN.	Y podrás muy bien casarte	
	mañana, que hoy es mal día.	2920
D. JUAN.	Pues ¿qué día es hoy?	
CATALINÓN.	Es martes.	
D. JUAN.	Mil embusteros y locos	
	dan en esos disparates.	
	Sólo aquél llamo mal día,	2925
	aciago y detestable,	
	en que no tengo dineros,	
	que lo demás es donaire.	
CATALINÓN.	Vamos, si te has de vestir,	
	que te aguardan, y ya es tarde.	2930
D. JUAN.	Otro negocio tenemos	
	que hacer, aunque nos aguarden.	
CATALINÓN.	¿Cuál es?	
D. JUAN.	Cenar con el muerto.	
CATALINÓN.	Necedad de necedades.	2935
D. JUAN.	¿No ves que di mi palabra?	
CATALINÓN.	Y cuando se la quebrantes,	
	¿qué importa? ¿Ha de pedirte	
	una figura de jaspe	
	la palabra?	2940
D. JUAN.	Podrá el muerto	
	llamarme a voces infame.	
CATALINÓN.	Ya está cerrada la iglesia.	
D. JUAN.	Llama.	
CATALINÓN.	¿Qué importa que llame?	2945
	¿Quién tiene de abrir, que están	
	durmiendo los sacristanes?	
D. JUAN.	Llama a este postigo.	
CATALINÓN.	Abierto	
	está.	2950
D. JUAN.	Pues entra.	
CATALINÓN.	Entre un fraile	
	con hisopo y con estola.	
D. JUAN.	Sígueme y calla.	
CATALINÓN.	¿Que calle?	2955
D. JUAN.	Sí.	

CATALINÓN.	Ya callo. (Dios en paz	
	destos convites me saque.)	

Entran por una puerta y salen por otra a la capilla de la iglesia.

CATALINÓN.	¡Qué oscura que está la iglesia,	
	señor, para ser tan grande!	2955
	¡Ay de mí! ¡Tenme, señor,	
	porque de la capa me asen!	

Sale DON GONZALO *como de antes, y encuéntrase con ellos.*

D. JUAN.	¿Quién va?	
D. GONZALO.	Yo soy.	
CATALINÓN.	¡Muerto estoy!	2960
D. GONZALO.	El muerto soy; no te espantes.	
	No entendí que me cumplieras	
	la palabra, según haces	
	de todos burla.	
D. JUAN.	¿Me tienes	2965
	en opinión de cobarde?	
D. GONZALO.	Sí, que aquella noche huiste	
	de mí cuando me mataste.	
D. JUAN.	Huí de ser conocido.	
	Mas ya me tienes delante.	2970
	Di presto lo que me quieres.	
D. GONZALO.	Quiero a cenar convidarte.	
CATALINÓN.	Aquí excusamos la cena,	
	que toda ha de ser fiambre,	
	pues no parece cocina.	2975
	señor, por ninguna parte.	
D. JUAN.	Cenemos.	
D. GONZALO.	Para cenar	
	es menester que levantes	
	esa tumba.	2980
D. JUAN.	Y si te importa,	
	levantaré esos pilares.	
D. GONZALO.	Valiente estás.	
D. JUAN.	Tengo brío	

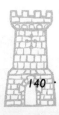

y corazón en las carnes. 2985

Alza el túmulo y deja descubierta una mesa negra.

CATALINÓN. Mesa de Guinea es ésta.
　　　　　Pues ¿no hay por allá quien lave?
D. GONZALO. Siéntate.
D. JUAN.　　　　¿Adónde? 2990
CATALINÓN.　　　　　Con sillas
　　　　　vienen ya dos negros pajes.
Salen dos enlutados con sillas.

CATALINÓN. ¿También acá se usan lutos
　　　　　y bayeticas de Flandes? 2995
D. GONZALO. Siéntate tú.
CATALINÓN.　　　　Yo, señor,
　　　　　he merendado esta tarde.
D. GONZALO. No repliques.
CATALINÓN.　　　　No replico. 3000
　　　　　(Dios en paz de esto me saque.)
　　　　　¿Qué plato es éste, señor?
D. GONZALO. Este plato es de alacranes
　　　　　y víboras.
CATALINÓN.　　　¡Gentil plato! 3005
D. GONZALO. Estos son nuestros manjares.
　　　　　¿No comes tú?
D. JUAN.　　　　Comeré
　　　　　si me dieses áspid a áspid
　　　　　cuantos el infierno tiene. 3010
D. GONZALO. También quiero que te canten.
CATALINÓN. ¿Qué vino beben acá?
D. GONZALO. Pruébalo.
CATALINÓN.　　　Hiel y vinagre
　　　　　es este vino.
D. GONZALO.　　　Este vino 3015
　　　　　exprimen nuestros lagares.
Cantan dentro.
Adviertan los que de Dios
juzgan los castigos tarde, 3020
que no hay plazo que no llegue
ni deuda que no se pague.
CATALINÓN. (¡Malo es esto, vive Cristo!

que he entendido este romance
y que con nosotros habla.) 3025
D. JUAN. (Un hielo el pecho me parte.)
Cantan dentro.
Mientras en el mundo viva,
no es justo que diga nadie:
¡qué largo me lo fiáis! 3030
siendo tan breve el cobrarse.
CATALINÓN. ¿De qué es este guisadillo?
D. GONZALO. De uñas.
CATALINÓN.　　　De uñas de sastre
　　　　　será, si es guisado de uñas. 3035
D. JUAN. Ya he cenado; hay que levantar
　　　　　la mesa.
D. GONZALO.　　　Dame esa mano.
　　　　　No temas; la mano dame.
D. JUAN. ¿Eso dices? ¿Yo temor? *Le da la mano.* 3040
　　　　　¡Que me abraso! ¡No me abrases
　　　　　con tu fuego!
D. GONZALO.　　　　Aquéste es poco
　　　　　para el fuego que buscaste.
　　　　　Las maravillas de Dios 3045
　　　　　son, don Juan, investigables,
　　　　　y así quiere que tus culpas
　　　　　a mano de un muerto pagues,
　　　　　y sí pagas de esta suerte.
　　　　　las doncellas que burlaste 3050
　　　　　Esta es justicia de Dios:
　　　　　¡Quien tal hace, que tal pague!
D. JUAN. ¡Que me abraso! ¡No me aprietes!
　　　　　Con la daga he de matarte.
　　　　　　　Trata de acuchillar al muerto. 3055
　　　　　Mas ¡ay! que me canso en vano
　　　　　de tirar golpes al aire.
　　　　　A tu hija no ofendí,
　　　　　que vio mis engaños antes.
D. GONZALO. No importa, que ya pusiste 3060
　　　　　tu intento.
D. JUAN.　　　　Deja que llame
　　　　　quien me confiese y absuelva.
D. GONZALO. No hay lugar; ya acuerdas tarde.

| D. JUAN. | ¡Que me quemo, que me abraso! | 3065 |

¡Muerto soy!

Cae muerto.

CATALINÓN.　　　　　No hay quien escape,
que aquí tengo de morir
también por acompañarte. 　　　　3070

D. GONZALO. Esta es justicia de Dios:
¡Quien tal hace que tal pague!

Húndese el sepulcro con DON JUAN, *y* DON
GONZALO, *con mucho ruido, y sale* CATALINÓN
arrastrando.

CATALINÓN. ¡Válgame Dios! ¿Qué es aquesto?
Toda la capilla se arde,
y con el muerto he quedado 　　　　3075
para que le vele y guarde.
Arrastrando como pueda,
iré a avisar a su padre.
¡San Jorge, San Agnus Dei,
sacadme en paz a la calle! 　　　*Vase.* 3080

[SALÓN DEL ACÁZAR]
Salen El REY, DON JUAN *el Viejo y*
ACOMPAÑAMIENTO.

TENORIO. Ya el marqués, señor, espera
besar vuestros pies reales.

REY. Entre luego y avisad
al conde, porque no aguarde.

Salen BATRICIO *y* GASENO.

BATRICIO. ¿Dónde, señor, se permite 　　　3085
desenvolturas tan grandes,
que tus criados afrenten
a los hombres miserables?

REY. ¿Qué dices?

BATRICIO. 　　　　　Don Juan Tenorio, 　　3090
alevoso y detestable,
la noche del casamiento,

antes que le consumase,
a mi mujer me quitó;
testigos tengo delante. 　　　　　3095

Salen TISBEA *y* ISABELA *y*
ACOMPAÑAMIENTO.

TISBEA. Si vuestra alteza, señor,
de don Juan Tenorio no hace
justicia, a Dios y a los hombres,
mientras viva, he de quejarme.
Derrotado le echó el mar, 　　　　4000
dile vida y hospedaje,
y pagóme esta amistad
con mentirme y engañarme
con nombre de mi marido.

REY. ¿Qué dices? 　　　　　　4005

ISABELA. 　　　　　Dice verdades.

Salen AMINTA *y* EL DUQUE OCTAVIO.

AMINTA. ¿Adónde mi esposo está?

REY. 　　　　　　　　¿Quién es?

AMINTA. Pues, ¿aún no lo sabe?
El señor don Juan Tenorio, 　　　　4010
con quien vengo a desposarme,
porque me debe el honor,
y es noble y no ha de negarme.
Manda que nos desposemos.

REY. ¡Esto mis privados hacen! 　　　4015

Sale EL MARQUÉS DE LA MOTA.

MOTA. Pues es tiempo, gran señor,
que a luz verdades se saquen,
sabrás que don Juan Tenorio
la culpa que me imputaste
tuvo él, pues como amigo 　　　　4020
pudo el cruel engañarme,
de que tengo dos testigos.

REY. ¡Hay desvergüenza tan grande!

TENORIO.   En premio de mis servicios
                   haz que le prendan y pague   4025
                   sus culpas, porque del cielo
                   rayos contra mí no bajen,
                   si es mi hijo tan malo.
REY.   Prendelde y luego matalde.

Sale CATALINÓN.

CATALINÓN.   Señores, todos oíd   4030
                   el suceso más notable
                   que en el mundo ha sucedido;
                   y en oyéndome, matadme.
                   Don Juan, del Comendador
                   haciendo burla, una tarde,   4035
                   después de haberle quitado
                   las dos prendas que más valen,
                   tirando al bulto de piedra
                   la barba por ultrajarle,
                   a cenar le convidó.   4040
                   ¡Nunca fuera a convidarle!
                   Fue el bulto, y convidóle;
                   y ahora porque no os canse,
                   acabando de cenar,
                   entre mil presagios graves,   4045
                   de la mano le tomó,
                   y le aprieta hasta quitalle

la vida, diciendo: "Dios
me manda que así te mate,
castigando tus delitos.   4050
Quién tal hace que tal pague".
REY.   ¿Qué dices?
CATALINÓN.   Lo que es verdad,
diciendo antes que acabase
que a doña Ana no debía   4055
honor, que le oyeron antes
del engaño.
MOTA.   Por las nuevas
mil albricias pienso darte.
REY.   ¡Justo castigo del cielo!   4060
Y ahora es bien que se casen
todos, pues la causa es muerta,
vida de tantos desastres.
OCTAVIO.   Pues ha enviudado Isabela,
quiero con ella casarme.   4065
MOTA.   Yo con mi prima.
BATRICIO.   Y nosotros
con las nuestras, porque acabe
El convidado de piedra.
REY.   Y el sepulcro se traslade   4070
a San Francisco en Madrid
para memoria más grande.
                      FIN

Sugerencias para el análisis del drama

1. Estudia las características del protagonista de *El burlador de Sevilla*. ¿Cómo logra don Juan engañar a sus víctimas? ¿Por qué lo hace? ¿En qué sentido es o no es don Juan un caballero?

2. ¿Es don Juan la única persona que miente, oculta la verdad o engaña? Da ejemplos de mentiras deliberadas y situaciones que engañan en los tres actos. ¿Qué importancia y significado tiene la mentira en la obra?

3. Desde la Jornada Primera hay referencias a la falta de luz, a no mirar, a ocultar el rostro, a volver la espalda. ¿Qué significado tiene este juego de luces y sombras? ¿Qué relación con el tema de la obra?

4. Compara los episodios de seducción. ¿En qué se parecen y distinguen las cuatro mujeres?

¿Qué palabras emplea don Juan para seducirlas? ¿Qué método utiliza en dos de las cuatro seducciones?

5. El Marqués de la Mota es amigo y cómplice de don Juan, pero distinto de él. ¿En qué se diferencian? Dentro de la serie de engaños, ¿qué elemento nuevo supone la introducción del Marqués?

6. Analiza el personaje de Catalinón en contraste con su amo. ¿Cuál es su función en la obra?

7. Estudia el ritmo de la obra. ¿Es fácil seguir los cambios de escena de Nápoles a Tarragona, a Sevilla? ¿Por qué tantos cambios? ¿Cómo se relaciona el ritmo con los viajes y movilidad de don Juan? ¿Y con sus acciones?

8. Comenta el tema del castigo en la obra. ¿Cómo y cuándo se pone en marcha? El castigo final viene de la mano del Comendador muerto. ¿Quiere esto decir que el asesinato es la peor transgresión que ha hecho don Juan?

9. ¿Cómo y cuándo se ha anticipado el desenlace final? ¿En boca de quién se anuncia?

10. ¿Te parece "justo" el final para todos los personajes?

Temas de discusión y ensayos

1. Discute la noción de las unidades de lugar, tiempo y acción con respecto a la obra. ¿Tiene sentido la estructura de la obra, dado su argumento?

2. Identifica y analiza el sentido moral de la obra. ¿De qué manera es *El burlador de Sevilla* una obra de su época?

3. Una de las versiones del mito de don Juan más populares es *Don Juan Tenorio* de José Zorrilla, autor romántico del siglo XIX, en la que don Juan no acaba condenado, sino redimido por su amor verdadero hacia una mujer. Comenta el contraste.

4. Compara el desenlace de *El burlador de Sevilla* con los finales de otras obras que incorporan el mito de don Juan (por ejemplo, *Don Juan* de Byron, o películas como *Don Juan de Marco*, *Dangerous Liaisons* o *Cruel Intentions*).

5. Describe a las cuatro mujeres seducidas, su personalidad, clase social, actitud ante don Juan ¿Cómo se explica su reacción? ¿Tienen las mujeres alguna semejanza con las de la sociedad actual?

6. Haz una comparación entre la pareja de don Juan y Catalinón y la de don Quijote y Sancho.

7. Comenta el sentido cómico, el humor e ingenio en las palabras, la ironía en la obra.

8. Tirso, el autor, era monje. ¿Crees que era moralista o escandaloso, como decían algunos de sus críticos?

9. El término "don Juan" tiene el significado de amante inconstante, seductor. ¿Es esta la característica central del personaje de Tirso? Define lo que en tu opinión es la clave del carácter de don Juan.

10. Don Juan repite la frase "¡Tan largo me lo fiáis!". Comenta esta frase en relación con el carácter de don Juan y con el tema del *carpe diem*.

Actividades

1. Los estudiantes, por grupos o como tarea, eligen frases significativas o especialmente reveladoras. Se escriben en la pizarra y, tras una selección y ordenación por parte del profesor, se discuten entre todos.

2. Dramatizar por grupos las escenas más interesantes, por ejemplo, las cuatro seducciones.

3. Preparar por grupos distintos don Juanes reales, literarios, de películas o televisión, para luego presentarlos a la clase.

4. Reconstruir el itinerario de don Juan, señalando los países y las ciudades donde ocurre la acción.

5. Don Juan visita los *talk shows*. Los estudiantes representan distintas entrevistas: don Juan con David Letterman, con Oprah, con Jerry Springer.

6. Don Juan, en un salto a través del tiempo, se encuentra inesperadamente en Nueva York. Allí conoce a Ally MacBeal, a las chicas de *Friends* y a todo el grupo de *Sex and the City*. Los estudiantes crean situaciones y diálogos.

7. Se puede ver la película *El Burlador de Sevilla*, en español con subtítulos. (Instituto Cervantes, Films for the Humanities)

Sor Juana Inés de la Cruz

(¿1648?-1695)[1]

Datos biográficos

Juana de Asbaje, conocida como Sor Juana Inés de la Cruz, nació en San Miguel Nepantla, México, hija ilegítima de padre español y madre criolla. Desde niña mostró una inteligencia e inclinación al estudio extraordinarias y precoces. Según ella misma contaría después en su *Respuesta a Sor Filotea*, a los tres años convenció a la profesora de su hermana de que le enseñara a leer y a los siete, cuando descubrió que sólo los hombres iban a la universidad, sugirió a su madre que la vistiera en ropas masculinas para poder cursar estudios. También narra en sus notas autobiográficas cómo no comía queso porque creía que atontaba y cómo se cortaba el pelo para obligarse a estudiar, poniendo ya a esa temprana edad el cultivo de la mente por encima del de la belleza y de las consideraciones de los demás. Todavía niña, se trasladó a la ciudad de México para vivir con unos parientes ricos. Allí tuvo la oportunidad de estudiar latín y, a los quince años, de servir de dama de compañía a la Marquesa de Mancera, esposa del virrey español. Pronto se hizo célebre en la corte. Su inteligencia, belleza, ingenio y cultura le trajeron fama y admiración, y la protección y amistad de la virreina. Su repentina entrada en un convento, a la edad de veinte años, aunque supuso su abandono de la corte, no le privó de la admiración y prestigio que gozaba y le dio la oportunidad de proseguir la vida intelectual que tanto ansiaba.

Ha habido, como es natural, mucha especulación sobre las razones de su vida religiosa. Sor Juana solamente ofrece en la obra citada la explicación de que sentía total negación hacia el matrimonio. Es cierto que en aquella época la única salida para una mujer además del convento era casarse, que en el caso de Juana, ilegítima, sin título y sin dinero, no podría haber sido con un caballero bien situado que le permitiera estudiar y escribir. De cualquier manera, Sor Juana convirtió la celda de su convento de San Jerónimo en el centro de la vida intelectual de la capital. Allí, rodeada de su colección de instrumentos científicos y musicales y de una extensa biblioteca, vivió una vida independiente y acomodada, escribió dramas que se representaron y poemas que se publicaron a ambos lados del Atlántico. Ya en vida se le llamó "la décima musa" y la celebración de que fue objeto, retratada por pintores conocidos, publicada y citada, admirada como genio en México y Madrid sólo es comparable al fenómeno contemporáneo de los *celebrities*. Su íntima amistad con la Marquesa de la Laguna, virreina de 1680 a 1688, le consiguió la adulación de muchos y una gran influencia social que Sor Juana supo usar eficazmente. La Marquesa fue la inspiración de muchos de sus poemas, apasionados y llenos de afecto. Esta situación de prestigio y poder en manos de una mujer, tan radicalmente inusual, causó gran preocupación entre las autoridades eclesiásticas y puede explicar lo que ocurrió a continuación.

En medio de este culto a su persona y a su obra, y por petición del arzobispo de Puebla Manuel Fernández de Santa Cruz, escribió la *Carta atenagórica*, un tratado teológico reprobando al jesuita Antonio de Vieyra. Recibió numerosas críticas por ello y el mismo arzobispo de Puebla, en un escrito bajo el seudónimo Sor Filotea de la Cruz, le aconsejó que se ocupara de cuestiones

---

[1] No se sabe con precisión cuándo nació. Pudo haber sido en cualquier año desde 1648 al 51.

espirituales, no intelectuales. En su propia defensa, Sor Juana escribió la conocida *Respuesta a Sor Filotea de la Cruz*, donde en tono reverente pero con lenguaje inequívoco, cuenta episodios de su vida y arguye su derecho y el de todas las mujeres a educarse. Sus protestas, aunque siempre afirmadas con respeto a Dios y a la autoridad eclesiástica, debieron causar gran revuelo. Los virreyes, sus protectores y amigos, volvieron a Madrid, quedando Sor Juana sola y bajo el escrutinio y crítica de las autoridades eclesiásticas. Poco después, y de manera tan inesperada como había sido su entrada en el convento y por razones todavía más difíciles de comprender, Sor Juana se despojó de todos sus libros y colecciones, y juró (con sangre dice un biógrafo) su abandono de la vida intelectual. Dedicada exclusivamente a cuidar de sus hermanas enfermas, Sor Juana contrajo la peste y murió de ella a la edad de cuarenta y seis años. Su persona y obras cayeron en el olvido durante dos siglos, pero desde su resurrección literaria, Sor Juana ha sido de nuevo respetada y admirada como poeta. Hoy es especialmente celebrada por haber sabido levantar su voz a favor del estudio y formación intelectual de las mujeres en una época en la que era impensable.

La poesía de Sor Juana

Además de la *Carta atenagórica*, tratado teológico, y la famosa *Respuesta,* Sor Juana escribió dramas sagrados y comedias profanas, poemas religiosos, de amor e incluso eróticos y burlescos. Entre sus composiciones las hay espontáneas y otras muy elaboradas. Escribió también villancicos (canciones para cantar en la iglesia) y otras canciones, algunas en el idioma indígena nahuatl. La pluralidad de temas va acompañada por gran diversidad métrica: romances, décimas, redondillas, silvas, sonetos y otras.

La poesía de Sor Juana refleja también una variedad de estilos: popular y culto; renacentista y barroco, conceptista y culterano. Una gran parte de sus poemas son decididamente barrocos, como la de otros poetas mexicanos de su tiempo. Góngora es el modelo principal, y el culteranismo, con sus complejidades y artificios, el estilo más seguido. Abundan las alusiones mitológicas, neologismos y palabras cultas. Busca con gran efectividad un lenguaje rítmico y musical. También se dan conceptismos en forma de ingeniosos juegos mentales que se trasladan al papel como antítesis, paralelismos y contraposiciones verbales. Usa frecuentemente el hipérbaton para hacer resaltar una idea o una imagen. En sus temas también, la caducidad y brevedad de la vida, el engaño de los sentidos, el sentimiento amoroso y los sufrimientos que causa, es Sor Juana barroca, aunque con un estilo muy propio.

En "Quéjase de la suerte", Sor Juana habla al Mundo, uno de los tres enemigos del alma que representa a la sociedad y sus demandas, el deseo de riqueza, belleza, prestigio o vanagloria. (Los otros dos enemigos del alma son el Demonio, o la tentación del mal, y la Carne, o la tentación sexual.) Es este un tema ampliamente tratado en el Barroco y Sor Juana sabe mezclar profundas consideraciones con juegos de palabras, ingeniosidades y sorpresas, propias también del periodo. En el conocido poema "Hombres necios que acusáis", Sor Juana se dirige a un público predominantemente masculino acusándole de tener un doble estándar. Por primera vez leemos una crítica satírica dirigida a los hombres de la pluma de una mujer. Lo hace, de nuevo, con humor, ingenio y con las antítesis y artificios del lenguaje barroco, que harían sonreír a cualquier lector.

QUÉJASE DE LA SUERTE: *Insinúa su aversión a los vicios, y justifica su divertimiento a las musas*

En perseguirme, Mundo, ¿qué interesas?
¿En qué te ofendo, cuando sólo intento[1]
poner bellezas en mi entendimiento[2]
y no mi entendimiento en las bellezas?

1. attempt
2. mind

5   Y no estimo tesoros ni riquezas;
y así, siempre me causa más contento
poner riquezas en mi pensamiento
que no mi pensamiento en las riquezas.

Y no estimo hermosura[3] que, vencida,[4]
10 es despojo[5] civil de las edades,
ni riqueza me agrada fementida,[6]

3. beauty
4. defeated
5. spoils
6. false, deceiving (archaic)

teniendo por mejor, en mis verdades,
consumir vanidades de la vida
que consumir la vida en vanidades.

Sugerencias para el análisis del poema

1. ¿A qué –o quién– se dirige específicamente la poeta? ¿De qué –o quién– se defiende?
2. Observa el uso del hipérbaton y las contraposiciones verbales. ¿Qué efecto busca la poeta?
3. ¿Cuál es el tono del poema? ¿Cómo describirías la voz poética?
4. ¿Cuál es el tema del poema? Siguiendo la estructura del soneto, ¿qué estrofa sintetiza el tema?
5. ¿Qué ideas y recursos estilísticos del Barroco encuentras en este poema?
6. ¿Es la voz poética la voz de la autora? ¿Crees que Sor Juana habla de sí misma?

SÁTIRA FILOSÓFICA: *Arguye de inconsecuentes el gusto y la censura de los hombres que en las mujeres acusan lo que causan*

Hombres necios[1] que acusáis
a la mujer sin razón,
sin ver que sois la ocasión
de lo mismo que culpáis[2]:

1. foolish

2. blame

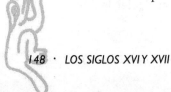

si con ansia[1] sin igual
solicitáis su desdén,
¿por qué queréis que obren bien
si las incitáis al mal?

Combatís su resistencia
10   y luego, con gravedad,
decís que fue liviandad[2]
lo que hizo la diligencia.

Parecer quiere el denuedo[3]
de vuestro parecer loco,
15   al niño que pone el coco[4]
y luego le tiene miedo.

Queréis, con presunción necia,
hallar a la que buscáis,
para pretendida, Thais,
20   y en la posesión, Lucrecia.

¿Qué humor puede ser más raro
que el que, falto de consejo,
el mismo empaña[5] el espejo
y siente que no esté claro?

25   Con el favor y el desdén
tenéis condición igual,
quejándoos, si os tratan mal,
burlándoos[6], si os quieren bien.

Opinión, ninguna gana:
30   pues la que más se recata[7],
si no os admite, es ingrata,
y si os admite, es liviana[8].

Siempre tan necios andáis
que, con desigual nivel,
35   a una culpáis por cruel
y a otra por fácil culpáis.

¿Pues cómo ha de estar templada[9]

1. ardent desire

2. frivolity, looseness

3. courage

4. bogeyman

5. clouds

6. mocking

7. conceals herself

8. loose woman

9. calm

la que vuestro amor pretende,
si la que es ingrata, ofende,
40   y la que es fácil, enfada?

      Mas, entre el enfado y pena
que vuestro gusto refiere,
bien haya la que no os quiere
y quejáos en hora buena.

45   Dan vuestras amantes penas
a sus libertades alas,
y después de hacerlas malas
las queréis hallar muy buenas.

      ¿Cuál mayor culpa ha tenido
50   en una pasión errada:
la que cae de rogada[1]
o el que ruega de caído?[2]

      ¿O cuál es más de culpar,
aunque cualquiera mal haga:
55   la que peca por la paga
o el que paga por pecar?

      Pues ¿para qué os espantáis
de la culpa que tenéis?
Queredlas cual[3] las hacéis
60   o hacedlas cual las buscáis.

      Dejad de solicitar,
y después, con más razón,
acusaréis la afición
de la que os fuere a rogar.

65   Bien con muchas armas fundo[4]
que lidia[5] vuestra arrogancia,
pues en promesa e instancia[6]
juntáis diablo, carne y mundo.

1. because she is begged
2. because he is fallen

3. as

4. I reason
5. fights
6. plea

Notas para facilitar la lectura

● Thais (verso 19) era una cortesana griega del siglo IV B.C., amante de Alejandro Magno y después de Ptolomeo.

● Lucrecia (verso 20) era una dama romana del siglo VI B.C., que se suicidó al sentirse deshonrada tras haber sido violada por un hijo del rey Tarquinio.

Sugerencias para el análisis del poema

1. Menciona ejemplos que el poema cita del doble estándar de los hombres y de su hipocresía. ¿Qué hacen los hombres específicamente respecto de las mujeres? ¿En qué situaciones imposibles las colocan?

2. Explica qué quiere decir la poeta con sus referencias a Thais y Lucrecia.

3. ¿Qué dice la estrofa número 14 ("¿O cuál es más de culpar...?")? ¿Qué efecto sonoro observas en ella y con qué resultado?

4. ¿Qué efecto causa el humor del poema en sus lectores, hombres en su mayoría? En tu opinión, ¿es este efecto intencionado? ¿Puedes explicarte las causas del éxito inmediato y duradero de este poema, a pesar de ser un ataque tan vehemente a los hombres?

5. ¿Cuál es la versificación del poema? ¿Cómo es la rima? Contrasta las series de redondillas (estrofas de cuatro versos octosílabos) del poema con el soneto anterior. ¿Crees que la forma de cada uno de estos poemas está de alguna manera al servicio del tema?

6. ¿Qué juegos verbales y figuras retóricas propias del barroco utiliza Sor Juana en las redondillas? ¿De qué modo sirven para reforzar el tema del poema?

7. En la última estrofa la poeta vuelve a mencionar "el mundo" que los hombres juntan con "el diablo" y "la carne". ¿A qué se refiere? ¿Podría ser esta estrofa una síntesis del poema?

8. ¿Cuál es el tema central del poema?

Temas de discusión y ensayos para ambos poemas

1. En su vida y en su poesía, Sor Juana se retrata como una mujer que toma sus propias decisiones y ejerce control de su vida. Escribe un ensayo tratando de reflejar las dificultades y obstáculos que debió encontrar, considerando su situación, su género y los prejuicios de la época.

2. ¿Encuentras justificada la denominación de "primera feminista americana" que se ha aplicado a Sor Juana? Compara a Sor Juana con las escritoras feministas que tú conoces.

3. El doble estándar e hipocresía que denuncia Sor Juana en el siglo XVII, ¿existe en los EE.UU. del XXI? Da ejemplos específicos para demostrar tu respuesta.

4. ¿Qué piensas que creó más problemas a Sor Juana, el ser mujer o el ser intelectual? ¿Cuál crees tú que sería la opinión de Sor Juana al respecto? ¿Se pueden aplicar tus observaciones hoy día?

Actividades

1. Los estudiantes escriben por grupos una serie de estándares dobles de nuestra época a la manera de sor Juana, y los presentan a la clase.

2. Sor Juana finalmente nos cuenta por qué se hizo monja. Una estudiante (Sor Juana) narra a la clase su historia y sus razones. La presentación debe respetar lo que sabemos de la autora e imaginar lo que no sabemos.

3. Don Juan conoce a sor Juana: diálogo entre los dos.

4. Los estudiantes pueden consultar la página electrónica en inglés dedicada a Sor Juana (http://www.dartmouth.edu/~sorjuana/).

SIGLO XVIII
La influencia de Francia y la moda del clasicismo

El siglo XVIII estrena una nueva dinastía en España. Al morir sin heredero el último Habsburgo, Carlos II, estalla una guerra por la sucesión del trono. A su término, se instaura en España la dinastía francesa de Borbón, con el rey Felipe V. El nuevo rey trae a una España en bancarrota ideas europeas y modos de hacer franceses, con intención de reactivar la industria, el comercio y la sociedad. Desaparecen definitivamente las ambiciones imperiales europeas y la acción política y militar se limita casi exclusivamente a las Américas. Los Borbones traen también estilos y modas del país vecino. El clasicismo francés cambia las directrices del barroco español, imponiendo el culto a la razón y las normas de lo correcto. La vida social, la moda en el vestir y los estilos literarios sufren estas influencias. La producción literaria de este siglo, consecuencia de una limitación de la imaginación y creación individual a favor de la corrección y de la intención didáctica, es considerablemente inferior a la anterior y posterior. Incluso las más destacadas obras de la época tienen una intención moralizante. Se crea la Real Academia de la Lengua, institución que todavía en la actualidad cuida del lenguaje español.

La vida colonial continúa siendo influida por España, tanto en costumbres como en estilos literarios. Las reformas de los Borbones, especialmente de Carlos III, se extienden a los territorios americanos. Con el propósito de mejorar la administración y el comercio, se divide el imperio americano en provincias, cada una bajo el mando de un intendente, y se les da libertad para comerciar entre ellas o con diferentes ciudades españolas. Pero ya es demasiado tarde para implantar soluciones desde la Corte madrileña. En vez de fortalecer el poder de Madrid, los cambios tienen como efecto principal fomentar el espíritu regional y el deseo de auto-gobierno. Al final del siglo XVIII, la revolución americana y las ideas revolucionarias de Francia empiezan a producir su correspondiente efecto independentista y numerosos escritores usan la pluma al servicio de la política. [1]

---

[1] Así comienza una tradición de escritores que transforman la admiración de su público en fuerza política y que incluye a Rómulo Gallegos, autor de *Doña Bárbara* y presidente de Venezuela; José Martí, poeta y gran político cubano; Pablo Neruda, poeta y candidato a la presidencia de Chile; Ernesto Cardenal, poeta, revolucionario y político nicaragüense; Mario Vargas Llosa, novelista y candidato a la presidencia de Perú; Gabriel García Márquez, colombiano, cuyo activismo político se extiende a todo el continente; y otros.

El SIGLO XIX

1. Contexto histórico: La Guerra de Independencia y las Guerras de Emancipación

Otra guerra, ésta de carácter popular, inicia el siglo. Los españoles, con un profundo sentimiento nacional que recuerda a la Reconquista, se levantan en una guerra llamada de Independencia contra José Bonaparte, francés instalado como rey por su hermano Napoleón[1]. Un pequeño grupo de liberales e intelectuales, interesados en las posibles reformas napoleónicas, apoyan a Bonaparte, que tiene en su contra a todo el país. Muchos de estos intelectuales acabarán en el exilio y, al volver, traerán ideas y corrientes europeas, como el Romanticismo. Cuando en 1813 la guerra termina en la derrota napoleónica, el inepto y tiránico Fernando VII encabeza la nación. Pero en un sorprendente momento modernizador, las Cortes de Cádiz elaboran en 1812, la primera Constitución española. Esta Constitución, de contenido reformista y liberal, otorga a todos los ciudadanos (de género masculino) los mismos derechos y obligaciones. Aunque este intento no consigue permanencia y el siglo es de gran inestabilidad política, con guerras entre liberales y tradicionalistas (*carlistas*), hay un considerable despliegue económico, se instala el ferrocarril, se mejora la higiene y gran parte de la población se urbaniza.

Los acontecimientos en Madrid tienen sus consecuencias en Hispanoamérica. Conocedores de la debilidad de la metrópoli, y aprovechando el momento de agotamiento provocado por la invasión napoleónica, la burguesía criolla organiza movimientos independentistas en todas las colonias. Como dirigidos por una mano invisible, los movimientos de emancipación empiezan prácticamente al mismo tiempo en diferentes lugares del imperio, sin un líder o un impulso común. Al contrario de la revolución francesa o americana, ni se originan ni son nutridos de las masas populares (con la excepción notable del Padre Miguel Hidalgo, en 1810, primer independentista mexicano que acaba fracasando), sino que surgen de la minoría criolla, educada en España y Europa. España es incapaz de ejercer una política de compromiso y responde con mano dura. Pero las colonias cuentan con dos líderes excepcionales, los generales Simón Bolívar y José de San Martín. Bolívar, que había leído a Rousseau y a los filósofos europeos, avanza desde su ciudad natal, Caracas en Venezuela, hacia Perú. San Martín por su lado, dirige su ejército desde las regiones de Argentina y Chile hacia el norte, también Perú. A ellos se unen en su camino otros revolucionarios coloniales y, aunque sufren derrotas y retrocesos, su avance es imparable y vencen repetidamente al ejército español. En diciembre de 1824, en Ayacucho, entre Lima y Cuzco, el ejército de Bolívar gana la batalla definitiva.

Así pues, entre 1810 y 1825, después de 300 años de dominio español, la mayor parte de las colonias se hacen independientes. Echando al rastre el sueño de Bolívar de formar un gran país,

---

[1] Goya va a inmortalizar esta guerra con sus dos cuadros, *Dos de Mayo de 1808: La lucha contra los Mamelucos* y *Tres de Mayo de 1808: Los fusilamientos en la montaña del Príncipe Pío.*

"la Gran Colombia", las colonias se fragmentan, surgiendo de ellas 17 repúblicas separadas, las mismas que existen ahora[1]. Sólo Cuba y Puerto Rico continúan bajo dominio español, al igual precisamente que poco más de 300 años antes, cuando Colón y España sólo conocían del Nuevo Mundo el Caribe. Las guerras independentistas no son, sin embargo, una revolución social y a la independencia no acompaña una reforma democrática. De hecho, las repúblicas no son muy diferentes en este aspecto de las colonias anteriores: el poder sigue en manos de una élite, ahora los criollos, que se perpetúa a sí misma y de quien desconfían mestizos e indígenas. En la segunda mitad del siglo, la inestabilidad política, la desigualdad social, los golpes de estado, la presencia de caudillos populares y de dictadores, y las represiones del ejército van a repetirse con triste frecuencia. Las soluciones económicas suceden a las políticas y si bien es verdad que las repúblicas se modernizan con la instalación de trenes, telégrafos y puertos y la llegada de masas de emigrantes e inversiones extranjeras, la gran masa de gente vive en la pobreza e ignorancia.

2. Escenario cultural: del Romanticismo al Realismo

El Romanticismo

El *Romanticismo* es un movimiento cultural europeo de la primera mitad del siglo XIX que llega a España de la mano de los exiliados políticos durante el gobierno de Fernando VII. El Romanticismo ofrece toda una visión del mundo y una actitud ante la vida. Es también una moda que influye en todos los aspectos, desde las ropas al arte y las prácticas religiosas. En primer lugar, el Romanticismo, como reacción a la serenidad del clasicismo y respeto por las normas del XVIII, trae una glorificación del individuo y con ella una exaltación de la libertad individual frente a cualquier limitación. En la política como en la religión, la moral o la literatura, el espíritu romántico proclama la liberación frente a las leyes sociales, la pasión, el instinto y la expresión de las emociones como derechos individuales.

Los preceptos de la revolución francesa de libertad, igualdad y fraternidad se convierten en principios de la tarea creadora. Artistas y escritores escapan de las restricciones y reglas clasicistas en busca de una expresión personal y original. Se ensalza lo natural y espontáneo, lo popular y folklórico; se exalta la imaginación sobre la razón, lo fantástico sobre lo real. Muchos poetas, como el cubano **Heredia**, se inspiran en la naturaleza, especialmente en sus aspectos prodigiosos o sublimes, uniendo el espíritu con lo natural para encontrar una realidad más profunda. Otros autores escapan a un mundo exótico y lejano, con un telón de fondo de ruinas y grandes monumentos. Surge una nostalgia hacia el pasado heroico representado en la Edad Media, con su arte gótico, sus Cantares de gesta y sus héroes míticos. Otros autores miran al mundo que les rodea para despreciarlo y criticarlo, exaltando figuras antisociales como el pirata, el mendigo o el don Juan. Estos personajes, en su actitud y en su estética, rompen con el orden establecido, los supuestos morales y las limitaciones burguesas. Junto con ellos están los amantes

---

[1] Panamá surge como país al separarse de Colombia en 1903, con ocasión de la construcción del canal.

que persiguen un amor imposible o a quienes se opone una sociedad estrecha y llena de prejuicios. Los héroes literarios, al igual que los jóvenes de esta generación, viven una frustración que a veces lleva al suicidio, al no poder realizar sus deseos y tener que vivir una existencia en fuerte contraste con sus exaltados ideales.

Espronceda es uno de los primeros poetas románticos y su obra responde en estilo y temática al movimiento. **Larra**, agudo crítico de las costumbres y sociedad de su época, pesimista y angustiado hasta el punto de no poder sobrevivir su fracaso amoroso, es otra figura romántica. **Bécquer**, por otro lado, que vivió en el último tercio del siglo en plena época de la novela realista, es un poeta intimista y subjetivo que no participa de los gestos grandilocuentes de los poetas románticos de principios de siglo. Su poesía, desnuda e intensamente lírica, que recoge muchos de los temas románticos, recibe el nombre de *posromántica*.

El Realismo y Naturalismo

En la segunda mitad del siglo XIX las ciencias experimentales, cuya base es la observación cuidadosa y la experimentación, dan un gran avance[1]. La física aplicada resulta en inventos como la electricidad, la radio y el teléfono. En filosofía domina el positivismo, que sostiene que sólo la experiencia sensible lleva al conocimiento. En España, el desarrollo de la burguesía lleva de la mano una orientación política más conservadora, como reacción contra los excesos y desorden románticos. La literatura de la época pretende también observar y recrear la realidad y comienza la época del llamado *Realismo*. Frente al Romanticismo en el que se ensalzaba, como hemos visto, lo imaginado, personal e intimista, al Realismo le interesa la vida real. En vez de una declaración individual y original, el Realismo busca la expresión objetiva. Lo exótico, pasado y legendario es sustituido por lo presente y cotidiano. No interesa que el escritor refleje su personalidad y exprese sus emociones, sino que represente la realidad externa y que lo haga por medio de datos observables.

El género que responde a estos dictados es la novela realista que se cultiva en toda Europa: Flaubert y Balzac en Francia; Dickens en Inglaterra; Gogol, Dostoyevsky y Tolstoi en Rusia; y Pérez Galdós, **Clarín, Pardo Bazán** en España publican obras que definen y ejemplifican este género. Al intentar representar fielmente la realidad, el novelista escribe con detalle y exactitud. Para ello, observa con minuciosidad y se expresa con precisión. En general, el narrador es omnisciente, lo sabe todo de sus personajes, incluyendo los sentimientos más secretos. Hay abundante diálogo, que permite el contacto directo con el lector y el uso de un lenguaje popular, común y coloquial que aumenta la sensación de autenticidad. La novela realista no se limita a retratar personajes. Toda la sociedad contemporánea queda representada en detallada complejidad, desde las calles y las casas, hasta las ropas y las costumbres. Los personajes marginados y exóticos desaparecen a no ser que formen parte del ambiente que mejor conocen los escritores, la clase media y la vida corriente. El argumento, compuesto en apariencia de situaciones de poca transcendencia, sirve para poner en relieve la complejidad psicológica y desarrollo de los personajes. Al escritor realista

---

[1] En 1859 Charles Darwin publica *El origen de las especies por medio de la selección natural*, levantando apasionadas controversias.

le interesa también el lector y a él se dirige con el respeto de trasmitirle la verdad, esperando a veces conseguir un fin moralista o al menos pragmático. No trata de conmover al lector, como hacía el romántico, sino de convencerle de una determinada idea o actitud. El lector, por su parte, juzga el realismo de un texto por su capacidad de revivir, ver y sentir lo que el escritor ha expuesto.

Una derivación del Realismo en la que las ciencias experimentales tienen todavía más influencia es el *Naturalismo*, cuyo creador y mayor representante es el francés Emile Zola. El Naturalismo lleva la información minuciosa al extremo de darle valor documental, tiene una intención ideológica, la crítica de la sociedad, y añade a la visión realista una concepción determinista del hombre. Sostiene que la psicología humana está sujeta a leyes tan determinantes como las científicas, que la conducta está condicionada por la herencia, el ambiente y el aspecto físico. El escritor naturalista ya no sólo retrata la vida corriente, sino que busca los aspectos más sórdidos de la realidad –la miseria, las enfermedades, la degeneración, los vicios– ya que en ellos se comprueban mejor las teorías deterministas sobre los problemas sociales. La fuerza del instinto y los aspectos eróticos tienen amplio y detallado tratamiento. El lenguaje se hace eco de este enfoque y es a veces vulgar y grosero. Clarín y sobre todo Pardo Bazán son sus representantes más importantes en España, aunque a ambos se les puede considerar también escritores realistas que siguen la escuela naturalista en algunas de sus obras con gran independencia, tomando sólo algunas de sus técnicas.

En Latinoamérica se añade un nuevo cariz a los movimientos romántico y realista. Ya al final de la primera década tiene lugar el primer acto independentista, y libertad y progreso son los dos conceptos claves de la vida política e intelectual. Los escritores van a ser parte y hasta cierto punto líderes del movimiento emancipador. Es, pues, natural que junto con el deseo de independencia política de la metrópoli, surja la voluntad de independencia literaria. Latinoamérica mira ahora tanto o más a Francia como modelo artístico y al mismo tiempo añade sus propios giros autóctonos. Muchos de los escritores son a la par políticos y participantes activos en la lucha, como Heredia y **Martí** en Cuba. El paisaje natural, la idealización del indio, las costumbres del país, sus historias y leyendas –las "tradiciones" de **Ricardo Palma**– son temas de los escritores románticos. A partir de ahora existen las literaturas nacionales latinoamericanas y a la vuelta del siglo, el Modernismo, de mano de **Rubén Darío**, hace un camino contrario al habitual y pasa de la América hispana a la península para influir decisivamente en los escritores españoles. Este paso marca el principio de un largo periodo, que sigue en nuestros días, en el que la escritura latinoamericana se convierte en una de las más conocidas e influyentes a nivel mundial.

3. Los escritores

José María Heredia

(1803-1839)

Datos biográficos

Como si en el momento de su nacimiento se pudieran ver ya las grandes líneas de su romanticismo incipiente, José María Heredia nació en vísperas del año nuevo de 1803 en Cuba, adonde sus padres el año anterior tuvieron que desviarse rumbo a Puerto Rico, a causa de una tempestad, para finalmente establecerse en Santiago de Cuba. Bajo la influencia intelectual y formativa de su padre, Heredia pasó su infancia estudiando los autores clásicos y trasladándose de país en país con su familia. Autor de poemas desde la temprana edad de 14 años, empezó a estudiar la carrera de derecho en 1803 y obtuvo el grado de Bachiller en Leyes en la Universidad de La Habana en 1821. Heredia deseaba profundamente la libertad de su país y luchó con la pluma toda su vida para conseguirla. En 1823 fue denunciado por conspirar a favor de la independencia de Cuba y tuvo que exiliarse a Boston, donde continuó escribiendo poesía y teatro neoclásico. Fue condenado al destierro perpetuo al año siguiente, pero en 1825 recibió una carta del presidente de México informándole que podía trasladarse a ese país.

En México trabajó de abogado, tradujo varias obras, escribió crítica literaria y continuó escribiendo poesías. En 1827 fue nombrado Juez de Primera Instancia de Cuernavaca. Ese mismo año se casó. Tuvo siete hijos, de los cuales dos murieron muy jóvenes. En 1836, al recibir autorización para volver brevemente a Cuba, finalmente se reunió con su madre después de trece años de exilio. Tuvo que regresar a México al año siguiente, agobiado por las injusticias, dificultades y falta de reconocimiento que tuvo que sufrir. Enfermo de tuberculosis, escribió a su madre su última carta y murió en la Ciudad de México. En su último poema, dirigiéndose a Dios, escribió: "Permite a lo menos que mi labio impuro / una su voz débil a los sacros cantos / con que te celebran ángeles y santos / y ellos, Dios piadoso, te alaben por mí". Murió muy joven después de una corta vida llena de intensidad religiosa y romántica.

La poesía de Heredia

La obra de Heredia es de una tremenda variedad, desde el neoclasicismo que le inculcó su padre hasta el romanticismo de algunos de sus poemas escritos para celebrar el espectáculo de la naturaleza. Además de su poesía, escribió, imitó y tradujo más de una docena de obras de teatro neoclásicas, crítica literaria, y obras y discursos políticos. Pero indudablemente sus temas poéticos más frecuentes y más logrados son la naturaleza y la patria. Sus cuatro poemas más conocidos celebran las fuerzas de la naturaleza: "En el Teocalli de Cholula" (1820), "En una tempestad" (1822), "Oda a Niágara" (1824), y "Al océano" (1836). Aquí encontramos la descripción del mundo físico que refleja el mundo interior, la armonía entre el alma del poeta y el paisaje exterior.

Contemplando lo sublime del Niágara, siente nostalgia de la patria lejana, el "yo" del poeta se alza a las alturas y a la grandeza de las cataratas, y su alma aspira a la inmortalidad.

Entre sus poesías patrióticas se encuentran referencias a la insurrección de Grecia en 1820 protestando la opresión turca; reclamos por la independencia de Cuba; comentarios sobre las luchas políticas mexicanas; y poemas que relatan el dolor del destierro. En sus versos, la mayoría compuestos en decasílabos de tres acentos, Heredia muestra su pasión por la libertad, por la dignidad humana y por la necesidad de mejorar la condición social de la gente.

"Su lira", nota José Martí, otro gran poeta cubano, "es de las batallas, del amor tremendo, del horror grato, bello y augusto… Los versos de Heredia le nacen del alma con manto y corona".

EN UNA TEMPESTAD

Huracán, huracán, venir te siento,
y en tu soplo[1] abrasado[2]
respiro entusiasmado
del señor de los aires el aliento.

5   En las alas del viento suspendido
vedle rodar por el espacio inmenso,
silencioso, tremendo, irresistible
en su curso veloz[3]. La tierra en calma
siniestra; misteriosa,
10 contempla con pavor su faz[4] terrible.
¿Al toro no miráis? El suelo escarban[5]
de insoportable ardor sus pies heridos:
La frente poderosa levantando,
y en la hinchada[6] nariz fuego aspirando,
15 llama la tempestad con sus bramidos[7].

¡Qué nubes! ¡Qué furor! El sol temblando
vela en triste vapor su faz gloriosa,
y su disco nublado sólo vierte
luz fúnebre y sombría,
20 que no es noche ni día...
¡Pavoroso calor, velo de muerte!
Los pajarillos tiemblan y se esconden
al acercarse el huracán bramando[8],
y en los lejanos montes retumbando[9]
25 le oyen los bosques, y a su voz responden.

Llega ya... ¿No le veis? ¡Cuál desenvuelve

1. blowing
2. burning
3. fast, quick, swift
4. face
5. scratch
6. swollen
7. roaring, bellowing
8. booming
9. thundering

su manto aterrador y majestuoso...!
¡Gigante de los aires, te saludo...!
En fiera confusión el viento agita
las orlas[1] de su parda[2] vestidura[3]...
¡Ved...! ¡En el horizonte
35 los brazos rapidísimos enarca[4],
y con ellos abarca[5]
cuanto alcanzó a mirar de monte a monte!

　　¡Oscuridad universal!... ¡Su soplo
40 levanta en torbellinos[6]
el polvo de los campos agitado...!
En las nubes retumba despeñado[7]
el carro del Señor, y de sus ruedas
brota[8] el rayo veloz, se precipita,
hiere[9] y aterra a suelo,
45 y su lívida luz inunda el cielo.

　　¿Qué rumor? ¿Es la lluvia...? Desatada[10]
cae a torrentes, oscurece el mundo,
y todo es confusión, horror profundo.
50 Cielo, nubes, colinas, caro bosque,
¿Dó[11] estáis...? Os busco en vano:
Desaparecisteis... La tormenta umbría[12]
en los aires revuelve un océano
que todo lo sepulta[13]...
Al fin, mundo fatal, nos separamos:
55 El huracán y yo solos estamos.

　　¡Sublime tempestad! ¡Cómo en tu seno[14]
de tu solemne inspiración henchido[15],
al mundo vil y miserable olvido,
60 y alzo la frente, de delicia lleno!
¿Dó está el alma cobarde
que teme tu rugir[16]...? Yo en ti me elevo
al trono del Señor; oigo en las nubes
el eco de su voz; siento a la tierra
escucharle y temblar. Ferviente lloro
desciende por mis pálidas mejillas,
y su alta majestad trémulo adoro.

1. borders, fringes
2. grey, dun, dark
3. clothing
4. puts a hoop on
5. includes, embraces, takes in

6. whirlwinds

7. flung down

8. brings forth
9. wounds

10. untied

11. *Dónde*
12. shady

13. bury

14. breast
15. filled up, stuffed, crammed

16. roar, bellow

Sugerencias para el análisis del poema

1. ¿Cómo se llama la figura retórica con la cual empieza el poema? ¿Qué efecto tiene en el lector? Cuando proclama, "Respiro entusiasmado / Del señor de los aires el aliento", ¿qué nos dice sobre la presencia de Dios en la naturaleza?

2. En la segunda estrofa, ¿cómo extiende el poeta la metáfora de Dios y la naturaleza? ¿Cuál es el efecto de comparar la tierra "en calma siniestra" con la furia del cielo?

3. Haz una lista de los indicios del espectáculo de la llegada de la tempestad en la tercera estrofa. Comenta las reacciones del toro y de los pajaritos.

4. ¿Cómo evoca el poeta la llegada de la tempestad en la cuarta estrofa? ¿Cuál es el efecto de las metáforas del ropaje y de la personificación?

5. Explica la metáfora del "carro del Señor" en la quinta estrofa. ¿Cómo refuerza las otras referencias a Dios en el poema?

6. ¿Qué efecto tiene la descripción de la lluvia? ¿Por qué el poeta se coloca en medio de la tempestad al final de la sexta estrofa, "El huracán y yo solos estamos"?

7. Finalmente, ¿cuál es la experiencia de la tempestad para el poeta? Explica por qué dice que olvida el "mundo vil y miserable" y que se eleva "Al trono del Señor".

8. Vuelve a leer la descripción del Romanticismo en la introducción al siglo XIX. ¿Qué elementos románticos predominan en el poema?

Temas de discusión y ensayos

1. Compara la representación de las fuerzas de la naturaleza en el poema con la de los poemas de Lorca y de Machado.

2. Estudia la rima irregular del poema. ¿Por qué rompe Heredia con las reglas de la versificación, y qué efecto tiene? Compárala con la rima y el verso más regular de un poema de Machado.

3. Compara la poesía de Heredia con la de los otros poetas románticos como Espronceda y Bécquer. ¿Cuáles son las semejanzas y las diferencias que más se destacan?

Actividades

1. Muchos poetas han escrito sobre la naturaleza, especialmente sobre el tiempo meteorológico. Escribe una parodia de "En una tempestad", exagerando el aspecto "sublime" de un terremoto, de la lluvia, de las nubes o de la niebla.

2. "En una tempestad" es muy rica en imágenes y metáforas para la representación del huracán. Basándote en una de las estrofas, dibuja o pinta un retrato de la fuerza de la tempestad.

José de Espronceda

(1808-1842)

Datos biográficos

Espronceda encarna en su obra y hasta cierto punto en su vida el ideal romántico de rebeldía y libertad. Nació por accidente en Almendralejo, provincia de Badajoz, en el curso de un viaje de sus padres a Madrid. Era el mes de marzo de 1808, el mismo año y mes en que las tropas de Napoleón ocuparon la capital de España, desencadenando la Guerra de Independencia. Más aficionado a la rebelión que al estudio, Espronceda, todavía en el colegio, presidió una sociedad secreta que buscaba la libertad del mundo. Esta primera actuación política, que terminó con su detención y encierro en un convento, marcó la pauta de una vida de continua actividad revolucionaria a consecuencia de la cual Espronceda fue perseguido y exiliado. Paralelamente, también desde muy joven, empezó una producción literaria que habría de continuar el resto de su corta vida.

En 1826, en un viaje a Lisboa en busca de aventuras, Espronceda conoció a Teresa Mancha, su gran amor, hija de un emigrado español. Cuando la volvió a ver en Londres en 1831, ya casada y con hijos, le persuadió de que abandonara su matrimonio y se fuera con él. Tuvieron una relación turbulenta, con separaciones y reconciliaciones, que terminó con la muerte de ella en la indigencia en 1839. Su muerte inspiró al poeta el *Canto a Teresa*. En plena actividad política ininterrumpida, cuando iba a ocupar el cargo de diputado, Espronceda murió de una enfermedad repentina en 1842. Esta muerte tan inesperada a la temprana edad de 34 años, selló para siempre la imagen de un Espronceda joven, romántico y revolucionario.

La poesía de Espronceda

Espronceda es el poeta más representativo del Romanticismo en España. Su temperamento, vital, rebelde y romántico, tiene reflejo en su obra: Espronceda escribe con el vigor y exaltación con los que vive y sus héroes, con frecuencia arrogantes y dramáticos, rechazan como él la sociedad convencional y dócil que les rodea. Espronceda participa de la moda romántica de énfasis en el individuo y exaltación de las figuras antisociales y alejadas de la realidad cotidiana como el mendigo, el cosaco o el pirata. "Canción del pirata", "Canto del cosaco", "El verdugo", "El reo de muerte" o "A Jarifa en una orgía" pertenecen a este grupo de composiciones que muestran un desprecio hacia la sociedad convencional e incluso a la vida misma. Otras composiciones reflejan la intensidad de la angustia del poeta, como el *Canto a Teresa*. Se considera, sin embargo, que la obra maestra de Espronceda es el drama poético *El estudiante de Salamanca*, versión romántica del tema de Don Juan. En común, los poemas de Espronceda reflejan una potente imaginación, musicalidad en sus estrofas y brillantes imágenes sensoriales.

CANCIÓN DEL PIRATA

Con diez cañones por banda[1],
viento en popa[2], a toda vela[3],
no corta el mar, sino vuela
un velero bergantín[4].
5 Bajel[5] pirata que llaman
por su bravura, el Temido,
en todo mar conocido
del uno al otro confín[6].

La luna en el mar riela[7],
10 en la lona[8] gime[9] el viento,
y alza[10] en blando movimiento
olas de plata y azul;
y ve el capitán pirata,
cantando alegre en la popa,
15 Asia a un lado, al otro Europa,
y allá a su frente Estambul.

—Navega, velero mío
sin temor,
que ni enemigo navío,
20 ni tormenta, ni bonanza[11]
tu rumbo[12] a torcer[13] alcanza[14],
ni a sujetar tu valor.

Veinte presas[15]
hemos hecho
25 a despecho[16]
del inglés,
y han rendido
sus pendones[17]
cien naciones
30 a mis pies.

Que es mi barco mi tesoro,
que es mi dios, la libertad,
mi ley, la fuerza y el viento,
mi única patria, la mar.

1. one side (of the ship)
2. stern
3. at full speed
4. tall ship
5. ship

6. in the outer reaches of the world
7. shimmers
8. canvas
9. moans
10. lifts

11. fair weather
12. course, direction
13. deviate
14. manage to
15. booty

16. spite

17. banners

<pre>
35   Allá mueven feroz guerra
        ciegos reyes
        por un palmo¹ más de tierra;   1. fragment
        que yo aquí tengo por mío
        cuanto abarca² el mar bravío,   2. includes, embraces
40   a quien nadie impuso leyes.

        Y no hay playa,
        sea cualquiera,
        ni bandera
        de esplendor,
45   que no sienta
        mi derecho
        y dé pecho
        a mi valor

        Que es mi barco mi tesoro...

50   A la voz de "¡Barco viene!"
        es de ver
        cómo vira³ y se previene⁴   3. turns
        a todo trapo a escapar⁵.   4. prepares
        Que yo soy el rey del mar,   5. to escape at full sail
55   y mi furia es de temer.

        En las presas
        yo divido
        lo cogido por igual.
        Sólo quiero
60   por riqueza
        la belleza
        sin rival.

        Que es mi barco mi tesoro...

        Sentenciado estoy a muerte.
65   Yo me río:
        no me abandone la suerte,
        y al mismo que me condena
        colgaré⁶ de alguna entena⁷   6. I will hang
        quizá en su propio navío.   7. mast
</pre>

70   Y si caigo,
¿qué es la vida?
Por perdida
ya la di,
cuando el yugo[1]   1. yoke
75 del esclavo,
como un bravo
sacudí.

    Que es mi barco mi tesoro...

    Son mi música mejor
80 Aquilones[2],   2. north wind
el estrépito[3] y temblor   3. din
de los cables sacudidos,
del negro mar los bramidos[4]   4. bellows
y el rugir[5] de mis cañones.   5. roar

85   Y del trueno
al son violento,
y del viento
al rebramar,
yo me duermo
90 sosegado,[6]   6. calmed
arrullado[7]   7. lulled to sleep
por el mar.

    Que es mi barco mi tesoro,
que es mi dios, la libertad,
95 mi ley, la fuerza y el viento,
mi única patria, la mar.

Sugerencias para el análisis del poema

1. ¿Cómo se describe el pirata en contraste con la sociedad de su tiempo? Haz una lista de los opuestos.

2. ¿Cómo ve el pirata los valores socialmente aceptados de Dios, la ley, la religión, la patria, las normas, la riqueza, la muerte? Comenta las dos visiones opuestas de la palabra "rey".

3. ¿Qué representa el mar para el pirata? Observa, al respecto, el contraste de las primeras

estrofas y de las últimas. Observa también que la mayor parte de las veces el poeta dice "el mar", pero en el estribillo cambia a "la mar" (los dos son correctos.) ¿Por qué?

4. ¿En qué versos y por qué personaliza el pirata el mar, el viento, el barco?

5. ¿Qué ejemplos ves del uso de la hipérbole y con qué finalidad?

6. Comenta el efecto de aliteración en los versos que siguen a "Son mi música mejor/ aquilones".

7. Mide el número de las sílabas en las diferentes estrofas y comenta el efecto de la alternancia entre las de 8 y 4 sílabas ¿Qué efecto trata de conseguir Espronceda con un poema en arte menor con un estribillo que se repite?

8. ¿Cuál es, en tu opinión, el sentido último del poema?

Temas de discusión y ensayos

1. ¿Qué ideales románticos refleja el poema? Menciona, como ejemplo, algunos versos específicos.

2. Compara al pirata que en este poema se automargina con otras figuras de rebeldía o protesta, en nuestros días o a lo largo de la historia.

3. ¿En qué se parecen o diferencian la arrogancia, el amor por la aventura y desprecio por la vida del pirata y de don Juan de Tirso de Molina?

4. Contrasta la presencia de la naturaleza en este poema y en los poemas que has leído del Siglo de Oro.

Actividades

1. Establece dónde tiene lugar el poema geográficamente ¿Cuál es el "mar conocido"?

2. A través del internet o de libros de historia, haz una investigación sobre los piratas: en qué épocas eran más prominentes, dónde y cuáles eran sus actividades, su relación con la ley y la justicia. Investiga también el tema del pirata en la literatura y en el cine.

Mariano José de Larra

(1809-1837)

Datos biográficos

Mariano José de Larra nació en Madrid en 1809, pero pasó su niñez en Francia donde su familia había sido exilada por razones políticas. Su padre, de tendencia política liberal, había simpatizado con la instalación del hermano de Napoleón en el trono español y servido de médico del ejército francés. El exilio familiar sirvió para dar la oportunidad a Larra de educarse en las ideas más abiertas del París de la época. Durante el resto de su vida, en política o en actitudes cívicas y sociales, Larra tomaría como ejemplo, para imitar o evitar, el modelo francés.

Tras el exilio, establecida la familia en España de nuevo, Larra prosiguió sus estudios. Desde muy joven se sintió atraído por las letras y eligió como profesión el periodismo, que le dio la oportunidad de hacer públicas sus opiniones sobre acontecimientos y actitudes contemporáneos. En los periódicos más respetados de Madrid, Larra escribió con gran éxito artículos sobre temas literarios, políticos o sociales. Su vida personal estuvo, sin embargo, plagada de problemas y fracasos. Sus aspiraciones políticas no cristalizaron. Su vida sentimental fue insatisfactoria. Casado joven, se separó pronto de su esposa y se enamoró de una mujer casada. Reflejando en este aspecto personal una actitud muy de la época, cometió suicidio a los 27 años. A través de este acto trágico y final, Larra se convirtió en ejemplo real del tipo de héroe romántico sobre el que muchos autores del tiempo escriben.

Los artículos de costumbres

Larra como escritor encarna una serie de contradicciones. En su defensa de la libertad creadora, pertenece plenamente a la época romántica: "Libertad en literatura, como en las artes, como en la industria, como en el comercio, como en la conciencia. He aquí la divisa de la época, he aquí la nuestra", son sus palabras en un artículo sobre literatura. Larra, por otro lado, sigue la moda del *Costumbrismo*, muy popular en la época, que observa y retrata escenas populares o costumbres contemporáneas en artículos cómicos, pintorescos, o satíricos. Pero al contrario de otros costumbristas, no compara el presente con un pasado mejor, sino que criticando ambos presente y pasado, mira hacia el futuro. Hay que añadir que Larra, además, debido a su educación, labora bajo la influencia del clasicismo y racionalismo franceses. Escribe para impulsar el progreso, para modernizar una sociedad mediocre, anclada en un pasado que la empobrece intelectualmente. Observa con ojo crítico las costumbres de la sociedad española y las comenta con pluma mordaz. Dura e implacable, la crítica de Larra parte de un conocimiento profundo del alma y hábitos de sus contemporáneos. Sus cuadros realistas, acompañados del dolor de quien ve con un ojo que no se engaña y de la profunda convicción de la necesidad de cambio de la sociedad española, hacen de Larra un anticipo del pensador y escritor de la Generación del 98. Su creciente falta de esperanza, la lucidez de quien sabe que nada va a cambiar le convierten, si no en cínico, en acendrado pesimista.

Larra publicó las escenas costumbristas como artículos de periódico bajo varios seudónimos, el más conocido, *Fígaro*. Sus temas son muy variados, pero se repiten los que se refieren a la mediocridad, ignorancia o mezquindad sociales. Generalmente, sus artículos parten de una escena cotidiana, que retrata fotográficamente la realidad española y no está exenta de comicidad, y a partir de ella Larra presenta sus consideraciones. Su tono, irónico y humorístico, y el lenguaje, directo y claro con más atención al contenido que a exigencias estéticas, convierten a Larra en un escritor extraordinariamente moderno, con una vigencia y urgencia que podrían ser actuales.

VUELVA USTED MAÑANA

Gran persona debió de ser el primero que llamó pecado mortal a la pereza; nosotros, que ya en uno de nuestros artículos anteriores estuvimos más serios de lo que nunca nos habíamos propuesto, no entraremos ahora en largas y profundas investigaciones acerca de la historia de este pecado, por más que conozcamos que hay pecados que pican en historia, y que la historia de los pecados sería un tanto cuanto divertida. Convengamos solamente en que esta institución ha cerrado y cerrará las puertas del cielo a más de un cristiano.

Estas reflexiones hacía yo casualmente no hace muchos días, cuando se presentó en mi casa un extranjero de estos que, en buena o en mala parte, han de tener siempre de nuestro país una idea exagerada e hiperbólica, de estos que, o creen que los hombres aquí son todavía los espléndidos, francos, generosos y caballerescos seres de hace dos siglos, o que son aún las tribus nómadas del otro lado del Atlante: en el primer caso vienen imaginando que nuestro carácter se conserva tan intacto como nuestras ruinas; en el segundo vienen temblando por esos caminos, y preguntan si son los ladrones que los han de despojar los individuos de algún cuerpo de guardia establecido precisamente para defenderlos de los azares de un camino, comunes a todos los países.

Verdad es que nuestro país no es de aquellos que se conocen a primera ni a segunda vista, y si no temiéramos que nos llamasen atrevidos, lo compararíamos de buena gana a esos juegos de manos sorprendentes e inescrutables para el que ignora su artificio, que estribando en una grandísima bagatela, suelen después de sabidos dejar asombrado de su poca perspicacia al mismo que se devanó los sesos por buscarles causas extrañas. Muchas veces la falta de una causa determinante en las cosas nos hace creer que debe de haberlas profundas para mantenerlas al abrigo de nuestra penetración. Tal es el orgullo del hombre, que más quiere declarar en alta voz que las cosas son incomprensibles cuando no las comprende él, que confesar que el ignorarlas puede depender de su torpeza.

Esto no obstante, como quiera que entre nosotros mismos se hallen muchos en esta ignorancia de los verdaderos resortes que nos mueven, no tendremos derecho para extrañar que los extranjeros no los puedan tan fácilmente penetrar.

Un extranjero de éstos fue el que se presentó en mi casa, provisto de competentes cartas de recomendación para mi persona. Asuntos intrincados de familia, reclamaciones futuras, y aun proyectos vastos concebidos en París de invertir aquí sus cuantiosos caudales en tal cual especulación industrial o mercantil, eran los motivos que nuestra patria le conducían.

Acostumbrado a la actividad en que viven nuestros vecinos, me aseguró formalmente que pensaba permanecer aquí muy poco tiempo, sobre todo si no encontraba pronto objeto seguro en que invertir su capital. Parecióme el extranjero digno de alguna consideración, trabé presto amistad con él, y lleno de lástima traté de persuadirle a que se volviese a su casa cuanto antes, siempre que seriamente trajese otro fin que no fuese el de pasearse. Admiróle la proposición, y fue preciso explicarme más claro.

—Mirad —le dije—, monsieur Sans-délai —que así se llamaba—; vos venís decidido a

40   pasar quince días, y a solventar en ellos vuestros asuntos.

—Ciertamente —me contestó—. Quince días, y es mucho. Mañana por la mañana buscamos un genealogista para mis asuntos de familia; por la tarde revuelve sus libros, busca mis ascendientes, y por la noche ya sé quién soy. En cuanto a mis reclamaciones, pasado mañana las presento fundadas en los datos que aquél me dé, legalizadas en debida forma;
45   y como será una cosa clara y de justicia innegable (pues sólo en este caso haré valer mis derechos), al tercer día se juzga el caso y soy dueño de lo mío. En cuanto a mis especulaciones, en que pienso invertir mis caudales, al cuarto día ya habré presentado mis proposiciones. Serán buenas o malas, y admitidas o desechadas en el acto, y son cinco días; en el sexto, séptimo y octavo, veo lo que hay que ver en Madrid; descanso el noveno; el
50   décimo tomo mi asiento en la diligencia, si no me conviene estar más tiempo aquí, y me vuelvo a mi casa; aún me sobran, de los quince, cinco días.

Al llegar aquí monsieur Sans-délai, traté de reprimir una carcajada que me andaba retozando ya hacía rato en el cuerpo, y si mi educación logró sofocar mi inoportuna jovialidad, no fue bastante a impedir que se asomase a mis labios una suave sonrisa de
55   asombro y de lástima que sus planes ejecutivos me sacaban al rostro mal de mi grado.

—Permitidme, monsieur Sans-délai —le dije entre socarrón y formal—, permitidme que os convide a comer para el día en que llevéis quince meses de estancia en Madrid.

—¿Cómo?

—Dentro de quince meses estáis aquí todavía.

60   —¿Os burláis?

—No, por cierto.

—¿No me podré marchar cuando quiera? ¡Cierto que la idea es graciosa!

—Sabed que no estáis en vuestro país, activo y trabajador.

—¡Oh!, los españoles que han viajado por el extranjero han adquirido la costumbre de
65   hablar mal siempre de su país por hacerse superiores a sus compatriotas.

—Os aseguro que en los quince días con que contáis, no habréis podido hablar siquiera a una sola de las personas cuya cooperación necesitáis.

—¡Hipérboles! Yo les comunicaré a todos mi actividad.

—Todos os comunicarán su inercia.

70   Conocí que no estaba el señor de Sans-délai muy dispuesto a dejarse convencer sino por la experiencia, y callé por entonces, bien seguro de que no tardarían mucho los hechos en hablar por mí.

Amaneció el día siguiente, y salimos entrambos a buscar un genealogista, lo cual sólo se pudo hacer preguntando de amigo en amigo y de conocido en conocido: encontrámosle
75   por fin, y el buen señor, aturdido de ver nuestra precipitación, declaró francamente que necesitaba tomarse algún tiempo; instósele, y por mucho favor me dijo definitivamente que nos diéramos una vuelta por allí dentro de unos días. Sonreíme y marchámonos. Pasaron tres días: fuimos.

—Vuelva usted mañana —nos respondió la criada—, porque el señor no se ha levantado
80   todavía.

—Vuelva usted mañana —nos dijo al siguiente día—. porque el amo acaba de salir.

—Vuelva usted mañana —nos respondió el otro—, porque el amo está durmiendo la siesta.

—Vuelva usted mañana —nos respondió el lunes siguiente—, porque hoy ha ido a los toros.

—¿Qué día, a qué hora se ve a un español?

Vímosle por fin, y "Vuelva usted mañana —nos dijo—, porque se me ha olvidado. Vuelva usted mañana, porque no está en limpio".

A los quince días ya estuvo; pero mi amigo le había pedido una noticia del apellido Díez, y él había entendido Díaz, y la noticia no servía. Esperando nuevas pruebas, nada dije a mi amigo, desesperado ya de dar jamás con sus abuelos.

Es claro que faltando este principio no tuvieron lugar las reclamaciones.

Para las proposiciones que acerca de varios establecimientos y empresas utilísimas pensaba hacer, había sido preciso buscar un traductor; por los mismos pasos que el genealogista nos hizo pasar el traductor; de mañana en mañana nos llevó hasta el fin del mes. Averiguamos que necesitaba dinero diariamente para comer, con la mayor urgencia; sin embargo, nunca encontraba momento oportuno para trabajar. El escribiente hizo después otro tanto con las copias, sobre llenarlas de mentiras, porque un escribiente que sepa escribir no le hay en este país.

No paró aquí; un sastre tardó veinte días en hacerle un frac, que le había mandado llevarle en veinticuatro horas; el zapatero le obligó con su tardanza a comprar botas hechas; la planchadora necesitó quince días para plancharle una camisola, y el sombrerero a quien le había enviado su sombrero a variar el ala, le tuvo dos días con la cabeza al aire y sin salir de casa.

Sus conocidos y amigos no le asistían a una sola cita, ni avisaban cuando faltaban, ni respondían a sus esquelas. ¡Qué formalidad y qué exactitud!

¿Qué os parece de esta tierra, monsieur Sans-délai? —le dije al llegar a estas pruebas.

—Me parece que son hombres singulares...

—Pues así son todos. No comerán por no llevar la comida a la boca.

Presentóse con todo, yendo y viniendo días, una proposición de mejoras para un ramo que no citaré, quedando recomendada eficacísimamente.

A los cuatro días volvimos a saber el éxito de nuestra pretensión.

—Vuelva usted mañana —nos dijo el portero—. El oficial de la mesa no ha venido hoy.

—Grande causa le habrá detenido —dije yo entre mí.

Fuímonos a dar un paseo, y nos encontramos, ¡qué casualidad!, al oficial de la mesa en el Retiro, ocupadísimo en dar una vuelta con su señora al hermoso sol de los inviernos claros de Madrid.

Martes era el día siguiente, y nos dijo el portero:

—Vuelva usted mañana, porque el señor oficial de la mesa no da audiencia hoy.

—Grandes negocios habrán cargado sobre él —dije yo.

Como soy el diablo y aun he sido duende, busqué ocasión de echar una ojeada por el

agujero de una cerradura. Su señoría estaba echando un cigarrito al brasero, y con una charada del *Correo* entre manos que le debía costar trabajo el acertar.

—Es imposible verle hoy —le dije a mi compañero—; su señoría está en efecto ocupadísimo.

Dionos audiencia el miércoles inmediato, y ¡qué fatalidad! el expediente había pasado a informe, por desgracia, a la única persona enemiga indispensable de monsieur y de su plan, porque era quien debía salir en él perjudicado. Volvió el expediente dos meses en informe, y vino tan informado como era de esperar. Verdad es que nosotros no habíamos podido encontrar empeño para una persona muy amiga del informante. Esta persona tenía unos ojos muy hermosos, los cuales sin duda alguna le hubieran convencido en sus ratos perdidos de la justicia de nuestra causa.

Vuelto de informe cayó en la cuenta en la sección de nuestra bendita oficina de que el tal expediente no correspondía a aquel ramo; era preciso rectificar este pequeño error; pasóse al ramo, establecimiento y mesa correspondientes, y hétenos caminando después de tres meses a la cola siempre de nuestro expediente, como hurón que busca el conejo, y sin poderlo sacar muerto ni vivo de la huronera. Fue el caso al llegar aquí que el expediente salió del primer establecimiento y nunca llegó al otro.

—De aquí se remitió con fecha de tantos —decían en uno.

—Aquí no ha llegado nada —decían en otro.

—¡Voto va! —dije yo a monsieur Sans-délai—, ¿sabéis que nuestro expediente se ha quedado en el aire como el alma de Garibay, y que debe de estar ahora posado como una paloma sobre algún tejado de esta activa población?

Hubo que hacer otro. ¡Vuelta a los empeños! ¡Vuelta a la prisa! ¡Qué delirio!

—Es indispensable —dijo el oficial con voz campanuda— que esas cosas vayan por sus trámites regulares.

Es decir, que el toque estaba, como el toque del ejército militar, en llevar nuestro expediente tantos o cuantos años de servicio.

Por último, después de cerca de medio año de subir y bajar, y estar a la firma o al informe, o a la aprobación, o al despacho, o debajo de la mesa, y de *volver* siempre mañana, salió con una notita al margen que decía:

"A pesar de la justicia y utilidad del plan del exponente, negado,"

—¡Ah, ah!, monsieur Sans-délai —exclamé riéndome a carcajadas—; éste es nuestro negocio.

Pero monsieur Sans-délai se daba a todos los diablos.

—¿Para esto he echado yo mi viaje tan largo? Después de seis meses no habré conseguido sino que me digan en todas partes diariamente: *Vuelva usted mañana*, y cuando este dichoso *mañana* llega en fin, nos dicen redondamente que no ¿Y vengo a darles dinero? ¿Y vengo a hacerles favor? Preciso es que la intriga más enredada se haya fraguado para oponerse a nuestras miras.

—¿Intriga, monsieur Sans-délai? No hay hombre capaz de seguir dos horas una intriga. La pereza es la verdadera intriga; os juro que no hay otra; ésa es la gran causa oculta: es más fácil negar las cosas que enterarse de ellas.

Al llegar aquí, no quiero pasar en silencio algunas razones de las que me dieron para la anterior negativa, aunque sea una pequeña digresión.

—Ese hombre se va a perder —me decía un personaje muy grave y muy patriótico.

—Ésa no es una razón —le repuse—; si él se arruina, nada, nada se habrá perdido en concederle lo que pide; él llevará el castigo de su osadía o de su ignorancia.

—¿Cómo ha de salir con su intención?

—Y suponga usted que quiere tirar su dinero y perderse, ¿no puede uno aquí morirse siquiera, sin tener un empeño para el oficial de la mesa?

—Puede perjudicar a los que hasta ahora han hecho de otra manera eso mismo que ese señor extranjero quiere.

—¿A los que lo han hecho de otra manera, es decir, peor?

—Sí, pero lo han hecho.

—Sería lástima que se acabara el modo de hacer mal las cosas. ¿Conque, porque siempre se han hecho las cosas del modo peor posible, será preciso tener consideraciones, con los perpetuadores del mal? Antes se debiera mirar si podrían perjudicar los antiguos al moderno.

—Así está establecido; así se ha hecho hasta aquí; así lo seguiremos haciendo.

—Por esa razón deberían darle a usted papilla todavía como cuando nació.

—En fin, señor Fígaro, es un extranjero.

—¿Y por qué no lo hacen los naturales del país?

—Con esas socaliñas vienen a sacarnos la sangre.

—Señor mío —exclamé, sin llevar más adelante mi paciencia—, está usted en un error harto general. Usted es como muchos que tienen la diabólica manía de empezar siempre por poner obstáculos a todo lo bueno, y el que pueda que los venza. Aquí tenemos el loco orgullo de no saber nada, de quererlo adivinar todo y no reconocer maestros. Las naciones que han tenido, ya que no el saber, deseos de él, no han encontrado otro remedio que el de recurrir a los que sabían más que ellas. Un extranjero —seguí— que corre a un país que le es desconocido para arriesgar en él sus caudales, pone en circulación un capital nuevo, contribuye a la sociedad, a quien hace un inmenso beneficio con su talento y su dinero, si pierde es un héroe; si gana es muy justo que logre el premio de su trabajo, pues nos proporciona ventajas que no podíamos acarrearnos solos. Ese extranjero que se establece en este país, no viene a sacar de él el dinero, como usted supone; necesariamente se establece y se arraiga en él, y a la vuelta de media docena de años, ni es extranjero ya ni puede serlo; sus más caros intereses y su familia le ligan al nuevo país que ha adoptado; toma cariño al suelo donde ha hecho su fortuna, al pueblo donde ha escogido una compañera; sus hijos son españoles, y su nietos lo serán; en vez de extraer el dinero, ha venido a dejar un capital suyo que traía, invirtiéndole y haciéndole producir; ha dejado otro capital de talento, que vale por lo menos tanto como el del dinero; ha dado de comer a los pocos o muchos naturales de quien ha tenido necesariamente que valerse; ha hecho una mejora, y hasta ha contribuido al aumento de la población con su nueva familia. Convencidos de estas importantes verdades, todos los Gobiernos sabios y prudentes han llamado a sí a los extranjeros: a su grande hospitalidad ha debido siempre la Francia su alto grado de esplendor; a los extranjeros de todo el mundo que ha llamado la Rusia, ha debido el llegar a ser una de las primeras naciones en muchísimo menos tiempo que el que han tardado otras en llegar a ser las últimas; a los extranjeros han debido los Estados Unidos... Pero veo por sus gestos de usted —concluí interrumpiéndome oportunamente a mí mismo— que es muy difícil convencer al que está persuadido de que no se debe convencer. ¡Por cierto, si usted mandara, podríamos fundar en usted grandes esperanzas! La fortuna es que hay hombres que mandan más ilustrados que usted, que desean el bien de su país, y dicen: "Hágase el milagro, y hágalo el diablo". Con el Gobierno que en el día tenemos, no estamos ya en el caso de sucumbir a los ignorantes o a los mal intencionados, y quizás ahora se logre que las cosas vayan a mejor, aunque despacio, mal que les pese a los batuecos.

Concluida esta filípica, fuime en busca de mi Sans-délai.

—Me marcho, señor Fígaro —me dijo—. En este país *no hay tiempo* para hacer nada; sólo me limitaré a ver lo que haya en la capital de más notable.

—¡Ay! mi amigo —le dije—, idos en paz, y no queráis acabar con vuestra poca paciencia; mirad que la mayor parte de nuestras cosas no se ven.

—¿Es posible?

—¿Nunca me habéis de creer? Acordaos de los quince días...

Un gesto de monsieur Sans-délai me indicó que no le había gustado el recuerdo.

—*Vuelva usted mañana* —nos decían en todas partes—, porque hoy no se ve.

—Ponga usted un memorialito para que le den a usted permiso especial.

Era cosa de ver la cara de mi amigo al oír lo del memorialito: representábasele en la imaginación el informe, y el empeño, y los seis meses, y... Contentóse con decir:

—*Soy extranjero.* —¡Buena recomendación entre los amables compatriotas míos!

Aturdíase mi amigo cada vez más, y cada vez nos comprendía menos. Días y días tardamos en ver, a fuerza de esquelas y de *volver*, las pocas rarezas que tenemos guardadas. Finalmente, después de medio año largo, si es que puede haber un medio año más largo que otro, se restituyó mi recomendado a su patria maldiciendo de esta tierra, y dándome la razón que yo ya antes me tenía, y llevando al extranjero noticias excelentes de nuestras costumbres; diciendo sobre todo que en seis meses no había podido hacer otra cosa sino *volver siempre mañana*, y que a la vuelta de tanto *mañana*, eternamente futuro, lo mejor, o más bien lo único que había podido hacer bueno, había sido marcharse.

¿Tendrá razón, perezoso lector (si es que has llegado ya a esto que estoy escribiendo), tendrá razón el buen monsieur Sans-délai en hablar mal de nosotros y de nuestra pereza? ¿Será cosa de que *vuelva* el día de *mañana* con gusto a visitar nuestros hogares? Dejemos esta cuestión para mañana, porque ya estarás cansado de leer hoy: si mañana u otro día no tienes, como sueles, pereza de volver a la librería, pereza de sacar tu bolsillo, y pereza de abrir los ojos para hojear las hojas que tengo que darte todavía, te contaré cómo a mí mismo, que todo esto veo y conozco y callo mucho más, me ha sucedido muchas veces, llevado de esta influencia, hija del clima y *de otras causas*, perder de pereza más de una

245 conquista amorosa; abandonar más de una pretensión empezada, y las esperanzas de más
de un empleo, que me hubiera sido acaso, con más actividad, poco menos que asequible;
renunciar, en fin, por pereza de hacer una visita justa o necesaria, a relaciones sociales que
hubieran podido valerme de mucho en el transcurso de mi vida; te confesaré que no hay
negocio que no pueda hacer hoy que no deje para mañana; te referiré que me levanto a las
250 once, y duermo siesta; que paso haciendo el quinto pie de la mesa de un café, hablando o
roncando, como buen español, las siete y las ocho horas seguidas; te añadiré que cuando
cierran el café, me arrastro lentamente a mi tertulia diaria (porque de pereza no tengo más
que una), y un cigarrito tras otro me alcanzan clavado en un sitial, y bostezando sin cesar,
las doce o la una de la madrugada; que muchas noches no ceno de pereza, y de pereza no
255 me acuesto; en fin, lector de mi alma, te declararé que de tantas veces como estuve en esta
vida desesperado, ninguna me ahorqué y siempre fue de pereza. Y concluyo por hoy
confesándote que ha más de tres meses que tengo, como la primera entre mis apuntaciones,
el título de este artículo, que llamé: *Vuelva usted mañana*; que todas las noches y muchas tardes
he querido durante ese tiempo escribir algo en él, y todas las noches apagaba mi luz
260 diciéndome a mí mismo con la más pueril credulidad en mis propias resoluciones: *¡Eh,
mañana le escribiré!* Da gracias a que llegó por fin este mañana, que no es del todo malo; pero
¡ay de aquel mañana que no ha de llegar jamás!

Sugerencias para el análisis del artículo

1. ¿Dónde se observa el humor de Larra? Califica este humor. ¿Es irónico, sarcástico, caricaturesco? ¿Qué efecto tiene?

2. ¿Con qué finalidad introduce Larra a monsieur Sans-délai? ¿Cuál es la actitud del autor hacia el visitante extranjero?

3. ¿Por qué se introduce el narrador a sí mismo ("Bachiller") y alista sus defectos? ¿Qué efecto busca?

4. Comenta la frase "[algunos extranjeros imaginan] que nuestro carácter se conserva tan intacto como nuestras ruinas". ¿Qué piensa el narrador de las opiniones de los extranjeros?

5. Larra hace listas detalladas de ejemplos. ¿Son hiperbólicos? ¿Resultan convincentes? Discute.

6. Comenta el tono pesimista del artículo. Menciona evidencia para tus observaciones.

7. ¿Cuál es la crítica específica del artículo? ¿Cuál es la opinión general del autor sobre sus compatriotas?

Temas de discusión y ensayos

1. ¿Podrías mencionar algún periodista actual de la prensa o televisión que tiene alguna semejanza con Larra? ¿Se publicarían en los periódicos que tú conoces artículos parecidos a "Vuelva usted mañana"? ¿Cuál, crees tú, sería la reacción de los lectores ante este tipo de crítica?

2. Hay quien piensa que los defectos, junto con las virtudes nacionales, reflejan la peculiar personalidad de un país y que por tanto son atractivos e interesantes y se deben conservar. Por ejemplo, la pereza es reflejo de una actitud relajada; la impuntualidad va mano a mano con prioridades más importantes que la eficacia, etc. ¿Qué piensa Larra? ¿Qué piensas tú?

3. Cuando se critica un aspecto específico como si fuera general en una sociedad, se puede caer en el estereotipo. ¿Es ese el caso de Larra?

4. ¿Se limita Larra a criticar a los españoles? ¿Se pueden concluir de la lectura del artículo una crítica más generalizada?

5. ¿Nos hace sonreír o reír este artículo? ¿De dónde proviene el humor? ¿Piensas que está sonriendo también el narrador cuando lo cuenta? ¿Y el autor?

Actividades

1. Los estudiantes deben buscar algún aspecto específico de su generación que quieran criticar y escribir una breve historia. La historia debiera ser "costumbrista", reflejando en detalle tipos y reacciones. Pueden trabajar en grupos discutiendo juntos el tema, título, personajes, etc.

2. También pueden elegir un tema de crítica en la sociedad norteamericana en general y, con el método de Larra (observación detallada, humor, la introducción de un observador extranjero), escribir un artículo periodístico.

Gustavo Adolfo Bécquer

(1836-1870)

Datos biográficos

Nacido en Sevilla, Gustavo Adolfo Bécquer vivió una breve existencia marcada por la pérdida. Su padre, pintor de tipos y costumbres, murió cuando el joven tenía tan sólo cinco años. Su madre falleció al año siguiente. Bécquer quedó huérfano y sin dinero. Desde muy joven mostró grandes aficiones literarias. En el colegio y en casa de su madrina, era un gran lector de novelas, literatura clásica y textos de historia. A los diez años compuso con un compañero de clase su primera obra de teatro y, al poco tiempo, sus primeros versos. En 1854, a pesar de la oposición de algunos parientes, partió para Madrid con los bolsillos vacíos pero lleno de fe e ilusión. En la capital, con la que tanto había soñado, no logró éxito inmediato: padeció hambre, escaseces y enfermedades, pero también empezó a publicar sus *Leyendas* en una revista y a pintar esporádicamente. Sin embargo, no pudo vivir del arte y tuvo que trabajar de periodista y hasta de censor de novelas.

En 1861 conoció a Casta Esteban con quien se casaría un tiempo después. Los biógrafos de Bécquer han debatido extensamente la identidad de la amada de muchas *Rimas*. Se piensa que la inspiración para los poemas puede haber sido una mujer a quien había amado secreta y apasionadamente antes de conocer a Casta. Todos parecen estar de acuerdo con que la musa poética no fue su esposa. Pero la autenticidad histórica de la supuesta amada debe ponerse en tela de juicio, ya que ésta también puede haber sido una creación literaria. Lo que parece ser históricamente cierto es que alrededor de 1861 el joven escritor sufrió una crisis sentimental. El matrimonio no le trajo el alivio que tal vez buscaba. A los ocho años, tras el nacimiento de tres hijos, se separó de su esposa. Siempre de carácter enfermizo, Bécquer murió de tuberculosis a la edad de treinta y cuatro años, sin haber conseguido éxito ni reconocimiento como poeta. La fama llegaría un año después de su muerte cuando sus amigos publicaron las *Rimas*.

Las *Rimas*

La obra de Bécquer no es posible sin la lírica romántica que la precedió, pero tampoco se acomoda nítidamente a los límites y definiciones del Romanticismo. Comparte con este movimiento la temática (las ruinas, lo macabro, las tinieblas, el fracaso, por ejemplo), la voz del "yo" poético y un tono a veces melancólico. Sin embargo, carece de la grandilocuencia de las baladas históricas de un Espronceda y de la exaltación de figuras de rebeldía que se encuentran en la poesía del mismo. La poesía intimista de Bécquer, llamada *posromántica*, se arraiga no en aquella poesía romántica con el enfoque hacia el exterior, sino en la que dirige su mirada hacia un interior: una poesía que hace resaltar la visión única y subjetiva, sumamente personal, de un individuo.

Los poemas de *Rimas* no siguen el orden original que había fijado Bécquer en su colección originalmente titulada *Libro de los gorriones*. Fueron unos amigos quienes, después de la muerte del poeta, reorganizaron los poemas según su temática. Los cuatro temas, identificados por el escritor Gerardo Diego, según los cuales se dividen las *Rimas* son: el Arte, el amor afirmativo, el amor fracasado y el dolor.

Vista en conjunto, la colección se puede leer como un movimiento desde la celebración hasta el desengaño. Las cuatro partes, sin embargo, comparten semejanzas de léxico y de imágenes. La métrica de las *Rimas* es sencilla, alternando versos de once sílabas con los de siete. La sintaxis tiende a ser simple y la rima es a menudo asonante en los versos pares, siguiendo el patrón de los romances. La aparente falta de artificio hace resaltar el lenguaje de las *Rimas*, un lenguaje que insistentemente recurre a imágenes de lo efímero, lo transitorio, lo invisible, lo indefinible (el rumor, el sueño, el suspiro, el vapor, el eco, el murmullo). El lenguaje de Bécquer revela una estrategia poética particular: más que expresar directamente, Bécquer sugiere, insinúa. Lo hace en un tono íntimo y confesional, como si hablara en voz baja y en confidencia.

RIMA IV

No digáis que agotado[1] su tesoro
de asuntos[2] falta, enmudeció[3] la lira.[4]
Podrá no haber poetas; pero siempre
    habrá poesía.

1. exhausted
2. subject matter
3. grew silent
4. lyre

1. waves

2. jagged
3. dresses (subjuntivo de *vestir*)
4. lap

5   Mientras las ondas[1] de la luz al beso
       palpiten encendidas;
    mientras el sol las desgarradas[2] nubes
       de fuego y oro vista;[3]
    mientras el aire en su regazo[4] lleve
10   perfumes y armonías;
    mientras haya en el mundo primaveras,
       ¡habrá poesía!

5. manage to

    Mientras la ciencia a descubrir no alcance[5]
       las fuentes de la vida
15   y en el mar o en el cielo haya un abismo
       que al cálculo resista;
    mientras la humanidad, siempre avanzando,

6. *donde*

       no sepa a do[6] camina;
    mientras haya un misterio para el hombre,
20   ¡habrá poesía!

    Mientras sintamos que se alegra el alma,
       sin que los labios rían;

7. crying
8. comes

    mientras se llore sin que el llanto[7] acuda[8]
       a nublar la pupila;
25   mientras el corazón y la cabeza

9. continue

       batallando prosigan;[9]
    mientras haya esperanzas y recuerdos,
       ¡habrá poesía!

    Mientras haya unos ojos que reflejen
30   los ojos que los miran;

10. sighing

    mientras responda el labio suspirando[10]
       al labio que suspira;
    mientras sentirse puedan en un beso

11. souls

       dos almas[11] confundidas;
35   mientras exista una mujer hermosa,
       ¡habrá poesía!

Sugerencias para el análisis del poema

1. Haz un estudio del uso de las figuras retóricas en el poema, sobre todo la anáfora. ¿Qué efectos logran?

2. Analiza la variedad de tiempos verbales y su significado en el poema.

3. ¿Cómo se desarrolla el tema de la expresión artística?

4. Estudia las imágenes del poema, por ejemplo las figuras de la segunda estrofa: las "ondas de luz" y "desgarradas nubes". ¿Cómo se relacionan con el tema del poema?

5. Haz un contraste entre la figura del poeta y la idea, o el ideal, de la poesía.

6. ¿Cómo se relaciona la noción de misterio con el tema del poema?

7. ¿Se podría analizar la Rima IV como poema amoroso?

RIMA XI

"Yo soy ardiente, yo soy morena,
yo soy el símbolo de la pasión;
de ansia[1] de goces[2] mi alma está llena.
¿A mí me buscas?" "No es a ti, no."

1. longing
2. pleasures

5 "Mi frente es pálida; mis trenzas, de oro;
puedo brindarte[3] dichas[4] sin fin;
yo de ternura guardo un tesoro.
¿A mí me llamas?" "No; no es a ti."

3. provide you
4. joys

"Yo soy un sueño, un imposible,
10 vano fantasma de niebla y luz;
soy incorpórea,[5] soy intangible;
no puedo amarte." "¡Oh, ven; ven tú!"

5. without body or substance

Sugerencias para el análisis del poema

1. Analiza el paralelismo del último verso de las dos primeras estrofas y la ruptura de este paralelismo en la tercera. ¿Cuál es el efecto del cambio?

2. ¿Cuántas voces se representan en el poema? ¿Qué tipo de diálogo surge?

3. ¿Qué juego de pronombres se da en el poema?

4. Haz una reflexión sobre las descripciones físicas de las tres estrofas. ¿Qué ideales de belleza se presentan, o incluso se cuestionan, en el poema?

5. Compara la autodescripción de la voz que abre la última estrofa ("yo soy un sueño") con las anteriores. ¿Cuáles son las semejanzas y diferencias? ¿De qué manera se sustituyen los ideales de las primeras dos estrofas en la última?

6. Desarrolla el tema del amor afirmativo en el poema.

7. Estudia las imágenes de la Rima XI. ¿Qué predominan, las imágenes completas y claras o las vagas? ¿Qué efecto busca el poeta?

RIMA LIII

Volverán las oscuras golondrinas[1]
en tu balcón sus nidos[2] a colgar[3],
y otra vez con el ala[4] en sus cristales[5],
    jugando llamarán;

5   pero aquéllas que el vuelo refrenaban[6]
tu hermosura y mi dicha[7] al contemplar;
aquéllas que aprendieron nuestros nombres,
    ésas … ¡no volverán!

Volverán las tupidas[8] madreselvas[9]
10 de tu jardín las tapias[10] a escalar,
y otra vez a la tarde, aún mas hermosas,
    sus flores abrirán;

pero aquéllas cuajadas[11] de rocío[12],
cuyas gotas[13] mirábamos temblar
15 y caer, como lágrimas del día …,
    ésas … ¡no volverán!

Volverán del amor en tus oídos
las palabras ardientes a sonar;
tu corazón, de su profundo sueño
20   tal vez despertará;

pero mudo y absorto y de rodillas[14]
como se adora a Dios ante su altar,
como yo te he querido …, desengáñate[15],
    ¡así no te querrán!

1. swallows
2. nests
3. hang
4. wing
5. window panes
6. slowed down
7. joy
8. dense
9. honeysuckle
10. walls
11. full of
12. dew
13. drops
14. on my knees
15. open your eyes, don't be fooled

Sugerencias para el análisis del poema

1. Estudia la cuestión de los tiempos verbales en este poema. ¿Qué sentido tiene la alternancia de tiempos?

2. ¿De qué manera el paralelismo da sentido a la organización del poema? Analiza la estructura, teniendo en cuenta: las correlaciones entre las estrofas impares, por una parte, y las pares, por otra; y los contrastes entre las estrofas pares e impares.

3. ¿Qué efecto causa la repetición de la conjunción "y" en el verso 21? ¿Cómo se llama esta figura?

4. ¿Cuál es el tono del poema? Menciona con evidencia textual cómo lo crea el poeta.

5. ¿Por qué pertenece este poema al grupo de "amor fracasado"?

6. Contrasta lo perecedero y lo invariable en el poema. ¿Qué se define como fugaz y qué es constante?

Temas de discusión y ensayos para los tres poemas:

1. Discute el uso del paralelismo en cada una de las tres rimas. ¿Cuál es el objeto? ¿Cómo se denota un incremento de emoción?

2. Estudia el tratamiento del amor en los tres poemas. ¿Hay algún cambio significativo? ¿Se ve un progreso o una evolución?

3. Analiza las imágenes que se repiten en las Rimas IV y XI. ¿Cómo se caracterizan? ¿Se pueden visualizar? Comenta la selección del poeta.

4. Contrasta el tema del amor en la poesía de Bécquer y la del Siglo de Oro.

5. Compara la sonoridad y el estilo de "Canción del pirata" de Espronceda y de las rimas de Bécquer. ¿Cómo se comparan el romanticismo del uno y el posromanticismo del otro?

6. Relaciona la representación de la belleza femenina en la Rima XI de Bécquer y el Soneto XXIII de Garcilaso. ¿Cómo re-escribe Bécquer las imágenes poéticas típicas de la belleza? ¿Qué representación de la mujer te parece más lograda o apropiada? Discute tu opinión.

7. Compara la Rima IV de Bécquer con la "Oda a la alcachofa" de Neruda y discute la diferente visión de ambos poetas respecto a lo que constituye un objeto poético. En tu opinión, ¿existen objetos y temas poéticos y otros que no lo son? En caso afirmativo, ¿cuáles serían las características de un objeto poético? En caso negativo, ¿por qué no?

8. ¿En cuál de estas rimas se trata el tema clásico del paso del tiempo? ¿De qué manera es este tratamiento diferente del de los poetas del Siglo de Oro?

Actividades

1. Imitando "No digáis que agotado su tesoro", los estudiantes pueden añadir estrofas que terminen con el estribillo "habrá poesía".

2. Por grupos, los estudiantes escriben una cuarta parte para la Rima XI.

3. Los estudiantes dramatizan la Rima XI. Tres chicas recitan cada una de ellas una de las estrofas a un muchacho que responde.

José Martí

(1853-1895)

Datos biográficos

Hijo de una humilde familia española, José Martí nació en La Habana, Cuba, el 28 de enero de 1853. Bajo la influencia del autor y patriota Rafael María de Mendive, desde muy joven empezó a demostrar su talento para la literatura. A partir de 1868 publicó artículos y poemas en los periódicos. Un poema, "Abdala", la historia de un joven que pierde la vida defendiendo a su patria, anuncia el nacionalismo y el deseo de liberar a Cuba de España, asuntos que definen tanto su vida política como su obra literaria. Detenido en 1869 por escribir una carta criticando a un estudiante a quien consideró traidor a la patria por haber ingresado en el ejército español, Martí fue condenado a seis años de trabajos forzosos en el presidio hasta 1871, cuando fue deportado a España. Cursó estudios en Madrid y Zaragoza. De vuelta a Hispanoamérica, Martí trabajó de corresponsal para la *Revista Universal* y continuó escribiendo. Pasó algún tiempo en Guatemala como profesor de literatura y volvió a La Habana, pero fue deportado otra vez en 1879. Obligado a permanecer en el exilio, Martí finalmente estableció su residencia permanente en Nueva York. Allí participó en varias actividades políticas por la liberación de Cuba. Escribió artículos para los periódicos más importantes de Latinoamérica sobre acontecimientos de los Estados Unidos y ensayos sobre las figuras literarias norteamericanas más conocidas, como Whitman, Emerson y Twain. Publicó su primer volumen de poesía, *Ismaelillo*, en 1882. Redactó muchos de los que serían sus *Versos libres* (que no se editaron hasta después de su muerte) y en 1890 escribió los *Versos sencillos* que aparecieron al año siguiente.

A partir de 1890, Martí se centró en actividades políticas, arguyendo que era el momento propicio para liberar a su amada patria. Elegido delegado del Partido Revolucionario Cubano en 1892, pasó la mayor parte de su tiempo viajando, defendiendo causas patrióticas, pronunciando discursos y recaudando los fondos necesarios para la invasión de Cuba que estaba organizando. Fue nombrado general de las tropas revolucionarias, pero fue herido mortalmente por los españoles en una batalla en Dos Ríos, el 19 de mayo de 1895. Después de su muerte se convirtió en mártir de la independencia y héroe nacional de Cuba. Curiosamente, la figura y la obra de Martí han sido apropiadas como símbolos de identidad, tanto por los dirigentes de la Revolución Cubana de 1950 como por los representantes del exilio cubano en los Estados Unidos y otros países.

La poesía de Martí

La escritura martiana se distingue de la de sus contemporáneos no sólo con respecto a la poética, sino también a su dimensión política. Escribió que el arte debe "hacer llorar, sollozar, increpar, castigar, crujir la lengua, domada por el pensamiento, como la silla cuando la monta el jinete; eso entiendo yo por escribir. —No tocar una cuerda, sino todas las cuerdas—No sobresalir en la pintura de una emoción, sino en el arte de despertarlas todas". Leyó a los clásicos y a muchos autores latinoamericanos. Su obra registra también la influencia de los poetas franceses de finales del siglo XIX. De todos sacó su propia expresión personal de simplicidad y elegancia, insistiendo en la importancia de la música y de los colores, y tratando de armonizarlo todo. Para Martí los versos no eran meros adornos del pensamiento; siempre rechazó la idea del arte por el arte. Lo transcendió para crear una forma verdaderamente latinoamericana de expresión literaria. Sacudió el yugo de la versificación española tradicional e innovó la métrica y la rima. Los poemas de *Ismaelillo*, escritos en el exilio y dedicados a su hijo ausente que su mujer había llevado a Cuba, contienen una visión trágica, pesimista y casi surrealista de la vida. Los *Versos libres* son poemas muy íntimos, que cantan su dolor personal y universal en el presidio y en el exilio. Compuestos en los versos octosílabos típicos de la poesía popular española, los *Versos sencillos* tienen rima consonante y asonante y marcan un nuevo punto de partida para Martí, con un énfasis en la armonía y no tanto en el dolor. Estos versos, expresión madura del poeta, exploran sus ideales, su ética y sus principios literarios. Se distinguen de la poesía modernista de Darío, Casal y otros contemporáneos latinoamericanos, especialmente por su aspecto ideológico. Su poema "Dos patrias", por ejemplo, une un fuerte apego a la patria con el culto de la belleza, la expresión y la emoción, en una mezcla perfecta de vida y arte. A pesar del pesimismo reflejado en buena parte de su obra, Martí es un pensador idealista por su amor a la naturaleza y a la humanidad, así como por su defensa de un patriotismo que busca reconciliarse con un sentido de ciudadanía universal.

VERSOS SENCILLOS, I

Yo soy un hombre sincero
de donde crece la palma,
y antes de morirme quiero
echar mis versos del alma.

5   Yo vengo de todas partes,
y hacia todas partes voy:
Arte soy entre las artes,
en los montes, monte soy.

Yo sé los nombres extraños
10   de las yerbas y las flores,
y de mortales engaños,
y de sublimes dolores.

Yo he visto en la noche oscura
llover sobre mi cabeza
15   los rayos de lumbre[1] pura

1. fire, light

de la divina belleza.

Alas nacer vi en los hombros
de las mujeres hermosas:
Y salir de los escombros[1]
20   volando las mariposas.

He visto vivir a un hombre
con el puñal[2] al costado[3]
sin decir jamás el nombre
de aquella que lo ha matado.

25   Rápida, como un reflejo,
dos veces vi el alma, dos:
Cuando murió el pobre viejo,
cuando ella me dijo adiós.

Temblé una vez — en la reja[4],
30   a la entrada de la viña,—
cuando la bárbara abeja
picó en la frente a mi niña.

Gocé una vez, de tal suerte
que gocé cual nunca: — Cuando
35   la sentencia de mi muerte
leyó el alcaide[5] llorando.

Oigo un suspiro, a través
de las tierras y la mar,
y no es un suspiro,— es
40   que mi hijo va a despertar.

Si dicen que del joyero[6]
tome la joya mejor,
tomo a un amigo sincero
y pongo a un lado el amor.

45   Yo he visto al águila[7] herida
volar al azul sereno,
y morir en su guarida[8]
la víbora[9] del veneno.

1. rubbish, debris

2. dagger
3. side, flank

4. window grating

5. warden, jailer

6. jeweler

7. eagle

8. den, lair, hideout
9. viper

Yo sé bien que cuando el mundo
50 cede, lívido, al descanso,
sobre el silencio profundo
murmura el arroyo manso.

Yo he puesto la mano osada[1],
de horror y júbilo yerta[2],
55 sobre la estrella apagada
que cayó frente a mi puerta.

1. daring
2. inert

Oculto en mi pecho bravo
la pena que me lo hiere[3]:
El hijo de un pueblo esclavo
60 vive por él, calla y muere.

3. wounds

Todo es hermoso y constante,
todo es música y razón,
y todo, como el diamante,
antes que luz es carbón.

65 Yo sé que el necio[4] se entierra
con gran lujo y con gran llanto,
y que no hay fruta en la tierra
como la del camposanto[5].

4. fool

5. cemetery, churchyard

Callo, y entiendo, y me quito
70 la pompa del rimador:
Cuelgo de un árbol marchito[6]
mi muceta[7] de doctor.

6. withered, faded
7. cape

Sugerencias para el análisis del poema

1. Estos versos representan la primera parte de los *Versos sencillos*. Analiza el yo que canta, la aparente sencillez de sus palabras y sus experiencias con la naturaleza. La voz poética, ¿se representa como un individuo concreto o más bien como un espíritu universal?

2. ¿Cómo se relacionan las estrofas entre sí? ¿Forman una narración continua o son estrofas sueltas que encierran cada una su propio pensamiento o emoción?

3. Comenta la rima y la versificación. ¿Por qué habrá vuelto Martí a una forma poética tan tradicional después de sus innovaciones métricas?

4. ¿Qué cualidades humanas valora el poeta? Enumera las imágenes que evoca y las cualidades que éstas señalan.

5. Explica el empleo de "una vez" y "dos veces" en las estrofas 7, 8 y 9. ¿Cómo representa el poeta la noción del tiempo en estos versos? ¿Es abstracto y subjetivo, o concreto y objetivo?

6. Analiza las referencias a sus hijos en los versos 32 y 40. ¿Qué nos enseñan sobre el poeta como padre y como ser humano?

7. Finalmente, ¿te parece que Martí comunica una visión positiva o negativa de la naturaleza humana?

DOS PATRIAS

Dos patrias tengo yo: Cuba y la noche.
¿O son una las dos? No bien retira
su majestad el sol, con largos velos[1]
y un clavel[2] en la mano, silenciosa
5 Cuba cual viuda triste me aparece.
¡Yo sé cuál es ese clavel sangriento
que en la mano le tiembla! Está vacío
mi pecho, destrozado está y vacío
en donde estaba el corazón. Ya es hora
10 de empezar a morir. La noche es buena
para decir adiós. La luz estorba[3]
y la palabra humana. El universo
habla mejor que el hombre.
            Cual bandera
15 que invita a batallar, la llama roja
de la vela[4] flamea. Las ventanas
abro, ya estrecho en mí. Muda, rompiendo
las hojas del clavel, como una nube
que enturbia[5] el cielo, Cuba, viuda, pasa...

1. veils
2. carnation
3. bothers, hinders, obstructs
4. sail of a ship, candle
5. makes cloudy

Sugerencias para el análisis del poema

1. Analiza el primer verso del poema. Aunque es fácil entender que el poeta se refiera a Cuba como su patria, es menos evidente cómo la noche puede ser su patria. Explica cómo este poema expresa un exilio en dos dimensiones: una política y otra poética. ¿Son idénticas Cuba y la noche, o forman una unidad mayor que sus partes?

2. ¿Cómo une Martí la imagen de Cuba vestida de viuda con el anochecer?

3. ¿Qué revelan los puntos de exclamación sobre el significado simbólico del clavel sangriento? ¿Por qué ya está vacío el pecho del poeta? ¿Qué se le ha arrancado?

4. ¿De qué ha de morir el poeta? ¿Por qué parece ceder la palabra? ¿Cómo debemos interpretar los versos "El universo / Habla mejor que el hombre"?

5. ¿Cómo simboliza la revolución la referencia a la bandera y a la llama roja que flamea?

6. ¿Por qué se refiere el poeta a Cuba como "viuda" en el último verso?

7. Comenta el uso repetido del encabalgamiento en el poema.

Temas de discusión y ensayos para los dos poemas

1. "Dos patrias" forma parte del libro *Flores del destierro*. Pensando en el clavel, una de las imágenes centrales del poema, ¿por qué es apropiado el título del volumen?

2. Compara el retrato de la noche romántica, misteriosa y fúnebre en el poema "Dos patrias" con la descripción de la noche en "La noche boca arriba" de Cortázar.

3. En 1963, el cantautor norteamericano Pete Seeger recogió y tradujo algunas de las estrofas de los *Versos sencillos* de Martí para crear una nueva versión de la canción cubana "Guantanamera" compuesta por José Fernández Díaz. Escucha la canción y comenta su adaptación del poema de Martí. ¿Por qué los versos de Martí se prestan a fines revolucionarios?

Actividades

1. Muchas estrofas de los *Versos sencillos* forman imágenes tan sencillas pero tan claras que se las puede representar visualmente. Escoge dos o tres estrofas y dibuja lo que representan tratando de captar el significado profundo del poeta.

2. Puedes aprender la canción "Guantanamera" y discutir el porqué de su popularidad. Diversos grupos cubanos, diametralmente opuestos en su visión política, consideran suya esta canción. ¿A quién piensas tú que puede representar?

3. Elabora un mapa de las colonias españolas antes y después de las guerras independentistas latinoamericanas.

Ricardo Palma

(1833-1919)

Datos biográficos

Ricardo Palma nació en 1833 en Lima, Perú, en la década que siguió a la independencia del dominio español. Las ideas románticas de su época dejaron su huella tanto en la vida de Palma como en su obra. Impulsaron sus actividades políticas, desde un destierro en Chile, a causa de su implicación en un ataque al presidente Castilla, hasta su participación en guerras contra España y Chile. Inspiraron su admiración por la historia y le condujeron a la creación del género por el que es más conocido, las *tradiciones*.

Palma ocupó durante varias décadas el cargo de director de la Biblioteca Nacional de Lima, que había sido destruida al igual que su propia biblioteca por las fuerzas invasoras chilenas. Este trabajo le dio la oportunidad de leer libros y documentos antiguos, manuscritos y crónicas históricas de los que obtuvo anécdotas y relatos que serían una de las fuentes de sus escritos. Fue además de escritor y bibliotecario, periodista y político. Vivió en Chile y Argentina y viajó por Francia, Inglaterra, España y los Estados Unidos. Publicó su primera serie de *Tradiciones peruanas* entre 1872 y 1873 y tras su éxito siguieron otras colecciones que preparó regularmente hasta su muerte. Además de tradiciones, Palma escribió artículos, poemas y obras de teatro.

Las tradiciones de Palma

Aunque las tradiciones son un género original que merece su propia denominación, se puede trazar su génesis a diversas fuentes. Como el nombre indica, provienen de las historias, leyendas y crónicas, al igual que de la literatura histórica de la época romántica. El tono irónico y levemente satírico de las tradiciones debe tributo también a los grandes maestros del Siglo de Oro español, especialmente Cervantes y Quevedo, cuyo humor admiraba y de quienes se consideraba discípulo.

Se pueden describir las tradiciones como un paso intermedio entre el cuadro de costumbres y el cuento tradicional. Mezcla de realidad y ficción, narradas en un tono casi conversacional, buscan tanto entretener como informar y siempre hacen sonreír al lector. Situadas en tiempos variados, desde la época precolombina y colonial hasta el tiempo contemporáneo del autor, las tradiciones recrean una versión romántica del pasado peruano. Este subgénero, imitado por otros autores latinoamericanos, retrata las modas, costumbres sociales e idiosincrasias lingüísticas de los lugares y tiempos de la narración, descritas con detalle a la manera de los relatos costumbristas. Pero también narra una historia, a menudo interrumpida por una glosa sobre un detalle curioso o el origen de una palabra o dicho, a veces con un desenlace sorprendente.

Las tradiciones suelen ser narraciones en tres partes: un comienzo que puede ser una leyenda, hecho o dicho; una pausa para dar el escenario histórico o datos de interés sobre el protagonista; y un desarrollo y desenlace de la historia. Combina Palma una erudición conseguida a base de citar fuentes cuasi-históricas o el uso de expresiones en latín, con refranes, detalles prosaicos de interés anecdótico y también historias fantásticas que parecen salir de cuentos de hadas para niños. Narra estos elementos contrastantes con la misma naturalidad. El uso de las fuentes históricas ficticias (diarios de conquistadores, crónicas eclesiásticas o epitafios de lápidas) sirve para añadir un pretendido realismo a hechos frecuentemente increíbles.

Las tradiciones de Palma son conocidas tanto por el hecho de ser una innovación literaria como por su tono irónico. Se crea este tono por una mezcla de humor, lenguaje popular, burla benévola hacia sus personajes, leve parodia y sátira ligera de las épocas retratadas. Unamuno llegó a alabar el uso de la ironía de Palma como el mejor de la lengua castellana. A diferencia de la de otros escritores, esta ironía es invariablemente amable y llena de humor, puesta en boca de un narrador muy presente y humano.

EL ALACRÁN DE FRAY GÓMEZ

Cuando yo era muchacho oía con frecuencia a las viejas exclamar, ponderando el mérito y precio de una alhaja:

—¡Esto vale tanto como el alacrán de fray Gomez! Y explicar el dicho de las viejas, es lo que me propongo...

I

5   Este era un lego que desempeñaba en Lima, en el convento de los padres seráficos, las funciones de refitolero en la enfermería u hospital de los devotos frailes. El pueblo lo llamaba fray Gómez y fray Gómez lo llaman las crónicas conventuales, y la tradición lo conoce por fray Gómez. Creo que hasta en el expediente que para su beatificación y canonización existe en Roma no se le da otro nombre.

10   Fray Gómez hizo en mi tierra milagros a mantas, sin darse cuenta de ellos y como quién no quiere la cosa.

Sucedió que un día iba el lego por el puente, cuando un caballo desbocado arrojó sobre las losas al jinete. El infeliz quedó patitieso, con la cabeza rota y arrojando sangre por boca y narices.

15   —¡Se descalabró, se descalabró!—gritaba la gente—. ¡Que vayan a San Lázaro por el santo óleo!

Y todo era bullicio y alharaca.

Fray Gómez acercóse pausadamente al que yacía en la tierra, púsole sobre la boca el cordón de su hábito, echóle tres bendiciones, y sin más médico ni más botica el

20   descalabrado se levantó tan fresco, como si golpe no hubiera recibido.

—¡Milagro, milagro! ¡Viva fray Gomez! — exclamaron los espectadores.

Y en su entusiasmo intentaron llevar en triunfo al lego. Este, para substraerse a la popular ovación, echó a correr camino de su convento y se encerró en su celda.

La crónica franciscana cuenta esto último de manera distinta. Dice que fray Gómez,

25   para escapar de sus aplaudidores, se elevó en los aires y voló desde el puente hasta la torre de su convento. Yo ni lo niego ni lo afirmo. Puede que sí puede que no. Tratándose de maravillas, no gasto tinta en defenderlas ni en refutarlas.

Aquel día estaba fray Gómez en vena de hacer milagros, pues cuando salió de su celda se encaminó a la enfermería, donde encontró a San Francisco Solano acostado sobre una

30   tarima, víctima de una furiosa jaqueca. Pulsólo el lego y le dijo:

—Su paternidad está muy débil, y haría bien en tomar algún alimento.

—Hermano—contestó el santo—, no tengo apetito.

—Haga un esfuerzo, reverendo padre, y pase siquiera un bocado.

Y tanto insistió el refitolero, que el enfermo, por librarse de exigencias que picaban

35   ya en majadería, ideó pedirle lo que hasta para el virrey habría sido imposible conseguir, por no ser la estación propicia para satisfacer el antojo.

—Pues mire, hermanito, sólo comería con gusto un par de pejerreyes.

Fray Gómez metió la mano derecha dentro de la manga izquierda, y sacó un par de pejerreyes tan fresquitos que parecían acabados de salir del mar.

40 —Aquí los tiene su paternidad, y que en salud se le conviertan. Voy a guisarlos.

Y ello es que con los benditos pejerreyes quedó San Francisco curado como por ensalmo.

Me parece que estos dos milagritos de que acabo de ocuparme no son paja picada. Dejo en mi tintero otros muchos de nuestro lego, porque no me he propuesto relatar su
45 vida y milagros.

Sin embargo, apuntaré, para satisfacer curiosidades exigentes, que sobre la puerta de la primera celda del pequeño claustro, que hasta hoy sirve de enfermería, hay un lienzo pintado al óleo representando estos dos milagros, con la siguiente inscripción:

"El Venerable Fray Gómez.—Nació en Extremadura en 1560. Vistió el hábito en Chuquisaca en 1580.
50 *Vino a Lima en 1587.—Enfermero fué cuarenta años, ejercitando todas las virtudes, dotado de favores y dones celestiales. Fué su vida un continuado milagro. Falleció en 2 de mayo de 1631, con fama de santidad."*

Estaba una mañana fray Gómez en su celda entregado a la meditación, cuando dieron a la puerta unos discretos golpecitos, y una voz de quejumbroso timbre dijo:

—Deo gratias... ¡Alabado sea el Señor!

55 —Por siempre jamás, amén. Entre, hermanito—contestó fray Gómez.

Y penetró en la humildísima celda un individuo algo desarrapado, *vera effigies* del hombre a quien acongojan pobrezas, pero en cuyo rostro se dejaba adivinar la proverbial honradez del castellano viejo.

Todo el mobiliario de la celda se componía de cuatro sillones de vaqueta, una mesa
60 mugrienta, y una tarima sin colchón, sábanas ni abrigo, y con una piedra por cabezal o almohada.

—Tome asiento, hermano, y dígame sin rodeos lo que por acá lo trae—dijo fray Gómez.

—Es el caso, padre, que yo soy hombre de bien...

—Se le conoce y que persevere deseo, que así merecerá en esta vida terrena la paz de
65 la conciencia, y en la otra la bienaventuranza.

—Y es el caso que soy buhonero, que vivo cargado de familia y que mi comercio no cunde por falta de medios, que no por holgazanería y escasez de industria en mí.

—Me alegro, hermano, que a quien honradamente trabaja Dios le acude.

—Pero es el caso, padre, que hasta ahora Dios se me hace el sordo, y en acorrerme
70 tarda...

—No desespere, hermano, no desespere.

—Pues es el caso que a muchas puertas he llegado en demanda de un préstamo por quinientos duros, y todas las he encontrado cerradas. Y es el caso que anoche, en mis cavilaciones, yo mismo me dije a mí mismo: —¡Ea!, Jerónimo, buen ánimo y vete a pedirle
75 el dinero a fray Gómez, que si él lo quiere, mendicante y pobre como es, medio encontrará para sacarte del apuro. Y es el caso que aquí estoy y le pido y ruego que me preste esa suma insignificante por seis meses.

—¿Cómo ha podido imaginarse, hijo, que en esta triste celda encontraría ese caudal?

—Es el caso, padre, que no acertaría a responderle; pero tengo fe en que no me dejará
ir desconsolado.

—La fe lo salvará, hermano. Espere un momento.

Y paseando los ojos por las desnudas y blanqueadas paredes de la celda, vió un
alacrán que caminaba tranquilamente sobre el marco de la ventana. Fray Gómez arrancó
una página de un libro viejo, dirigióse a la ventana, cogió con delicadeza a la sabandija, la
envolvió en el papel, y tornándose hacia el castellano viejo le dijo:

—Tome, buen hombre, y empeñe esta alhajita; no olvide, sí, devolvérmela dentro de
seis meses.

El buhonero se deshizo en frases de agradecimiento, se despidió de fray Gómez y más
que de prisa se encaminó a la tienda de un usurero.

La joya era espléndida, verdadera alhaja de reina morisca, por decir lo menos. Era un
prendedor figurando un alacrán. El cuerpo lo formaba una magnífica esmeralda engarzada
sobre oro, y la cabeza un grueso brillante con dos rubíes por ojos.

El usurero, que era hombre conocedor, vió la alhaja con codicia, y ofreció al
necesitado adelantarle dos mil duros por ella; pero nuestro español se empeñó en no
aceptar otro préstamo que el de quinientos duros por seis meses, y con un interés
exorbitante. Se extendieron y firmaron los documentos, acariciando el prestamista la
esperanza de que a la postre el dueño de la prenda acudiría por más dinero, que con el
recargo de intereses lo convertiría en propietario de joya tan valiosa por su mérito
intrínseco y artístico.

Pero con este capitalito le fué a Jerónimo tan prósperamente en su comercio, que a la
terminación del plazo pudo desempeñar la prenda, y, envuelta en el mismo papel en que la
recibiera, se la devolvió a fray Gómez.

Este tomó el alacrán, lo puso sobre el alféizar de la ventana, le echó una bendición y
dijo:

—Animalito de Dios, sigue tu camino.

Y el alacrán echó a andar libremente por las paredes de la celda.

Sugerencias para el análisis del cuento

1. Explica las tres partes del cuento y el propósito de cada una.

2. Comenta los recursos que usa el autor para dar verosimilitud al relato.

3. Supuestamente el cuento sirve para explicar a un amigo del narrador el origen de un par
   de dichos populares que se refieren al "alacrán de fray Gómez". ¿Crees que estos dichos
   realmente existen? ¿Por qué justifica así Palma el cuento?

4. Antes de empezar el relato sobre el alacrán, Palma pasa casi la mitad del cuento dando la
   historia personal del fraile. ¿Por qué nos da tanta información?

5. ¿Qué fuentes cita el narrador? En tu opinión, ¿qué efecto tiene el uso de estas fuentes
   "históricas"?

6. El narrador usa varias expresiones populares y palabras coloquiales en el cuento. ¿Puedes encontrarlas y comentarlas? ¿Por qué emplea este lenguaje?

7. También usa frecuentemente diminutivos. ¿Qué efecto tienen sobre el tono de la tradición?

8. ¿Cuáles son las dos versiones de cómo escapa fray Gómez tras resucitar al jinete muerto? ¿Por qué no afirma el narrador ni un hecho ni el otro?

9. Haz una comparación entre los milagros de esta narración y los milagros bíblicos.

Temas de discusión y ensayos

1. ¿Cómo crea el autor el personaje de fray Gómez? ¿Qué detalles utiliza el narrador para darle su personalidad? ¿Son detalles verosímiles? ¿Qué correspondencia hay entre su carácter y la importancia (o carencia de importancia) de los milagros que ejecuta?

2. Al igual que Borges en varios cuentos ("El acercamiento a Almotásim", "Pierre Menard, autor del Quijote", "Tlön, Uqbar, Orbis Tertius", entre otros), Palma crea fuentes ficticias que trata como verdaderas dentro de la narración. Compara el uso de estas referencias en los dos autores.

3. ¿En qué se parece esta narración a un cuadro costumbrista y en qué se parece a un cuento?

4. ¿Qué aspectos de la sociedad de la época se pueden aprender a través de esta narración?

5. Examina los contrastes en lenguaje (coloquial y culto). Cita ejemplos específicos. ¿Qué efecto busca Palma? ¿Lo consigue?

6. ¿Cuál es el tono del cuento? ¿Cómo se consigue? Incluye al narrador en tu discusión.

7. Comenta el efecto en el lector de esta tradición. En conjunto, ¿te parece realista o fantástica?, ¿popular o culta?, ¿humorística o seria?

Actividad

Seleccionar, a la manera de Palma, expresiones comunes en inglés y escribir una "tradición" sobre su origen con pretendidas fuentes históricas, humor y detalles. Ejemplos: *All work and no play make Jack a dull boy, It is not over until the fat lady sings, For Pete's sake!*

Leopoldo Alas (Clarín)

(1852-1901)

Datos biográficos

Uno de los escritores españoles más notables del siglo XIX, Leopoldo Alas, conocido por el seudónimo de "Clarín," vivió gran parte de su vida en Oviedo, capital provinciana de Asturias, una región montañosa del norte de España. Se instaló durante una temporada en Madrid, donde ejerció sus estudios y participó en múltiples polémicas intelectuales. El desagrado provocado por su estancia en la capital española tiene su manifestación literaria en varios cuentos en los que Madrid aparece como fuerza amenazadora. Clarín prefirió, por tanto, regresar a las provincias y permanecer lejos de los grandes círculos intelectuales. Sin embargo, sus ideas y escritos tuvieron gran repercusión en el país entero.

Clarín era excéntrico, sensible y tímido de personalidad, pero lúcido, comprometido y temible como escritor. Además de autor de cuentos y novelas, ejerció también el papel de periodista y crítico literario, todo mientras servía de catedrático en la Facultad de Derecho de Oviedo. No le trajo gran fama su producción narrativa hasta después de su muerte, pero sus artículos sobre la sociedad española, que perpetúan la tradición de Larra en su intento de revelar los graves problemas de la sociedad contemporánea, fueron muy conocidos y discutidos. Tal vez por su ideología republicana, Clarín tendía como crítico literario a defender a los escritores de tendencias liberales y a criticar a los conservadores. Aun así, sus lúcidos juicios tanto sobre la literatura como la política y la sociedad han sido respetados hasta el día de hoy.

La rica vida literaria de Clarín quedó cortada por su muerte temprana a la edad de 49 años.

La narrativa de Clarín

La narrativa de Clarín se debe clasificar entre el realismo y el naturalismo. Utiliza a veces técnicas naturalistas, como las descripciones sumamente detalladas, casi fotográficas, pero sin caer en la noción naturalista del determinismo radical de los personajes. Su obra maestra *La Regenta*, publicada en 1884, muestra especialmente la influencia del naturalista francés Émile Zola.

En esta novela y en múltiples cuentos, Clarín experimenta con la técnica del *estilo indirecto libre* que también utiliza su admirado amigo, el escritor Benito Pérez Galdós. En esta técnica, el narrador se apropia de los pensamientos y del estilo de expresión de los personajes y los transmite tal cuales, no como si formaran parte de un diálogo sino como si el narrador pudiera adentrarse en la mente de sus mismos personajes. En "¡Adiós, Cordera!" destaca también la experimentación con el papel del tradicional narrador omnisciente.

En sus obras, Clarín promueve a menudo acerbas críticas de la corrupción y mentira social. Otros temas comunes son los problemas filosóficos y religiosos, el contraste entre el campo y la ciudad —o la ciudad provinciana y la metrópoli— y el papel de la imaginación.

¡ADIÓS, CORDERA!

Eran tres: ¡siempre los tres! Rosa, Pinín y la Cordera. El prao Somonte era un recorte triangular de terciopelo verde tendido, como una colgadura, cuesta abajo por la loma. Uno de sus ángulos, el inferior, lo despuntaba el camino de hierro de Oviedo a Gijón. Un palo del telégrafo, plantado allí como pendón de conquista, con sus jícaras blancas y sus alambres paralelos, a derecha e izquierda, representaba para Rosa y Pinín el ancho mundo desconocido, misterioso, temible, eternamente ignorado. Pinín, después de pensarlo mucho, cuando a fuerza de ver días y días el poste tranquilo, inofensivo, campechano, con ganas, sin duda, de aclimatarse en la aldea y parecerse todo lo posible a un árbol seco, fue atreviéndose con él, llevó la confianza al extremo de abrazarse al leño y trepar hasta cerca de los alambres. Pero nunca llegaba a tocar la porcelana de arriba, que le recordaba las jícaras que había visto en la rectoral de Puao. Al verse tan cerca del misterio sagrado, le acometía un pánico de respeto, y se dejaba resbalar deprisa hasta tropezar con los pies en el césped.

Rosa, menos audaz, pero más enamorada de lo desconocido, se contentaba con arrimar el oído al palo del telégrafo, y minutos, y hasta cuartos de hora, pasaba escuchando los formidables rumores metálicos que el viento arrancaba a las fibras del pino seco en contacto con el alambre. Aquellas vibraciones, a veces intensas como las del diapasón, que, aplicado al oído, parece que quema con su vertiginoso latir, eran para Rosa los papeles que pasaban, las cartas que se escribían por los hilos, el lenguaje incomprensible que lo ignorado hablaba con lo ignorado; ella no tenía curiosidad por entender lo que los de allá, tan lejos, decían a los del otro extremo del mundo. ¿Qué le importaba? Su interés estaba en el ruido por el ruido mismo, por su timbre y su misterio.

La Cordera, mucho más formal que sus compañeros, verdad es que, relativamente, de edad también mucho más madura, se abstenía de toda comunicación con el mundo civilizado, y miraba de lejos el palo del telégrafo como lo que era para ella efectivamente, como cosa muerta, inútil, que no le servía siquiera para rascarse. Era una vaca que había vivido mucho. Sentada horas y horas, pues, experta en pastos, sabía aprovechar el tiempo, meditaba más que comía, gozaba del placer de vivir en paz, bajo el cielo gris y tranquilo de su tierra, como quien alimenta el alma, que también tienen los brutos; y si no fuera profanación, podría decirse que los pensamientos de la vaca matrona, llena de experiencia, debían de parecerse todo lo posible a las más sosegadas y doctrinales odas de Horacio.

Asistía a los juegos de los pastorcicos encargados de llindarla, como una abuela. Si pudiera, se sonreiría al pensar que Rosa y Pinín tenían por misión en el prado cuidar de que ella, la Cordera, no se extralimitase, no se metiese por la vía del ferrocarril ni saltara a la heredad vecina. ¡Qué había de saltar! ¡Qué se había de meter!

Pastar de cuando en cuando, no mucho, cada día menos, pero con atención, sin perder el tiempo en levantar la cabeza por curiosidad necia, escogiendo sin vacilar los mejores bocados, y, después, sentarse sobre el cuarto trasero con delicia, a rumiar la vida, a gozar el deleite del no padecer, del dejarse existir: esto era lo que ella tenía que hacer, y todo lo

40 demás aventuras peligrosas. Ya no recordaba cuándo le había picado la mosca.

"El *xatu* (el toro), los saltos locos por las praderas adelante... ¡todo eso estaba tan lejos!"

Aquella paz sólo se había turbado en los días de prueba de la inauguración del ferrocarril. La primera vez que la Cordera vio pasar el tren, se volvió loca. Saltó la sebe de
45 lo más alto del Somonte, corrió por prados ajenos, y el terror duró muchos días, renovándose, más o menos violento, cada vez que la máquina asomaba por la trinchera vecina. Poco a poco se fue acostumbrando al estrépito inofensivo. Cuando llegó a convencerse de que era un peligro que pasaba, una catástrofe que amenazaba sin dar, redujo sus precauciones a ponerse en pie y a mirar de frente, con la cabeza erguida, al formidable
50 monstruo; más adelante no hacía más que mirarle, sin levantarse, con antipatía y desconfianza; acabó por no mirar al tren siquiera.

En Pinín y Rosa, la novedad del ferrocarril produjo impresiones más agradables y persistentes. Si al principio era una alegría loca, algo mezclada de miedo supersticioso, una excitación nerviosa, que les hacía prorrumpir en gritos, gestos, pantomimas descabelladas,
55 después fue un recreo pacífico, suave, renovado varias veces al día. Tardó mucho en gastarse aquella emoción de contemplar la marcha vertiginosa, acompañada del viento, de la gran culebra de hierro, que llevaba dentro de sí tanto ruido y tantas castas de gentes desconocidas, extrañas.

Pero telégrafo, ferrocarril, todo eso, era lo de menos: un accidente pasajero que se
60 ahoga en el mar de soledad que rodeaba el prao Somonte. Desde allí no se veía vivienda humana; allí no llegaban ruidos del mundo más que al pasar el tren. Mañanas sin fin, bajo los rayos del sol a veces, entre el zumbar de los insectos, la vaca y los niños esperaban la proximidad del mediodía para volver a casa. Y luego, tardes eternas, de dulce tristeza silenciosa, en el mismo prado, hasta venir la noche, con el lucero vespertino por testigo
65 mudo en la altura. Rodaban las nubes allá arriba, caían las sombras de los árboles y de las peñas en la loma y en la cañada, se acostaban los pájaros, empezaban a brillar algunas estrellas en lo más oscuro del cielo azul, y Pinín y Rosa, los niños gemelos, los hijos de Antón de Chinta, teñida el alma de la dulce serenidad soñadora de la solemne y seria Naturaleza, callaban horas y horas, después de sus juegos, nunca muy estrepitosos,
70 sentados cerca de la Cordera, que acompañaba el augusto silencio de tarde en tarde con un blando son de perezosa esquila.

En este silencio, en esta calma inactiva, había amores. Se amaban los dos hermanos como dos mitades de un fruto verde, unidos por la misma vida, con escasa conciencia de lo que en ellos era distinto, de cuanto los separaba; amaban Pinín y Rosa a la Cordera, la
75 vaca abuela, grande, amarillenta, cuyo testuz parecía una cuna. La Cordera recordaría a un poeta la *zavala* del Ramayana, la vaca santa; tenía en la amplitud de sus formas, en la solemne serenidad de sus pausados y nobles movimientos, aires y contornos de ídolo destronado, caído, contento con su suerte, más satisfecha con ser vaca verdadera que dios falso. La Cordera, hasta donde es posible adivinar estas cosas, puede decirse que también
80 quería a los gemelos encargados de apacentarla.

Era poco expresiva; pero la paciencia con que los toleraba cuando en sus juegos ella les servía de almohada, de escondite, de montura, y para otras cosas que ideaba la fantasía de los pastores, demostraba tácitamente el afecto del animal pacífico y pensativo.

En tiempos difíciles, Pinín y Rosa habían hecho por la Cordera los imposibles de
85 solicitud y cuidado. No siempre Antón de Chinta había tenido el prado Somonte. Este regalo era cosa relativamente nueva. Años atrás, la Cordera tenía que salir a *la gramática*, esto es, apacentarse como podía, a la buena ventura de los caminos y callejas de las rapadas y escasas praderías del común, que tanto tenían de vía pública como de pastos. Pinín y Rosa, en tales días de penuria, la guiaban a los mejores altozanos, a los parajes más tranquilos y
90 menos esquilmados, y la libraban de las mil injurias a que están expuestas las pobres reses que tienen que buscar su alimento en los azares de un camino.

En los días de hambre, en el establo, cuando el heno escaseaba, y el narvaso para estrar el lecho caliente de la vaca faltaba también, a Rosa y a Pinín debía la Cordera mil industrias que le hacían más suave la miseria. ¡Y qué decir de los tiempos heroicos del parto y la cría,
95 cuando se entablaba la lucha necesaria entre el alimento y regalo de la nación y el interés de los Chintos, que consistía en robar a las ubres de la pobre madre toda la leche que no fuera absolutamente indispensable para que el ternero subsistiese! Rosa y Pinín, en tal conflicto, siempre estaban de parte de la Cordera, y en cuanto había ocasión, a escondidas, soltaban el recental, que, ciego y como loco, a testaradas contra todo, corría a buscar el
100 amparo de la madre, que le albergaba bajo su vientre, volviendo la cabeza agradecida y solícita, diciendo, a su manera:

—Dejad a los niños y a los recentales que vengan a mí.

Estos recuerdos, estos lazos, son de los que no se olvidan.

Añádase a todo que la Cordera tenía la mejor pasta de vaca sufrida del mundo.
105 Cuando se veía emparejada bajo el yugo con cualquier compañera, fiel a la gamella, sabía someter su voluntad a la ajena, y horas y horas se la veía con la cerviz inclinada, la cabeza torcida, en incómoda postura, velando en pie mientras la pareja dormía en tierra.

* * *

Antón de Chinta comprendió que había nacido para pobre cuando palpó la imposibilidad de cumplir aquel sueño dorado suyo de tener un corral propio con dos
110 yuntas por lo menos. Llegó, gracias a mil ahorros, que eran mares de sudor y purgatorios de privaciones, llegó a la primera vaca, la Cordera, y no pasó de ahí; antes de poder comprar la segunda se vio obligado, para pagar atrasos al amo, el dueño de la casería que llevaba en renta, a llevar al mercado a aquel pedazo de sus entrañas, la Cordera, el amor de sus hijos. Chinta había muerto a los dos años de tener la Cordera en casa. El establo y la cama del
115 matrimonio estaban pared por medio, llamando pared a un tejido de ramas de castaño y de cañas de maíz. La Chinta, musa de la economía en aquel hogar miserable, había muerto mirando a la vaca por un boquete del destrozado tabique de ramaje, señalándola como salvación de la familia.

"Cuidadla, es vuestro sustento", parecían decir los ojos de la pobre moribunda, que murió extenuada de hambre y de trabajo.

El amor de los gemelos se había concentrado en la Cordera; el regazo, que tiene su cariño especial, que el padre no puede reemplazar, estaba al calor de la vaca, en el establo, y allá, en el Somonte.

Todo esto lo comprendía Antón a su manera, confusamente. De la venta necesaria no había que decir palabra a los *neños*.

Un sábado de julio, al ser de día, de mal humor, Antón echó a andar hacia Gijón, llevando la Cordera por delante, sin más atavío que el collar de esquila. Pinín y Rosa dormían. Otros días había que despertarlos a azotes. El padre los dejó tranquilos. Al levantarse se encontraron sin la Cordera. "Sin duda, *mio pá* la había llevado al *xatu.*" No cabía otra conjetura. Pinín y Rosa opinaban que la vaca iba de mala gana; creían ellos que no deseaba más hijos, pues todos acababa por perderlos pronto, sin saber cómo ni cuándo.

Al oscurecer, Antón y la Cordera entraban por la corrada mohínos, cansados y cubiertos de polvo. El padre no dio explicaciones, pero los hijos adivinaron el peligro.

No había vendido, porque nadie había querido llegar al precio que a él se le había puesto en la cabeza. Era excesivo: un sofisma del cariño. Pedía mucho por la vaca para que nadie se atreviese a llevársela. Los que se habían acercado a intentar fortuna se habían alejado pronto echando pestes de aquel hombre que miraba con ojos de rencor y desafío al que osaba insistir en acercarse al precio fijo en que él se abroquelaba. Hasta el último momento del mercado estuvo Antón de Chinta en el Humedal, dando plazo a la fatalidad. "No se dirá, pensaba, que yo no quiero vender: son ellos que no me pagan la Cordera en lo que vale." Y, por fin, suspirando, si no satisfecho, con cierto consuelo, volvió a emprender el camino por la carretera de Candás adelante, entre la confusión y el ruido de cerdos y novillos, bueyes y vacas, que los aldeanos de muchas parroquias del contorno conducían con mayor o menor trabajo, según eran de antiguo las relaciones entre dueños y bestias.

En el Natahoyo, en el cruce de dos caminos, todavía estuvo expuesto el de Chinta a quedarse sin la Cordera; un vecino de Carrió que le había rondado todo el día ofreciéndole pocos duros menos de los que pedía, le dio el último ataque, algo borracho.

El de Carrió subía, subía, luchando entre la codicia y el capricho de llevar la vaca. Antón, como una roca. Llegaron a tener las manos enlazadas, parados en medio de la carretera, interrumpiendo el paso...

Por fin, la codicia pudo más; el pico de los cincuenta los separó como un abismo; se soltaron las manos, cada cual tiró por su lado; Antón, por una calleja que, entre madreselvas que aún no florecían y zarzamoras en flor, le condujo hasta su casa.

* * *

Desde aquel día en que adivinaron el peligro, Pinín y Rosa no sosegaron. A media semana se personó el mayordomo en el corral de Antón. Era otro aldeano de la misma parroquia, de malas pulgas, cruel con los caseros atrasados. Antón, que no admitía reprimendas, se puso lívido ante las amenazas de desahucio.

El amo no esperaba más. Bueno, vendería la vaca a vil precio, por una merienda.

Había que pagar o quedarse en la calle.

Al sábado inmediato acompañó al Humedal Pinín a su padre. El niño miraba con horror a los contratistas de carnes, que eran los tiranos del mercado. La Cordera fue comprada en su justo precio por un rematante de Castilla. Se la hizo una señal en la piel y volvió a su establo de Puao, ya vendida, ajena, tañendo tristemente la esquila. Detrás caminaban Antón de Chinta, taciturno, y Pinín, con ojos como puños. Rosa, al saber la venta, se abrazó al testuz de la Cordera, que inclinaba la cabeza a las caricias como al yugo.

"¡Se iba la vieja!" —pensaba con el alma destrozada Antón el huraño.

"Ella ser, era una bestia, pero sus hijos no tenían otra madre ni otra abuela."

Aquellos días en el pasto, en la verdura del Somonte, el silencio era fúnebre. La Cordera, que ignoraba su suerte, descansaba y pacía como siempre, *sub specie aeternitatis*, como descansaría y comería un minuto antes de que el brutal porrazo la derribase muerta. Pero Rosa y Pinín yacían desolados, tendidos sobre la hierba, inútil en adelante. Miraban con rencor los trenes que pasaban, los alambres del telégrafo. Era aquel mundo desconocido, tan lejos de ellos por un lado y por otro, el que les llevaba su Cordera.

El viernes, al oscurecer, fue la despedida. Vino un encargado del rematante de Castilla por la res. Pagó; bebieron un trago Antón y el comisionado, y se sacó a la quintana la Cordera. Antón había apurado la botella; estaba exaltado; el peso del dinero en el bolsillo le animaba también. Quería aturdirse, hablaba mucho, alababa las excelencias de la vaca. El otro sonreía, porque las alabanzas de Antón eran impertinentes. ¿Que daba la res tantos y tantos *xarros* de leche? ¿Que era noble en el yugo, fuerte con la carga? ¿Y qué, si dentro de pocos días había de estar reducida a chuletas y otros bocados suculentos? Antón no quería imaginar esto; se la figuraba viva, trabajando, sirviendo a otro labrador, olvidada de él y de sus hijos, pero viva, feliz... Pinín y Rosa, sentados sobre el montón de cucho, recuerdo para ellos sentimental de la Cordera y de los propios afanes, unidos por las manos, miraban al enemigo con ojos de espanto. En el supremo instante se arrojaron sobre su amiga; besos, abrazos: hubo de todo. No podían separarse de ella. Antón, agotada de pronto la excitación del vino, cayó como un marasmo; cruzó los brazos, y entró en el corral oscuro. Los hijos siguieron un buen trecho por la calleja, de altos setos, el triste grupo del indiferente comisionado y la Cordera, que iba de mala gana con un desconocido y a tales horas. Por fin, hubo que separarse. Antón, malhumorado, clamaba desde casa:

—Bah, bah, *neños*, acá vos digo; basta de pamemes —así gritaba de lejos el padre con voz de lágrimas.

Caía la noche; por la calleja oscura que hacían casi negra los altos setos, formando casi bóveda, se perdió el bulto de la Cordera, que parecía negra de lejos. Después no quedó de ella más que el tintán pausado de la esquila, desvanecido con la distancia, entre los chirridos melancólicos de cigarras infinitas.

—¡Adiós. Cordera! —gritaba Rosa deshecha en llanto—. ¡Adiós, Cordera de mío alma!

—¡Adiós, Cordera! —repetía Pinín, no más sereno.

—Adiós —contestó por último, a su modo, la esquila, perdiéndose su lamento triste, resignado, entre los démas sonidos de la noche de julio en la aldea.

* * *

200   Al día siguiente, muy temprano, a la hora de siempre, Pinín y Rosa fueron al prao Somonte. Aquella soledad no lo había sido nunca para ellos hasta aquel día. El Somonte sin la Cordera parecía el desierto.

    De repente silbó la máquina, apareció el humo, luego el tren. En un furgón cerrado, en unas estrechas ventanas altas o respiraderos, vislumbraron los hermanos gemelos cabezas
205 de vacas que, pasmadas, miraban por aquellos tragaluces.

    —¡Adiós, Cordera! —gritó Rosa, adivinando allí a su amiga, a la vaca abuela.

    —¡Adiós, Cordera! —vociferó Pinín con la misma fe, enseñando los puños al tren, que volaba camino de Castilla.

    Y, llorando, repetía el rapaz, más enterado que su hermana de las picardías del
210 mundo:

    —La llevan al matadero... Carne de vaca, para comer los señores, los curas... los indianos...

    —¡Adiós, Cordera!

    —¡Adiós, Cordera!

215   Y Rosa y Pinín miraban con rencor la vía, el telégrafo, los símbolos de aquel mundo enemigo, que les arrebataba, que les devoraba a su compañera de tantas soledades, de tantas ternuras silenciosas, para sus apetitos, para convertirla en manjares de ricos glotones...

    —¡Adiós, Cordera!...

    —¡Adiós, Cordera!...

* * *

220   Pasaron muchos años. Pinín se hizo mozo y se lo llevó el rey. Ardía la guerra carlista. Antón de Chinta era casero de un cacique de los vencidos; no hubo influencia para declarar inútil a Pinín, que, por ser, era como un roble.

    Y una tarde triste de octubre, Rosa, en el prao Somonte, sola, esperaba el paso del tren correo de Gijón, que le llevaba a sus únicos amores, su hermano. Silbó a lo lejos la
225 máquina, apareció el tren en la trinchera, pasó como un relámpago. Rosa, casi metida por las ruedas, pudo ver un instante en un coche de tercera multitud de cabezas de pobres quintos que gritaban, gesticulaban, saludando a los árboles, al suelo, a los campos, a toda la patria familiar, a la pequeña, que dejaban para ir a morir en las luchas fratricidas de la patria grande, al servicio de un rey y de unas ideas que no conocían.

230   Pinín, con medio cuerpo fuera de una ventanilla, tendió los brazos a su hermana; casi se tocaron. Y Rosa pudo oír entre el estrépito de las ruedas y la gritería de los reclutas la voz distinta de su hermano, que sollozaba, exclamando, como inspirado por un recuerdo de dolor lejano:

    —¡Adiós, Rosa!... ¡Adiós, Cordera!

235   —¡Adiós, Pinín! ¡Pinín de mío alma!...

    "Allá iba, como la otra, como la vaca abuela. Se lo llevaba el mundo. Carne de vaca para los glotones, para los indianos; carne de su alma, carne de cañón para las locuras del mundo, para las ambiciones ajenas."

Entre confusiones de dolor y de ideas, pensaba así la pobre hermana viendo el tren
240 perderse a lo lejos, silbando triste, con silbido que repercutían los castaños, las vegas y los
peñascos...

¡Qué sola se quedaba! Ahora sí, ahora sí que era un desierto el prao Somonte.

—¡Adiós, Pinín! ¡Adiós, Cordera!

Con qué odio miraba Rosa la vía manchada de carbones apagados; con qué ira a los
245 alambres del telégrafo. ¡Oh!, bien hacía la Cordera en no acercarse. Aquello era el mundo,
lo desconocido, que se lo llevaba todo. Y sin pensarlo, Rosa apoyó la cabeza sobre el palo
clavado como un pendón en la punta del Somonte. El viento cantaba en las entrañas del
pino seco su canción metálica. Ahora ya lo comprendía Rosa. Era canción de lágrimas, de
abandono, de soledad, de muerte.

250 En las vibraciones rápidas, como quejidos, creía oír, muy lejana, la voz que sollozaba
por la vía adelante:

—¡Adiós, Rosa! ¡Adiós, Cordera!

Sugerencias para el análisis del cuento

1. ¿Cómo transmite el narrador los pensamientos íntimos de los personajes? Estudia las particularidades del narrador omnisciente.

2. Analiza la oposición en este cuento entre el "prao Somonte" y el mundo de fuera que desconocen Rosa y Pinín. ¿Con qué se asocia cada uno de los espacios? Céntrate en detalles concretos como, por ejemplo, la diferencia entre "el árbol seco" del primer párrafo y los montes donde viven los niños.

3. ¿Qué elementos unen los dos espacios? ¿Qué representan estos elementos y qué importancia tienen en el cuento?

4. ¿Cómo se anticipa la pérdida de la Cordera?

5. Analiza el paralelismo entre las dos despedidas del cuento.

6. ¿Qué connotaciones y resonancias tiene el nombre "Cordera" que los hermanos usan para la vaca y en la despedida final?

Temas de discusión y ensayos

1. Comenta las circunstancias directas e indirectas que causan la soledad de los hermanos. ¿Cómo se enfrentan a ella?

2. Estudia el tema de la familia en "¡Adiós Cordera!" Analiza las figuras del padre, la madre y Cordera en relación con los niños.

3. Observa el uso de regionalismos y palabras coloquiales ¿Qué efecto busca el autor?

4. ¿De qué modo sería diferente la situación de los niños si vivieran en "la ciudad"?

5. ¿Cuál es el trasfondo histórico del cuento que obliga a Pinín a abandonar el pueblo? (Consulta la introducción histórica.)

6. En tu opinión, ¿qué le interesa más a Clarín, la descripción del grupo social o la de los personajes? ¿Cómo es, específicamente, la sociedad retratada? ¿Es su influencia fuerte o puede ser superada?

7. ¿Qué elementos realistas o naturalistas encuentras en este relato?

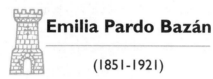

Emilia Pardo Bazán

(1851-1921)

Datos biográficos

Los éxitos literarios de Emilia Pardo Bazán son numerosos y sorprendentes, pero destacan todavía más cuando se considera que, como mujer escritora, se enfrentaba contra las costumbres y los prejuicios de toda una época. Es probable que la ventaja de la posición social y económica de su familia haya sido la clave sin la cual no hubiese podido viajar, estudiar ni escribir tal como hizo. Aun con estos privilegios, sobresale Pardo Bazán como una figura que ha abierto caminos al quebrar moldes aceptados, tanto en términos de género sexual como de técnica literaria.

Nació Pardo Bazán en La Coruña, ciudad de Galicia, en una familia aristocrática y adinerada. A pesar de vivir durante un periodo cuando la educación de la mujer era habitualmente restringida, fue ávida lectora y pudo desarrollar su gran talento literario desde muy joven. A los 16 años, se casó con José Quiroga, estudiante de derecho a cuyo lado continuó sus lecturas y empezó a escribir. Tuvo también la oportunidad de viajar por Francia, Inglaterra e Italia y, en el proceso, estudiar los idiomas y las respectivas literaturas de otros países europeos. Algunas de ellas, como la francesa y la rusa, tuvieron gran influencia en su obra.

Ya casada y con hijos, se instaló definitivamente en Madrid, donde participó activamente en la vida social literaria. Su inteligencia y desenvoltura le ganaron el respeto de muchos escritores del siglo XIX, entre los que se encuentran Clarín, Galdós y Blasco Ibáñez. Aun así, sus opiniones, publicadas o no, causaron también gran polémica. Su libro *La cuestión palpitante*, en el que exponía y criticaba la nueva corriente del naturalismo del escritor francés Emile Zola, causó escándalo, no por su opinión negativa, sino por la mera asociación con Zola. Además, Pardo Bazán fue ardiente defensora, tanto con palabras como con obras, de los derechos de la mujer. Luchó infatigablemente para que recibiera la misma educación que los hombres y pudiera ejercer las mismas profesiones que éstos y creó la Biblioteca de Mujeres. Sus comentarios sobre la posición problemática de la mujer española, tanto a través de los temas de su ficción como en sus ensayos, fueron muy discutidos. Cuando su mismo esposo llegó a oponerse a su carrera literaria, en vez de abandonarla, Pardo Bazán eligió dejarle a él. Se separó de su marido y permaneció en Madrid con sus tres hijos, continuando su trabajo intelectual.

A pesar de su reconocida importancia como intelectual y escritora, de haber llegado a ser presidente de la Sección de Literatura del Ateneo de Madrid y de haber sido nombrada la primera mujer catedrática de España (fue profesora de literatura francesa en la Universidad Central), Pardo Bazán nunca sería aceptada como miembro de la Real Academia de la Lengua. Murió a los 69 años después de una prolífica vida, a la que se atribuyen cada vez más tanto la introducción de innovaciones técnicas en la literatura como la aportación del feminismo a los círculos intelectuales.

La narrativa de Pardo Bazán

Es difícil clasificar a Pardo Bazán como representante de un género literario y mucho menos de un estilo. Entre otros géneros, destacan las novelas (su obra maestra se considera *Los pazos de Ulloa*), cientos de cuentos breves, ensayos de crítica literaria, múltiples tratados sobre cuestiones sociales en España y un libro de poemas dedicado a su hijo Jaime. Algunos de los temas que trata en sus obras son la explotación social, la violencia doméstica, la desigualdad económica y la situación de la mujer tanto en el ambiente rural como en el urbano.

El estilo de su narrativa de ficción también varía, aunque siempre dentro de los marcos del realismo. Pardo Bazán es sobre todo conocida como una de los principales representantes en España del naturalismo. También minuciosamente detallado, el naturalismo de Pardo Bazán se separa del de Zola al ser menos determinista. Pardo Bazán como católica se opuso a la teoría que negaba al hombre el libre albedrío. Los personajes de Pardo Bazán, aunque frecuentemente limitados por su ambiente, no parecen estar tan severamente apresados como los del escritor francés. En su crítica de Zola, Pardo Bazán también alude a su preferencia personal por una literatura que enaltezca la realidad. Sin embargo, al estilo naturalista, tiende también a representar escenas sórdidas y desagradables con una precisión exacta. La violencia, frecuentemente sufrida por mujeres, surge a menudo de estos contextos. En todos sus escritos, Pardo Bazán muestra una gran capacidad de observación, unida a una penetrante visión de la realidad social que describe con vigor y atrevimiento. Este es el caso del cuento "Las medias rojas".

LAS MEDIAS ROJAS

Cuando la rapaza entró, cargada con el haz de leña que acababa de merodear en el monte del señor amo, el tío Clodio no levantó la cabeza, entregado a la ocupación de picar un cigarro, sirviéndose, en vez de navaja, de una uña córnea, color de ámbar oscuro, porque la había tostado el fuego de las apuradas colillas.

5   Ildara soltó el peso en tierra y se atusó el cabello, peinado a la moda "de las señoritas" y revuelto por los enganchones de las ramillas que se agarraban a él. Después, con la lentitud de las faenas aldeanas, preparó el fuego, lo prendió, desgarró las berzas, las echó en el pote negro, en compañía de unas patatas mal troceadas y de unas judías asaz secas, de la cosecha anterior, sin remojar. Al cabo de estas operaciones, tenía el tío Clodio liado su

10 cigarrillo, y lo chupaba desgarbadamente, haciendo en los carrillos dos hoyos como

sumideros, grises, entre el azuloso de la descuidada barba.

Sin duda la leña estaba húmeda de tanto llover la semana entera, y ardía mal, soltando una humareda acre; pero el labriego no reparaba: al humo ¡bah!, estaba él bien hecho desde niño. Como Ildara se inclinase para soplar y activar la llama, observó el viejo cosa más insólita: algo de color vivo, que emergía de las remendadas y encharcadas sayas de la moza... Una pierna robusta, aprisionada en una media roja, de algodón...

—¡Ey! ¡Ildara!

—¡Señor padre!

—¿Qué novidá es esa?

—¿Cuál novidá?

—¿Ahora me gastas medias, como la hirmán del abade?

Incorporóse la muchacha, y la llama, que empezaba a alzarse, dorada, lamedora de la negra panza del pote, alumbró su cara redonda, bonita, de facciones pequeñas, de boca apetecible, de pupilas claras, golosas de vivir.

—Gasto medias, gasto medias —repitió sin amilanarse—. Y si las gasto, no se las debo a ninguén.

—Luego nacen los cuartos en el monte —insistió el tío Clodio con amenazadora sorna.

—¡No nacen!... Vendí al abade unos huevos, que no dirá menos él... Y con eso merqué las medias.

Una luz de ira cruzó por los ojos pequeños, engarzados en duros párpados, bajo cejas hirsutas, del labrador... Saltó del banco donde estaba escarrancado, y agarrando a su hija por los hombros, la zarandeó brutalmente, arrojándola contra la pared, mientras barbotaba:

—¡Engañosa! ¡engañosa! ¡Cluecas andan las gallinas que no ponen!

Ildara, apretando los dientes por no gritar de dolor, se defendía la cara con las manos. Era siempre su temor de mociña guapa y requebrada, que el padre la mancase, como le había sucedido a la Mariola, su prima, señalada por su propia madre en la frente con el aro de la criba, que le desgarró los tejidos. Y tanto más defendía su belleza, hoy que se acercaba el momento de fundar en ella un sueño de porvenir. Cumplida la mayor edad, libre de la autoridad paterna, la esperaba el barco, en cuyas entrañas tanto de su parroquia y de las parroquias circunvecinas se habían ido hacia la suerte, hacia lo desconocido de los lejanos países donde el oro rueda por las calles y no hay sino bajarse para cogerlo. El padre no quería emigrar, cansado de una vida de labor, indiferente de la esperanza tardía: pues que se quedase él... Ella iría sin falta; ya estaba de acuerdo con el gancho, que le adelantaba los pesos para el viaje, y hasta le había dado cinco de señal, de los cuales habían salido las famosas medias... Y el tío Clodio, ladino, sagaz, adivinador o sabedor, sin dejar de tener acorralada y acosada a la moza, repetía:

—Ya te cansaste de andar descalza de pie y pierna, como las mujeres de bien, ¿eh, condenada? ¿Llevó medias alguna vez tu madre? ¿Peinóse como tú, que siempre estás dale que tienes con el cacho de espejo? Toma, para que te acuerdes...

Y con el cerrado puño hirió primero la cabeza, luego, el rostro, apartando las medrosas manecitas, de forma no alterada aún por el trabajo, con que se escudaba Ildara, trémula. El cachete más violento cayó sobre un ojo, y la rapaza vio como un cielo estrellado, miles de puntos brillantes envueltos en una radiación de intensos coloridos sobre un negro terciopeloso. Luego, el labrador aporreó la nariz, los carrillos. Fue un instante de furor, en que sin escrúpulo la hubiese matado, antes que verla marchar, dejándole a él solo, viudo, casi imposibilitado de cultivar la tierra que llevaba en arriendo, que fecundó con sudores tantos años, a la cual profesaba un cariño maquinal, absurdo. Cesó al fin de pegar; Ildara, aturdida de espanto, ya no chillaba siquiera.

Salió fuera, silenciosa, y en el regato próximo se lavó la sangre. Un diente bonito, juvenil, le quedó en la mano. Del ojo lastimado, no veía.

Como que el médico, consultado tarde y de mala gana, según es uso de labriegos, habló de un desprendimiento de la retina, cosa que no entendió la muchacha, pero que consistía... en quedarse tuerta.

Y nunca más el barco la recibió en sus concavidades para llevarla hacia nuevos horizontes de holganza y lujo. Los que allá vayan, han de ir sanos, válidos, y las mujeres, con sus ojos alumbrando y su dentadura completa...

Sugerencias para el análisis del cuento

1. ¿Cómo presenta el narrador a Ildara con respecto a su belleza y a su estilo de vestir y peinarse? Compara su apariencia, aludiendo a los términos específicos que emplea el narrador, con la descripción que hace el tío Clodio de su esposa.

2. Haz una lista de los trabajos que realiza Ildara en el cuento. ¿Qué demuestran las labores sobre la situación socio-económica de la muchacha?

3. ¿Te parece apropiado el título del cuento? ¿Por qué se les da tanta importancia a las medias rojas? ¿Qué significan para los diferentes personajes del cuento? ¿Cómo pueden ser algo positivo y a la vez tan negativo? Menciona en tu respuesta al tío Clodio, Ildara y "el gancho".

4. Interpreta la frase del tío Clodio: "Luego nacen los cuartos en el monte". ¿Cuál es la insinuación contenida en la referencia al dinero?

5. Compara la aldea con los "lejanos países" de los sueños de Ildara. ¿Con qué se asocian los distintos espacios en la imaginación de Ildara?

6. Analiza el castigo que recibe Ildara al final del cuento. ¿Qué significa para ella la pérdida de su belleza? ¿Qué significa para su padre? ¿Por qué había temido Ildara la violencia física?

7. Compara el lenguaje del narrador con el de Ildara y su padre. ¿Cuál es el efecto de la selección de palabras? ¿Qué nos indica sobre los personajes?

8. ¿Por qué usa Pardo Bazán tantos regionalismos y coloquialismos? ¿Qué efecto logra?

9. Describe la realidad social que presenta la autora. Menciona algunos aspectos importantes de este grupo social.

Temas de discusión y ensayo

1. De los numerosos temas de este relato, la tensión entre la libertad y el control, la violencia doméstica, los problemas económicos, la represión de la mujer, ¿cuál es en tu opinión el más importante?

2. Discute la economía verbal de Pardo Bazán. Encuentra ejemplos de frases en las que con pocas palabras se expresan algunos de los temas del cuento.

3. Examina las diferencias entre las figuras masculinas y femeninas en el cuento. ¿Se dividen nítidamente en tipos?

4. ¿Piensas que la violencia representada en el cuento es una ocurrencia rara en el contexto de la aldea? Razona tu respuesta.

5. Discute la representación de la pérdida de belleza en "Las medias rojas" y los poemas de Garcilaso, Góngora y Quevedo. ¿Cuáles son las semejanzas? ¿Qué elementos nuevos introduce Pardo Bazán?

6. Contrasta la situación de Ildara con la de las hijas de *La casa de Bernarda Alba*. Observa los diferentes deseos y las posibilidades de escape en las dos narrativas.

7. Compara personajes, grupos sociales y estilo de "Adiós Cordera" y "Las medias rojas".

8. Analiza los elementos realistas y naturalistas de este relato.

Actividades

1. ¿Quién podría ser comparable a Pardo Bazán en los Estados Unidos? Los estudiantes nombran mujeres americanas pioneras de la pluma y de la cultura que rompieron moldes.

2. Estudiar en un mapa de España la situación y características geográficas de Asturias (donde pasa "Adiós Cordera") y Galicia (escena de "Las medias rojas"). Observar su relativo aislamiento del resto de España para entender el porqué del habla regional distinta del castellano.

EL SIGLO XX

1. Contexto histórico: Violencia e inestabilidad política

A la llegada del siglo, en la mayor parte de los países hispanos el poder está concentrado en un caudillo o dictador. Sólo Colombia, Uruguay y Chile tienen regímenes que se pudieran considerar democráticos. Sin embargo, hay cierta estabilidad política en varias repúblicas.

México vive "el porfiriato", la larga dictadura de Porfirio Díaz que dura desde 1876 hasta 1911. Porfirio Díaz favorece hasta el extremo la llegada de capital e industria del exterior, facilitando así una situación en la que compañías extranjeras, especialmente de Estados Unidos, dominan la industria del país[1]. El precio de esta estabilidad y prosperidad para algunos es una dura represión de toda opinión o actividad contraria al gobierno, a la par que la continuada pobreza de la mayoría. El final del porfiriato lo provoca una auténtica rebelión popular que clama por recobrar las tierras usurpadas de los indios (el mismo grito de guerra del padre Hidalgo un siglo antes) en la que Emiliano Zapata es el primer líder popular de una guerra civil que dura muchos años. La llamada Revolución Mexicana trae reformas en la distribución de la tierra, educación e incluso arte (Orozco, Diego Rivera y Siqueiros reviven el antiguo arte azteca de los murales para representar su interpretación de la historia y vida mexicana), y sus consecuencias siguen vigentes todavía.

Venezuela tiene su régimen paralelo al porfiriato: la larga y represiva regla de Juan Vicente Gómez desde 1908 hasta 1935. De nuevo, la política de favorecer la inversión extranjera y la irrupción de dineros debida a la exportación de petróleo no traen mejoras para la población en general. El gobierno utiliza su poder para mantener el orden y mantenerse a sí mismo. A su muerte se suceden una serie de regímenes en los que las fuerzas armadas van a ser el factor decisivo.

El ejército va a tener también una influencia crucial en los países del Sur, Argentina y Chile. Argentina, un país de grandes recursos naturales y culturales, había gozado de un largo periodo de crecimiento económico el último tercio del XIX y principios del XX. Juan Domingo Perón, elegido presidente desde 1946 a 1955 y también de 1973 a 1974, va a ser una de las figuras más destacadas y debatidas de su historia. Criticado a veces por sus tácticas y por su asociación con las fuerzas armadas, Perón propone reformas sociales que favorecen al trabajador y es ayudado por la enorme popularidad de su esposa Evita. Al peronismo le siguen intervenciones militares y la Guerra Sucia de finales de los años 80 cuando miles de personas disidentes "desaparecen", el restablecimiento de la democracia en 1984 y ruina económica. Chile, paralelamente, ve terminada su experimentación democrática cuando en 1973 el presidente Salvador Allende es derrocado por un golpe militar encabezado por el general Augusto Pinochet, quien a continuación asume el poder. Durante su régimen (1973-1989) Pinochet cambia radicalmente la estructura económica

---

[1] Porfirio Díaz debió él mismo pensar los riesgos de su política cuando dijo la famosa frase: "¡Pobre México! ¡Tan lejos de Dios y tan cerca de los Estados Unidos!"

del país, pero su dominio se sostiene a base de represión y violaciones de los derechos humanos. En consecuencia, en este país también "desaparecen" numerosos disidentes durante los años ochenta.

Perú, Colombia y Bolivia comparten con el resto del continente una difícil búsqueda de soluciones democráticas, el intervencionismo económico y político de los Estados Unidos, la rápida actuación de unas fuerzas armadas represivas y la devastación de guerrillas endémicas. Después de la fragmentación de la Gran Colombia imaginada por Bolívar, Colombia se ve sumida en dos guerras civiles: la primera, de 1899 a 1902, cobra 100,000 vidas; la segunda, conocida como "La violencia", abarca desde 1949 hasta 1957 y es todavía más devastadora. En las últimas décadas del siglo XX, los problemas de este país han aumentado tomando la forma de una lucha constante entre militares, guerrilleros y paramilitares, un tráfico de drogas creciente, además de violencia callejera. En Perú, el siglo XX inicia un periodo de poder que oscila siempre entre unos oligarcas y otros. Sin embargo, a pesar de la creciente distancia entre ricos y pobres, surgen voces importantes (Manuel González Prada, José Carlos Maritegui) que critican la opresión del pueblo que es mayoritariamente de descendencia indígena. Los años 80 son testigo de un fuerte deterioro del país que padece una crisis económica, la expansión del narcotráfico y el terrorismo fomentado sobre todo por los movimientos revolucionarios Tupac Amaru y Sendero Luminoso.

Centroamérica tiene una historia especialmente turbulenta en el siglo XX. Inestables geográfica y políticamente, los pequeños países de Honduras, El Salvador, Guatemala, Panamá y Nicaragua han sufrido innumerables represiones a sus intentos de reforma y una guerra civil interminable entre el ejército y las guerrillas. Tomando como ejemplo a Guatemala, los sucesivos gobiernos desde su independencia hasta mediados del siglo XX se caracterizan por su tiranía, violencia y discriminación contra intelectuales unos, contra jesuitas otros y contra los indígenas casi todos. El tirano tal vez más temido es Manuel Estrada Cabrera que además permite durante su gobierno (1898-1920) que varias empresas alemanas y la United Fruit Company se apropien de una enorme cantidad de tierra agrícola. El poder de los gobiernos que siguen está ligado a los intereses de la UFC y así se crea en el país una situación inestable que eventualmente cede a la aparición de guerrillas y más violencia. Sólo Costa Rica, único país latinoamericano sin ejército, ha mantenido una paz y desarrollo constantes. Cuba, que junto con la República Dominicana, tiene la distinción de un régimen dictatorial extraordinariamente corrupto (Batista en Cuba, de 1933 a 1944 y de 1952 a 1958; Trujillo en la República Dominicana, de 1930 a 1961), busca su solución en la revolución que lidera Fidel Castro. Castro, un "caudillo" del tradicional corte latinoamericano que con mano dura y represiva busca soluciones a los males endémicos de pobreza y desigualdad social, sigue al frente de la isla desde 1959.

También para la Península el siglo XX trae cambios substanciales. Cuba y Puerto Rico habían seguido bajo dominio español hasta 1898. Este año España pierde ambas, junto con Filipinas. La independencia de estos países es notablemente dolorosa. Marca el final incontestable del imperio español. Pone de relieve también la existencia de un nuevo imperio, el de los Estados Unidos de América. Cuando los norteamericanos toman el papel de líderes ayudando a Cuba, el carácter de anteriores guerras de independencia cambia. Como lo indica el nombre por el que se conoce la guerra de la independencia cubana en EE.UU. (Spanish American War), el enemigo de España es el país "bárbaro" que la prensa española desdeña como incapaz de vencer al viejo imperio español. Al terminar la guerra con la derrota española –llamada "el Desastre" en la península–, un tono de pesimismo y desilusión sucede al triunfalismo anterior. Hay una reevaluación del ideario español, y numerosos escritores y políticos ponen en cuestión los preceptos y principios de la vida y alma de un país y un imperio que quizá nunca habían sido como se pretendía.

El siglo XX se inicia, así, en España con un profundo malestar y división. A la par que muchos españoles herederos del liberalismo de las Cortes de Cádiz quieren traer soluciones democráticas, apertura a Europa y rechazo de los valores religiosos y tradicionales, otros luchan apasionadamente por mantenerlos. Una España dividida[1] sobrevive durante varias décadas de conflicto, desorden social y búsqueda vana de soluciones políticas que culminan con el estallido de la Guerra Civil de 1936. El general Franco, con un levantamiento militar contra la Segunda República destinado a traer la ley, el orden y los valores tradicionales, y que él pensaba tendría efecto en pocos días, inicia una sangrienta contienda que dura tres años. Sus consecuencias, además de cuantiosas pérdidas humanas y la ruina del país, son una división más profunda que nunca y la muerte o exilio de gran parte de la élite intelectual. A la guerra suceden 36 años del régimen de Franco. Ya antes de su muerte, ocurrida en 1975, hay signos de la inevitable transformación y modernización del país, en la economía, educación y perspectiva social. Tras su muerte, y de manera totalmente pacífica, se instala finalmente en España una democracia que es sólida, estable y reconocedora de la pluralidad de sus regiones y de sus gentes.

2. Escenario cultural: Individualismo y riqueza literaria

El siglo XX se distingue por una gran diversidad ideológica y artística de grupos e individuos. Es difícil encontrar en él, tal vez debido en parte a nuestra proximidad, las tendencias unificadoras que hallamos en previos siglos. Por ello hablaremos de generaciones y de preferencias, pero la mayor parte de los escritores escapan una fácil clasificación.

El movimiento poético llamado *Modernismo* es una de las excepciones, por ser un fenómeno con el que se identifican un número de poetas. Introducido en España por la pluma del poeta nicaragüense **Rubén Darío**, el Modernismo cambia totalmente la poesía española de su tiempo. En el breve tiempo que dura, influye también en la prosa y el teatro y continuará siendo un elemento fundamental en la evolución posterior de la poesía. El Modernismo es, en su origen, una reacción al espíritu y estilo realistas de la segunda mitad del siglo XIX. Como a su vez, el Realismo era una reacción al Romanticismo, la poesía modernista tiene puntos en común con la romántica:

---

[1] El poeta **Antonio Machado** se hace eco de esta división en un poema de *Proverbios y Cantares*:

Ya hay un español que quiere
vivir, y a vivir empieza
entre una España que muere
y otra España que bosteza.

Españolito que vienes
al mundo, te guarde Dios.
Una de las dos Españas
ha de helarte el corazón.

el espíritu de rebeldía, la búsqueda de originalidad, la evocación del pasado legendario, ambientes refinados y decadentes. Además, el Modernismo recupera la exaltación de los valores estéticos y da comienzo a un proyecto de renovación y experimentación. La poética modernista explora el valor sugestivo de las imágenes, el color, la musicalidad de los sonidos, introduce el verso libre y otros poco usados. La Belleza, el arte por el arte, son su credo. Al poeta cubano José Martí se le puede considerar miembro de la primera generación americana modernista, pero el más conocido es Rubén Darío.

Contemporáneos de los modernistas son los miembros de la Generación del 98, llamada así en recuerdo del "Desastre". El grupo del 98, entre los que se encuentra **Miguel de Unamuno**, también tiene unos rasgos comunes, fundamentalmente su inquietud por España, sus reflexiones periodísticas en forma de ensayos y su exaltación del paisaje castellano. Puesto en términos generales: si en los modernistas predomina la preocupación y renovación estética, en la Generación del 98 sobresale el estudio filosófico y autorreflexivo; y si los modernistas miran hacia tradiciones y movimientos franceses y latinoamericanos, la preocupación repetida, casi obsesiva, de los del 98 es el problema de España. Es muy discutido si al poeta **Antonio Machado**, a quien Darío había influido al principio de su carrera, se le puede considerar miembro del grupo. Su visión crítica, y preocupación por la situación de España de algunos poemas le acercan a él, pero en conjunto, su trayectoria y temática son totalmente individuales.

El grupo del 27 abarca a unos jóvenes poetas amigos que celebran ese año el tercer centenario de la muerte de Góngora. No forman escuela estética y lo que más les une es su amistad y la circunstancia de colaborar en las mismas revistas y vivir en Madrid. Sí tienen en común el hecho de que desean una renovación poética –dentro cada uno de su estilo individual– que se inspira a veces en la poesía popular y otras en la altamente estilística de Góngora. Así, **Federico García Lorca**, autor del *Romancero gitano*, busca a través del surrealismo de *Poeta en Nueva York* una innovación atrevida, libre asociación de imágenes y metáforas sorprendentes.

La Guerra Civil española rompe en el año 36 las actividades artísticas de una generación sobresaliente de escritores y músicos. Algunos de ellos mueren, otros muchos van al exilio, nutriendo las universidades americanas. En la postguerra y hasta nuestros días no faltan notables prosistas, poetas o escritores de teatro, y en torno a los años cincuenta surge de nuevo una brillante generación de novelistas. Entre ellos, hay varias mujeres, Ana María Matute y **Carmen Martín Gaite**, por ejemplo.

La explosión de la literatura latinoamericana

Es cuestionable seguir hablando de literatura latinoamericana, en vez de usar el adjetivo de cada país, con la actual riqueza nacional de producción literaria. El hecho, sin embargo, de que haya una literatura en un idioma común, el español, y de que esta literatura sea profundamente original y distinta de la peninsular, justifica este término. Existe además el fenómeno de un estallido literario que ha lanzado a Latinoamérica a la primera fila y vanguardia narrativas, con una originalidad y fuerza poderosas: **Horacio Quiroga**, con sus cuentos realistas y dramáticos, va a ser brillante exponente y precursor del género emblemático latinoamericano, la narrativa breve. **Jorge Luis Borges**, el argentino universal, lleva a sus lectores a disquisiciones intelectuales insospechadas. **Juan Rulfo** en México, Alejo Carpentier en Cuba, **Julio Cortázar** en Argentina, **Carlos Fuentes** en México, Vargas Llosa en Perú, **Gabriel García Márquez** en Colombia, por citar algunos nombres, crean sus propios mundos, a la vez intensamente locales y universales, fantásticos y reales, líricos y dramáticos. Crean también modos sorprendentes de ver la realidad y de representarla. El llamado *realismo mágico o real maravilloso*[1], que mezcla con naturalidad y minuciosidad lo fantástico y lo cotidiano, es tanto una actitud vital como una técnica narrativa. La oposición y crítica a la sociedad contemporánea está también en la raíz de esta narrativa singular[2].

La poesía y el teatro tienen asimismo abundantes representantes en este siglo. Entre ellos hay que destacar al poeta chileno **Pablo Neruda**, al peruano César Vallejo, al cubano **Nicolás Guillén** y al autor dramático **Sergio Vodanovic**. Las mujeres escritoras han encontrado finalmente su propia voz y amplia audiencia: herederas de pioneras como Gabriela Mistral, **Alfonsina Storni** y **Julia de Burgos**, que encontraron dificultades en sus vidas y en el oficio de escribir, hoy día **Rosario Castellanos** y Elena Poniatowska en México, Rosario Ferré y Ana Lydia Vega en Puerto Rico, Luisa Valenzuela en Argentina o la chilena **Isabel Allende**, son unos pocos nombres de las muchas voces femeninas que se expresan con valor, humor o dolor.

Finalmente, en EE.UU., donde el español es la segunda lengua del país y donde la presencia hispana es cada día más patente, numerosos escritores latinos escriben en español, en inglés –o en una mezcla de ambos– para una audiencia que crece a diario. **Sabine Ulibarrí** es un hispano residente en Estados Unidos que ha utilizado y sigue utilizando el español para su creación literaria.

3. Los escritores

Rubén Darío

(1867-1916)

Datos biográficos

En la aldea de Metapa, Nicaragua, nació el 18 de enero de 1867 Félix Rubén García Sarmiento, hoy conocido como Rubén Darío, el poeta más influyente de Latinoamérica. Desde muy niño era precoz; leía ya a los tres años. Su pasión era la poesía y a los trece años empezó a publicar sus poemas en periódicos. En pocos años ya era conocido en Centroamérica. Un viaje a Chile en 1886 fue decisivo para el desarrollo de su voz poética: la vida cosmopolita que encontró allí, tan diferente de la vida provincial que conocía de joven, revolucionó su visión. Sus amigos chilenos lo introdujeron a los poetas franceses simbolistas y parnasianos y conoció a los poetas norteamericanos Poe y Whitman, que lo influyeron profundamente. El resultado de estas

---

[1] La expresión *real maravilloso* fue creada por Alejo Carpentier quien afirmaba que la representación realista no refleja la asombrosa realidad del mundo americano y que lo real maravilloso se acerca mucho más a un retrato fiel.

[2] Cortázar dijo que el primer deber del escritor revolucionario es ser revolucionario como escritor, es decir, crear un modo de narrar nuevo que refleje mejor la complejidad de nuestro tiempo.

revoluciones del espíritu poético fue *Azul* (1888), su primer volumen poético de importancia.

Después de la publicación de *Azul*, Darío fue nombrado corresponsal de *La Nación* de Buenos Aires, uno de los periódicos más importantes de Hispanoamérica, puesto que ocupó hasta su muerte y que le permitió continuar su carrera poética. Entre 1892 y 1893 extendió su fama y sus conocimientos de los poetas contemporáneos más importantes con visitas a España, Nueva York, París y Buenos Aires, donde su crítica literaria, publicada primero en *La Nación* y después en *Los raros* estableció su reputación como crítico y maestro de la prosa. La publicación en 1896 de *Prosas profanas*, cuyo prefacio se considera un manifiesto del Modernismo, estableció a Darío como líder de los modernistas, tanto en Latinoamérica como en España. Su periodismo llegó a su cumbre después de 1898 con la derrota de España por los Estados Unidos y los artículos con que Darío contribuyó a *La Nación* se consideran entre las mejores páginas escritas sobre España. Tras su éxito en España fue enviado a Francia para cubrir la Exposición de 1900. En esa época, a pesar de haber llevado una vida de bohemio sin preocuparse por su salud, los abusos alcohólicos o su situación económica, llegó a la cumbre de su fama con *Cantos de vida y esperanza*, del cual se extraen los poemas a continuación.

Después de 1910, comenzó el declive de la carrera de Darío, y una revista que había fundado en París en 1911 cesó cuando estalló la Primera Guerra Mundial. Enfermo de una pulmonía doble, volvió a su país natal, donde murió en febrero de 1916.

La poesía de Darío

La evolución de la voz poética de Darío se registra a través de sus tres volúmenes principales de poesía: *Azul* (1888), libro de versos parnasianos y simbolistas que ya anuncian el Modernismo; *Prosas profanas* (1896), manifiesto de la poesía modernista; y *Cantos de vida y esperanza* (1905). En *Azul* Darío introdujo novedades no sólo en la poesía española, sino también en la prosa. Su estilo refinado y preciosista, de frases cortas y rítmicas, se aparta de la retórica y del estilo oratorio de los escritores españoles del siglo anterior. En esta poesía se encuentran versos parnasianos, es decir, del arte por el arte, enfocados en la belleza de la estrofa y no en una significación moral, filosófica o didáctica. Son versos de espíritu cosmopolita y universal, cuyos temas son la naturaleza y el amor, como lo indica el título que evoca un ideal inalcanzable y misterioso.

Ocho años más tarde, Darío revoluciona la poesía otra vez con *Prosas profanas*, cuyo prefacio consolida los principios literarios del Modernismo. Es una poesía inútil, exótica, que se evade de las realidades crudas de la vida diaria. Algunos poemas resultan herméticos por sus múltiples alusiones literarias y mitológicas. Al aparecer el libro causó un gran escándalo, a causa de su título referido a las prosas latinas de la Iglesia católica y porque rechazaba la época contemporánea; prefería la creación de un mundo armónico de ambientes exóticos del pasado, infundidos de erotismo. En estos poemas, Darío recreaba en español las bellezas y el arte cincelado del parnasianismo francés y la música de la poesía de Verlaine, continuando la transformación del español en un lenguaje fluido que había comenzado con *Azul*. Aunque las referencias a princesas, castillos, mares lejanos y cisnes parezcan superficiales, Darío se interesa también por lo moderno, lo universal, lo íntimo, la religión y la creación artística. Desde el punto de vista técnico, estos versos rechazan las reglas de la versificación que derivaban su autoridad sólo de la tradición;

Darío perfecciona las novedades expresivas y léxicas para mejor expresar la música de la frase y para sugerir, no nombrar, la idea poética.

Al publicar en Madrid su próximo libro, *Cantos de vida y esperanza*, Darío ya era uno de los poetas más célebres del mundo occidental, y hoy muchos críticos consideran éste su mejor volumen de poesía. En su *Autobiografía*, nota: "Si *Azul*...simboliza el comienzo de mi primavera, y *Prosas profanas* mi primavera plena, *Cantos de vida y esperanza* encierra las esencias y savias de mi otoño". Aunque no se rompe aquí con la poética anterior (se ve todavía la poesía elegante y refinada de los libros anteriores) Darío, ya enfermo, la desarrolla y complementa con un elemento oscuro y más profundo, especialmente en "Lo fatal". En el prefacio señala "Yo no soy un poeta para las muchedumbres. Pero sé que, indefectiblemente, tengo que ir a ellas", e incorpora su orgullo de la raza, poemas más políticos y un deseo de fraternidad hispánica, según se manifiesta en "A Roosevelt".

Jorge Luis Borges resumía bien en 1967 el papel de la obra de Darío como punto de partida absoluto para toda la poesía hispana subsiguiente: "Todo lo renovó Darío: la materia, el vocabulario, la métrica, la magia peculiar de ciertas palabras, la sensibilidad del poeta y de sus lectores. Su labor no ha cesado ni cesará. Quienes alguna vez lo combatimos comprendemos hoy que lo continuamos. Lo podemos llamar libertador".

Notas para facilitar la lectura de "Canción de otoño en primavera"

- Herodias (verso 16) was the second wife of Herod and the mother of Salomé. Herodias demanded and received the head of John the Baptist on a platter after the dance of her daughter for the King.
- Bacchante (verso 28), a female devotee to Bacchus, the god of wine.

CANCIÓN DE OTOÑO EN PRIMAVERA

Juventud, divino tesoro,
¡ya te vas para no volver!
Cuando quiero llorar, no lloro,
y a veces lloro sin querer.

5 Plural ha sido la celeste
historia de mi corazón.
Era una dulce niña, en este
mundo de duelo[1] y aflicción.

  Miraba como el alba pura;
10 sonreía como una flor.

1. grief, sorrow

Era su cabellera[1] oscura,
hecha de noche y de dolor.

Yo era tímido como un niño;
ella, naturalmente, fue,
15 para mi amor hecho de armiño,[2]
Herodías y Salomé...

Juventud, divino tesoro,
¡ya te vas para no volver!
Cuando quiero llorar, no lloro,
20 y a veces lloro sin querer...

La otra fue más sensitiva,
y más consoladora y más
halagadora[3] y expresiva,
cual no pensé encontrar jamás.

25 Pues a su continua ternura[4]
una pasión violenta unía.
En un peplo[5] de gasa pura
una bacante se envolvía...

En sus brazos tomó mi ensueño[6]
30 y lo arrulló[7] como a un bebé...
Y le mató, triste y pequeño,
falto de luz, falto de fe...

Juventud divino tesoro,
¡te fuiste para no volver...!
35 Cuando quiero llorar, no lloro,
y a veces lloro sin querer...

Otra juzgó que era mi boca
el estuche[8] de su pasión;
y que me roería,[9] loca,
40 con sus dientes el corazón,

poniendo en un amor de exceso
la mira de su voluntad,
mientras eran abrazo y beso

1. long hair

2. ermine

3. pleasing, flattering

4. tenderness

5. peplum, a Grecian tunic
worn by women

6. dream, fantasy, illusion,
daydream
7. lulled to sleep

8. box, case
9. gnaw

síntesis de la eternidad;

45 y de nuestra carne ligera
   imaginar siempre un Edén,
   sin pensar que la Primavera
   y la carne acaban también...

   Juventud, divino tesoro,
50 ¡ya te vas para no volver!
   Cuando quiero llorar, no lloro,
   ¡y a veces lloro sin querer!

   ¡Y las demás! En tantos climas,
   en tantas tierras, siempre son,
55 si no pretextos de mis rimas,
   fantasmas de mi corazón.

   En vano busqué a la princesa
   que estaba triste de esperar.
   La vida es dura. Amarga y pesa.
60 ¡Ya no hay princesa que cantar!

   Mas, a pesar del tiempo terco,
   mi sed de amor no tiene fin;
   con el cabello gris me acerco
   a los rosales del jardín...

65 Juventud, divino tesoro,
   ¡ya te vas para no volver!
   Cuando quiero llorar, no lloro,
   y a veces lloro sin querer...

   ¡Mas es mía el Alba de oro!

Sugerencias para el análisis del poema

1. ¿Cuántas veces se repite el estribillo en el poema? ¿Cuál es la actitud del poeta hacia su juventud? ¿Cómo caracterizarías al poeta según el estribillo? Cada vez que vuelve el estribillo, ¿tiene un significado diferente porque el poeta ha aprendido otra lección?

2. ¿Qué contrastes señala el poeta entre el "divino tesoro" de la juventud y "la celeste historia de mi corazón", de una parte, y el "mundo de duelo y aflicción", de la otra? ¿Cómo

se desarrolla esta dualidad a través del poema?

3. Entre los estribillos el poeta caracteriza a sus varias amantes. Haz una lista de sus cualidades positivas y negativas. ¿Qué lecciones ha aprendido el poeta como consecuencia de cada relación?

4. ¿Por qué se titula el poema "Canción de otoño en primavera"? Metafóricamente, ¿qué aspectos del poema se refieren al otoño, y cuáles a la primavera?

5. En su *Historia de mis libros*, Darío nota que este poema "es de todas [sus] poesías la que más suaves y fraternos corazones ha conquistado". Comenta.

LO FATAL

Dichoso el árbol que es apenas sensitivo,
y más la piedra dura, porque ésta ya no siente,
pues no hay dolor más grande que el dolor de ser vivo,
ni mayor pesadumbre[1] que la vida consciente.

5   Ser, y no saber nada, y ser sin rumbo cierto,
y el temor de haber sido y un futuro terror . . .
Y el espanto[2] seguro de estar mañana muerto,
y sufrir por la vida y por la sombra y por

lo que no conocemos y apenas sospechamos,
10 y la carne que tienta[3] con sus frescos racimos[4]
y la tumba que aguarda con sus fúnebres ramos,
¡y no saber a dónde vamos, ni de dónde venimos! . . .

1. grief, sorrow

2. fright, terror

3. tempts
4. bunches of grapes

Sugerencias para el análisis del poema

1. ¿Cuáles son las tensiones que se presentan en el poema desde la primera estrofa? ¿Cómo compara Darío la existencia mineral y vegetal con la existencia humana?

2. ¿Te parece irónico que "dichoso" sea la primera palabra? ¿Para qué sirve este hipérbaton? ¿Hay una contradicción aparente entre la personificación del árbol ("dichoso") y la pretensión que "es apenas sensitivo"?

3. ¿Cómo se extienden las tensiones de opuestos filosóficos (dualidades) en la segunda estrofa? ¿Por qué se opone el ser al no saber nada? ¿Para qué sirven las tres repeticiones del verbo ser en los versos 5 y 6?

4. ¿Qué efecto produce el conjunto de palabras "sin rumbo cierto", "temor", "futuro terror", "espanto seguro" y "sufrir" en la segunda estrofa? ¿Cómo se contrasta la percepción del pasado y del futuro?

5. ¿Cómo se complementan la forma y el contenido del poema a partir del verso 8? ¿Para

qué sirve el encabalgamiento entre los versos 8 y 9?

6. ¿Qué figura retórica emplea el poeta en las dos expresiones "frescos racimos" y "fúnebres ramos"? ¿ Se pueden ver los versos 10 y 11 como una representación de la oposición entre la vida y la muerte o entre el placer y el dolor?

7. En los últimos versos (12 y 13), ¿qué dudas profundas expresa el poeta? Exprésalas con tus propias palabras. ¿Por qué estas dudas concluyen el poema?

8. ¿Cuántas veces usa el poeta la conjunción "y"? ¿Cómo se llama la figura retórica que consiste en usar más conjunciones de las necesarias? ¿Qué efecto produce?

Notas para facilitar la lectura de "A Roosevelt"

(Los números corresponden a los versos)

Theodore Roosevelt (1858-1919), 26th President of the U.S. (1901-09)

1. Walt Whitman: American poet (1819-1892), author of *Leaves of Grass*

4. Nimrod, in the Bible, the son of Cush, who is referred to as a mighty hunter

9. Tolstoy, Russian novelist (1828-1910) and social theorist, who lead a very austere and humble life in his later years

11. Alexander the Great (356-323 B.C.), King of Macedonia and military conqueror

11. Nabucodonosor: Nebuchadnezzar [(605?-562], King of Babylonia who conquered Jerusalem and deported many Jews

23. Victor Hugo (1802-1885), French author and statesman

23. Ulysses S. Grant (1822-1885), U.S. president (1869-77)

26. Hercules, Greek mythological hero renowned for feats of strength

26. Mammon, the mythical god of wealth and the Aramaic term meaning wordly riches: "Ye cannot serve God and mammon" is one of the best known biblical strictures

30. Nezahualcóyotl (1403?-1472?), Sovereign of the Aztecs of Mexico, a philosopher, poet and lawyer

31. Bacchus, a Roman God of wine and revelry

32. Pánico: Reference to Pan, Greek god, protector of shepherds and hunters

33. Atlantis, a legendary island that supposedly existed in the Atlantic and sunk into the ocean

34. Plato (427?-347?), Greek philosopher who in his Republic, the first utopia, threw poets out of the state

37. Montezuma (1479?-1520), Aztec emperor of México

37. Atahualpa (?-1533), Inca emperor of Peru

40. Cuauhtémoc(?-1525) Aztec emperor who succeeded Montezuma and who was tortured and hanged by the Spanish

46. Cachorros [hispanoamericanos] sueltos del León Español: reference comparing Spain's

Latin American descendants to the Wolf cubs, Romulus and Remus, and the founding of Rome

A ROOSEVELT

Es con voz de la Biblia, o verso de Walt Whitman,
que habría que llegar hasta ti, Cazador,[1]   1. hunter
primitivo y moderno, sencillo y complicado,
con un algo de Washington y cuatro de Nemrod!
5 Eres los Estados Unidos, eres el futuro invasor
de la América ingenua que tiene sangre indígena,
que aún reza a Jesucristo y aún habla en español.

Eres soberbio y fuerte ejemplar de tu raza;
eres culto, eres hábil; te opones a Tolstoy.
10 Y domando caballos, o asesinando tigres,
eres un Alejandro - Nabucodonosor.
(Eres un profesor de Energía,
como dicen los locos de hoy.)

Crees que la vida es incendio,
15 que el progreso es erupción,
que en donde pones la bala[2]   2. bullet
el porvenir pones.
      No.

Los Estados Unidos son potentes y grandes.
20 Cuando ellos se estremecen hay un hondo temblor
que pasa por las vértebras enormes de los Andes.
Si clamáis[3], se oye como el rugir del león.   3. cry out
Ya Hugo a Grant lo dijo: "Las estrellas son vuestras".
(Apenas brilla, alzándose[4], el argentino sol   4. rising up
25 y la estrella chilena se levanta. . .) Sois ricos.
Juntáis al culto de Hércules el culto de Mammón;
y alumbrando el camino de la fácil conquista,
la Libertad levanta su antorcha[5] en Nueva-York.   5.. torch
    Mas la América nuestra, que tenía poetas
30 desde los viejos tiempos de Netzahualcoyotl,
que ha guardado las huellas de los pies del gran Baco,
que el alfabeto pánico en un tiempo aprendió;
que consultó los astros, que conoció la Atlántida,

cuyo nombre nos llega resonando en Platón,
35   que desde los remotos momentos de su vida
vive de luz, de fuego, de perfume, de amor,
la América del grande Moctezuma, del Inca,
la América fragante de Cristobal Colón,
la América católica, la América española,
40   la América en que dijo el noble Guatemoc:
"Yo no estoy en un lecho de rosas"; esa América
que tiembla de huracanes y que vive de amor;
hombres de ojos sajones[1] y alma bárbara, vive.   1. Saxon
Y sueña. Y ama. Y vibra; y es la hija del Sol.
45   Tened cuidado. ¡Vive la América española!
Hay mil cachorros sueltos del León Español.
Se necesitaría, Roosevelt, ser, por Dios mismo,
el Riflero[2] terrible y el fuerte Cazador,   2. rifleman
para poder tenernos en vuestras férreas garras.[3]   3. iron claws

50   Y, pues contáis con todo, falta una cosa: ¡Dios!

Sugerencias para el análisis del poema

1. ¿Cómo se llama la figura retórica empleada por el poeta para dirigirse a Roosevelt? ¿Por qué critica el poeta tan duramente al presidente y a los Estados Unidos? Haz una lista de los componentes principales del personaje del presidente desde el punto de vista latinoamericano.

2. ¿Qué niega el poeta al decir "No"? ¿Qué estereotipo de los Estados Unidos rechaza? ¿Cómo contribuyen las alusiones bíblicas, históricas y mitológicas al significado del poema?

3. ¿Cómo cambia el poema en tono y tema en la cuarta estrofa con la palabra "Mas"? ¿Qué técnicas usa el poeta para calificar a su continente? Indica los versos donde el poeta recurre a la anáfora, la hipérbole y la metáfora.

4. Según el poeta, ¿cuál es el rasgo distintivo que les falta a los norteamericanos y por qué es tan importante?

Temas de discusión y ensayos

1. Darío escribió: "En 'Lo fatal' contra mi arraigada religiosidad y a pesar mío, se levanta como una sombra temerosa un fantasma de desolación y de duda. Ciertamente en mí existe desde los comienzos de mi vida, la profunda preocupación del fin de la existencia, el terror a lo ignorado, el pavor a la tumba. Me he llenado de congoja...cuando el conflicto de las ideas me ha hecho vacilar y me he sentido sin un constante y seguro apoyo". Si estas palabras son una expresión más o menos exacta de los temas del poema, ¿por qué

escribió sus pensamientos en forma poética? ¿Qué y cómo nos comunica el poema más allá de la expresión prosaica de los temas?

2. El que Darío haya puesto "Lo fatal", expresión de la angustia existencial del ser humano, al final de su volumen de poesías *Cantos de vida y de esperanza*, ¿qué nos dice sobre su mensaje principal?

3. Compara y contrasta los temas y las formas de "Canción de otoño en primavera" con los de "La primavera besaba" de Antonio Machado.

4. En los versos 55-60 de "Canción de otoño en primavera", el poeta hace referencia no a amantes verdaderas sino a mujeres que eran "si no pretexto de mis rimas, / fantasmas de mi corazón". Esos "fantasmas", "¿son las invenciones de su poesía?" Cuando se refiere a "la princesa / que estaba triste de esperar" ¿será una referencia a la princesa de su poema muy conocida "Sonatina"? Lee este poema y explica por qué exclama en nuestro poema, "¡Y no hay princesa que cantar!"

Actividades

1. Dos estudiantes representan a don Manuel, personaje principal de la novela *San Manuel Bueno, mártir* de Unamuno, en una entrevista con Rubén Darío. Discuten el poema "Lo fatal". ¿Con qué temas del poema se identificaría don Manuel? ¿Hay aspectos del poema que rechazaría? Los estudiantes escriben el diálogo y después lo interpretan en clase.

2. Encargar a un grupo la investigación histórica de la época en que Darío escribió el poema al presidente norteamericano, describiendo las relaciones políticas entre los EE.UU. y Latinoamérica durante los años 1901-1909 cuando Roosevelt era presidente.

Miguel de Unamuno

(1864-1936)

Datos biográficos

Miguel de Unamuno nació en 1864 en la ciudad vasca de Bilbao, donde transcurrió su infancia y cursó los estudios de bachillerato. En 1880 se trasladó a Madrid para proseguir una carrera universitaria en filología clásica. Fue durante este período de su estancia en Madrid cuando Unamuno sufrió una crisis religiosa en la que empezó a dudar de las creencias que habían sido tan importantes durante su infancia. En 1891 se casó con Concepción Lizarraga, con la que tuvo varios hijos. Su familia fue enormemente importante en su vida, el refugio y consuelo constantes y, al igual que otros aspecto personales, lo reflejará en su obra. Ese mismo año ganó la cátedra de Griego de la universidad de Salamanca, ciudad en la que viviría, con algunas interrupciones, de ahora en adelante.

Entre 1895 y 1897 sufrió Unamuno una nueva crisis religiosa, provocada en parte por la muerte de un hijo, que dejó honda huella en su obra. En 1900 fue nombrado Rector de la universidad, cargo que perdió —y volvió a ocupar— por razones políticas tres veces. Unamuno, filólogo, filósofo, destacado intelectual de su época, fue también un continuo comentarista y crítico de la política, ideología o literatura de su país. Nunca dispuesto a ser parte de ningún grupo ("Yo soy un todo, no una parte", llegó a decir, cuando alguien le preguntó a qué partido pertenecía), repartió sus críticas en todas las direcciones, ganando de este modo la admiración y enemistad de muchos en partes iguales. En 1924 durante la dictadura de Miguel Primo de Rivera, a consecuencia de sus abiertas censuras, fue desterrado primero a las islas Canarias y luego a Francia, de donde volvió al caer la Dictadura en 1930. El 12 de octubre de 1936, ya estallada la guerra civil española, un Unamuno enfermo y envejecido, pero con su habitual actitud de desafío, se enfrentó con el general franquista Millán Astray en la universidad de la que era rector. A consecuencia de ello fue recluido en su casa donde le llegó la muerte el día 31 de diciembre.

Le tocó a Unamuno vivir un período lleno de acontecimientos históricos de gran magnitud, como la alternancia entre monarquía y República, una dictadura y el comienzo de la guerra civil. Mención especial merece la Guerra de Cuba en 1898. Esta contienda y sus consecuencias habría de afectar profundamente a Unamuno y a otros escritores de la que se ha llamado con más o menos acierto Generación del 98. Las raíces de la decadencia del país, la cuestión de cuál es la esencia española y de qué constituye el progreso son temas que de manera directa o indirecta aparecen en los escritos unamunianos.

La novela de Unamuno

Fue Unamuno un escritor prolífico que cultivó muchos géneros, aunque siempre lo hizo a su manera. De él se ha dicho que no fue nada y fue al mismo tiempo todo, porque no fue estrictamente ni filósofo, ni dramaturgo, ni novelista, ni periodista, ni ensayista, ni poeta, sino todo esto a la vez. Unamuno escribía para dar a conocer sus ideas, enseñar y convencer, y en cada momento usó el medio que le pareció mas conveniente, sin preocuparse excesivamente por aspectos formales. A pesar de sus deseos de ser recordado como poeta, es en la novela donde Unamuno desplegó mayor originalidad y alcanzó fama de escritor universal. Desde su primera, *Paz en la guerra,* hasta la última, *San Manuel Bueno, mártir,* Unamuno escribió, entre otras, novelas de ideas como *Amor y pedagogía* y experimentales, como *Niebla,* a la que llamó "nivola", término inventado por él.

En sus novelas no sólo recrea Unamuno el drama de la existencia humana, sino que trata de contestar preguntas que todos nos planteamos. El tema central de su pensamiento y de su obra es la serie de contradicciones con las que el ser humano se enfrenta al considerar la naturaleza de su existencia y el hecho de que ésta acabará sin que pueda hacer nada. El tema de la muerte, el ansia de inmortalidad y el conflicto entre la fe que da esperanza y la razón que la niega, serán las constantes de su obra. Al plantear continuamente antítesis y contradicciones —vida y muerte, fe y razón, realidad e irrealidad— no sólo consigue Unamuno una tensión dramática, sino también refleja su visión de la existencia humana: una lucha constante. "Afirmo, creo, como poeta, como creador, mirando al pasado, al recuerdo; niego, decreo, como razonador, como ciudadano, mirando al presente; y dudo, lucho, agonizo como hombre, como cristiano, mirando al porvenir irrealizable, a la eternidad", son palabras de Unamuno en *La agonía del cristianismo.*

Sus novelas son generalmente breves, escritas con gran vehemencia, intensidad emocional y predominio de acción dramática. En ellas nos describe los dramas íntimos de unos personajes, muchos de ellos atormentados, que son fundamentalmente la encarnación de los sentimientos e ideas unamunianos. Hay en estos relatos ausencia de descripciones tanto de personajes como de paisaje y costumbres, y generalmente carecen de lugar o tiempo concreto, lo que añade a la universalidad de sus temas y situaciones. En su vertiente experimentadora, Unamuno usa elementos narrativos muy audaces como el juego entre realidad y ficción (manuscrito encontrado) y el diálogo de los personajes con el autor (*Niebla*).

SAN MANUEL BUENO, MÁRTIR

Esta novela es para muchos la culminación del arte narrativo de Unamuno. En ella, el autor va a plantearse de nuevo el tema que le ha hecho agonizar y obsesionarse durante tantos años, el problema de la existencia del ser humano y el de la inmortalidad del alma, es decir, el destino del hombre y el temor de que el yo íntimo desaparezca con la muerte. "La cuestión humana es la cuestión de saber qué habrá de ser de mi conciencia, de la tuya, de la del otro y de la de todos, después de que cada uno de nosotros se muera", dice Unamuno en *Soledad*, una colección de ensayos, y repite en otros muchos escritos.

San Manuel está dividido en secuencias y parece que su tiempo histórico es la España rural de principios del siglo XX, aunque en realidad es un relato intemporal de carácter *intrahistórico*[1] que se puede dar en cualquier tiempo y lugar. *San Manuel* está escrito en una prosa compleja y cuidada. Es de resaltar el uso de arcaísmos, la frecuente utilización de metáforas e imágenes, y la abundancia de citas y referencias bíblicas.

Sugerencias para el análisis de la novela

1. Describe la personalidad de don Manuel. Comenta detalles específicos que muestran rasgos de su carácter.

2. Cada uno de los personajes de la novela representa una postura respecto de la fe. Describe esas posiciones en detalle, desde el papel que representa Lázaro hasta el de Blasillo.

3. ¿Con cuál de estas actitudes crees que se identifica más el autor? ¿En qué basas tu respuesta? ¿Cuál piensas tú sería la postura ideal según Unamuno?

4. El tema del progreso está mencionado en boca de varios personajes. Reflexionando sobre sus palabras, ¿qué crees tú que piensa Unamuno sobre la tradición y el progreso? En este sentido, ¿qué significa la "conversión" de Lázaro?

---

[1] *Intrahistoria* es un término unamuniano importante y se relaciona con el valor que el autor da al espíritu del pueblo. La "historia" sería el relato que aparece en los libros y se refiere a acontecimientos importantes como guerras, reyes o cambios de gobierno. Esta historia es cambiante y tiene muy poco que ver con la vida silenciosa y oculta de cada día. La "intrahistoria", en contraste, es la vida de los seres humanos, anónima, continua y profunda. Para Unamuno ésta es la verdadera historia, "la verdadera tradición, la tradición eterna, la sustancia del progreso".

5. ¿Qué representa el "nogal matriarcal" bajo el que le gusta sentarse a don Manuel? ¿Por qué piensas que usa la palabra matriarcal? ¿Qué significado tiene el uso que hace don Manuel del árbol cuando éste se seca? (Leña para los pobres y una caja para él cuando muera.)

6. ¿De qué son símbolos la montaña, el pueblo sumergido y el lago? Comenta también otras imágenes que te parezcan especialmente significativas: la nieve, las campanas de la iglesia en el lago, etc.

7. ¿Dónde y en qué sentido se compara a don Manuel con Cristo y con Moisés?

8. Don Manuel está de acuerdo con las palabras de Karl Marx "la religión es el opio del pueblo", pero dándoles una interpretación muy distinta. Contrasta ambas perspectivas.

9. Angela termina siendo la "confesora" de don Manuel. Busca y comenta esta y otras paradojas que se hallan en el texto.

10. Observa que hay más de un narrador. ¿Con qué objeto? Habla sobre la estructura de la obra.

Temas de discusión y ensayos

1. ¿Estás de acuerdo o en desacuerdo con la postura de don Manuel? ¿Crees que es justo engañar a otros para que sean felices? ¿Es necesario hacerlo en algunas ocasiones? Básate en la lectura del texto para justificar tu respuesta

2. Desarrolla el tema de la verdad y la mentira en *San Manuel*. ¿Es don Manuel hipócrita? ¿Es tan compasivo como Angela y los demás piensan? ¿Es mártir? ¿Es santo?

3. ¿Cuál es la postura político-social de don Manuel?

4. La niñez y la maternidad tienen un significado muy especial para Unamuno. Discute qué representan, basándote en pasajes de la novela

5. ¿Por qué Unamuno usa el recurso del manuscrito encontrado en un cajón? ¿Qué efecto busca? Comenta también el efecto en el lector de la narración en primera persona de la pluma de Angela.

6. Comenta el estilo y lenguaje de la novela. ¿Es fácil de comprender? ¿Va dirigida a un público culto? ¿Por qué crees que hay tanto diálogo en la historia? ¿Qué relación puede tener el estilo de la novela con el propósito de Unamuno al escribirla?

7. Lee los párrafos con que Angela cierra su relato y el epílogo final, supuestamente del autor, y coméntalos. ¿Añaden algo a la narración? ¿Sintetizan o aclaran las ideas expuestas anteriormente?

8. ¿Cuál es en tu opinión el tema central de la novela? ¿Cuáles son subtemas importantes?

Actividades

1. Los estudiantes debaten: ¿Es legítimo engañar al público (como hace don Manuel) pretendiendo que no necesita saber la verdad? ¿Es preferible saber la verdad y ser desgraciado o vivir felizmente en la ignorancia?

2. Un estudiante en el papel de periodista entrevista a otro que representa a Unamuno. Le pregunta sobre sus preocupaciones, sus problemas personales o políticos, sus miedos, etc.

3. Los estudiantes seleccionan por grupos: el vocabulario unamuniano (los términos que son especialmente significativos para el autor); las frases más relevantes de la novela; las escenas claves; los símbolos frecuentemente empleados.

4. Entre todos, los alumnos tratan de imaginar la versión americana de don Manuel. ¿Qué haría un líder religioso para ayudar a un pequeño pueblo americano?

 ## Horacio Quiroga

(1878-1937)

Datos biográficos

La vida de Horacio Quiroga desde su infancia hasta su fallecimiento por suicidio fue marcada por una serie casi increíble de desgracias, violencia y muerte. La enfermedad, el sufrimiento, el peligro y la muerte repentina e inesperada son temas recurrentes en los cuentos de Quiroga. Por lo tanto, conocer detalles de su vida –a veces difíciles de separar de su obra– tal vez sea más iluminador para el estudio de su producción literaria de lo que ocurre con otros autores.

Quiroga nació el 31 de diciembre del 1878 en el Salto, Uruguay. Tenía solo dos meses cuando su padre, vicecónsul de Argentina en Uruguay, murió de un disparo accidental de escopeta durante una excursión familiar. En su adolescencia fue testigo del suicidio de su padrastro, que sufría de una enfermedad incurable y a quién quería como a un padre. En 1902, el joven Quiroga mató a uno de sus mejores amigos, Federico Ferrando, con una bala que escapó de la pistola que examinaba. Fue acusado y encarcelado hasta que se reconoció que fue un accidente. En 1915 su mujer, incapaz de soportar la vida dura de la provincia rural donde Quiroga eligió vivir, se envenenó mortalmente. El autor quedó viudo con dos hijos aún pequeños. Quiroga volvió a casarse en 1927 y tuvo otra hija. Sin embargo, el matrimonio fue turbulento y terminó con la separación. Como cúmulo final de esta serie de desgracias, el autor, qué sufría de males físicos y psicológicos, descubrió que padecía de cáncer gástrico incurable. El día después de saberlo, el 19 de febrero de 1937, se suicidó ingiriendo cianuro. La muerte trágica fue una herencia que dejó a sus hijos, dos de los cuales también acabarían suicidándose.

El autor pertenecía a una familia burguesa que le permitió dedicarse al estudio y la escritura desde muy joven. De adolescente conoció personalmente y fue admirador de Rubén Darío y Leopoldo Lugones, grandes autores del estilo modernista que estaba entonces en su apogeo. A su regreso de una estancia en París, fundó con dos amigos una sociedad literaria dedicada a la experimentación modernista. En 1901 ya había publicado su primer libro. En 1902, tras la muerte trágica ya mencionada de uno de estos amigos, se instaló con su hermana en Buenos Aires, Argentina, abandonando Uruguay para siempre.

En 1903 Quiroga viajó como fotógrafo junto a su ídolo Lugones en una expedición a unas ruinas jesuitas en Misiones, región fronteriza, semi-tropical y salvaje de Argentina. La vida en esta región, su dureza primitiva, el sentido de aventura cautivaron a Quiroga. Tras un experimento fracasado de cultivar algodón en el Chaco, otra región argentina poco explotada, su fascinación por un estilo de vida elemental le llevó a comprar terrenos en Misiones en 1906. Desde este tiempo dividió su vida entre la gran urbe de Buenos Aires, con trabajos como el de profesor o funcionario del consulado de Uruguay, y Misiones, donde fue juez y oficial de registro civil. Emprendió también otras aventuras industriales, como la destilación de licor de naranja, que servirá de fondo de un cuento, y que casi siempre fracasaron. Finalmente, se asentó en Misiones y permaneció allí hasta poco antes de su muerte.

Los cuentos de Quiroga

Quiroga emprendió su trabajo literario desde muy joven, experimentando con el lirismo elaborado del Modernismo. La primera colección de Quiroga, *Los arrecifes de coral* (1901) muestra gran influencia de este movimiento

Más tarde, el autor leyó a fondo a los grandes maestros del cuento, el norteamericano Edgar Allan Poe y el francés Guy de Maupassant, adoptando su estilo realista, junto con el gusto de Poe por lo morboso y extraño. Aunque su segunda colección de cuentos *El crimen del otro* no rompe por completo con el Modernismo, Quiroga acabaría por abandonar esta estética a favor del realismo de los dos cuentistas mencionados. Más tarde, sus fuentes de inspiración pasan a ser Fyodor Dostoievsky, Chejov y Rudyard Kipling, quienes le influyen notablemente en el desarrollo del cuento, el estilo y la temática. Su prosa se vuelve tersa; la narración pulsa adelante la acción; las descripciones y los adjetivos son escasos.

Colaboró en varias revistas y escribió novelas cortas hasta que en 1917 publicó su gran colección *Cuentos de amor, de locura y de muerte*. Quizá esta obra muestra más que ninguna otra la influencia de Poe, de quien había dicho "Este maldito loco llegó a iluminarme del todo." Los temas son la enfermedad, el sufrimiento humano, la muerte repentina. Las narraciones son cortas y usan una economía de palabras ajustadísima. Cada acción e imagen sirve para aumentar lo que Poe llamó "el efecto singular". En esta colección y en las posteriores, las imágenes no sirven sólo para crear un efecto estético, sino para explicar a los personajes y sus acciones, para fortalecerlos y darles eco. La puesta de sol que entusiasma a una familia de niños "idiotas" anticipa la sangre que se derramará. Una gallina matada recuerda a la crueldad de los padres en su desamor hacia sus hijos. Sus cuentos de horror se distinguen de los de Poe sólo en que cada acción tiene una explicación racional, nunca llega al plano supernatural. El lenguaje y acción son tan directos como los del escritor norteamericano. La muerte ocurre de manera inesperada, sin causa, absurda, como en la vida propia de Quiroga. Y los peligros y aventuras en la mayoría de los cuentos son los del mundo del autor, de la salvaje naturaleza de Misiones.

Seguirán unos cuentos que describen una jungla más benévola, con animales que hablan, escritos a modo de fábula y en tono más suave y fantasioso, que le merecieron la denominación de "el Kipling americano". Pero volverá a su anterior estilo y lo perfeccionará en colecciones como *La gallina degollada* (1925) y *Mas allá* (1935), su última obra, en la que está incluido "El hijo".

EL HIJO

Sugerencias para el análisis del cuento

1. Quiroga describe varias veces la atmósfera del día: el tiempo, el sol, la luz, el ruido, la naturaleza. ¿Cómo es esta atmósfera? ¿Cómo contribuye al tono y argumento del cuento?

2. Describe la relación del padre con el hijo ¿Cómo ha enseñado el padre al hijo a protegerse del peligro? Contrasta la obsesión del padre hacia el hijo con la escasez de interacción entre los dos.

3. En dos ocasiones el narrador evita presentar algo directamente. Es decir, llama la atención al hecho de que no va a describir las acciones o apariencia del protagonista. Encuentra estos ejemplos y comenta el porqué de este recurso y su importancia en el cuento.

4. Con frecuencia Quiroga inserta sus propios rasgos en los protagonistas de sus relatos ¿Qué parecidos existen entre el autor y el protagonista de este cuento?

5. ¿Cómo evoluciona el estado psicológico de padre? ¿Qué provoca los cambios? ¿Cuál es la situación final?

6. ¿Qué domina en este cuento, la acción o la descripción? Analiza este aspecto. citando ejemplos y comentando el efecto buscado por el autor.

Temas de discusión y ensayos

1. En 1925, al igual que Edgar Allan Poe, Quiroga escribió un *Decálogo del perfecto cuentista*. Los mandamientos incluyen: "Cree en un maestro –Poe, Maupassant, Kipling, Chejov– como en Dios mismo"; "No empieces a escribir sin saber desde la primera palabra adónde vas. En un cuento bien logrado, las tres primeras tienen casi la misma importancia que las tres últimas"; "No adjetives sin necesidad. Inútiles serán cuantas colas adhieras a un sustantivo débil". Analiza "El hijo" describiendo cómo cumple Quiroga estos mandamientos.

2. Según Poe, gran influencia sobre Quiroga, un cuento tiene que dirigirse hacia un "efecto singular", la impresión completa que da al final. ¿Cuál es el efecto singular de este cuento y cómo lo consigue el autor?

3. Describe la naturaleza y su presencia en el cuento. ¿Es un simple trasfondo o tiene relación directa con lo que ocurre en la historia?

4. ¿Cómo es la muerte en este relato? ¿Es consecuencia de las acciones de los personajes? ¿Sirve algún fin? ¿Contiene una lección moral? Comenta cómo la presenta el narrador. ¿Hay anticipos de la muerte para el lector o es el final una sorpresa?

5. El protagonista del cuento sufre alucinaciones. ¿Cómo son estas alucinaciones y cómo

cambian según avanza el cuento? ¿Hay alguna ambigüedad entre la realidad y estas fantasías? Contrasta este aspecto con los dos niveles de realidad en uno de los cuentos de Cortázar, "La noche boca arriba" o "Continuidad de los parques".

6. Julio Cortázar escribió que un cuento, si fuese un boxeador, por su brevedad tendría que ganar una victoria por "K.O." y no por puntos. ¿Consigue este cuento el "K.O."?

7. Compara el amor paterno y la relación entre padre e hijo que vemos aquí con la situación paralela en "No oyes ladrar los perros" de Rulfo.

Actividad

Estudiar en un mapa el itinerario de la vida de Quiroga. Localizar la zona de Misiones e investigar su clima, población, desarrollo, etc.

Antonio Machado

(1875-1939)

Datos biográficos

Antonio Machado nació en Sevilla el 26 de julio de 1875. Pasó su adolescencia en Madrid, ciudad a la que se trasladaron sus padres cuando él tenía ocho años. Después de terminar sus estudios en la Universidad de Madrid, fue a París donde se puso en contacto con muchas de las figuras más conocidas del mundo literario, como Rubén Darío y Oscar Wilde. Durante esta época escribió los poemas que más tarde recopiló en su primer libro, *Soledades*, publicado en 1903. En Soria, donde era profesor y vicedirector del Instituto, Machado se casó con Leonor Izquierdo, joven de dieciséis años, Sin embargo, su mundo se derrumbó en 1912 con la muerte de Leonor de tuberculosis. En 1919 fue nombrado catedrático del Instituto de Segovia y enseñó literatura francesa y española, pasando la mitad de su tiempo en Segovia y la otra mitad en Madrid. En 1931 pasó a formar parte del grupo de profesores del Instituto Calderón de la Barca de Madrid cuando se proclamó la Segunda República. Al estallar la Guerra Civil en 1936, y ante el avance de las fuerzas franquistas, Machado huyó al sur de Francia, donde murió el 22 de febrero de 1939.

La poesía de Machado

El romanticismo de Bécquer, el modernismo de Darío y el parnasianismo y simbolismo de Verlaine influyeron en el joven poeta y, aunque más tarde reaccionó contra estas influencias, todas ellas dejaron su huella en su obra. Dijo Machado en un prólogo a *Soledades, galerías y otros poemas* (1899-1907): "El elemento poético no [es] la palabra por su valor fónico, ni el color, ni la línea, ni un complejo de sensaciones, sino una honda palpitación del espíritu". Los dos temas que predominan en la época en que escribe *Soledades*, en el que el se vuelve a su "yo", son el tiempo y los sueños. Más tarde, en común con los miembros de la Generación del 98, Machado se interesó por la problemática española, especialmente la decadencia nacional. Los poemas de

Campos de Castilla (1907-1917), escribe Machado, expresan cómo sus cinco años en Soria "orientaron [sus] ojos y [su] corazón hacia lo esencial castellano". En ese momento también le preocupaban cuestiones existenciales como el significado de la existencia humana: "Pensé que la misión del poeta era inventar nuevos poemas de lo eterno humano, historias animadas que, siendo suyas, viviesen, no obstante, por sí mismas". Otros grupos de poemas de este período son los elogios de importantes figuras culturales, los poemas de amor a Leonor y las coplas, que son imitaciones de formas populares. Al final de su vida su poesía se hace más filosófica, pero la mayoría de sus versos son siempre sencillos y directos, revelando la vida interior del ser humano. En sus poemas utiliza mayoritariamente el octosílabo y el endecasílabo, las dos formas métricas básicas de la tradición española. Los símbolos que dominan en su poesía son el mar, el camino, la noche, la luz, la noria y el agua. Machado siempre busca la palabra precisa, esencial para comunicar la espontaneidad del lenguaje hablado. Como dijo Rubén Darío en su elogio "Oración por Antonio Machado": "Era luminoso y profundo /como era hombre de buena fe".

HE ANDADO MUCHOS CAMINOS

Vocabulario por versos

2. vereda, la: path **4. atracado:** docked **4. ribera, la:** riverbank **9. pedantones al paño:** pedantic clergymen **14. apestar:** to infect (as with the plague) **18. palmo, el:** small amount **21. cabalgar:** to ride **22. a lomos:** on the back

Sugerencias para el análisis del poema "He andado muchos caminos"

1. Caracteriza al poeta. Cuando dice, "He andado...he abierto...he navegado...En todas partes he visto", ¿qué actitud expresa sobre sus viajes? ¿Cómo contribuye la repetición del tiempo verbal al significado de la estrofa? Los caminos, las veredas, los cien mares y las cien riberas, ¿cómo sugieren juntos una metáfora de la vida?

2. Las estrofas dos y tres y los dos versos en el centro del poema (que forman un tipo de gozne que conecta las dos partes distintas del poema) ¿expresan una actitud positiva o negativa de la vida? ¿A qué tipos de gente señala el poeta? ¿Quiénes serían los "soberbios y melancólicos borrachos de sombra negra" y "los pedantones al paño"? ¿Por qué es "mala gente que camina / y va apestando la tierra..." ¿Conoces a gente con estas características?

3. ¿Cómo cambia la actitud del poeta en las estrofas cinco, seis y siete? La gente que señala aquí, ¿la considera mejor que la de los versos anteriores? ¿Cuáles son sus características predominantes? ¿Es rica o pobre? ¿Por qué son, según el poeta, "buenas gentes"?

4. En la última estrofa, ¿qué comentario hace el poeta sobre las "buenas gentes"? Aunque sean buenas personas durante su existencia, ¿qué les pasará al final?

5. El poeta se refiere al vino dos veces en el poema, en las estrofas tres y seis. ¿Cómo contrasta el significado de las dos referencias?

6. Estudia la forma del poema. ¿Sigue las reglas del romance (versos octosílabos, rima asonante en los versos pares y sin rima en los impares)? ¿De qué manera la forma del poema complementa el significado?

LA PRIMAVERA BESABA

Vocabulario por versos

2. arboleda, la: grove, plantation of trees **3. brotar:** to burst forth **4. humareda, la:** cloud of smoke **9. almendro, el:** almond tree **11. maldecir:** to curse

Sugerencias para el análisis del poema "La primavera besaba"

1. ¿Cómo personaliza el poeta a la naturaleza? ¿Cuáles son y cómo funcionan las dos figuras retóricas que emplea en la primera estrofa? ¿Qué importancia simbólica tiene la primavera?

2. ¿En qué sentido completan la representación de la primavera los versos de la segunda estrofa? ¿Qué valor simbólico tienen "las nubes" y "las frescas lluvias de abril"?

3. "El almendro...todo cargado de flor" es una referencia simbólica. ¿A qué aspecto de la juventud del poeta se refiere? ¿Por qué se queja de su juventud?

4. ¿Cómo cambia la situación del poeta en la última estrofa? La palabra "recordé" de la tercera estrofa se une al verso "me he parado a meditar" para indicarnos que el poema es una meditación. ¿Cuál es el objeto de la meditación?

5. Si el poeta pudiera volver a su juventud, ¿cómo la cambiaría? ¿Por qué describe su juventud como "nunca vivida"?

6. Si el poema habla de la juventud perdida, ¿qué palabras indican la actitud del poeta hacia su pasado? ¿Qué tono predomina en el poema?

CAMINANTE, SON TUS HUELLAS

Vocabulario por versos

1. huella, la: track **8. pisar:** to tread **10. estela, la:** wake (as of a boat)

Sugerencias para el análisis del poema "Caminante, son tus huellas"

1. ¿Qué representa el camino? ¿Y el caminante?

2. ¿Por qué el uso de "se"? ¿A quién se refiere?

3. ¿Qué quiere decir el poeta con la frase "senda que nunca se ha de volver a pisar?"

4. ¿Qué figura retórica usa el poeta para hablar directamente al caminante y qué efecto produce en el lector?

5. ¿Con qué fin se emplea la repetición? ¿Cómo contribuye a la simplicidad del poema?

¿Puedes encontrar alguna relación entre el contenido del poema y su forma?

6. ¿Qué distinción hace el poeta al decir que "no hay camino" pero sí "estelas en la mar"?

7. Machado titula la serie de poemas en la cual aparece éste "Proverbios y cantares". ¿Qué relación con el poema tienen los siguientes proverbios? "A lo hecho, pecho"; "Agua pasada no mueve molinos"; "A camino largo, paso corto"; "Quien adelante no mira, atrás se queda"; "No dejes para mañana lo que puedas hacer hoy".

Temas de discusión y ensayos para los tres poemas

1. Compara las voces poéticas de los poemas "He andado muchos caminos" y "La primavera besaba". ¿Qué edad parecen tener? ¿Te sorprende que Machado haya escrito los dos poemas al principio (y no al final) de su carrera poética?

2. ¿En qué sentido son estos tres poemas de Machado meditaciones sobre el paso del tiempo? Compara y contrasta sus mensajes poéticos.

3. Otro poema de "Proverbios y cantares" es:

> Todo pasa y todo queda,
> pero lo nuestro es pasar,
> pasar haciendo caminos,
> caminos sobre la mar.

En este "proverbio" y en nuestros poemas de Machado se repite un tema muy común del poeta, el concepto de la vida como camino. Desarróllalo.

4. ¿Se puede ver el tema de *carpe diem* en estos tres poemas? Compara y contrasta el tema del tiempo en Machado con su expresión en las obras de Garcilaso de la Vega "En tanto que de rosa y azucena" [Soneto XXIII], de Luis de Góngora "Mientras por competir con tu cabello" [Soneto CLXVI] y de Quevedo, "Miré los muros de la patria mía".

Actividades

1. Escuchar la versión cantada de "He andado muchos caminos" de Joan Manuel Serrat y comentar su interpretación.

2. Los estudiantes escriben un poema sobre su propio pasado usando la forma de "He andado muchos caminos" o "La primavera besaba".

3. Los estudiantes pueden ver el documental sobre el poeta, *Antonio Machado: A lomos de la Quimera*, que se puede obtener a través del Instituto Cervantes o de Films for the Humanities.

Alfonsina Storni

(1892-1938)

Datos biográficos

Aunque Alfonsina Storni nació en Suiza el 29 de mayo de 1892, cuatro años más tarde su familia volvió a Argentina. Como sus padres tenían grandes dificultades económicas, Storni tuvo que trabajar de adolescente para ayudar a la familia. Consiguió su primer puesto de maestra en una escuela elemental en Rosario y, después de una relación amorosa con un hombre casado, se fue a Buenos Aires en 1911. Allí nació, el año siguiente, su hijo Alejandro, a quien Storni cuidaría sola. Su primer libro apareció en 1916, pero en esa época la poeta tenía problemas económicos. Amado Nervo, el gran poeta mexicano, publicó algunos de los poemas de Storni en la revista *Mundo Argentino*, lo que representó un reconocimiento importante para ella. En 1920, su libro *Languidez* ganó el Primer Premio Municipal de Poesía y el Segundo Premio Nacional de Literatura. Storni intervino en la creación de la Sociedad Argentina de Escritores y en dos viajes a España, uno durante 1928 y el otro en 1931, conoció a otras escritoras. Después de ocupar varios puestos de profesora, obtuvo dos cátedras en 1923 y 1926, una de "Lectura y declamación" y otra en el conservatorio de Música y Declamación, que dictaría hasta su muerte. Asistió a una conferencia en Montevideo en 1938 con Gabriela Mistral y Juana de Ibarbourou, dos poetas suramericanas muy conocidas. Fue operada de un cáncer de seno en 1935, que reapareció tres años más tarde. La poeta se suicidó en el Mar del Plata el 25 de octubre de 1938, un año después del suicidio de su gran amigo Horacio Quiroga.

La poesía de Storni

La trayectoria poética de Storni se divide en dos etapas, una temprana con poemas publicados entre 1916 y 1925; dentro de éstos *El dulce daño* (1918), *Irremediablemente* (1919) (de los cuales se extraen los poemas a continuación), y *Languidez* (1920) contienen sus poemas más fuertes. En esta época, su estilo es generalmente de un lirismo subjetivo con rasgos del romanticismo y modernismo, y habla del amor y de sus fracasos. Algunos de sus temas son la deshumanización del mundo moderno, la fatalidad y la injusticia social, pero su tema principal es la guerra entre los sexos. Storni articula de manera muy elegante la situación de la mujer víctima de la opresión general del hombre. Luchó toda su vida contra la desigualdad de derechos entre el hombre y la mujer, y expresó su dolor contra el hombre hispánico que quiere que la mujer sea pura, y contra el encarcelamiento de la mujer: "Hombre pequeñito, hombre pequeñito, / suelta a tu canario, que quiere volar." Pero en un ensayo humorístico y autobiográfico que escribió poco tiempo antes de su muerte, Storni rechazó su primer libro *La inquietud del rosal*, que caracteriza como "sencillamente abominable; cursi, mal medido a veces". Demostró más caridad hacia *Irremediablemente*: "Los versos son como los panes que se sacan de un horno arrebatado. De vez en cuando se salva un panecillo que no está ni crudo ni quemado". En estos poemas se destaca sobre todo el temor al amor desde el punto de vista de la mujer.

En el mismo trabajo autobiográfico, Storni admite que *Ocre*, su quinto volumen de poesías, "es ya un poco mejor; algo cerebral, pero se advierte que quien lo hizo gobernaba con alguna propiedad su instrumento". Publicado en 1925, *Ocre* funciona como punto de transición a la segunda etapa poética, marcada por la introspección, no solamente sobre sus propias emociones personales, sino sobre la condición humana, tanto del hombre como de la mujer. Ya no muestra una hostilidad tan aguda contra el hombre. En esta época Storni empezó a escribir teatro y, al volver a la poesía en 1934 con *Mundo de siete pozos* y el último volumen póstumo, *Mascarilla y trébol*, muestra una nueva libertad, rompiendo con la rima y la versificación tradicionales. Algunos de los poemas, "antisonetos", muestran más tensión e intensidad. Es aquí principalmente donde Storni se aparta de ser etiquetada como una poeta femenina para reclamar su posición como poeta más universal.

TÚ ME QUIERES BLANCA

Vocabulario por versos

1. albo: blanco **2. espuma, la:** seafoam **3. nácar, el:** mother-of-pearl **4. azucena, la:** lily **5. casta:** chaste **6. tenue:** tenuous, slight **7. corola, la:** corolla, crown **13. nívea:** snowy-white **18. morado:** purple **20. pámpano, el:** vine shoot, vine tendril **22. Baco:** Bacchus, dios del vino **26. estrago, el:** ruin **38. cabaña, la:** hut, cabin **44. escarcha, la:** frost **45. tejido, el:** weaving, textile **46. salitre, el:** saltpetre, nitre **54. enredado:** entangled

Sugerencias para el análisis del poema "Tú me quieres blanca"

1. ¿A quién y contra quién se dirige la poeta en la primera estrofa? ¿Qué tienen en común el nácar, las espumas y la azucena, y a qué aspecto de la mitología de la mujer se refieren? Las imágenes de la azucena y de una corola cerrada, ¿qué cualidades de la mujer "ideal" (según el hombre) evocan?

2. En la segunda estrofa, ¿por qué dice la poeta que ni el rayo de luna, ni la margarita son suficientemente blancos y puros? ¿Cuál es la actitud de la poeta hacia las exigencias del hombre? Explica el uso de la anáfora para acusar al hombre: ¿cómo funciona?

3. En la tercera estrofa, ¿qué aspectos de la vida del hombre se señalan? ¿Qué significan los símbolos de las copas de frutos y mieles, los labios morados y el banquete cubierto de pámpanos? En la mitología romana, ¿quién era Baco y por qué era famoso? ¿Por qué se hace referencia a Baco aquí?

4. ¿Qué simbolizan los *jardines negros del engaño* y las palabras *corriste al estrago*? Contrasta la blancura exigida de la mujer con los colores fuertes asociados con el hombre. Examina otra vez la serie de anáforas: los versos que empiezan con "Tú que…" y "Me pretendes…" . ¿En qué sentido son irónicos o sarcásticos? ¿Por qué interpone la poeta la frase, "Dios te lo perdone"?

5. Los mandatos que empiezan los versos de la última estrofa sugieren una vuelta a la naturaleza y a la pureza, una etapa de purificación después de la corrupción del hombre

señalada en la tercera estrofa. ¿Qué cambio radical del hombre exige la poeta?

6. Contrasta la última anáfora con la de la tercera estrofa. ¿Se puede decir que el significado del poema reside en la diferencia entre estas repeticiones? ¿Podrá el hombre recuperar su alma "que por las alcobas se quedó enredada"?

PESO ANCESTRAL

Vocabulario por versos

4. acero, el: steel **5. brotar:** to flow, to sprout **6. veneno, el:** venom, poison

Sugerencias para el análisis del poema "Peso ancestral"

1. En la primera estrofa, ¿quién habla? ¿A quién? Explica la función de la repetición de las formas del verbo *llorar*.

2. Analiza el impacto del verso corto, "eran de acero". ¿Cuál es el valor simbólico del acero?

3. ¿A quién le brotó una lágrima, al hombre o a la mujer? ¿Por qué le parece venenosa a la poeta? La metáfora del vaso "así pequeño", ¿a qué aspecto de la vida del hombre se refiere?

4. La "débil mujer" de la tercera estrofa, ¿es la madre de la poeta? ¿Representa a las generaciones de mujeres que estoicamente han sufrido esa opresión y ese destino? ¿Por qué dice que conoció el "dolor de siglos" al beber la lágrima?

5. Al enunciar el poema, ¿logra la poeta quitarse algo del "peso ancestral"? ¿Se puede decir que su arte es una experiencia catártica?

Temas de discusión y ensayos para ambos poemas

1. Los dos poemas de Storni toman la forma de un apóstrofe de la poeta a otra persona a quien habla de "tú". ¿Crees que es una mujer específica que habla a una persona particular o tiene un sentido más universal?

2. ¿Por qué es importante el hecho de que los dos poemas sean monólogos y no diálogos?

3. Muchos críticos han comparado los temas de la poesía de Storni con los de Sor Juana Inés de la Cruz. ¿Qué semejanzas y contrastes ves entre estos dos poemas de Storni y "Hombres necios que acusáis" de Sor Juana? Compara los poemas en cuanto al tema y al tono.

4. ¿Existe una poesía o literatura femenina? ¿Es una categoría útil o es mejor apreciar la poesía de los dos sexos sin distinguir entre ellos? Usando el caso de la poesía de Storni, comenta ambos puntos de vista.

5. Compara la representación del pasado en "Peso ancestral" con la de los tres poemas de Machado, "La primavera besaba", "Caminante son tus huellas" y "He andado muchos caminos".

Actividades

1. Preparar una respuesta en forma de carta o poema, desde el punto de vista del hombre, a "Tú me quieres blanca".

2. Investigar sobre el movimiento feminista en Latinoamérica: cuándo empezó, líderes que se destacan, cambios que se han logrado, etc. Comparar con la situación en los Estados Unidos y en España.

Federico García Lorca

(1898-1936)

Datos biográficos

Federico García Lorca nació el 5 de junio de 1898 en el pueblo de Fuente Vaqueros, a diez millas de Granada, hijo de la familia más rica del pueblo. De su padre, el joven Federico aprendió a tocar la guitarra y a amar la música. Se puede apreciar la influencia de las canciones del pueblo y del flamenco en los poemas de Lorca y también en la calidad musical y poética de sus dramas. La madre del poeta había sido la maestra del pueblo y desde muy joven Federico compartió su pasión por la literatura. Toda la familia iba con frecuencia al teatro, y a Federico le encantaba disfrazar a sus hermanos y presentar a sus padres y amigos sus propios dramas y comedias. Le gustaba también dibujar y hay dibujos que acompañan a varios de sus poemas.

Además de su pasión por la literatura y la música, hay otras influencias en su niñez que se ven después en sus dramas y poemas. Por las noches, junto con sus familiares, Lorca escuchaba relatos de los maltratos de la Guardia Civil e historias de violencia y asesinatos.[1] Años después, en su poema "Romance de la Guardia Civil española", Lorca retrata a los miembros de la Guardia Civil como hombres con "almas de charol" y "de plomo las calaveras". La muerte y la violencia son temas frecuentes en sus obras. Siendo niño acomodado, Lorca pasaba mucho tiempo en la compañía de las criadas que lo cuidaban y que le contaban cuentos infantiles y le cantaban canciones populares. Lorca ha dicho, "¿Qué sería de los niños ricos si no fuera por las sirvientas que les ponen en contacto con la verdad del pueblo?". Este espíritu popular se percibe claramente en los poemas y dramas de Lorca. Los elementos musicales y folklóricos también reflejan la tradición de su región.

Aunque tenía muchos amigos, Lorca era un niño tímido que a veces sufría las burlas de otros niños que lo juzgaban afeminado. Años después, la experiencia de ser homosexual en una sociedad adversa aumentó su sensibilidad hacia cualquier víctima de prejuicio y estereotipo. En su libro de poemas *Romancero gitano* (1928), Lorca presenta al gitano como una figura romántica, libre, unida a la naturaleza, lo contrario a la imagen negativa aceptada por la sociedad. En 1929, Lorca pasó unos meses en Nueva York, estudiando en la Universidad de Columbia. La falta de calor humano y mecanización de la ciudad, radicalmente opuesta a su mundo andaluz, le impresionaron

---

[1] Stainton, Leslie: *Lorca: a Dream of Life*. Farrar, Straus, Giroux. New York 1999, p. 14

grandemente. La proximidad de Harlem abrió los ojos del poeta a la situación de los negros, a quienes asimiló a los gitanos. También observó la independencia de la mujer neoyorquina comparada con la española. De este modo, se profundizó su preocupación por problemas de opresión e injusticia. La crítica social y la soledad del individuo serían temas de algunos de sus poemas de *Poeta en Nueva York*. En los tres dramas que escribió después, *Bodas de sangre, Yerma y La casa de Bernarda Alba*, Lorca reveló gran compasión por las mujeres limitadas por la sociedad y privadas de libertad.

En julio de 1936, en un ambiente de intensa intranquilidad política, Lorca fue a casa de sus padres para celebrar el día de su santo y el de su padre. Durante su visita a Granada, estalló la Guerra Civil y se intensificó la violencia. El Ejército, bajo el mando del General Franco, ejecutó a muchas personas leales al gobierno republicano. El 16 de agosto, tres soldados sacaron a Lorca de la casa de un amigo en la que se había ocultado. Preguntados sobre el "crimen" del poeta, contestaron que fue lo que había escrito. Lo mataron el 19 de agosto. La muerte le llegó inesperada y violenta, como él siempre había temido.

La obra de Lorca. Sus temas

El libre albedrío y el determinismo

Indudablemente el autor más famoso de la España del siglo XX, Lorca se distingue en dos géneros, poesía y teatro. Se puede decir que el deseo de libertad individual es el tema predominante de sus tres tragedias rurales: *Bodas de sangre* (1933), *Yerma* (1934), y *La casa de Bernarda Alba* (1936). Los protagonistas de estos dramas mueren (en sentido figurado y literal) por expresar su voluntad. Son víctimas de varios obstáculos a su individualismo y libre albedrío. Lorca retrata una sociedad muy rígida, con estereotipos fijos que definen los papeles del hombre y de la mujer. El hombre es siempre fuerte y varonil y cuida y controla a su esposa. La mujer es sumisa y callada y se queda en casa. Quien no sigue estos papeles sufrirá las consecuencias del "qué dirán".

Otro tema importante relacionado con la voluntad es la casta: según Lorca hay ciertas características y destino (un sino) que se encuentran en una familia, generación tras generación, y de los que no se puede escapar. Si los padres no tuvieron un matrimonio feliz, sus hijos tampoco pueden esperar la felicidad matrimonial. Por ejemplo, según Bernarda Alba, si su hija tiene un interés en algo indecente, será porque "esa sale a sus tías". En *La casa de Bernarda Alba*, más que en *Yerma* o *Bodas de sangre*, vemos la clase social como una fuerza poderosa que también limita el libre albedrío. Oímos de los abusos e injusticias que las criadas han sufrido a manos de Bernarda y su esposo. Adela, en cierto sentido presa en la casa de su madre, mira con envidia a los obreros y piensa en lo que haría si "pudiera salir también a los campos". Su hermana contesta "¡Cada clase tiene que hacer lo suyo!".

A veces los personajes lorquianos expresan su voluntad y siguen la pasión, rompiendo las reglas de la sociedad. Pero aun estas acciones no representan el libre albedrío sino una pasión irresistible, que no se puede controlar. En ambos dramas, *Bodas de sangre* y *La casa de Bernarda Alba*, los amantes son víctimas de la fuerza del deseo sexual.

Al considerar estos elementos poderosos que impiden el libre albedrío del ser humano, el lector se pregunta si toda acción, aun las decisiones deliberadas, no son determinadas por alguna fuerza fuera del control individual. La herencia genética, la influencia de la familia en los primeros años de la vida, nacer rico o pobre, varón o hembra, todos estos elementos, ¿coartan la libertad? Aunque nuestra sociedad no sea tan rígida como la de Lorca, esta cuestión es vital porque es un tema universal. Lorca muestra las pasiones y preocupaciones más básicas y centrales al ser humano. Por eso, es a la vez un escritor regional, que retrata la sociedad española y andaluza, y un escritor universal, que nos ofrece un espejo de nuestras propias frustraciones.

La necesidad de comunicación

Otro tema universal de Lorca es la necesidad de comunicar emociones profundas, de ser entendido por otros. En *La casa de Bernarda Alba*, Martirio por fin confiesa su amor por Pepe así: "¡Sí! Déjame decirlo con la cabeza fuera de los embozos. ¡Sí! Déjame que el pecho se rompa como una granada de amargura. ¡Le quiero!". Aunque no cambie nada, los personajes quieren al menos el consuelo de comunicar su pena a alguien que los entienda.

El amor frustrado y la muerte

En un mundo de reglas sociales rígidas, donde los casamientos se deciden según el deseo de los padres y la clase social y donde no hay divorcio, muchos personajes lorquianos sufren grandes pasiones por personas inaccesibles. Como Adela en *La casa de Bernarda Alba*, estos personajes se sienten "arrastrados" por sus pasiones a desobedecer las reglas de la sociedad. El resultado de la transgresión es siempre trágico. La muerte violenta es el fin más frecuente de quienes violan el orden social.

El honor

La obsesión con la honra es un tema íntimamente relacionado con todos los anteriores. La mayor razón de respetar las reglas de la sociedad y no seguir las pasiones es el miedo de la pérdida de la honra. El honor no depende fundamentalmente de lo que hace una persona, de su carácter moral, sino del qué dirá la gente. Los chismes, las malas lenguas pueden destruir la honra de una mujer honesta, y perder la honra es peor que la muerte. Este sistema de valores está personificado por Bernarda Alba. García Lorca, García Márquez, Unamuno y otros muchos autores hispanos critican este código del honor basado en las apariencias.

LA CASA DE BERNARDA ALBA

Es el más realista de los dramas de Lorca. El mismo escritor ha dicho que en este drama no hay "ni una gota de poesía", y no se encuentran en él elementos sobrenaturales ni rituales. Lo que sí está presente es una fuerte conciencia de clase social como factor determinante en la vida de la gente. El drama se basa en la realidad. La familia Alba (Lorca ni cambió el nombre) vivía cerca de una propiedad del padre del escritor. Sólo un pozo de agua separaba las dos casas. "En una ocasión [...] Federico descubrió esa extraña familia de muchachas que sufrían la vigilancia tiránica de la madre, viuda desde hacía muchos años [...]. Utilizando el pozo de agua como puesto de observación, espió, estudió, tomó notas."[1]

Sugerencias para el análisis del drama

1. ¿Cómo es la Poncia? Describe su relación con Bernarda.

2. ¿Cómo es Bernarda? ¿Qué sabemos de ella a través de sus opiniones sobre los pobres, sus vecinas, el luto, el papel del hombre y de la mujer en la sociedad, y el estado de soltería de sus hijas?

3. ¿Quién es Pepe el Romano? Según las hermanas, ¿por qué quiere casarse con Angustias? ¿Cómo reacciona Adela a la noticia de que van a casarse y qué sugiere esta reacción?

4. ¿Qué pasó con el retrato de Pepe? Explica el significado de este incidente.

5. ¿Cómo es María Josefa? ¿Qué propósito tiene este personaje en el drama?

6. Al principio del tercer acto, Bernarda mantiene una conversación con Prudencia. Discute el contraste de opinión entre las dos mujeres.

7. Según Adela, su relación amorosa con el novio de su hermana no es culpa suya. ¿Por qué?

8. Advierte la repetición de ciertas palabras como "¡Callar!" o "¡Silencio!" ¿Cuál es su importancia con respecto a las ideas centrales del drama?

9. Al final del drama, Poncia dice que lo que pasó "no es toda la culpa de Pepe el Romano" porque "un hombre es un hombre". ¿Qué ideas quiere comunicar Lorca? ¿A qué refrán en inglés te recuerda?

10. ¿Por qué miente Martirio a Adela al final? ¿Cuál es el resultado?

Temas de discusión o ensayos

1. Observa el color (o la falta de color) en este drama. ¿Qué objetivo busca Lorca? Las paredes de la escena cambian ligeramente de color según los actos. ¿Por qué?

2. Comenta las historias de Adelaida y de Paca la Roseta. ¿Qué relación tienen con los temas del drama?

3. Discute las clases sociales y la jerarquía de poder en la obra. ¿Qué objetos y palabras representan la autoridad y el poder?

4. ¿Con qué está comparada la casa de Bernarda? ¿Qué imágenes se usan para crear una impresión de la casa? ¿Qué ideas o emociones quiere comunicar Lorca con estas imágenes?

5. Hay un mundo interior que vemos y uno exterior que nunca aparece. ¿Qué representa cada uno de ellos? ¿Qué ocurre fuera de la escena que sólo conocemos por la reacción de los personajes?

6. Comenta el significado de las siguientes citas:

---

[1] Couffon, Claude: *Granada y García Lorca*. Citado en la Introducción de *La casa de Bernarda Alba*, Cátedra. Madrid 1989, p. 90

"Nacer mujer es el peor castigo" (Amelia, Acto II); "Pero les cuesta mucho trabajo desviarse de la verdadera inclinación" (Poncia, Acto II); "Cada uno sabe lo que piensa por dentro. Yo no me meto en los corazones, pero quiero buena fachada y armonía familiar" (Bernarda, Acto III).

7. Analiza el uso de símbolos en *La casa de Bernarda Alba*. Incluye el calor, la sed, el agua y el caballo que da patadas contra el muro.

8. Hay repetidos ejemplos de hipérbole o exageración. Todo el drama reproduce una situación extrema. ¿Cómo la crea Lorca? ¿Cómo crea la figura *larger than life* de Bernarda?

9. *La casa de Bernarda Alba* es un drama trágico. Pero hay momentos de humor oscuro y de ironía, a veces cómica, a veces triste. Coméntalos.

10. Estudia la obra en términos de libertad individual. Busca ejemplos de intentos de romper con sus limitaciones. ¿Cuáles son los factores que impiden la libertad? ¿Existe libre albedrío en el mundo lorquiano?

11. Varios temas se entretejen a lo largo del drama: la honra, la hipocresía, el qué dirán, el deseo de libertad sexual, la frustración. Discute estos temas y su interrelación. ¿Cuáles son universales y tienen vigencia en nuestra sociedad?

ROMANCE DE LA LUNA, LUNA

Para el poeta, el gitano representa la unión con la naturaleza y el contacto con lo primitivo y lo básico. El gitano nos lleva a un mundo mítico, a veces mágico o surreal, con el que a pesar de todo nos podemos relacionar.

Vocabulario por versos

1. fragua: forge, blacksmith's shop **2. polisón:** bustle **2. nardo:** spikenard (flower)
7. lúbrico: lustful, lewd **8. estaño:** tin **15. yunque:** anvil **20. almidonado:** starched
21. jinete: rider **28. entornado:** half-closed **29. zumaya:** owl **35. velar:** to watch over

Sugerencias para el análisis del poema

1. Comenta la personificación de la luna. ¿Qué contraste se encuentra en los versos, "enseña, lúbrica y pura, sus senos de duro estaño"? ¿Qué aspectos surreales reflejan?

2. Discute otras personificaciones de la naturaleza en el poema. ¿Cuál es la actitud del aire y de la zumaya hacia el ser humano?

3. ¿Cuál es la reacción del niño con respecto a la luna? ¿Y de la luna hacia el niño?

4. ¿Qué supersticiones asociadas con la luna se encuentran en el poema?

5. ¿Qué imagen de los gitanos presenta el poeta? ¿Qué sugiere con las palabras "bronce y sueño"?

6. Analiza las metáforas del poema.

7. ¿Qué color domina? ¿De dónde viene? ¿Qué connotaciones tiene?

PRECIOSA Y EL AIRE

Preciosa es una gitana joven que vive un mundo lleno de peligros humanos y naturales. Es interesante observar la combinación de elementos cristianos y paganos en la presentación del viento.

Vocabulario por versos

1. pergamino: parchment **6. sonsonete:** rythmic tune **7. batir:** to beat **10. carabinero:** guard **15. glorieta:** bower, arbour **15. caracola:** conch **24. gaita:** flute **28. vientre:** belly **29. pandero:** tambourine **32. espada:** sword **33. fruncir:** to pucker, furrow **36. liso:** smooth **38. verde:** obscene, sexual **41. sátiro:** satyr (associated with lewdness, lust) **42. reluciente:** shiny **49. ceñido:** wrapped tightly **53. ginebra:** gin **57. tejas de pizarra:** roof tiles **58. morder:** to bite

Sugerencias para el análisis del poema

1. En los primeros versos del poema, Preciosa va alegre, inocente y descuidada, tocando su pandereta. Al llamar la pandereta una "luna de pergamino", ¿qué sugiere Lorca? ¿De qué manera está anticipando lo que ocurre después? (Piensa en la luna del "Romance de la luna, luna")

2. Describe a Preciosa ¿Cómo se presenta su relación con la naturaleza?

3. En contraste con los ingleses en sus "blancas torres", "los gitanos del agua/ levantan por distraerse/ glorietas de caracolas/ y ramas de pino verde". ¿Qué sugieren estos versos con respecto a los gitanos?

4. Analiza el uso de personificación de elementos de la naturaleza a lo largo de todo el poema. En particular, ¿cómo está caracterizado el viento?

5. Comenta la combinación de elementos cristianos y elementos paganos en el poema.

6. ¿Qué pasa entre el viento y Preciosa?

7. ¿Qué representan los carabineros? Estudia la ironía de las palabras "duermen guardando". ¿Qué representan los ingleses?

8. ¿Cómo tratan los ingleses a Preciosa? ¿Por qué rechaza ella la copa de ginebra? ¿Qué sugiere este acto y el uso de las palabras "aquella gente"? ¿Cuáles son los dos peligros que se insinúan en la última estrofa?

9. Comenta la estructura del poema, la métrica, la rima y el uso del hipérbaton.

10. ¿Qué elementos surrealistas se encuentran en el poema?

Temas de discusión o ensayos para ambos poemas

1. En cada uno de los poemas hay una historia cotidiana que el poeta transforma al llevar al lector al mundo mítico de los gitanos. ¿Cuál es la anécdota en cada uno? ¿Cuáles son las

características del mundo lorquiano transformado?

2. ¿Qué hace el poeta para llevar tan fácilmente al lector del mundo habitual al mundo primitivo? Observa la repetición de palabras y el ritmo de los poemas. ¿Qué efecto busca?

3. "El niño la mira, mira" es un ejemplo de repetición de palabras. Busca más. Piensa en la música de las películas de misterio, el tam-tam de los tambores africanos y en la música del programa *The Twilight Zone*. En todos ellos hay cierta monótona repetición. ¿Qué tienen en común? ¿Qué resultado provocan?

4. En estos y otros poemas, ¿qué representa la luna con su luz metálica y fría? ¿Qué significa su presencia?

5. Estos dos poemas son romances, la versificación popular usada especialmente para contar historias. ¿Por qué elige Lorca esta métrica? ¿Son realmente poemas populares? Compáralos con los dos romances del siglo XV que has leído.

6. ¿Qué elementos son tradicionales en estos romances? ¿Cuáles son innovadores?

Actividades

1. El código del honor según Bernarda Alba se basa en la virginidad de la mujer, la reputación de la familia y las apariencias. Los estudiantes discuten en qué se basa el código del honor en nuestra sociedad, teniendo también en cuenta los mensajes del cine y la televisión.

2. Escribir los romances como noticias periodísticas. Ejemplo: "Ayer, a las dos de la mañana, un grupo de gitanos que habían dejado solo a un niño de siete años, lo encuentran muerto al regresar a casa".

3. Recitar poemas o dramatizarlos con distintos personajes.

4. Escuchar música y grabaciones poéticas de las numerosas que hay basadas en la obra poética de Lorca.

5. Organizar en la clase una jornada lorquiana con música, dibujos de Lorca, recitaciones y dramatizaciones breves para percibir el efecto multisensorial del arte del poeta.

6. Ver el vídeo A *Murder in Granada*, que se puede obtener a través de Films for the Humanities o el Instituto Cervantes. El Instituto Cervantes tiene también los videos de una representación teatral de *La casa de Bernarda Alba* y *Lorca: Muerte de un poeta*.

7. Consultar la Página: http://intec.rug.ac.be:8080/www/u/144/cultural/fglorca.html

8. Investigar sobre los gitanos, su origen, sus costumbres y compararlos con los gitanos de Lorca.

# Jorge Luis Borges

(1899-1986)

Datos biográficos

Leer a Borges es no volver a estar seguros de la realidad que siempre habíamos aceptado sin cuestionar. Según las palabras de la escritora Luisa Valenzuela, Borges "nos trastornaba (desordenaba) la arrogante seguridad, transformándonos".[1] ¿Cuándo y cómo se formó este gran mago y transformista?

Jorge Luis Borges nació en Buenos Aires, el 24 de agosto de 1899. Desde una edad muy temprana se sintió fascinado por la biblioteca de su padre, profesor de psicología, muy interesado en la literatura. Al igual que García Márquez, Borges debe mucho a la influencia de sus abuelos. La abuela paterna, Fanny Haslam, inglesa, le enseñó al joven Georgie a leer en inglés antes que en español. Tanto el bisabuelo materno, Isidoro Suárez, como el abuelo paterno, el coronel Francisco Borges, lucharon por la independencia de la Argentina. La "muerte romántica" de Francisco Flores, el abuelo del protagonista de "El Sur" parece ser una referencia a la muerte heroica del coronel Borges.

La pasión literaria de Borges se reveló muy temprano. A la edad de seis años declaró su deseo de ser escritor. A los siete escribió un ensayo en inglés sobre la mitología griega, y a los ocho, un cuento inspirado en un episodio del *Quijote*.[2] Como su padre y abuelo, Borges sufrió de un defecto genético que lo dejó, poco a poco, ciego. 1938 fue un año terrible para los Borges: su padre murió, la vista de Borges empeoró progresivamente y sufrió un accidente que casi le costó la vida. Este accidente se verá reflejado en el cuento "El Sur". Al ir perdiendo la vista, se volvió más y más dependiente de la ayuda de su madre y de varios amigos con su obra literaria. Borges estuvo siempre muy unido a su familia, especialmente a su hermana, Norah y a su madre

En 1967 Borges se casó con Elsa Millán con quien viajó a Estados Unidos para dar una serie de conferencias en la Universidad de Harvard. La pareja se divorció en 1970. Borges volvió a casarse en 1985, con María Kodama, su gran amiga, compañera y secretaria, a quien dictó muchos de sus cuentos. Murió en Ginebra en 1986.

Los cuentos de Borges

Aunque Borges escribió ensayos, crítica literaria y poemas, es más conocido por sus cuentos. Sus colecciones más famosas son *Ficciones*, publicada en 1944, *El aleph*, en 1949, y *El libro de arena*, en 1975.

La mezcla de ficción y realidad

"La singularidad de Borges consiste en haber visto que la literatura es siempre ficción y que la realidad misma es ficticia".[3]

---

[1] Valenzuela, Luisa: "La primera palabra", en la revista *Américas*, Nov-Dic 1986, p. 3
[2] Rodríguez Monegal, Emir: *Borges por él mismo*, Monte Avila Editores. Caracas, 1976, p. 229
[3] Anderson Imbert, Enrique: "El éxito de Borges", en la revista *Américas*, Nov-Dic 1986, p. 9

Se puede decir que vivimos hoy en día en una edad borgiana. Nuestra cultura popular está obsesionada con la idea de mezclar la ficción y la realidad hasta borrar la línea entre las dos. Desde las películas *The Matrix*, en la que el protagonista no puede distinguir entre su realidad y la realidad virtual, *Pleasantville* y *The Truman Show* en las que los personajes televisivos se creen reales, hasta sus opuestos, los programas *Survivor* y *Big Brother*, la clasificación es difícil. En el cuento *Alice In Wonderland* y en *The Wizard of Oz*, lo que parece una aventura se revela como un sueño.

Esta invención no es reciente (ya Cervantes la usó en el *Quijote*), pero Borges lleva la confusión entre realidad y ficción a terrenos insospechados. En "El otro", Borges viejo se encuentra con Borges joven y consideran la posibilidad de que uno de ellos esté soñando. En "El Sur", "Las ruinas circulares" y muchos otros cuentos, sueño, fantasía y realidad se mezclan para confundir y complacer al lector. Frecuentemente Borges, también como Cervantes, usa la técnica del cuento dentro del cuento con el efecto de hacer más real la ficción.

El doble; cada hombre es todos los hombres

Como ya se ha mencionado, en "El otro" Borges se enfrenta a sí mismo, el uno joven y el otro viejo. En "El Sur", Dahlman siente "como si a un tiempo fuera dos hombres: el que avanzaba por el día otoñal y por la geografía de la patria, y el otro, encarcelado en un sanatorio". Los dos enemigos en "La muerte y la brújula" se han visto y volverán a verse en otras "encarnaciones" futuras.

El tema del doble, de formas enormemente diversas, aparece en casi todos sus cuentos. Ya de niño, Borges estaba fascinado con la infinita repetición de dos espejos y es posible que esta fascinación se refleje en sus obras. También, el tema del doble está relacionado con la idea de que hay una cantidad limitada de personas, posibilidades, ideas y acciones, y por eso todo se repite indefinidamente.

Lo infinito. El tiempo

Con el tema anterior se relaciona el de lo infinito: hay una serie infinita de creadores y creaciones, reencarnaciones, etc. En "La muerte y la brújula" se sugiere que el mismo asesinato se repetirá, de diferentes formas, para siempre. En "El jardín de senderos que se bifurcan", la misma situación ha ocurrido y sigue ocurriendo en situaciones paralelas; sólo los nombres cambian. Borges juega de muchas maneras con el concepto del tiempo: el tiempo infinito, el repetido, el detenido (en "El milagro secreto"), el circular, el dividido en múltiples bifurcaciones.

El laberinto

Los laberintos borgianos pueden ser de varias formas: espaciales, mentales, temporales o, a veces, metáforas de la complejidad de la vida. En "La casa de Asterión", vemos el laberinto literal de la mitología griega, pero expandido para reflejar todo el mundo. Funes, el protagonista de "Funes el memorioso", vive en un laberinto mental de memorias infinitas. Las realidades que se bifurcan en "El jardín de senderos que se bifurcan" forman un laberinto del tiempo. La villa de Triste-le-Roy de "La muerte y la brújula" es un laberinto físico que representa el destino en el que el protagonista se encuentra atrapado. El laberinto aparece con frecuencia como símbolo del caos de la existencia humana, al que el ser humano se esfuerza en imponer orden. En el laberinto borgiano, cabe preguntarse si predomina el orden o el caos. ¿Es el laberinto –la vida– un caos ordenado o un orden caótico? ¿Hay una salida?

La barbarie y la violencia

Parece a la vez irónico y lógico que un hombre tan cerebral y cultivado como Borges se sienta fascinado con lo primitivo y la barbarie. En "El Sur" vemos que Dahlman, que tiene mucho en común con Borges, se siente sumamente atraído por su antepasado militar y por la imagen del gaucho del Sur, el equivalente del *cowboy* norteamericano. La muerte violenta le parece a Dahlman más romántica y atractiva que la muerte en un ambiente civilizado.

EL SUR

En "El Sur" se encuentran varios elementos reales que ocurrieron en la vida de Borges, mencionados en la sección Datos biográficos. En cierto sentido es una narración personal, que permite al lector ver aspectos del carácter del autor.

Nota para facilitar la lectura

Las mil y una noches, obra a la que Borges hace varias referencias, consiste en los cuentos relatados por Shahrazad, una mujer que utiliza su talento como narradora de historias para demorar su propia muerte. En "El jardín de senderos que se bifurcan", un personaje, tratando de entender de qué manera un libro puede ser infinito, piensa en "esa noche que está en el centro de *Las mil y una noches*, cuando la reina Shahrazad (por una mágica distracción del copista) se pone a referir textualmente la historia de las 1001 noches, con riesgo de llegar otra vez a la noche en que la refiere, y así hasta lo infinito". En otras palabras, Shahrazad llega a un punto donde va a empezar otra vez sus relatos.

Sugerencias para el análisis del cuento

1. ¿Qué desgracia le ocurre a Dahlman en 1939? ¿Qué papel hace el libro *Las mil y una noches* en este accidente? Más tarde en el cuento hay otras referencias a esta obra. ¿Dónde se encuentran?

2. Después de salir del sanatorio, ¿hacia dónde va Dahlman?

3. Al empezar su viaje, Dahlman comenta que cruzar la Calle Rivadavia es igual a entrar en otro mundo. ¿Por qué le parece así?

4. El almuerzo que Dahlman come en el tren le trae un recuerdo nostálgico. ¿Cuál es?

5. Después de bajar del tren, Dahlman entra en un almacén para esperar el vehículo que le llevará a la estancia. ¿Qué sensación tiene al ver al patrón? ¿Qué posibilidad sugiere esta equivocación?

6. Al principio ¿cuál es la actitud de Dahlman respecto de los muchachos en el almacén? ¿Qué símil o imagen emplea el narrador para describir al hombre muy viejo?

7. ¿Por qué decide Dahlman que no va a pelear con los peones? ¿Qué le dice el patrón a Dahlman que le hace cambiar su decisión?

8. ¿Qué hace el viejo gaucho para que la pelea parezca justa? En realidad ¿por qué no lo es? ¿Qué significa para Dahlman el gesto del gaucho?

9. ¿Qué va a pasar al final del cuento?

Temas de discusión y ensayos

1 A Dahlman le interesa más uno de sus abuelos. ¿Qué explicación puede tener esta preferencia? ¿Qué aspecto de la naturaleza humana se comenta aquí?

2. ¿Qué representa el Sur para Dahlman?

3. Borges describe, de una manera muy humana y subjetiva, las reacciones de Dahlman a sus sufrimientos. ¿Qué emociones se describen? Comenta estas frases: "En los días y noches que siguieron la operación pudo entender que apenas había estado, hasta entonces, en un arrabal del infierno"; "Se odió; odió su identidad"; "Dahlman se echó a llorar, condolido de su destino".

4. Observa las referencias a *Las mil y una noches*. ¿Por que le atrae tanto esta obra a Borges? ¿Qué tiene en común con temas borgianos?

5. Dahlman siente "como si a un tiempo fuera dos hombres." ¿Por qué piensa así? Comenta esta idea en términos borgianos.

6. La descripción del viaje en el tren tiene algunos aspectos casi irreales, como de sueño. Explica.

7. Comenta la frase: "Dahlman pudo sospechar que viajaba al pasado y no sólo al Sur". ¿Qué posibilidades sugiere al lector?

8. Antes de salir a pelear, Dahlman piensa: "No hubieran permitido en el sanatorio que me pasaran estas cosas". Este pensamiento puede ser un indicio de una interpretación alternativa a lo que parece pasar a Dahlman. ¿Cuál podría ser, en tu opinión? ¿Por qué no tiene miedo Dahlman? ¿Cómo reacciona a la idea de su propia muerte?

9. Discute el elemento del azar en este cuento.

10. Estudia la frase final del cuento. Observa los tiempos verbales. ¿Por qué termina la historia aquí? ¿Qué nos dice este momento del tema del cuento? ¿Cuáles son los temas de "El Sur"?

LA MUERTE Y LA BRÚJULA

Borges, a quien se conoce principalmente por sus cuentos fantásticos, era un gran aficionado al género del cuento policial. En "La muerte y la brújula" tenemos una mezcla de lo fantástico y lo policial. El protagonista, Erik Lönnrot, tiene una mente sumamente lógica y capaz, igual que los protagonistas de Arthur Conan Doyle, Edgar Allan Poe y otro autor favorito de Borges, G.K. Chesterton. Según Borges, el cuento policial representa "la literatura fantástica que trata de parecer realista".[1]

Notas para facilitar la lectura

- Varios intereses borgianos se reflejan en este cuento. Uno es su fascinación con el misticismo judío, la cábala. El título *Vindicación de la Cábala* es una referencia a una obra que en realidad fue escrita por Borges. También en el cuento se encuentra una referencia a la idea cabalista de que el nombre secreto de Dios se escribió en algún lugar desconocido al principio del tiempo.

- Otro elemento personal de Borges es su amor por Buenos Aires. El escenario de "La muerte y la brújula" es, aunque no lo parezca, un Buenos Aires laberíntico dentro del que tiene lugar la acción del cuento. La descripción de la villa de Triste-le-Roy corresponde al Hotel de Las Delicias, sitio real de la juventud de Borges.

- Las referencias repetidas a los rombos o losanges vienen de sus recuerdos del Hotel de Las Delicias. Es importante notar el uso de formas geométricas a lo largo del cuento (el rombo, el rectángulo, el triángulo). La repetición de ciertos números es también fundamental.

- La discusión sobre los libros de Yarmolinsky es algo difícil de entender. Borges aquí menciona varias ideas místicas o cabalistas (del misticismo judío) sobre la existencia y situación de un nombre secreto de Dios. Este nombre tendrá poderes mágicos. Borges explora el mismo concepto en su cuento *El Aleph*. El Aleph es la primera letra del alfabeto hebreo y simboliza, según Borges, "la pura divinidad", o la eternidad, la infinidad. Como otro ejemplo de este concepto infinito, Borges (en "La muerte y la brújula" y en *El Aleph*) se refiere al cristal de Alejandro de Macedonia.

- En el cuento, hay una referencia a una carta firmada por Baruj Spinoza. Baruch Spinoza es un filósofo del racionalismo religioso, famoso por escribir filosofía tan perfectamente lógica que tiene una forma geométrica. La referencia a Spinoza tiene aquí tres implicaciones: 1) la lógica es esencial para un detective como Lönnrot; 2) la religión y los ritos religiosos tienen que ver con la trama y los temas del cuento; 3) la lógica de Spinoza se conoce como "geométrica" y Borges emplea formas geométricas por todo el cuento.

- Después de leer la carta, Lönnrot pronuncia la palabra "Tetragrámaton", que significa "nombre de Dios que consiste en cuatro letras". Además, esta palabra aparece en la lista de los libros de Yarmolinsky.

- Las siguientes preguntas pueden servir de guía para ayudar a la comprensión de la lectura:

  1. ¿Quién es Lönnrot? ¿Qué sabemos de él en el primer párrafo? ¿Quién es Scharlach? ¿Qué relación existe entre los dos?

  2. ¿Quién es Yarmolinsky? ¿Por qué está en el Hotel du Nord? ¿Qué le pasa allí?

---

[1] Borges, J.L. y Ferrari, Oswaldo: *Diálogos*. Seix Barral, Barcelona, p. 161

3. ¿Quién es Treviranus? ¿Cuál es su teoría sobre lo ocurrido a Yarmolinsky?

4. ¿Dónde se encuentra la frase "La primera letra del Nombre ha sido articulada"? ¿Por qué la N mayúscula? ¿Cómo reacciona Lönnrot al leerla?

5. ¿Cuál es el segundo crimen? ¿Qué tiene en común con el primero? ¿Cuándo y dónde ocurre? ¿Cómo está vestida la víctima? ¿Qué hay escrito en la pared?

6. ¿Cómo se revela el tercer crimen? ¿Qué ofrece contar Ginzberg?

7. ¿Quién es Gryphius? ¿Quiénes y cómo se llevan a Gryphius? Al irse, ¿qué escribe uno de ellos?

8. Los periódicos judíos critican a la policía. ¿Por qué?

9. Junto con la carta firmada *Baruj Spinoza*, ¿qué recibe Treviranus.?

10. Después de ver el plano de la ciudad, ¿adónde va Lönnrot? ¿Quién lo espera allí? ¿Qué pasa a continuación?

Sugerencias para el análisis del cuento

1. La descripción del Hotel du Nord presenta aspectos muy diversos. ¿Cómo se caracterizan estos elementos diferentes? ¿Qué interpretación se sugiere aquí?

2. Al discutir el primer crimen, Treviranus y Lönnrot revelan opiniones y personalidades muy distintas. Comenta este contraste.

3. ¿Cómo nos sugiere el narrador que Gryphius y Ginzberg son la misma persona?

4. Según el pensamiento lógico de Lönnrot, tiene que haber un cuarto crimen. Discute esta idea.

5. Describe el plan de venganza de Scharlach. ¿En qué sentido es un laberinto? ¿De qué modo depende de conceptos geométricos?

6. Dentro de la quinta, Lönnrot parece a veces estar en un sueño. ¿Qué palabras producen este efecto?

7. Lönnrot había pensado que los crímenes tienen una conexión con la búsqueda del Nombre Secreto. En realidad, ¿cuál fue el motivo de los asesinatos? ¿A quién quería matar Scharlach? ¿Por qué?

Temas de discusión y ensayos

1. ¿Cuales son las conexiones entre la idea mística del nombre secreto de Dios y los temas de "La muerte y la brújula"? (Piensa en un aspecto central del género del cuento policial y en el tema reflejado en la última conversación entre Lönnrot y Scharlach.)

2. Al hablar del tercer crimen, Ginzberg se refiere a "los dos sacrificios de Azevedo y de Yarmolinsky". ¿Qué se sugiere con la palabra "sacrificios"? Al terminar el cuento, el uso de "sacrificios" llega a ser más claro. ¿En qué sentido se refiere a un tipo de rito? ¿Qué tema borgiano se refleja aquí? ¿Con qué intención específica usa Ginzberg esta palabra?

3. ¿Por qué le interesa a Lönnrot el libro *Philologus hebraeograecus*? ¿Qué frase le interesa en particular? (Es importante saber que en la religión judía los días sagrados y muchas ceremonias importantes empiezan con la puesta del sol.) ¿Cuál es la conexión entre esta frase y la búsqueda central de este cuento policial? ¿Cuál es la palabra de Ginzberg que, según Lönnrot, es tan importante?

4. ¿Dónde se sugiere o se menciona un laberinto? ¿Con qué significado?

5. Lönnrot usa la lógica como detective. Scharlach, su adversario, tiene que utilizar un razonamiento igual y entender el funcionamiento mental de Lönnrot para planear su venganza. Sin embargo, Lönnrot, al contrario de Scharlach, representa la lógica pura. Discute los dos personajes y lo que ambos representan.

6. Comenta el uso de los números. Haz una lista en dos columnas de las ocasiones en que se mencionan el tres y el cuatro. Se presentan como números, como formas geométricas o como palabras. Compara y contrasta el significado de los tres y los cuatros en este cuento.

7. Lönnrot le habla a Scharlach de "cuando en otro avatar usted me dé caza" y Scharlach le replica que "para la otra vez que lo mate. . . le prometo ese laberinto." ¿Qué tema de Borges se refleja aquí? Explica.

8. Discute los diferentes temas del cuento. ¿Cuál es el central? ¿Qué problema plantea Borges y qué soluciones (o falta de soluciones) propone?

9. Explica el título del cuento.

Actividades

1. Los estudiantes representan gráficamente las acciones del cuento. Con el modelo de la brújula, hacen un diagrama de los tres crímenes en el Norte, Este y Oeste, y trazan el triángulo y el rombo con el cuarto crimen en el Sur. Verán así el juego de los números (tres y cuatro) y la simetría de las formas geométricas. Comparan este laberinto (como lo llama Lönnrot) con la línea recta en la que representan A, B, C y D.

2. Dos estudiantes preparan un informe sobre la literatura fantástica latinoamericana, nombrando a los autores y obras que han leído en este curso.

3. Los estudiantes traen a clase ejemplos de películas o programas televisivos que podríamos llamar borgianos porque mezclan ficción y realidad o nos llevan a otra dimensión intelectual.

4. Films for the Humanities tiene varios videos sobre Borges: *Borges para millones* (en español), *The Inner World of Jorge Luis Borges*, *The Many Faces of Borges*, *Jorge Luis Borges: The Mirror Man* (en inglés).

5. El Instituto Cervantes puede prestar videos con una entrevista con Borges, de la serie *Confesamos que ha vivido*, *La muerte y la brújula* y *El Sur*.

Nicolás Guillén

(1902-1989)

Datos biográficos

Nicolás Guillén nació en Camagüey, Cuba, en 1902 y murió en La Habana en 1989. A través de su larga vida y extensa producción literaria, Guillén sobresale como una figura fascinante: la de poeta auténticamente cubano a la vez que decididamente internacional, producto y apasionado representante de su contexto a la par que culto innovador. Su amistad con Federico García Lorca, surgida con la ocasión de la visita de éste a Cuba después de su viaje a Nueva York en 1929, le influyó notablemente. Los dos hacen uso de elementos tradicionales e innovadores y en la poesía de ambos, la musicalidad, ritmo y sonido de las palabras son elementos importantes. No es sorprendente que se haya llamado a Guillén "el Lorca antillano". Comunista desde joven, sufrió durante el régimen de Batista el exilio de su país, al que volvió después de la revolución de Castro en 1959. Ya en Cuba, ocupó puestos diplomáticos de relieve. Cosmopolita y gran viajero, Guillén, poeta afrocubano, ha dado a conocer al mundo un aspecto diferente de las letras hispanas.

La poesía de Guillén

Guillén es el más alto representante de la "poesía negra" o afroantillana, surgida alrededor de los años 30, cuya temática y estilo se inspiran en la realidad étnica y cultural de la zona del Caribe: el mestizaje racial y espiritual entre europeos y africanos. Siguiendo esta corriente, Guillén incorpora mitos, costumbres y tradiciones populares como temas de su poesía. El ritmo de sus poemas, por medio del uso de onomatopeyas, aliteraciones, paralelismos y repetición de palabras, imita al son cubano (música de baile y canto, con ritmo africano y letra de romance.) Introduce también términos africanos o palabras inventadas de gran efecto sonoro ("jitanjáforas"), que efectivamente suenan como si fueran reales vocablos del habla negra.

Guillén, sin embargo, va más lejos del uso de palabras exóticas y ritmos africanos. El poeta busca el significado profundo del mestizaje cultural de su tierra y da voz a lo que él percibe como lo auténtico cubano: el alma popular, mulata, fruto de la mezcla de lo africano y español. Como Lorca, funde lo popular y lo culto, la tradición y la innovación, reflejando desde distintos prismas una armónica simbiosis de elementos distantes.

Sus primeras colecciones de poemas, *Motivos del son* (1930) y *Sóngoro cosongo: poemas mulatos* (1931), contienen además de los elementos africanos un enfoque de preocupación social. Todos sus poemas siguientes van a alternar entre la tendencia de reivindicación social y la africanista, o incorporar ambas. En sus últimas décadas, su producción se inclina más hacia la lucha política y denuncia de discriminaciones e injusticias: *La paloma de vuelo popular* (1958), *La rueda dentada* (1972), *El diario que a diario* (1972). Guillén ha escrito también poemas de corte clásico, como sonetos, o vanguardistas, estilizando en ambas vertientes el elemento popular.

"Sensemayá" y "Balada de los dos abuelos" pertenecen al poemario *West Indies, Ltd*, escrito en 1934. Ambos poemas son un ejemplo del uso que hace Guillén del lenguaje popular, vocablos y referencias a la cultura africana, del ritmo como instrumento poético fundamental y de su intento de definir la identidad cubana.

BALADA DE LOS DOS ABUELOS

Vocabulario por versos

2. escoltar: to escort **6. gorguera, la:** gorget, a piece of armor used to protect the neck **7. armadura, la:** coat of armor **9. pétreo:** made out of stone **14. gongo, el:** a percussion instrument **17. prieto:** tight; very dark **22. galeón, el:** galleon, a ship used by Spaniards in colonial times **22. arder:** to burn **26. engañado:** tricked, fooled **26. abalorio, el:** glass bead **29. repujado:** embossed **30. preso, el:** prisoner **30. aro, el:** hoop, ring **35. fulgor, el:** shining **35. caña, la:** reed, cane **36. látigo, el:** whip **37. llanto, el:** weeping, crying **39. madrugada, la:** dawn **42. despedazar:** to tear to pieces **54. suspirar:** to sigh **54. alzar:** to raise up, hold high

Sugerencias para el análisis del poema

1. ¿Qué sugieren los dos primeros versos? ¿Por qué usa el poeta la palabra "escoltar"? ¿Por qué son sombras los dos abuelos?

2. La voz poética introduce a los dos abuelos. Describe cómo son ellos y su mundo. Observa las palabras específicas y el número de versos que el poeta usa para cada uno. ¿Qué sugieren al lector con respecto a la preferencia del poeta por uno u otro abuelo, en la primera parte del poema?

3. Compara los versos "¡Me muero!" y "¡Me canso!"; explica las metáforas "pupilas de vidrio antártico", "¡Oh puro sol repujado!", "¡Oh velas de amargo viento!", "galeón ardiendo en oro...", "¡Oh costas de cuello virgen, engañadas de abalorios!". ¿Hacia cuál de los dos abuelos se inclina la simpatía del lector?

4. La mayor parte de los versos son de 8 sílabas ¿Qué aportan las excepciones, los versos de 2, 3, o 4 sílabas?

5. ¿Qué efecto causa la rima no organizada del poema? ¿Qué otros elementos crean el ritmo? Observa y comenta las repeticiones, paralelismos y antítesis del poema.

6. Estudia el verso "Gordos gongos sordos". Comenta el sonido y elección de vocablos, y su efecto.

7. ¿Cuál es la segunda parte o conclusión del poema? Contrasta la distancia de los dos abuelos de la primera parte con la situación final. ¿Qué proceso ha tenido lugar? ¿Cómo se manifiesta en las formas verbales?

8. ¿Qué nos dice la voz del poeta por medio de esa conclusión? Observa las repeticiones en los últimos versos y su efecto.

SENSEMAYÁ

Nota para facilitar la lectura

"Sensemayá", escrito por Guillén el día de Reyes de 1932, debió ser inspirado por la danza de la serpiente que es parte de las celebraciones en Cuba ese día. Es un canto folklórico, una especie de ritual para matar a una culebra.

Vocabulario por versos

4. culebra, la: snake **4. vidrio, el:** glass **9. yerba**=*hierba* **15. hacha, el** (fem.): axe **silbar:** to whistle

Sugerencias para el análisis del poema

1. ¿Qué jitanjáforas hay en este poema? ¿Qué efecto busca el poeta al usarlas?

2. García Lorca comienza uno de sus poemas: "Arbolé, arbolé/ seco y verdé", inventando acentos en las palabras. De modo similar, Guillén usa las palabras "mayombe" y "mayombé", jugando con los acentos. ¿Por qué crees que lo hacen? ¿Qué efecto buscan ambos poetas?

3. Estudia el sonido de las palabras, las repeticiones, los acentos, las pausas y comenta su efecto. Observa también los signos de puntuación (signos de admiración, guiones, puntos suspensivos, etc.). ¿Qué resultado tienen? ¿Qué da el sentido ritual a este poema?

4. ¿Puedes encontrar alguna aliteración significativa en el poema? ¿Qué sugiere la métrica, al alternar versos largos y cortos?

5. ¿Cuál es el objetivo de la introducción de vocablos africanos? ¿Qué otros elementos africanos hay en el poema, además de los vocablos? ¿Qué pretende con ellos el poeta?

6. ¿A quién se dirige la voz del poeta?

7. "La culebra tiene los ojos de vidrio" recuerda un verso similar en la "Balada de los dos abuelos". En ambos poemas, ¿tiene esta imagen connotaciones positivas o negativas? ¿Qué sugieren las imágenes "camina sin patas" y "se esconde en la yerba"? ¿Cómo, pues, está caracterizada la culebra?

8. ¿Cómo se presenta en el poema la idea de conflicto y confrontación?

9. ¿De qué modo se acelera el ritmo del poema hasta llegar al final? ¿Con qué objetivo? ¿Qué efecto tiene el último verso en quien lee o escucha el poema?

10. ¿Es posible que la culebra peligrosa represente a alguien? ¿Podrías interpretar este poema como algo más que un canto ritual de matar un animal?

Preguntas de discusión y ensayos para ambos poemas

1. Los dos abuelos del primer poema pueden ser leídos como el pasado de la cultura cubana. ¿Qué representa el yo, la voz poética? ¿En qué consiste la síntesis del mestizaje? ¿Cómo es,

pues, para Guillén la identidad cubana?

2. ¿Qué separa y qué une a los hombres? ¿Es la conclusión del primer poema transferible a otras realidades además de la cubana de Guillén?

3. Compara la voz poética de los dos poetas cubanos, Martí y Guillén.

4. ¿Qué parecidos y contrastes encuentras entre la poesía de Guillén, Neruda y Lorca? Compáralos, por ejemplo, respecto a la preocupación social, el uso de lenguaje popular, la musicalidad y ritmo.

Actividades

1. Escuchar música de son en clase y recitar a continuación el poema "Sensemayá".

2. Investigar la proporción étnica y constitución de la población cubana.

3. Desarrollar una historia imaginaria de los dos abuelos mencionados, desde su llegada hasta nuestros días.

4. El grupo musical chileno Inti-Illimani tiene una grabación titulada *Leyenda* que contiene "Sensemayá". La música, los instrumentos y el ritmo responden perfectamente al poema.

Pablo Neruda

(1904-1973)

Datos biográficos

Isabel Allende, en su novela *La casa de los espíritus*, alude a Pablo Neruda simplemente como "el Poeta", y no hay duda con respecto a quién se refiere. Según muchos, Neruda es el Poeta latinoamericano del siglo XX. En su poesía como en su vida, Neruda fue un hombre de diversas y grandes pasiones.

Neruda nació en Chile el 12 de julio de 1904, con el nombre Neftalí Ricardo Reyes. De joven adoptó el seudónimo Pablo Neruda (inspirándose en Jan Neruda, escritor checoslovaco del siglo XIX) para ocultar su identidad de poeta. En sus memorias, Neruda dice: "Mi padre [...] no estaba de acuerdo con tener un hijo poeta. Para encubrir la publicación de mis primeros versos me busqué un apellido que lo despistara totalmente. Encontré en una revista ese nombre checo, sin saber siquiera que se trataba de un gran escritor".[1]

La vida inquieta y tumultuosa de Neruda incluyó puestos diplomáticos en Asia y varios países latinoamericanos, viajes por todo el mundo, actividades políticas (llegó a ser candidato a la presidencia de Chile, pero se retiró a favor de Salvador Allende), unos años de exilio y tres matrimonios. Entre otros muchos premios, Neruda recibió el Nóbel de literatura en 1971. Murió en Chile en septiembre de 1973, doce días después del golpe militar que acabó con el gobierno y la vida de Salvador Allende, gran amigo suyo.

---

[1] Neruda, Pablo: *Confieso que he vivido: Memorias.* Seix Barral, Barcelona 1974, p. 223

La poesía de Neruda

La variedad de la vida de Neruda se refleja en su obra. Escribió poemas de amor, de historia latinoamericana ("Amor América", "Alturas de Macchu Picchu"), políticos ("La United Fruit Company") y otros que glorifican las cosas sencillas ("Oda a las cosas rotas", "Oda a la cebolla"). Sus primeros libros de poemas tienen un tono romántico y su tema es el amor, muchas veces el amor fracasado. Se pueden clasificar de modernistas. El poema "Me gustas cuando callas", de *Veinte poemas de amor y una canción desesperada* es de esta primera época. Después, Neruda atraviesa una etapa surrealista con la obra *Residencia en la tierra*, en la que se refleja una intranquilidad espiritual, expresada en imágenes extrañas, como de sueños. El poeta mismo ha calificado a esta colección de pesimista y llena de angustia. Se puede ver el ambiente oscuro en "Walking around", que pertenece a *Residencia en la tierra II*.

En sus obras más tardías, Neruda utiliza un estilo más claro y sencillo, para llegar al lector de una manera muy directa. Durante esta época, Neruda escribe *Los versos del capitán*. Su tercera mujer, Matilde Urrutia, es la inspiración de estos poemas que son tiernos y apasionados a la vez, celebrando cada aspecto y detalle de la mujer: las manos, los pies, la risa. *Odas elementales*, también de esta época, nos invita a participar en una celebración de las cosas más sencillas de la vida: la sal, los calcetines, el tomate, la alcachofa. Al revelar el encanto de objetos que normalmente pasan inadvertidos, Neruda lleva al lector a un mundo casi infantil en la capacidad del poeta de maravillarse como un niño que lo ve todo por primera vez. Sin embargo, es sutil y refinado en su apreciación de la riqueza de la vida cotidiana y en su manejo de la palabra lírica.

Neruda es un poeta visceral, de emociones intensas y directas con las que podemos fácilmente relacionarnos. En su ensayo "Sobre una poesía sin pureza", Neruda habla en favor de "una poesía impura como un traje, como un cuerpo, con manchas de nutrición, y actitudes vergonzosas, con arrugas, observaciones, sueños, vigilia, profecías, declaraciones de amor y de odio, bestias, sacudidas, idilios, creencias políticas, negaciones, dudas, afirmaciones, impuestos".

ME GUSTAS CUANDO CALLAS

"Me gustas cuando callas" pertenece a la colección *Veinte poemas de amor y una canción desesperada*, publicada en 1924 cuando el poeta tenía diecinueve años. La mayor parte de los poemas tienen como tema el amor fracasado o de alguna manera incompleto. Es interesante compararlos con los que escribe más tarde, después de enamorarse de Matilde Urrutia.

Vocabulario por versos

10. en arrullo: cooing, singing a lullaby **15. constelado:** filled with stars

Sugerencias para el análisis del poema

1. ¿A quién se dirige el poema?

2. Analiza la estructura del poema: la forma métrica, la rima. Comenta el uso del apóstrofe.

3. ¿Qué efecto tiene el silencio de la mujer amada sobre el poeta?

4. ¿Cuáles son las imágenes o metáforas que emplea el poeta para describir a la mujer?

5. ¿Para qué sirve la repetición de la palabra "alma" en la segunda estrofa?

6. La frase, "Déjame que te hable también con tu silencio" parece una paradoja. ¿Cómo se puede interpretar?

7. ¿Qué tienen en común los verbos del poema?

8. Observa la repetición de la conjunción "y" a veces innecesaria. ¿Cómo se llama esta figura? ¿Qué efecto causa?

9. Comenta el ritmo del poema. ¿Qué palabras contribuyen a la musicalidad y sensualidad del poema?

Temas de discusión y ensayo

1. ¿Cuál es el tema central del poema? Discute la relación entre el tema y los aspectos formales del poema.

2. Se puede decir que el poema se basa en una paradoja: la relación íntima entre el poeta y la mujer, y la mujer como lejana o distante. Hay felicidad en su amor, a la vez que asocia a la mujer con imágenes tristes. Comenta la contradicción central y los contrastes que se encuentran en todo el poema.

3. Comenta la sorpresa de los versos finales. ¿Cambian el tono y el sentimiento que ha creado el poeta?

4. Compara este poema de amor con los que has leído de Bécquer.

WALKING AROUND

Pertenece a la colección *Residencia en la tierra II*, publicada en 1935. Los poemas de este libro reflejan la depresión y aislamiento que sufrió el poeta mientras estaba de cónsul en India. Las imágenes feas, dislocadas y sucias expresan su repugnancia al encontrarse solo en un mundo desconocido.

Vocabulario por versos

1. sucede que: It happens that **2. sastrería:** tailor shop **3. marchito:** dried up, shrivelled **3. cisne de fieltro:** felt swan **4. ceniza:** ash **5. peluquería:** barber shop **6. lana:** wool **13. lirio:** lily **19. tiritar:** to shiver **20. tripas:** innards, guts **24. bodega:** cellar **25. aterido:** freezing **28. aullar:** to howl **28. transcurso:** course, path **34. grieta:** crack, crevice **35. azufre:** sulphur **41. veneno:** poison **41. ombligo:** belly button **45. alambre:** wire

Sugerencias para el análisis del poema

1. ¿Qué estado de ánimo se expresa en "me canso de ser hombre"? ¿Cuál es el efecto de

yuxtaponer "Sucede que" con "me canso de ser hombre"?

2. El poeta expresa un disgusto dirigido a sí mismo y hacia aspectos de la vida alrededor de él. ¿Cómo se presentan estos dos aspectos de su repugnancia?

3. El estado negativo del ánimo del poeta también toma la forma de fantasías que se parecen a la locura. ¿Qué versos comunican estas fantasías?

4. ¿Cuáles son las imágenes que se refieren a estar bajo la tierra? ¿Cuál es el significado de las imágenes?

5. ¿Cuál es el tono de la última estrofa? ¿Qué emoción evoca? ¿Por qué?

Temas de discusión y ensayos

1. ¿Cuál es el efecto de mezclar elementos sumamente ordinarios, de la vida diaria, con imágenes totalmente grotescas? Explica y da ejemplos.

2. Comenta el uso de imágenes surrealistas en el poema. Mira reproducciones de los cuadros de Salvador Dalí. ¿Qué semejanzas notas entre las imágenes de Dalí y las del poema? ¿Por qué sirve el surrealismo para expresar las emociones del poema?

3. Compara el verso "Sólo quiero un descanso de piedras o de lana" con el tema de "Lo fatal" de Darío.

4. ¿Cuál es el tema central del poema?

ODA A LA ALCACHOFA

El estilo de *Odas elementales* es claro y directo, como corresponde a su intención de ponerse en contacto con la gente común, los trabajadores. Como socialista, Neruda quiere celebrar los objetos cotidianos empleando lenguaje popular. Al hablar del objeto en el plano metafórico y real a la vez, el poeta nos hace recobrar el poder de maravillarnos que muchas veces hemos perdido después de la niñez.

Vocabulario por versos

1. alcachofa: artichoke **3. guerrero:** warrior **5. cúpula:** dome **9. escama:** scale **12. encrespar:** to curl **14. zarcillo:** tendril **14. espadaña:** spire, bulrush **16. subsuelo:** cellar **20. resecar:** to dry out **20. sarmientos:** vines **22. col:** cabbage **32. bruñido:** polished **33. granada:** pomegranate **37. cesto:** basket **38. mimbre:** wicker **49. mariscal:** marshal **51. fila:** line **51. apretado:** tight **69. repollo:** cabbage

Sugerencias para el análisis del poema

1. ¿Qué contraste observas en los primeros versos del poema? ¿De qué manera refleja este contraste el carácter verdadero de la alcachofa? ¿A qué característica de la alcachofa se refiere Neruda al decir que "se vistió de guerrero"?

2. ¿Cómo se personifica la col? ¿Cómo corresponde esta imagen a la realidad de una col?

3. El poema nos muestra la alcachofa en tres sitios o ambientes diferentes: primero en el huerto, después en el mercado y por fin en la bolsa de María. ¿Cómo se caracteriza cada ambiente? ¿Qué reacción provoca en el lector María al tratar a la alcachofa tan prosaicamente?

4. ¿Cuál es el tono de la última estrofa? ¿A qué ceremonia se compara el fin de la alcachofa?

5. ¿En qué sentido "desvestimos" la alcachofa?

6. Comenta la forma del poema. ¿Cuál es la relación entre la forma y el contenido?

Temas de discusión y ensayos

1. Comenta el humor en el poema. ¿Qué imágenes cómicas utiliza el poeta?

2. La palabra "oda" normalmente sugiere un poema solemne y formal. ¿Qué contraste se encuentra entre la idea de una oda y el tono de "Oda a la alcachofa"?

3. ¿Cuál es el propósito de Neruda al escribir ésta y otras odas elementales?

4. Una de las alegrías de pasar tiempo con un niño es la oportunidad de ver las cosas con ojos nuevos. Volvemos a descubrir la maravilla de las cosas ordinarias: el brillo y la música de unas llaves, la suavidad de un perro. Comenta esta idea en relación con lo que hace Neruda en "Oda a la alcachofa".

5. ¿Existe tal cosa como un objeto poético? ¿Hay objetos más poéticos que otros? ¿Es posible que cualquier objeto pueda ser considerado "poético"?

Actividades

1. Los estudiantes escriben su propio poema que empiece: "Me gustas cuando. . ."

2. Para apreciar la "Oda a la alcachofa" es necesario ver, tocar y comer una alcachofa fresca (las de lata no sirven). Las hojas con las que se cubre la alcachofa son duras por fuera y suaves por dentro, la parte que se come. En el centro hay un "corazón" suave y riquísimo.

3. Otras odas de Neruda celebran el tomate, los calcetines, la casa abandonada, la sal, las cosas rotas. Cada estudiante escribe una oda al estilo de Neruda celebrando un objeto o un aspecto de la vida diaria de su elección.

4. Films for the Humanities tiene estos videos sobre Neruda en inglés: *Yo soy Pablo Neruda* y *Pablo Neruda: Chile's Master Poet.*

5. Para información sobre su vida, biblioteca y más, los estudiantes pueden consultar la página: http:/www.uchil.cl/actividades_culturales/premios_nobel/neruda.htlm.

Julia de Burgos

(1914-1953)

Datos biográficos

La puertorriqueña Julia de Burgos, nació en febrero de 1914 en el barrio de Santa Cruz de Carolina, la mayor de trece hermanos, y murió en 1953 en Nueva York tras una vida marcada por la insatisfacción y la incomprensión. Conoció el fracaso sentimental (se divorció a los 23 años), las dificultades económicas y la soledad. Maestra y escritora desde muy joven, luchó para ganarse la vida, teniendo que publicar y vender sus obras ella misma. En La Habana, donde residió de 1940 a 1942, conoció a Nicolás Guillén y a Neruda, quien prometió escribir el prólogo para el libro que Burgos estaba preparando para publicación, *El mar y tú*. En La Habana también vivió con el gran amor de su vida, Juan Isidro Jimenes Grullón. Cuando rompieron, Julia volvió sola y desilusionada a Nueva York. Allí trabajó en una variedad de empleos, volvió a casarse, sufrió crisis de salud y trató en vano de publicar *El mar y tú*.

Minada su salud por la enfermedad y el alcohol, Burgos murió en las calles de Nueva York, en parecidas circunstancias y el mismo año que el poeta Dylan Thomas, a exactamente la misma edad. Su cadáver fue encontrado en el Harlem puertorriqueño, lejos de la isla que tanto amaba, y enterrado en una fosa común. Sólo después de muerta pudo volver con honores a Puerto Rico, al cementerio de Carolina, su pueblo natal.

La poesía de Julia de Burgos

La poesía de Julia de Burgos es intensamente personal. En ella vierte sus preocupaciones, desnuda su alma, "[da] al mundo su yo", como dice en su poema A *Julia de Burgos*. Habla del amor, la soledad, la incomprensión y de sus intentos de definirse ante sí misma y ante los demás. Dolorosamente consciente, por haberlo sufrido en su propia carne, de las limitaciones que la sociedad impone a la mujer, Julia de Burgos revela en sus poemas la trayectoria de una vida apasionada e inquieta que encuentra más fracasos que éxitos.

Poema en veinte surcos (1938) y *Canción de la verdad sencilla* (1939) son los dos únicos libros que publicó en vida. Numerosos poemas salieron en revistas y una obra póstuma *El mar, tú y otros poemas* fue publicada en 1954.

A JULIA DE BURGOS

Notas para facilitar la lectura

- Rocinante (verso 22) es el caballo de don Quijote
- Los siete pecados capitales (verso 39) son: soberbia, avaricia, lujuria, ira, gula, envidia y pereza.
- Las siete virtudes correspondientes (verso 40) son: humildad, generosidad, castidad, paciencia, templanza, caridad y diligencia.

Vocabulario por versos

2. murmurar: to gossip, whisper **3. alzarse:** to rise up **6. abismo, el:** abyss **12. miel, la:** honey **13. señorona** = *gran señora* **18. rizar:** to curl **22. desbocado:** runaway **26. modista, la:** seamstress **27. alhaja, la:** jewel **28. qué dirán, el:** gossip **34. clavar:** to nail **35. cifra, la:** figure, digit **37. alborotado:** rowdy **38. ceniza, la:** ash **39. tea, la:** torch

Sugerencias para el análisis del poema

1. Describe los dos "yo" que forman parte de Julia, la voz del poema. Detalla aspectos específicos de cada uno.

2. ¿Por qué hay dos "yo"? ¿Cómo es la sociedad a la que responden los dos "yo"? ¿De qué modo lo hacen?

3. ¿Cuál ha sido la relación entre los dos? Cuál es la consecuencia de la partición en dos de una persona? ¿A qué desenlace conduce?

4. Describe el tono del poema. Señala las palabras o frases que lo denotan.

5. Comenta los paralelismos en el poema. ¿Qué efecto busca la poeta con la repetición de las palabras "Tú" y "Yo no"?

6. ¿Te parece apropiada la alusión a Rocinante? Explica.

7. Observa el asíndeton, ¿qué efecto causa?

8. Estudia la rima y la irregularidad de las estrofas. ¿En qué sentido las estrategias formales tienen relación con el contenido del poema?

9. ¿Con cuál de los dos "yo" se identifica la voz poética? Señala específicamente los versos que lo denotan.

Temas de discusión y ensayos

1. ¿Tienen vigencia en la sociedad de hoy las ideas y los sentimientos expresados en este poema? Da ejemplos.

2. Describe las características de una sociedad en la que la Julia del poema no tendría que dividirse en dos.

3. Compara el tema del yo íntimo y el yo público en este poema de Julia de Burgos y en *Autorretrato* de Rosario Castellanos. ¿Cómo es la sociedad a la que se enfrentan las dos poetas? ¿Qué postura adopta cada una? Comenta las semejanzas y diferencias en cuanto a estilo, tono, lenguaje y conclusión. ¿Qué nos dicen de la personalidad de cada autora?

4. ¿Podría ser un hombre el autor de este poema o es esencialmente femenino? Explica las razones de tu respuesta. (Puedes compararlo con el cuentito de Borges "Borges y yo", en el que el narrador también habla de sus dos "yo". Examina las diferencias en tono, actitud y conclusión.)

Actividad

Escribe un poema a ti mismo/a. Trata de reflejar, como hace Julia de Burgos, tus dos "yos", el íntimo y el que perciben otros y reacciona a las expectativas de los demás. No olvides incluir una conclusión.

Julio Cortázar

(1914-1984)

Datos biográficos

La vida de Julio Cortázar estuvo marcada irrevocablemente por su exilio voluntario y, a partir de los años sesenta, por su fervor por las causas sociales. Nació en Bruselas en 1914, de padres argentinos. Después de la Segunda Guerra Mundial, la familia regresó a la Argentina. Cortázar fue criado por su madre, sus tías y su abuela. Comenzó a trabajar de maestro en 1932, fue designado profesor en el Colegio Nacional de una pequeña ciudad en 1937, y publicó su primera colección de poemas, *Presencia*, en 1938. Aunque viajará constantemente en las décadas venideras, el año 1951 marca el principio de su exilio de la Argentina con su establecimiento en París para trabajar de traductor en la UNESCO.

Cortázar publicó varios libros en los años cincuenta, incluyendo volúmenes de sus cuentos fantásticos que ya se consideran entre sus obras maestras, pero sólo en 1963, con la publicación de su novela *Rayuela*, será reconocido ampliamente como escritor. Esta novela es la historia de Horacio Oliveira, argentino que vive en París, y su búsqueda de un centro espiritual, relato que introduce una nueva dimensión experimental a la novela latinoamericana. En 1962 Cortázar realiza su primer viaje a Cuba, donde iniciará su interés por cuestiones políticas. En los años setenta, Cortázar lucha activamente contra la dictadura de Pinochet en Chile, contra la represión en la Argentina, y apoya a Castro en Cuba y la revolución sandinista en Nicaragua. Además de otras novelas experimentales tales como 62 *Modelo para armar* (1968) y *Libro de Manuel* (1973), en 1967 y 1968 aparecen *La vuelta al día en ochenta mundos y Ultimo Round*, libros "almanaque" en que encontramos no sólo cuentos y poemas sino también ensayos y fotografías en un formato muy original.

El gobierno socialista de François Mitterrand le otorga la nacionalidad francesa en 1981, después de treinta años de residencia en ese país. Internado en el hospital, se descubre que tiene leucemia. En 1984 viaja a Nicaragua, donde el Ministro de Cultura, Ernesto Cardenal, le otorga la Orden de la Independencia Cultural Rubén Darío. El 12 de febrero de 1984 muere de leucemia y es enterrado en el cementerio de Montparnasse en París en la tumba donde yace su tercera esposa.

La ficción de Cortázar

La obra de Cortázar pertenece a la literatura hispanoamericana llamada el *boom* que renueva la novela a partir de los años sesenta. Muchos críticos consideran su novela *Rayuela* como uno de los textos iniciadores de esta evolución de la novela. En su serie de conferencias realizadas en la Universidad de California, Berkeley, en 1980 Cortázar mismo señala tres etapas de su propia obra: la estética, la metafísica y la histórica. En la estética, principalmente las obras de los años cuarenta y cincuenta, predomina la literatura fantástica que vemos en muchos de los cuentos de las colecciones *Bestiario, Final del juego y Las armas secretas*. En una conferencia titulada "Algunos aspectos del cuento", de 1963, Cortázar apunta: "Casi todos los cuentos que he escrito pertenecen al género llamado fantástico[...] y se oponen a ese falso realismo que consiste en creer que todas las cosas pueden describirse y explicarse como lo daba por sentado el optimismo filosófico y científico del siglo XVIII[...] En mi caso, la sospecha de otro orden más secreto y menos comunicable [ha sido uno de] los principios orientadores de mi búsqueda personal de una literatura al margen de todo realismo demasiado ingenuo". En "La noche boca arriba" y en los otros cuentos de esta época, Cortázar quiere comunicar que lo fantástico no es un escándalo, sino parte integrante de la realidad misma que le puede suceder a cualquier persona en cualquier momento.

El cambio a la etapa metafísica fue instigado en parte por el cuento largo "El perseguidor" que aborda un problema de tipo existencial y se ve principalmente en sus novelas *Los premios y Rayuela*. Estas novelas se caracterizan por una intensa exploración filosófica y una angustia permanente de interrogación sobre la vida.

La etapa histórica tiene sus raíces en los acontecimientos políticos en Cuba entre 1959 y 1961, cuando Cortázar tuvo su toma de conciencia política y rompió con el egoísmo de los años anteriores. Al volver a Francia después de su visita a Cuba, empezó a entender lo que significaban las palabras "argentino" y "latinoamericano". Algunas de las obras más conocidas de la etapa histórica son las novelas *Libro de Manuel y 62 Modelo para armar* y los cuentos de *Alguien que anda por ahí*.

En suma, Cortázar caracteriza su trayectoria literaria como el paso del arte por el arte, a una literatura de interrogación humana, a la literatura como contribución a la sociedad.

CONTINUIDAD DE LOS PARQUES

Sugerencias para el análisis del cuento

1. Describe al lector-protagonista del cuento: ¿Es rico o pobre? ¿Cuántos años tiene, más o menos? ¿Cómo es su casa? ¿Cuáles son algunas de las palabras que indican su situación social y económica?

2. ¿Cómo describe Cortázar el placer de leer, de perderse en el argumento de una novela?

3. ¿Qué clase de novela lee el protagonista? Haz una lista de las palabras y frases que señalan la situación de los héroes de la novela leída ¿Cuál es el tono de esta historia?

4. En un momento dado, pasamos de la historia sobre el lector a la historia que éste lee. Parece ser un cuento dentro de un cuento, el recurso técnico que se llama *frame story* en inglés o *mise en abyme* en francés. En tu opinión, ¿en qué línea del texto pasamos de un nivel narrativo al otro?

5. Hay muchísimas referencias al destino: "se sentía que todo estaba decidido desde siempre", "los perros no debían ladrar y no ladraron", etc. ¿Por qué es tan fuerte el sentido de un destino irrevocable?

6. Al leer el cuento por primera vez, ¿se puede saber cuál es "el otro cuerpo que era necesario destruir"? ¿Puedes adivinar cuál es la relación entre la mujer de la novela y el lector-protagonista?

7. ¿Con qué sorpresa termina el cuento? ¿Quién será la víctima de los amantes? ¿Cómo lo sabemos?

8. Explica el significado del título "Continuidad de los parques".

LA NOCHE BOCA ARRIBA

Nota para facilitar la lectura

La guerra florida, mencionada en el epígrafe, era el nombre que los aztecas dieron a las guerras rituales en las que sacrificaban a los prisioneros. Los dioses consideraban a los seres humanos como flores porque también eran desarraigados, arrancados y pisoteados.

Sugerencias para el análisis del cuento

1. Describe al protagonista en su motocicleta. Según Cortázar, el cuento se inspiró en un accidente del autor en 1952 en una Vespa en Francia. ¿Te parece realista la descripción del accidente? ¿Qué importancia tiene el hecho de que se desmayó y la forma en que lo describe: "fue como dormirse de golpe"?

2. Fíjate en los detalles de los hombres que llevan al protagonista a la farmacia y después en los detalles realistas en el hospital. ¿Cuáles se verán repetidos en otras partes del cuento?

3. ¿Cómo cambia radicalmente la historia en el párrafo que empieza "Como sueño era curioso..."? Si antes el protagonista parecía encontrarse en una ciudad grande del siglo XX con avenidas y ministerios, ¿dónde y en qué época se encuentra ahora en lo que se presenta como sueño?

4. ¿Cuántos niveles narrativos presenta el cuento? ¿Qué señala los cambios frecuentes entre el ambiente del hospital y el de las ciénagas donde el indio precolombino huye de los aztecas que buscan víctimas para el sacrificio? ¿Son el motociclista y el indio el mismo personaje?

5. Haz una lista de los elementos más espantosos de la pesadilla. ¿Cuáles corresponden a elementos específicos de la situación del motociclista en el hospital?

6. ¿Qué importancia tienen las irregularidades en el tiempo y el espacio para el significado último del cuento?

7. Cuando llega el momento del "final inevitable" para el indio, en que los acólitos de los sacerdotes vienen a llevarlo "boca arriba" al sacrificio, ¿qué le ocurre al protagonista al

despertarse en el hospital?

8. Cuando dice que "el sueño maravilloso había sido el otro", ¿de qué se da cuenta el lector? Explica el desenlace del cuento en tus propias palabras.

Temas de discusión y ensayos para ambos cuentos

1. A través de la historia de la literatura se encuentran muchos ejemplos de *mise en abyme* (la novela dentro de la novela, teatro dentro del teatro, etc.) desde las novelas intercaladas en *Don Quijote de la Mancha* hasta el teatro incrustado en *Hamlet* de Shakespeare. En estos ejemplos clásicos, se pueden separar los niveles narrativos: hay una historia exterior y otra interior. Pero en el cuento "Continuidad de los parques" de Cortázar, los dos se enredan de manera insólita: al final, el cuento del lector-protagonista se une a la historia de los amantes para formar un solo cuento. Trata de ilustrar esta relación, primero usando algunos dibujos. Después, explica cómo Cortázar juega con las convenciones del cuento dentro del cuento en "Continuidad de los parques". Finalmente, indica cómo la fusión de los dos cuentos se parece a la fusión de los dos protagonistas en "La noche boca arriba".

2. Julio Cortázar es maestro de la metaficción, cuentos y novelas que reflexionan sobre sus propias técnicas. También es maestro de la literatura fantástica en que se pasa de la realidad conocida a lo extraño o lo maravilloso. En tu opinión ¿cuáles predominan en "Continuidad de los parques" y en "La noche boca arriba", los elementos de metaficción o los de la literatura fantástica? Justifica tu respuesta.

3. "Continuidad de los parques" es la historia de un lector que termina siendo víctima de la novela que lee. ¿Crees que Cortázar quiere simplemente jugar con las expectativas de sus lectores, o es posible que nos comunique una moraleja sobre los peligros de la lectura en que el lector se identifica demasiado con los personajes?

4. En muchas de las obras del *boom* y del *posboom*, se juega con los conceptos del tiempo y del espacio. Compara y contrasta la confusión temporal y espacial en estas obras de Cortázar con la de Borges en "La muerte y la brújula" y en "El Sur".

5. Un tema muy importante en "La noche boca arriba" es la manera en que la realidad y el sueño se entrelazan. Cortázar describió sus experimentos con la noción del desdoblamiento del personaje y del tiempo a través del sueño. ¿Has tenido alguna vez un sueño que te parecía tan real que no podías distinguir entre la realidad y el sueño?

6. ¿Cuáles son las semejanzas y diferencias entre los efectos fantásticos que logra Cortázar en "La noche boca arriba" y el realismo mágico de García Márquez en "Un señor muy viejo con unas alas enormes" y "El ahogado más hermoso del mundo"?

7. Compara el uso de elementos míticos en "La noche boca arriba" y en "El ahogado más hermoso del mundo" de García Márquez.

Actividades

1. Cortázar cuenta que "La noche boca arriba" fue el resultado de una experiencia personal, un accidente en el cual pasó mes y medio en el hospital en un estado de delirio. Los estudiantes escriben un cuento basado en una de sus experiencias personales.

2. Escribir los dos cuentos como noticias periodísticas. Ejemplo: "Ayer, a las siete de la tarde, el mayordomo de la casa encontró muerto a…"

3. En los dos cuentos hay un homicidio. Imaginar el proceso habitual de la investigación de un crimen y preparar una dramatización para la clase en la que se representa toda la acción judicial: detención de los sospechosos, interrogación de los testigos, declaraciones en el juicio, etc.

4. Films for the Humanities tiene un video en español: *Cortázar: Entrevista* y otro en inglés: *Julio Cortázar: Argentina's Iconoclast*.

 # Juan Rulfo

(1918-1986)

Datos biográficos

Juan Rulfo nació en Apulco, un pequeño pueblo del estado de Jalisco, México, en 1918 y murió en la Ciudad de México en 1986, después de ganar el Premio Nacional de Letras mexicano y el Príncipe de Asturias en España con sólo dos obras a su nombre: una novela breve, *Pedro Páramo* y una colección de relatos, *El llano en llamas*.

Rulfo tuvo una niñez marcada por la pérdida y la violencia. Su padre murió asesinado y su madre también falleció cuando era niño. Una de las secuelas de la Revolución Mexicana iniciada en 1910, la insurrección de los "cristeros", tuvo lugar en su región. Este grupo contrarrevolucionario, que en nombre de Cristo defendía las tradiciones, fue un elemento más en la época impresionable de los primeros años, y a él hace referencia en su obra. Con escasos estudios y tras una adolescencia solitaria en casas de parientes, un orfelinato y colegios, se estableció en la Ciudad de México. En la capital tuvo una serie de trabajos administrativos y entró en contacto con los círculos literarios. Aparte de algunos guiones para la televisión y el cine no volvió a publicar nada más allá de la obras mencionadas antes de su muerte. Esta vida solitaria y no muy feliz de Rulfo se va a reflejar en sus escritos, situados también en un ambiente oprimente y desgarrado.

La narrativa de Rulfo

La obra de Rulfo, sorprendentemente breve, está, sin embargo, cuidadosamente elaborada y contrasta con la narrativa realista de los escritores que le preceden. Como harán Faulkner con Yoknapatawpha y García Márquez con Macondo, Rulfo crea Comala, donde tienen lugar su *Pedro Páramo* y varios de sus cuentos. Comala es en parte reflejo de su lugar natal y en parte creación literaria, una tierra dura donde sus habitantes viven vidas solitarias y desesperanzadas y la violencia y la muerte son una realidad cotidiana. Rulfo describe este lugar y a sus personajes con intenso lirismo, produciendo sin embargo un retrato realista profundamente evocador y conmovedor. Sus temas, la soledad, el dolor, la desesperanza, el arrepentimiento, son universales y trascienden el lenguaje popular que hablan los personajes y el desolador paisaje mexicano que habitan. Su inclusión de elementos fantásticos en una narrativa realista convierte a Rulfo en un precursor del llamado realismo mágico.

En "No oyes ladrar los perros", uno de los relatos de *Llano en llamas*, un campesino y su hijo tratan de llegar a un pueblito que no pueden ver en la oscuridad de la noche, para buscar ayuda médica. Las manos del hijo que el padre lleva a hombros tapan las orejas del padre que así no puede oír la señal de que están cerca de un pueblo, el ladrido de los perros.

NO OYES LADRAR LOS PERROS

Sugerencias para el análisis del cuento

1. ¿Qué sabemos de la vida del padre? ¿Y de la del hijo?

2. Cuando el narrador presenta la imagen "Era una sola sombra tambaleante", nos ofrece más que una descripción física. Analiza todo lo que sugiere esta imagen.

3. El padre habla y describe a su hijo con dureza merecida. A pesar de ello, ¿qué opinión tiene el lector del hijo? ¿Cuáles son los sentimientos del hijo hacia el padre? (Observa detalles como las palabras de Ignacio "Bájame", "Déjame aquí", o las gotas que caen a la cabeza del padre al final del cuento.)

4. El padre afirma que sólo ayuda a su hijo en memoria de la madre. ¿Cuál, sin embargo, adivina el lector que es el sentimiento dominante del padre hacia el hijo?

5. ¿Cómo sabe el lector que Ignacio mató a su padrino? ¿Qué trascendencia tiene este crimen en el mundo hispano? ¿Por qué no mencionan este hecho directamente ni el padre ni el narrador?

6. ¿Cómo sabe el lector al final que el hijo ha muerto?

7. Comenta las palabras del padre con las que termina el cuento. ¿Por qué nombra el padre la palabra "esperanza"?

8. Describe el paisaje de este relato. ¿De qué manera el paisaje acentúa el sentido de soledad?

9. El lector conoce datos del padre y del hijo a través del monólogo del padre, en vez de la voz de un narrador. ¿Por qué Rulfo ha elegido esta forma de comunicación? ¿Qué efecto busca el autor?

Temas de discusión y ensayos

1. Más que describir a dos personajes, Rulfo presenta al lector un mundo. ¿Cómo es ese mundo? ¿Qué o quién es en definitiva culpable en este relato?

2. Describe la atmósfera del cuento, señalando elementos específicos que contribuyen a su creación. ¿Qué nos sugiere sobre la vida de sus gentes?

3. Selecciona ejemplos de lenguaje coloquial y poético en el cuento y comenta su efecto.

4. La sobriedad de este relato contiene gran fuerza sugeridora y evocadora. Explica cómo Rulfo presenta al lector sentimientos e ideas profundos con pocas palabras y sin explicaciones.

5. Rulfo es un maestro de la ambigüedad: las palabras del padre *parecen* un rechazo, las acciones del hijo *parecen* ser las de un criminal endurecido. A veces trata al hijo de "tú", otras de "usted". Comenta la riqueza y el efecto de esta vacilación y ambigüedad.

Actividades

1. Un estudiante hace una investigación histórica del México de la niñez y adolescencia de Rulfo y la presenta a la clase.

2. Otro estudiante sitúa geográficamente la región donde Rulfo pasó sus primeros años y donde sus cuentos ocurren, y explica a la clase algunas de sus características.

3. Los estudiantes pueden ver el video *Juan Rulfo*, que contiene una entrevista con el autor y se puede conseguir a través de Films for the Humanities.

Rosario Castellanos

(1925-1974)

Datos biográficos

Rosario Castellanos, la gran dama de las letras mexicanas, nació en 1925 en la Ciudad de México y murió en Tel Aviv en 1974. Profesora de universidad, diplomática, crítica literaria, periodista, poeta y escritora de toda la gama de géneros literarios, Rosario Castellanos gozó de fama y éxito profesional y personal. Sólo a través de sus escritos, podemos ver el drama y conflicto íntimos en la vida de una mujer inteligente e independiente, inmersa en una sociedad de dominio masculino y patriarcal. Su vida, externamente brillante, terminó en suicidio cuando era la embajadora mexicana en Israel.

Castellanos pasó su niñez y adolescencia en Comitán, ciudad del estado de Chiapas, de donde provenía su familia y donde hay una numerosa presencia indígena. Allí aprendió la historia y cultura de los indígenas de la zona y, más importante, aprendió a comprenderlos y medir la injusticia de su situación. Estudió en la Universidad Autónoma de México y en la de Madrid. Empezó a escribir desde muy joven, publicando sin interrupción a lo largo de su vida poemas, cuentos, novelas, ensayos y una obra de teatro (póstuma). Ocupó el puesto de profesora en la Universidad en la que había estudiado en México y el de directora de diversas organizaciones culturales. Obtuvo también numerosos premios literarios.

La obra de Rosario Castellanos

Dos temas forman un eje constante en la obra de esta autora. En primer lugar, el tema indígena: Su primera novela, *Balún-Canán* (1957), precisamente tiene como título el antiguo nombre maya de Comitán "Nueve estrellas". Al igual que la segunda, *Oficio de tinieblas* (1962), basada en el levantamiento de los indios chamulas en 1865, refleja su preocupación por el mundo de una población relegada y olvidada. El segundo tema que emerge como constante en la obra de Castellanos es la situación de la mujer. A este segundo grupo pertenecen las colecciones de ensayos *Juicios sumarios* (1966) y *Mujer que sabe latín* (1973), título basado en el refrán "Mujer que sabe latín ni tiene marido ni tiene un buen fin"; de cuentos *Album de familia* (1971); o de poemas *Poesía no eres tú* (1072), título irónico inspirado por un verso del poeta romántico Bécquer (*Poesía [, mujer,] eres tú*). Varias de sus obras incluyen sus dos preocupaciones, reflejo de la sensibilidad de Castellanos hacia la opresión, debilidad o injusticia que algunos grupos sufren respecto de otros. "Autorretrato" y "Kinsey Report" (una serie de seis poemas cada uno de los cuales expone un tipo diferente de status social femenino), expresan el contraste entre las necesidades profundas de la mujer y el estereotipo que muchas se ven obligadas a vivir.

A pesar de la seriedad y profundidad de sus temas, esta autora sabe intercalar humor, lucidez y cierta irónica objetividad en sus escritos. Aunque muchos lectores la consideran una pensadora feminista, ella rechazó este título, sosteniendo que la realidad mexicana escapaba de una etiqueta de corte europeo o americano. Inteligente y culta, aguda observadora y acertada crítica, a la par que serena y objetiva, Castellanos escapa y supera, en efecto, cualquier encasillamiento.

AUTORRETRATO

Vocabulario por versos

5. lucir: to show off **7. astro, el:** star **10. peluca, la:** wig **12. encanecer:** to go grey **18. eximir:** to exempt **30. coquetear:** to flirt **32. juez, el:** judge **33. verdugo, el:** executioner **36. cátedra, la:** university chair **42. acariciar:** to caress **43. corteza, la:** bark, rind **51. musarañas** (pensar en las): to have one's head in the cloud **52. herencia, la:** inheritance, tradition **58. llanto, el:** crying, tears **62. quemarse:** to burn **63. impuesto, el:** tax

Sugerencias para el análisis del poema

1. ¿Quién habla y a quién se dirige la voz poética?

2. Describe la personalidad y la vida de la mujer retratada. Detalla los dos "yos" que constituyen esa personalidad y la relación entre ambos.

3. Explica la sociedad que se dibuja en este poema y la postura de la mujer ante ella. ¿Qué mecanismos usa para evitar conflictos?

4. Interpreta los versos "Amigas..." y su yuxtaposición con "Rehuyo los espejos".

5. Comenta cómo sufre o es feliz esta mujer y por qué. ¿Qué piensas de los versos que cierran el poema?

6. ¿Cómo y en qué versos se manifiestan la objetividad y lucidez del autorretrato?

7. ¿Cuál es el tono del poema? ¿Por qué viene dado? ¿Puedes detectar algún humor en las palabras de la poeta?

8. ¿Cuál es el tema central de este poema?

Temas de discusión y ensayos

1. Los temas tratados en este poema, ¿son específicos de una mujer, un país, una época o pueden ser generalizados?

2. ¿Es una mujer como la perciben los demás, o su propia construcción? En general, ¿qué aspectos de la personalidad femenina responden más a las demandas de la sociedad?

3. Generalizando a partir de este poema, describe la relación entre los hombres y las mujeres, las demandas y expectativas de un grupo hacia otro.

4. Se podría describir a Julia de Burgos como apasionada y emocional y a Rosario Castellanos como intelectual y contenida. ¿Cómo reflejan ambas su postura vital en sus poemas? Sé específico/a.

5. Compara la postura de cierta distancia objetiva y lúcida de la voz poética en "Autorretrato" con la subjetiva y apasionada en "A Julia de Burgos" ¿Cuál te capta a ti más como lector/a? ¿Por qué?

6. Rosario Castellanos admiraba a su compatriota Sor Juana Inés de la Cruz. ¿Hay alguna continuidad entre Sor Juana y ella? ¿Hay rasgos en común entre las poetas latinoamericanas que has leído, Sor Juana, Storni, Burgos y Castellanos?

7. En algunos poemas que has leído del Siglo de Oro y de Bécquer, los poetas celebran la belleza femenina y hacen homenaje a la mujer. Comenta la división y distancia que hay entre las alabanzas de aquéllos y las protestas de estas escritoras contemporáneas; entre la exaltación de que ellos hacen objeto a la mujer y la insatisfacción que las mujeres expresan respecto de los hombres. ¿A qué se debe ese contraste?

Actividad

A la manera de Castellanos, con sobriedad y lucidez, un poco de humor y sin olvidar sus defectos, los estudiantes escriben su autorretrato y lo leen a la clase.

Sabine Ulibarrí

(1919-2003)

Datos biográficos

Sabine Ulibarrí nació en el pueblo de Tierra Amarilla, New Mexico, en el seno de una familia y comunidad hispanas. De sus padres, ganaderos en un rancho, aprendió el valor de la familia, la educación y su herencia hispana. De niño también oyó cuentos e historias que luego, junto con sus propias observaciones, iban a ser la inspiración de sus escritos. Su primer trabajo fue el de maestro en un centro escolar de su estado, actividad profesional que, de una u otra manera, ha seguido cultivando el resto de su vida.

Durante varias décadas ha sido profesor en la universidad de New Mexico, en la que había estudiado, a la par que conferenciante y escritor de cuentos cortos, poemas y ensayos. En el aula o con la pluma, Sabine Ulibarrí ha mostrado a generaciones de lectores y estudiantes el amor por su tierra y su cultura, y ha contribuido deliberada y eficazmente al entendimiento del mundo hispano en los EE.UU. Sus conferencias y escritos se han hecho eco de la problemática en torno a la comunidad hispanohablante, de la que ha sido voz y líder, defendiendo siempre la armonía, comprensión y enriquecimiento mutuos. La continuidad de una larga vida centrada en las letras y dedicada a la difusión de la cultura hispana ha extendido la presencia e influencia de Sabine Ulibarrí más allá de los EE.UU., a Latinoamérica y España. En este país ha recibido el honor excepcional de ser miembro de la Real Academia de la Lengua Española, organización que cuida del idioma español.

La narrativa de Ulibarrí

Los cuentos de Ulbarrí frecuentemente tienen lugar en Tierra Amarilla (su primera colección de cuentos se llama precisamente *Tierra Amarilla: Cuentos de Nuevo México*), su lugar natal, en la región del norte de New Mexico. Tierra Amarilla es todo un mundo tan específico y diferenciado como lo pueda ser el Macondo de García Márquez o la Comala de Rulfo, con su duro y bello paisaje, sus poblaciones rurales mezcla de hispanos, anglos e indios, y sus leyendas e historias. El lenguaje es natural y conversacional cuando está en boca de los personajes y también rico en imágenes sensoriales a menudo sorprendentes. Sus temas se refieren a historias que ha vivido u oído, a personas que ha conocido o imaginado, pero que pertenecen todas al mundo de Tierra Amarilla. A pesar de tener ese fuerte sabor local, sus cuentos trascienden los límites geográficos. La realidad que describen, al igual que la fantasía que contienen, llevan resonancias universales. En ellos, el afecto por sus personajes y las tierras que habitan es palpable y el hecho de que frecuentemente el narrador sea niño permite a cualquier lector adentrarse en ellos.

Ulibarrí escribe siempre en español. Varias de sus colecciones de cuentos han sido publicadas en inglés o en forma bilingüe, con traducciones del propio autor. "Mi caballo mago" es parte de *Tierra Amarilla* y, como en otros cuentos, la historia contiene elementos realistas que bien pueden ser las memorias del autor y está visto desde la perspectiva de un adolescente.

MI CABALLO MAGO

Sugerencias para el análisis del cuento

1. ¿Cómo es el narrador? Descríbelo en detalle: edad, ocupación y más detalles que percibas. ¿Es el punto de vista el mismo todo el tiempo?

2. ¿Qué significa el Mago para el niño al principio, centro y final de la narración?

3. ¿Puedes encontrar ejemplos de personificación? ¿Qué resultado busca el autor?

4. El narrador habla frecuentemente en frases breves, descriptivas, sin forma verbal en muchas ocasiones. ¿Cuál es el efecto?

5. En un momento determinado "mago" deja de ser un adjetivo y se convierte en nombre propio. Comenta.

6. "Silencio blanco", "encuentro negro" y "blanco como el olvido", son sorprendentes superposiciones. ¿Cómo se llama esta figura retórica que mezcla imágenes procedentes de diferentes sentidos? ¿Qué efecto pretende el autor? Selecciona otras imágenes que te parezcan especialmente interesantes y coméntalas.

7. ¿Qué aprendemos de la tierra natal, del paisaje y de las costumbres a lo largo del año por medio de este cuento?

Temas de discusión y ensayos

1. En el cuento hay un continuo juego entre el narrador niño (protagonista) y el narrador adulto, entre la acción y el recuerdo. Hay paralelamente una alternancia entre formas verbales en el presente y en el pasado. Explica la razón y el efecto en el lector.

2. Comenta la lucha entre el protagonista de la historia y el caballo. ¿Qué representan ambos? ¿Qué simboliza esta lucha? ¿Es una aventura personal o tiene implicaciones más amplias? ¿Cómo la ven el padre y los otros en el pueblo? ¿Qué sentido tiene el desenlace final?

3. Estudia la irrupción del mundo de la fantasía en la realidad. ¿Qué es realidad y qué es ficción, para el niño y para el lector? ¿Cómo se mezclan? ¿Con qué objetivo?

4. ¿Cómo y dónde se percibe el amor del autor hacia su tierra?

5. Este relato toca brevemente un tema que hemos visto en varios cuentos anteriores: la relación entre un padre y su hijo. ¿Cuántos puedes recordar? Comenta los parecidos y diferencias.

6. Compara y contrasta el paisaje de este lugar con el de "No oyes ladrar los perros" de Rulfo.

Carmen Martín Gaite

(1925-2000)

Datos biográficos

Carmen Martín Gaite pertenece al grupo de escritores que fueron niños durante la guerra, adolescentes durante la posguerra y empezaron a publicar seriamente durante la década de los cincuenta. Algunos críticos literarios han llamado a este grupo de escritores *la generación de los cincuenta*. Acerca de este grupo, Martín Gaite dice, "Yo no creo que fuéramos una 'generación' en sentido literario. Eramos amigos y escribíamos, cada uno a su manera, nuestras cosas. También había inquietud en común..."[1]

Martín Gaite nació en Salamanca donde permaneció hasta acabar los estudios universitarios. En 1948, tras un curso de verano en Francia, fue a Madrid para proseguir un doctorado y trabajar. En esta ciudad entabló amistad con escritores como Ignacio Aldecoa, Alfonso Sastre y Rafael Sánchez Ferlosio, quienes le animaron a escribir y fueron sus primeros críticos. Doctora en Filosofía y Letras por la Universidad de Madrid, Martín Gaite fue profesora visitante en varias universidades americanas. Además de ejercer como enseñante y escribir numerosas novelas, cuentos, ensayos y reportajes, Martín Gaite pronunció muchas conferencias a lo largo de su carrera.

Entre las obras de Martín Gaite cabe destacar *Entre visillos* (1957), ganadora del premio Nadal de novela. En ella se ve el tema de la mujer en la sociedad española, a través de las vidas de un grupo de mujeres jóvenes en una capital de provincias. En 1960 la autora publicó una colección de siete cuentos titulada *Las ataduras*. En 1979 ganó el Premio Nacional de Literatura con la novela *El cuarto de atrás*. En 1992 *Nubosidad variable* fue el libro más vendido de la Feria del Libro, convirtiendo a Martín Gaite en lo que ella llamó "una escritora de mayorías". *Irse de casa*, publicada en 1998, nos habla del deseo de una mujer de cambiar de entorno y volver a su ciudad natal, y *Caperucita en Manhattan* y *La reina de las nieves* son recreaciones de dos cuentos populares.

La narrativa de Martín Gaite

Martín Gaite fue profunda conocedora de la realidad española de la época en la que tuvo que vivir, y en su obra nos describe esa realidad desde muchos ángulos diferentes. En sus novelas y cuentos examina el impacto social en la vida del individuo, especialmente la precaria situación de la mujer poco preparada para enfrentarse con los problemas del mundo de hoy. Las primeras decepciones infantiles, el recuerdo de la guerra, las miserias de la posguerra, el contraste entre el pueblo y la ciudad, el deseo de escapar de lo que nos ata, el miedo a la libertad, y sobre todo la falta de comunicación son temas repetidos de Martín Gaite. La problemática femenina, la soledad de la mujer y desigualdad respecto del hombre, se han hecho temas más frecuentes al avanzar su producción literaria. Los protagonistas de las obras de Martín Gaite son personas normales, vulgares, presentados en un momento cualquiera de su vida. Típicamente, se enfrentan a una crisis existencial que les lleva a examinar esa vida, pero la anécdota no es en sí misma parte tan

---

[1] *La Calle*, n 28, octubre de 1978, pp. 3-9. Ana Puértolas y Rafael Chirbes. "Carmen Martín Gaite: Sujeto, verbo, predicado".

importante como lo es el examen detallado y minucioso de las reacciones individuales. Esa observación intimista hace que los personajes, especialmente los tan frecuentemente femeninos, se nos presenten como lúcidos y poco convencionales, aunque muchos de ellos acaben sumiéndose a la inercia de una existencia normal. Usa Martín Gaite en sus descripciones un lenguaje cuidadoso y de gran precisión, que se adecua admirablemente a su observación de los mínimos detalles.

Martín Gaite ha publicado, además de novelas, numerosos cuentos, forma narrativa no tan frecuente en la literatura peninsular como en la latinoamericana. "Las ataduras" es un cuento largo que forma parte de un grupo de siete relatos. La siguiente cita de "Un bosquejo autobiográfico" arroja luz sobre el tema de las lazos afectivos del que la autora trata en ésta y otras historias: "Los amigos son para mí la cosa más importante del mundo[…] y se requieren un tino y una delicadeza especiales para no perderlos. Creo que el secreto está en no tiranizarlos ni en exigirles más de lo que buenamente quieran darte, como y cuanto puedan, en respetar su libre albedrío[…] en no pretender acapararlos, poseerlos ni ejercer sobre ellos influencia de ningún tipo".[1]

LAS ATADURAS

Sugerencias para el análisis

1. ¿Cómo es la Galicia descrita en la narración? ¿Qué importancia tiene en el relato la naturaleza gallega?

2. ¿Por qué se subrayan tanto en la narración los recuerdos de la infancia de Alina?

3. ¿Cuáles son los lazos afectivos más importantes en la niñez y adolescencia de Alina? ¿Cómo van a influirle más tarde en su vida?

4. Comenta la interdependencia entre Alina y su padre.

5. Observa las frases en las que se mencionan los deseos de escapar de Alina. ¿De qué desea huir?

6. ¿Qué dice Philippe de la mentalidad española de la época? ¿Por qué?

7. Explica las razones de la decisión final de Alina.

8. Además del título, se mencionan en el cuento repetidamente las palabras "atar" y "ataduras". Búscalos y discute los diferentes matices de su significado.

Temas de discusión y ensayo

1. Explica la importancia del río como símbolo. Menciona ejemplos. ¿Qué representa en este relato?

2. "Las ataduras" está dividido en cinco partes y tiene una estructura muy delineada Observa y analiza las distintas secuencias y las diferentes voces narrativas y perspectivas.

---

[1] Joan L. Brown: *Secrets from the Back Room: The Fiction of Carmen Martín Gaite,* University of Mississippi, 1987, p. 204

3. Comenta los saltos temporales y los cambios en los tiempos verbales.

4. Explica qué relación tiene el aspecto formal con el contenido del cuento.

5. Tanto en este relato como en "Las medias rojas" de Emilia Pardo Bazán, las protagonistas son jóvenes gallegas que sueñan con salir del ambiente en que viven y mejorar su situación en un sitio nuevo. Compara las vidas de Alina e Ildara.

6. ¿Qué piensas que significa para la autora la palabra "ataduras"? ¿Estás de acuerdo con ella?

7. ¿Cuál es el tema subyacente de esta historia?

Actividad

Escribe un relato, contando tus ataduras. Explica si las aceptas o si haces esfuerzos por romperlas.

Sergio Vodanovic

(1926-2001)

Datos biográficos

Sergio Vodanovic nació en Yugoslavia, pero vivió en Chile desde la temprana infancia. Aunque hizo estudios de abogado y ejerció diferentes profesiones, como las de profesor y periodista, su actividad constante fue la de autor teatral. Desde los veinte años en que publicó su primera pieza teatral, Vodanovic escribió obras que van del realismo al estudio psicológico y hasta la farsa. Fue miembro destacado de la llamada "Generación del 50", grupo que efectuó un gran crecimiento y renovación en el teatro chileno. Los dramaturgos de este grupo, en conjunción con teatros universitarios, se interesaron por los problemas sociales y políticos del país y escribieron con intención crítica y carga ideológica.

En una última etapa de su producción literaria, Vodanovic escribió guiones para la televisión en un intento de alcanzar un público más amplio, propósito que respondía apropiadamente a su interés renovador y a una constante preocupación social.

El teatro de Vodanovic

Aunque él mismo haya dicho que generalmente no escribe buscando una tesis, sino investigando posibilidades (¿qué sucedería si...?)[1], el teatro de Vodanovic contiene una problemática ética y moral. Gran observador de la realidad, Vodanovic retrata en sus obras personas y situaciones habituales de la sociedad chilena que tienen, sin embargo, relevancia mucho más amplia. Frecuentemente, sus obras nacen de escenas que él ve o en las que participa, y que sabe elevar de un plano real a otro de significado o símbolo social. A través de esas situaciones

---

[1] Teresa Méndez-Faith: *Con-textos literarios hispanoamericanos*. Entrevista con Sergio Vodanovic, Holt Rinehart and Winston, New York, 1985, p. 100

sus obras cuestionan la política, las instituciones, los valores vigentes. *En Deja que los perros ladren* (1959), por ejemplo, uno de sus dramas de más éxito, denuncia la corrupción política. En su trilogía *Viña* (1964), a la que pertenece "El delantal blanco", Vodanovic muestra una sensibilidad especial hacia personas en situaciones vulnerables o desventajosas, a la par que hace una dura crítica social. Como en casi toda su producción, Vodanovic busca revelar qué hay detrás de las apariencias y de las posturas de las personas. En *Perdón…¡Estamos en guerra!*, bajo un tono de comedia, examina la hipocresía y la falsedad de los grandes ideales.

Partiendo, pues, de escenas de la vida chilena, Vodanovic presenta una problemática social y estudios psicológicos que tienen resonancia mucho más allá de su país y de su tiempo.

EL DELANTAL BLANCO

Sugerencias para el análisis

1. Las diferencias sociales están marcadas por el dinero y "la clase". ¿Cómo las definen la Señora? ¿Y la Empleada? Menciona detalles específicos.

2. ¿Qué importancia tienen las apariencias para los diversos personajes? ¿Cómo las relaciona la Señora con el dinero o la sangre?

3. La Señora no sabe nada de la vida o la familia de la sirvienta. ¿Qué sugiere al lector este detalle?

4. La Señora se refiere a "las vaquitas", cuando habla de la vida del campo. Explica este diminutivo.

5. Comenta la importancia y significado de la ropa en esta obra: el delantal, el blusón, el traje de baño alquilado, etc. El cambio de actitud de la Empleada y de la Señora, ¿tiene que ver con el cambio de ropa?

6. ¿Qué relación hay entre el contenido de la fotonovela que lee la empleada y la temática de la obra?

7. ¿Podríamos decir que los personajes son estereotipos? En caso afirmativo, ¿qué representan la Señora, la Empleada, el Esposo, el Caballero Distinguido, Alvarito?

8. ¿Qué consigue el autor intercalando aspectos cómicos en la historia?

9. ¿Qué prueba el final de la historia?

Temas de discusión y ensayos

1. ¿Cómo es la sociedad que retrata Vodanovic? ¿Con quién están las simpatías del autor?

2. El subtítulo de la trilogía *Viña* a la que pertenece "El delantal blanco" es *Tres comedias en traje de baño*. ¿Qué sugiere este título? ¿Qué se quitan los personajes cuando se desnudan de sus trajes habituales?

3. ¿Trata el autor de hacer una específica crítica social?

4. En tu experiencia, ¿es la vida un simple teatro en el que cada uno representa el papel que

le toca? ¿Son fácilmente intercambiables los papeles? ¿Qué peso tienen el dinero, la educación y la clase social?

5. ¿Podría tener lugar esta escena en los Estados Unidos? Explica en detalle las diferencias en tratamiento, relación, conversación, lecturas, modo de vida, etc. Comenta tu conclusión del porqué de esa diferencias.

Actividades

1. Escribir en forma de drama la continuación de la pieza: "El día siguiente". Se pueden introducir nuevos personajes como el esposo de la Señora, el jefe de policía, un psiquiatra.

2. Representar por parejas algunas de las escenas seleccionadas por los estudiantes. Se pueden usar algunos accesorios, como una sombrilla, toalla, delantal, gafas de sol, etc.

Gabriel García Márquez

(1928-)

Datos biográficos

"La vida es la mejor cosa que se ha inventado."
Gabriel García Márquez,
en *El coronel no tiene quien le escriba*

Gabriel García Márquez conmueve a sus lectores con su fe en el espíritu humano, aun frente a la adversidad. Nos enriquece con su compasión por el ser humano y su capacidad de ofrecernos un espejo que refleja lo absurdo, lo entrañable y nuestra propia dignidad. A través de su realismo mágico no nos transporta a un mundo fantástico sino que nos hace ver lo maravilloso entretejido con nuestra realidad cotidiana. En otras palabras, leer a García Márquez nos transforma y de alguna manera nos engrandece.

Gabito, como lo llamaba su familia, nació en Aracataca, Colombia, el 6 de marzo de 1928. Cuando Gabito tenía apenas dos años, sus padres se mudaron a otro pueblo para buscar mejores oportunidades económicas. Dejaron al niño en Aracataca, al cuidado de los abuelos maternos, doña Tranquilina y el coronel Nicolás, lo cual resultó ser muy importante en el desarrollo del escritor. A una pregunta sobre sus influencias artísticas, García Márquez respondió: "En primer término mi abuela. Me contaba las cosas más atroces sin conmoverse como si fuera una cosa que acabara de ver. Descubrí que esa riqueza de imágenes era lo que más contribuía a la verosimilitud de sus historias. Usando el mismo método de mi abuela, escribí *Cien años de soledad*".[1]

García Márquez también reconoce la influencia literaria de Franz Kafka. Ha dicho que cuando leyó la primera línea de *Metamorfosis*, que cuenta con toda naturalidad cómo el protagonista se despierta una mañana y se encuentra transformado en un insecto gigantesco, García Márquez se

---

[1] Mendoza, Plinio Apuleyo: *El olor de la guayaba.* Editorial La Oveja Negra. Bogotá, 1982, p. 30

dio cuenta de que el estilo narrativo de su abuela también se podría aplicar a la literatura. Otra influencia poderosa en la vida del escritor es la de su abuelo, el coronel Nicolás Ricardo Márquez que, según García Márquez, es la persona con quien se ha entendido mejor. Se ven rasgos del abuelo en varios personajes de García Márquez. Por ejemplo, en *Cien años de soledad*, José Arcadio Buendía lleva a su hijo Aureliano a "conocer el hielo", a descubrir la maravilla del hielo que nunca había visto antes. Esta escena evoca un recuerdo infantil del autor, cuando su abuelo lo llevó de la mano a ver el hielo (específicamente pescado congelado) por primera vez.[1] Fue también al lado de su abuelo que el joven Gabito desarrolló su primera conciencia social, política e ideológica. Se encuentran elementos de crítica o comentario sociales en *Cien años de soledad* y en cuentos como "Un día de éstos", "La siesta del martes" y "La viuda de Montiel".

Es posible que las relaciones tan íntimas y positivas que el autor ha tenido con su madre, abuelos y los muchos parientes que formaban parte de su hogar en Aracataca hayan inspirado el gran cariño, compasión y dignidad con que García Márquez trata a la mayoría de sus personajes. A la edad de 21 años, García Márquez empezó a trabajar como periodista, oficio que le sirvió bien al futuro novelista: "El periodismo me enseñó recursos para darles validez a mis historias", dijo en una ocasión. En 1958 se casó con el gran amor de su vida desde la niñez, Mercedes Barcha, con quien tuvo dos hijos.

Al principio de su carrera García Márquez escribió varias obras consideradas excelentes por los críticos literarios, pero que no le aportaron éxito económico. Su vida cambió de una forma dramática en 1967 con la publicación de *Cien años de soledad*. Después de pensar en esta novela por más de quince años, la inspiración le vino de repente. Conducía por una carretera de México con Mercedes y sus dos hijos cuando se le ocurrió la idea completa de la novela. Volvieron a casa, donde García Márquez se encerró en su cuarto y, en menos de dos años, escribió el libro que según muchos es la mejor obra que se ha escrito en cualquier idioma desde el *Quijote*. Al terminar el manuscrito y llevarlo al correo, a Gabriel y Mercedes sólo les quedaba el dinero suficiente para mandar la mitad del manuscrito a la casa editorial. Aquel mismo día, después de vender las pocas cosas vendibles que les quedaban, volvieron al correo para mandar la otra mitad. En ese momento, Mercedes le dijo, "Oye, Gabo, ahora lo único que falta es que esta novela sea mala".[2] *Cien años de soledad* fue un éxito instantáneo y le trajo una fama que el autor, muy celoso de su vida privada, no deseaba. García Márquez ganó el Premio Nóbel de Literatura en 1982.

La narrativa de García Márquez

Los temas y formas de escribir de este gran escritor están relacionadas de una forma fascinante con su historia personal.

El realismo mágico

Los cuentos maravillosos de su abuela influyeron notablemente en García Márquez. El estilo natural con el que doña Tranquilina le contaba lo fantástico formó la base narrativa del realismo mágico del autor. En una escena de *Cien años de soledad*, Fernanda y su sobrina Remedios están

---

[1] Saldívar, Dasso: *García Márquez: El viaje a la semilla*. Alfaguara, Madrid 1997, p. 104
[2] Saldívar, D: Obra citada, p. 449

doblando la ropa en el patio de la casa, cuando la sobrina se levanta, alejándose de la tierra hasta desaparecer en el cielo, llevando consigo la sábana que estaba doblando. En vez de asustarse por este fenómeno, Fernanda se preocupa por la devolución de la sábana. García Márquez mezcla lo absurdo, lo mítico y lo maravilloso con nuestra realidad cotidiana con varios resultados: nos inspira lástima, nos hace comentarios sobre la naturaleza humana, nos hace reír, o simplemente nos divierte. También nos da la capacidad de ver lo maravilloso y lo absurdo dentro de nuestra realidad.

La crítica social

García Márquez ha dicho "Es posible que mi primera formación política haya comenzado con [mi abuelo], que en vez de contarme cuentos de hadas, me refería las historias más terribles de nuestra última guerra civil". La crítica social de García Márquez gira en torno a varios elementos: la corrupción política y la explotación de los pobres por los ricos; la violencia, la represión y la censura; la hipocresía. A veces García Márquez critica a la Iglesia por su falta de compasión, otras critica el código de honor de la sociedad, según el cual las apariencias son más importantes que el bienestar y aun la vida humana.

La dignidad del ser humano

Con las excepciones notables del hipócrita y el explotador, García Márquez retrata a la mayoría de sus personaje con cariño y dignidad. Muchas veces son los pobres y oprimidos los que reflejan estos valores. Desde el hombre sencillo y sincero de "La prodigiosa tarde de Baltazar" hasta la gran dignidad del ahogado que inspira al pueblo solidaridad y amor propio en "El ahogado más hermoso del mundo", los personajes de sus cuentos son ejemplos de decencia, lealtad y fuerza espiritual. El mismo García Márquez ha señalado "la inmensa compasión del autor por todas sus pobres criaturas" como un aspecto importante de su obra. El cariño, la aceptación y la dignidad con los que este autor trata al ser humano tiene un efecto poderoso sobre el lector.

La soledad y la solidaridad

Otro gran tema de la obra de García Márquez es la terrible soledad humana, contrastada con la solidaridad. En el prólogo a su colección *Doce cuentos peregrinos*, el autor cuenta un sueño suyo en que él asiste a su propio entierro. Está gozando de la compañía de sus amigos más queridos, pero al final de la ceremonia, se da cuenta de ser "el único que no puede irse […] Sólo entonces comprendí que morir es no estar nunca más con los amigos". La soledad de la muerte se representa también en obras como *Cien años de soledad*. El contrapeso a la soledad es la solidaridad. Uno de los mejores ejemplos de la unidad humana se encuentra en "El ahogado más hermoso del mundo". Aquí se ven los milagros que llegan a ser posibles cuando la gente de un pueblo mísero se une en un esfuerzo común inspirado por el poder del mito.

LA SIESTA DEL MARTES

Según García Márquez, el punto de partida de su ficción es siempre una imagen visual. Refiriéndose a "La siesta del martes", que considera su mejor cuento, dice: "Surgió de la visión de una mujer y de una niña vestidas de negro y con un paraguas negro, caminando bajo un sol ardiente en un pueblo desierto"[1] Al igual que *Cien años de soledad*, "La siesta del martes" tiene lugar en Macondo, el pueblo ficticio que recrea Aracataca, el pueblo natal del autor.

Sugerencias para el análisis del cuento

1. ¿Cómo se retrata a la mujer y la niña en las primeras páginas del cuento? La breve descripción física de la mujer revela mucho acerca de su vida. Explica. ¿Cómo se caracterizan las comunicaciones breves de la madre a la hija?

2. Al describir la casa del cura, el narrador menciona dos veces el ventilador eléctrico. ¿Qué quiere comunicar sobre el cura, su casa o su vida? ¿Qué reacción provoca en el lector cuando el cura pregunta a la madre, "¿Nunca trató de hacerlo entrar por el buen camino?"?

3. Al principio, el cura no quiere ver a la madre y la hija. ¿Por qué? En general, ¿cuál es la actitud del cura a lo largo del cuento?

4. Mientras la madre da la información al cura, ¿qué se puede concluir sobre el estado emocional de cada uno?

5. ¿Por qué sugiere el cura que salgan por la puerta del patio?

6. Piensa en el título. ¿Qué connotaciones tiene la siesta en los países latinos? ¿Qué ambiente o clima se asocia con la siesta? ¿Por qué habrá el autor seleccionado el martes?

7. ¿Cómo se ve a Carlos Centeno a través de los ojos del cura y de los de la madre? Describe el contraste fundamental entre los dos puntos de vista.

8. Aquí tenemos una madre a quien se le ha muerto el hijo. ¿Por qué no llora? ¿Qué nos hace sentir su pena? ¿En qué detalle se revela el amor profundo de la madre por el hijo?

9. Comenta la crítica de la Iglesia en "La siesta del martes".

Temas de discusión y ensayos

1. En tu opinión, ¿cuál es la intención de García Márquez al escribir este cuento?

2. ¿Cómo se presenta el carácter de la mujer? ¿Cuál es la actitud del autor con respecto a ella? ¿Cómo nos comunica esta actitud? ¿Qué imágenes y técnicas utiliza para retratarla en la mente del lector?

3. A través de esta narración concisa y de gran economía de palabras, se puede ver mucho más de lo expresado. Describe lo que sugiere el narrador sin decirlo y cómo lo hace.

4. Piensa en las razones posibles por las que el autor ha dicho que este es su cuento favorito.

---

[1] Mendoza, P.A.: Obra citada, p. 26

UN DÍA DE ÉSTOS

Para entender el cuento es necesario conocer el contexto de la violencia e inestabilidad política que existen en Colombia desde hace muchos años. El alcalde del cuento ha sido también "teniente", responsable de la muerte de muchos hombres que se enfrentaron al gobierno corrupto que el alcalde representa. García Márquez describe lo que pasa cuando dos enemigos mortales viven lado a lado, en un estado de guerra que ha llegado a parecer normal.

Sugerencias para el análisis del cuento

1. ¿Cómo es el diálogo entre el dentista y su hijo? ¿Qué parece raro o sorprendente con respecto a esta conversación?

2. ¿Qué tiene el dentista en la gaveta? ¿Qué se insinúa cuando abre la gaveta?

3. ¿Cuál es la intención inicial del dentista con respecto al alcalde? ¿En qué momento cambia esta intención? ¿En qué se fija el dentista que provoca este cambio?

4. ¿Cuál es el aspecto más difícil de la operación? Según el dentista, ¿por qué tiene que ser así? ¿Lo cree el lector? ¿En qué línea se revela el verdadero motivo del dentista para operarle así?

5. El narrador describe al dentista como un hombre "con una mirada que raras veces correspondía a la situación, como la mirada de los sordos". ¿Qué sugieren estas palabras respecto a su personalidad?

6. Al decirle al alcalde "Aquí nos paga veinte muertos, teniente", el dentista habla "sin rencor, más bien con una amarga ternura". Comenta estas líneas tan importantes.

Temas de discusión y ensayos

1. Desde la llegada del alcalde, las acciones y la manera de hablar del dentista se describen con palabras como "sin apresurarse", "con la punta de los dedos", "con amarga ternura", "tranquilo" y "suavemente". ¿Qué quiere comunicarnos con ellas el narrador? ¿Qué se sugiere aquí con respecto a la vida y las experiencias del dentista? Explica cómo el diálogo entre el dentista y su hijo contribuye al mismo sentido.

2. ¿Por qué es tan difícil la situación del alcalde? ¿Cómo se comunican su miedo, dolor y valor?

3. El dentista es compasivo y vengativo a la vez. ¿Cómo se explican estas dos características contradictorias en la misma persona?

4. ¿Qué efecto causa la última línea? ¿Cuál es la implicación?

5. El comentario que se hace sobre la naturaleza humana, ¿te parece optimista o pesimista? ¿Cuál es el propósito o mensaje central del cuento? ¿Con quién está la simpatía del narrador?

6. El cuento es muy corto, casi minimalista, cada palabra es importante, cada detalle comunica

algo esencial. De nuevo García Márquez, a través de un narrador de pocas palabras, nos dice mucho más. Describe el pueblo, el ambiente, la pasada violencia y el carácter de los personajes, explicando lo que no se dice pero está sugerido en el cuento. Indica qué palabras o imágenes lo insinúan.

LA PRODIGIOSA TARDE DE BALTAZAR

Baltazar, como el coronel de *El coronel no tiene quien le escriba*, es uno de los personajes de García Márquez que encarna la bondad sencilla, la honradez y una filosofía positiva de la vida.

Sugerencias para el análisis del cuento

1. Describe la personalidad de Baltazar. ¿Cuál es la actitud del narrador hacia él? ¿Qué reacción inspira en el lector?

2. Por los pocos detalles que se ofrecen con respecto a la relación entre Baltazar y Ursula, es posible formar una impresión de su vida doméstica. Comenta esta relación.

3. El doctor Giraldo podría pagarle mucho dinero a Baltazar por la jaula. ¿Por qué no puede vendérsela? ¿Qué características de Baltazar se ven en esta situación?

4. ¿Quién es José Montiel? ¿Qué sabemos de él? Su apariencia, costumbres, actitudes, valores y acciones, todo ello contribuye a nuestra opinión de él. Explica. Montiel vive en una casa "donde nunca se había sentido un olor que no se pudiera vender". ¿Qué sugiere esta descripción? Comenta la ironía del detalle del ventilador eléctrico.

5. ¿Por qué se enfada tanto Montiel a causa de la generosidad de Baltazar?

Temas de discusión y ensayos

1. En las obras de García Márquez, "la obsesión de la muerte" es un problema de las mujeres ricas, nunca de las pobres. También Montiel se preocupa de su salud cuando dice, "El médico me ha prohibido coger rabia". ¿Qué supone el contraste entre ricos y pobres?

2. Basándote en este cuento y otros que hayas leído de García Márquez, comenta la diferencia entre la vida en la casa de Baltazar y la de los Montiel. ¿Cuáles son las características asociadas con los pobres y con los ricos?

3. Durante la celebración en el salón de billar, Baltazar les dice a sus amigos, "Hay que hacer muchas cosas para vendérselas a los ricos antes que se mueran [...]. Todos están enfermos y se van a morir. Cómo estarán de jodidos que ya ni siquiera pueden coger rabia". Comenta la cita. ¿Cuál es su efecto en el lector?

4. Comenta la descripción de la jaula. ¿Es arte o artesanía? Según García Márquez, ¿en qué y para qué existe el arte?

LA VIUDA DE MONTIEL

Se puede leer "La viuda de Montiel" como una continuación de "La prodigiosa tarde de Baltazar" ya que sigue con la historia de José Montiel y su mujer. La Mamá Grande, que aparece al final del cuento, es la gran matriarca de otro cuento de García Márquez, "Los funerales de la Mamá Grande". Ella es la última representante de la Encomienda, el sistema feudal en el que una persona (o una familia) era dueña de enormes territorios y recursos.

Sugerencias para el análisis del cuento

1. Para el pueblo, es difícil creer que José (Chepe) Montiel esté muerto. ¿Por qué? ¿Qué se sugiere a través de este detalle? ¿Qué aspecto de su muerte sorprende al pueblo?

2. En realidad, ¿cuál es la causa de su muerte? Al mencionarla, el autor se refiere a algo que pasó en "La prodigiosa tarde de Baltazar". ¿A qué se refiere? ¿Cuál es el tono o el efecto de la referencia?

3. ¿Cómo había llegado a ser tan rico Montiel?

4. Cuando la mujer de Montiel dice, "Ese hombre es un criminal", ¿a quién se refiere? ¿Cómo responde Montiel? ¿Qué se revela en el diálogo de cada uno como individuo y de su matrimonio?

5. Según el Sr. Carmichael, los hijos deben volver para cuidar a su madre. ¿Por qué no quieren volver a casa? ¿De qué tienen miedo? ¿Cuál es la ironía?

Temas de discusión y ensayos

1. La viuda tiene una perspectiva muy diferente del resto del pueblo sobre su esposo. ¿Cómo se explica la diferencia? ¿De qué aspectos de su personalidad y de su pasado resulta?

2. Comenta la ironía y el humor de las siguientes citas: "Cinco años rogando a Dios que se acaben los tiros, y ahora tengo que agradecer que disparen dentro de mi casa"; "Desde antes de que empezara la matanza política ella pasaba las lúgubres mañanas de octubre frente a la ventana de su cuarto, compadeciendo a los muertos y pensando que si Dios no hubiera descansado el domingo habría tenido tiempo de terminar el mundo.

   —Ha debido aprovechar ese día para que no le quedaran tantas cosas mal hechas —decía. — Al fin y al cabo, le quedaba toda la eternidad para descansar".

3. Haz una descripción de la viuda. Incluye su relación con su esposo y sus hijos; su capacidad de entender lo que pasa alrededor de ella; sus supersticiones y su manera de pensar en general; lo bueno y lo malo de su carácter; la manera en que muere. Explica las razones posibles para la falta de nombre u otra identidad más que "la viuda".

4. ¿Cuál es la actitud del autor con respecto a la viuda? ¿Cómo la trata? ¿La critica? ¿Qué emociones, positivas o negativas, quiere provocar en el lector?

5. ¿Cuál es un significado posible de la aparición de la Mamá Grande en conexión con la muerte de la viuda?

6. Discute el uso de ironía y humor en el cuento.

7. ¿Qué tiene en común este cuento con otros que has leído de García Márquez?

UN SEÑOR MUY VIEJO CON UNAS ALAS ENORMES

"Un señor muy viejo con unas alas enormes", escrito en 1968, es un ejemplo del realismo mágico de García Márquez y de su sentido del humor y talento satírico.

Sugerencias para el análisis del cuento

1. ¿Por qué se utiliza el artículo indefinido en el título ("Un señor viejo con unas alas enormes") en vez de "El señor con alas enormes"? ¿Cuál es el efecto?

2. ¿De qué manera se presenta la existencia de las alas? ¿Cuál es el efecto de esta manera de introducirlas?

3. ¿Cómo es el señor viejo? Comenta su descripción física y su tratamiento por el pueblo.

4. ¿Cómo reaccionan Pelayo y Elisenda al ver al señor por primera vez? ¿De qué manera cambia su reacción durante el cuento?

Temas de discusión y ensayos

1. Comenta el contraste entre el señor con alas y el concepto tradicional de un ángel.

2. Muchas personas que vienen a ver el fenómeno sugieren planes posibles para el futuro del "ángel". ¿De qué maneras proponen utilizarlo? ¿Qué efecto provocan los planes en el lector? ¿Qué comentario sobre la naturaleza humana se hace aquí?

3. ¿Cuál es la actitud del narrador en el cuento, y de qué manera influye en la actitud del lector?

4. En este relato, García Márquez se burla de la Iglesia y de ciertos aspectos de la naturaleza humana. Explica. Comenta también otros aspectos cómicos y satíricos del cuento.

5. Discute el tema de la explotación y menciona otros elementos que observes de crítica social.

6. Al describir la fascinación de la gente por la mujer convertida en araña, García Márquez hace un comentario sobre la naturaleza humana. Se puede comparar esta fascinación con la popularidad de programas como el de Jerry Springer y la prensa sensacionalista. Comenta.

7. ¿En qué sentido es este cuento un ejemplo del realismo mágico de García Márquez? Explica los diferentes elementos que contribuyen al realismo mágico.

EL AHOGADO MÁS HERMOSO DEL MUNDO

"El ahogado más hermoso del mundo" relata un mito lleno de magia transformadora. Refleja de manera destacada el gran cariño y compasión que el autor siente por sus personajes, por el ser humano en general.

Sugerencias para el análisis del cuento

1. Al encontrar al ahogado, ¿de qué manera se equivocan los niños?

2. ¿Cómo sabe la gente que el ahogado es de otro pueblo?

3. ¿Qué fantasías con respecto al ahogado se les ocurren a las mujeres? ¿Cuáles les inspiran maravilla? ¿Cuáles les inspiran compasión?

4. ¿Cómo se decide el nombre del ahogado?

5. Explica el significado de la exclamación "–¡Bendito sea Dios –suspiraron–: es nuestro!"

6. ¿Por qué se sienten los hombres hostiles hacia el ahogado y qué hacen las mujeres para cambiar los sentimientos de los hombres?

7. ¿Cómo son los funerales de Esteban? ¿Qué papel desempeña la gente del pueblo?

8. En el futuro, ¿cómo cambiará el pueblo? ¿Qué reacción va a inspirar en las personas que pasen cerca de él?

Temas de discusión y ensayos

1. Describe las varias etapas de la reacción de las mujeres hacia el ahogado. ¿Qué transformación se nota en el desarrollo de sus emociones desde el principio del cuento hasta el final?

2. ¿Cómo se alteran los sentimientos de los hombres? Describe el momento más dramático del cambio. ¿Qué emoción nos inspira?

3. Dos veces se oyen las palabras directas de Esteban sin que haya un diálogo. ¿Cómo se introducen en la narración? ¿Por qué? ¿Qué efecto causa en el lector?

4. ¿Cuál es el simbolismo de los funerales de Esteban?

5. Al describir la reacción de los marineros que oyen el llanto de la gente en los funerales de Esteban, el narrador nos dice que "se supo de uno que se hizo amarrar al palo mayor, recordando antiguas fábulas de sirenas". ¿A qué epopeya clásica se refiere? ¿De qué manera contribuye la alusión al tema de esta historia?

6. Se puede decir que "El ahogado más hermoso del mundo" es un mito. Discute esta idea. ¿Qué elementos tiene en común con otros mitos que hayas leído?

7. Analiza los elementos de realismo mágico en el cuento.

8. ¿Cuál es el efecto del final del relato? ¿Cómo reaccionas como lector? ¿Qué emociones te inspira?

9. ¿Cuál es el tema principal? Discute las implicaciones individuales y sociales.

10. El Caribe es como el Mediterráneo de las Américas, un mundo de historias épicas y mitos. ¿Qué historias conoces que tienen lugar en el Mediterráneo? ¿Se pueden comparar con este cuento?

Actividades

1. Los estudiantes se imaginan en la situación del dentista de "Un día de éstos", con un enemigo desesperado pidiendo ayuda. Discuten sus posibles reacciones.

2. Dos estudiantes presentan un diálogo a la clase: Uno de ellos acaba de ver un fenómeno muy raro, como el de "Un señor muy viejo con unas alas enormes". Trata de convencer a su amigo incrédulo de lo que ha visto.

3. Dos estudiantes preparan un informe sobre la situación actual de Colombia. Macondo, el pueblo de varios cuentos de García Márquez y de *Cien años de soledad*, está basada en Aracataca, su pueblo natal. Encontrarlo en un mapa y comparar el pueblo ficticio con el real.

4. Los estudiantes son periodistas del diario más importante de Colombia y tienen que investigar los abusos del poder en los pueblos pequeños de su país. Hacer una investigación de los abusos de José Montiel ("La viuda de Montiel" y "La prodigiosa tarde de Baltazar", del alcalde ("Un día de estos") y del tratamiento del "ángel" en "Un señor muy viejo con unas alas enormes".

5. *La magia de lo real*, en español o inglés, es un vídeo excelente que presenta el mundo de García Márquez y explica en las propias palabras del autor el porqué de su estilo. Se puede conseguir a través del Instituto Cervantes y de Films for the Humanities.

6. Para información sobre el escritor, en inglés, los estudiantes pueden consultar: http:/www.rpg.net/quail/libirinth/garcia.Marquez.frame.html.

Carlos Fuentes

(1928-)

Datos biográficos

Escritor versátil y altamente prolífico, Carlos Fuentes es a la vez una de las grandes figuras de la literatura latinoamericana y una de las más polémicas. Es tan apreciado por sus admiradores como criticado por sus detractores, pero sigue siendo uno de los autores más leídos y discutidos dentro y fuera de Latinoamérica. Fuentes se ha erigido como representante y portavoz de la cultura hispana y es uno de los responsables de que la literatura latinoamericana haya recibido tanta atención mundial.

La vida de Fuentes, hijo de un embajador mexicano, ha sido un viaje continuo. Se le considera autor mexicano, aun cuando ha pasado tanto tiempo fuera de su país como en él. Nació en la ciudad de Panamá en 1928, pero, siguiendo los pasos familiares, ya en su niñez vivió en Quito, Montevídeo, Río de Janeiro y Suiza. Entre 1934 y 1940 residió en Washington D.C. y asistió a un colegio público. Aprendió a hablar y escribir tan bien en inglés como en español. Tal vez su experiencia como mexicano fuera de su patria le hizo más consciente de su identidad mexicana frente otros países y culturas. Recuerda haber tenido de niño muchos amigos en Washington hasta que el presidente mexicano Cárdenas nacionalizó las industrias petroleras, creando un sentimiento antimexicano en la clase alta norteamericana. Desde entonces aprendió a sufrir por su ideología o la su país. La identidad mexicana, mezcla de influencias europeas e indígenas, se convirtió en una obsesión para Fuentes, al igual que para otros autores contemporáneos como Octavio Paz. Y la lucha por su ideología, por medio de gestos simbólicos y de sus escritos, marcaron la vida de Fuentes.

En 1941 su familia se trasladó a Chile donde estudió en un colegio americano. Para entonces, Fuentes ya había empezado a escribir cuentos de estilo fantástico, publicados en revistas escolares. Poco después vivió en Argentina. Allí abandonó su colegio, debido a lo que él llamó la orientación fascista de los centros estatales, recibiendo su educación en casa. Sería éste el primero de numerosos gestos de rebeldía por parte de Fuentes contra instituciones que él juzgaba de política injusta. En 1941 volvió a México, donde terminó sus estudios en un colegio francés, y en 1948 ingresó en la Universidad Nacional Autónoma de México para estudiar derecho.

Después de ampliar sus estudios en Suiza, siguió, dentro y fuera de su país, la carrera diplomática de su padre. La abandonará después de unos años, aunque no definitivamente, para dedicarse a tareas literarias. En 1954 publicó su primer libro, *Los días enmascarados*, colección de relatos cortos entre los que está "Chac Mool," uno de sus cuentos más apreciados, y fundó y editó revistas literarias. En su primera novela, *La región más transparente* (1956), Fuentes intenta, desde una perspectiva que tiende a marxista, una investigación de la identidad mexicana, tema que ocupará gran parte de su obra. En los años 60, Fuentes escribió gran número de trabajos en diferentes géneros y fue también uno de los portavoces de la juventud radicalizada mexicana. Tras visitar Cuba en 1959, poco después de la revolución, publicó la novela *La muerte de Artemio Cruz* (1962), que contiene una crítica de la sociedad mexicana desde el punto de vista socialista. Ese mismo año, por primera vez, le fue negado el visado de entrada a los Estados Unidos debido a su actitud política. Sin embargo, tras años de prolífica producción literaria y de haber enseñado en universidades como Princeton, Columbia, o la Universidad de Pennsylvania, se considera hoy a Fuentes parte del establecimiento intelectual más que rebelde marxista. De 1975 a 1977 incluso volvió a trabajar para el gobierno mexicano como embajador en Francia, aunque abandonó su puesto en protesta cuando el ex-presidente Díaz Ordaz, uno de los responsables de la sangrienta represión de estudiantes mexicanos en 1968, fue nombrado embajador a España.

Actualmente divide su vida doméstica entre México y Londres. Viaja continuamente y habla con frecuencia en universidades de los Estados Unidos. Sus trabajos incluyen novelas, cuentos, artículos, ensayos y guiones de película.

La narrativa de Fuentes

El mito, la historia, las cuestiones políticas y sociales de México han sido objeto de observación y estudio por parte de Fuentes y temas constantes de su narrativa. Frecuentemente desde la perspectiva de un mexicano fuera de su país, Fuentes ha examinado la identidad mexicana que él percibe como una combinación del antiguo mundo indígena y el desarrollo histórico del México colonial y posrevolucionario hasta un presente moderno. En sus novelas y cuentos se combinan el tiempo cíclico del universo precolombino y el linear histórico. Ese mundo mítico, según Fuentes, permanece presente en la historia y en la vida del México moderno, a veces más cercano e incluso más real que los mismos hechos históricos. Los mitos indígenas, del mismo modo, están presentes o latentes en su obra narrativa, como se puede ver en el cuento a continuación. A través de múltiples voces narrativas, a veces en boca de un mismo personaje, Fuentes ha reflejado en sus obras su búsqueda de esa compleja identidad mexicana y las diversas caras que la forman.

A pesar de estos elementos comunes en su abundante producción narrativa, Fuentes ha experimentado con una gran variedad de géneros y estilos. Ha escrito novelas experimentales como *La región más transparente* (1958), de narración fragmentada y lenguaje poético; de corte tradicional como *Las buenas conciencias* (1959); históricas, a la par que de gran profundidad poética, como *La muerte de Artemio Cruz* (1962); y fantásticas como *Aura* (1962). Es autor también de cuentos cortos fantásticos, entre ellos *Los días enmascarados* (1954) o realistas como *Cantar de ciegos* (1964).

CHAC MOOL

Notas para facilitar la lectura

- La Catedral y el Palacio están ambos situados en el Zócalo, plaza en el centro de la Ciudad de México. Debajo y al lado de la Catedral están los restos de un antiguo templo azteca.
- Tlaxcala es la capital de un estado del mismo nombre. Los tlaxcaltecas eran enemigos de los aztecas y, a la llegada de los españoles, ayudaron a Hernán Cortés a derrotar a Moctezuma.
- Teotihuacán, antigua ciudad sagrada cerca de la Ciudad de México, estaba ya en ruinas cuando llegaron los españoles. En ella están las magníficas pirámides del Sol y de la Luna.
- Existe cierta confusión entre Chac (o Chaac), dios maya de la Lluvia, y Chac Mool, ambigüedad que Fuentes utiliza en este relato. Los Chac Mool son esculturas semirrecostadas con las rodillas dobladas y un disco en el pecho, probablemente para presentar ofrendas sangrientas al dios Sol.
- Tláloc es el dios azteca de la Lluvia y el Trueno, equivalente al maya Chac.

Preguntas para el análisis de "Chac Mool"

1. Fuentes recurre a la fantasía con frecuencia en sus cuentos. ¿Cabe alguna duda de que el cuento es fantástico? ¿Sabemos con certeza que el Chac Mool no es real sino el resultado de alucinaciones de Filiberto?

2. ¿Cómo ocurre la transformación del Chac Mool según el diario de Filiberto, de modo gradual y con aviso o repentinamente?

3. ¿Cómo tratan los personajes secundarios a Filiberto tras su muerte? ¿Qué imagen de la muerte nos presenta el narrador?

4. ¿Cómo ha sido la vida de Filiberto hasta su encuentro con el Chac Mool? ¿Cuáles han sido sus preocupaciones y a qué parte de la sociedad mexicana representa?

5. Al final del cuento parece que el Chac Mool se está humanizando. ¿Qué significado tiene que el dios caiga en tentaciones humanas?

6. ¿Cuál es la teoría de Pepe, amigo de Filiberto, sobre la adaptación del cristianismo por los mexicanos? ¿Qué imagen de México se nos ofrece?

7. Trata de encontrar algún ejemplo del uso de humor en este relato y explica cómo contribuye al cuento.

8. ¿Qué planeaba hacer Filiberto con el Chac Mool? ¿Es su plan representativo de la actitud moderna hacia la naturaleza?

9. El narrador usa detalles sensoriales para describir al Chac Mool, de tacto, de olor, de sonido. ¿Qué imagen se da del dios en la narración de Filiberto?

Temas de discusión y ensayos

1. En tu opinión, ¿es el uso del mito indígena de Chac Mool por Fuentes un simple recurso fantástico o busca el autor algo más?

2. Filiberto escribe en su diario: "Realidad: cierto día la quebraron en mil pedazos, la cabeza fue a dar allá, la cola aquí, y nosotros no conocemos más que uno de los trozos desprendidos de su gran cuerpo. Océano libre y ficticio, sólo real cuando se le aprisiona en un caracol". Analiza y explica el significado de estas líneas. ¿Contienen alguna paradoja? ¿Es consistente nuestro cuento con estas frases?

3. Observa y alista todos los usos de imágenes de sangre y agua en el cuento. Analiza su uso y progresión en el relato, desde el garrafón teñido por el guasón de la oficina hasta la muerte de Filiberto.

4. ¿Cuál es la actitud de Fuentes, según el cuento, respecto a las fuerzas naturales y sobrenaturales?

5. Al igual que otros autores mexicanos, Fuentes escribe a menudo sobre la identidad mexicana, que es una mezcla de varios elementos. ¿Cuáles vemos en el cuento? Analiza cómo se unen todos estos elementos en el relato y explica la visión total del país que emerge de él.

Actividades

1. Los estudiantes traen a la clase reproducciones fotográficas de Chac, Chac Mool y otras

esculturas o representaciones religiosas precolombinas. Se pueden obtener del internet o de la biblioteca.

2. Diferentes estudiantes preparan breves informes sobre las deidades aztecas; la guerra de Cortés contra Moctezuma y la participación de los tlaxcaltecas; las épocas y civilizaciones mesoamericanas: Teotihuacán, los mayas, los aztecas.

3. Films for the Humanities tiene dos vídeos en inglés sobre el autor, *Man of Two Worlds* y *Carlos Fuentes: At Home in the Americas*, una entrevista.

Isabel Allende

(1942-)

Datos biográficos

Isabel Allende, de nacionalidad chilena, nació en Lima, Perú en 1942, donde habitaban sus padres diplomáticos. De niña, con cierto paralelo con García Márquez con quien ha sido comparada, fue a vivir con su madre y sus hermanos a casa de sus abuelos. Como ocurrió con el pequeño Gabriel, esta estancia fue decisiva en su vida. Sus abuelos no sólo han inspirado algunos de sus personajes, sino también estimularon su imaginación y fantasía. El golpe de estado chileno que derrocó al presidente democráticamente elegido Salvador Allende, tío de Isabel, le llevó al exilio a Caracas, Venezuela, donde residió antes de instalarse en los EE.UU. Allende empezó a escribir desde joven, primero como periodista y desde 1982 como novelista. En esta fecha publicó *La casa de los espíritus*, una narrativa multigeneracional que tiene como telón de fondo la historia reciente de Chile y que se convirtió inmediatamente en un *best-seller* mundial. Con esta novela, Allende logró entrar en el grupo de escritores latinoamericanos de popularidad universal, conjunto anteriormente dominado por hombres. *Eva Luna* (1987), *Los cuentos de Eva Luna* (1990), *Paula* (1994), conmovedor relato sobre la enfermedad y muerte de su hija, y más recientemente *La hija de la fortuna* (1999) y *Retrato en sepia* (2001), han continuado el éxito inicial y han convertido a Allende en una escritora favorita no sólo entre lectores de habla hispana sino en todo el mundo.

La narrativa de Isabel Allende

Como ella misma ha afirmado en alguna ocasión, Allende es antes que nada una contadora de historias. La riqueza de los detalles descriptivos, el humor de muchas situaciones, la fantasía y sorpresa en el desarrollo que la convierten en una maestra de la narración, están supeditadas, sin embargo, a la presentación gloriosa de sus personajes femeninos. Protagonistas de sus novelas y cuentos, las mujeres de Allende, muy variadas entre sí, tienen en común su rebelión o indiferencia respecto a la sociedad patriarcal y un alma libre, valiente y aventurera. Capaces de romper ataduras ancestrales, de transgresión y de riesgo, estas mujeres se apropian del lugar preeminente de los hombres en la novelística tradicional.

Desde *La casa de los espíritus* hasta su obra más recientes se observa un cambio hacia un mayor realismo y un abandono de las técnicas de realismo mágico usadas al principio y que invitaban a una comparación con García Márquez. "Dos palabras" es el primer cuento de *Los cuentos de Eva Luna* y es emblemático de la narrativa de Allende: su protagonista es una mujer atrevida y decidida. Sobrevive dificultades y obstáculos que vencen a los demás, y tiene la imaginación y la fuerza de crear su propia vida, la habilidad de cambiar la de otros y además capacidad de compasión, amor y pasión.

DOS PALABRAS

Sugerencias para el análisis del cuento

1. Según el cuento, las palabras tienen realidad independiente y "fisicalidad". Señala ejemplos específicos.

2. ¿Qué diferentes poderes tienen las palabras? ¿Qué poder tiene Belisa por el hecho de poseerlas?

3. Comenta la gradación en precio que Belisa cobra por sus palabras.

4. Describe a Belisa, su vida, su personalidad. Describe también al Coronel, sus motivos para querer ser presidente, su carácter, su vida. Añade una descripción de la sociedad y el mundo donde viven.

5. ¿Cómo ha usado Belisa y con qué intención las dos palabras del título? ¿Qué han conseguido? ¿Tiene curiosidad el lector por saber cuáles son? ¿Es importante?

6. ¿Cómo es el narrador del cuento? Descríbelo con todo el detalle que puedas, basándote en su presentación de la narrativa.

Temas de discusión y ensayos

1. ¿Qué elementos crean el realismo mágico en el cuento? (Analiza metáforas, minuciosidad en el detalle, lenguaje hiperbólico, actitud del narrador, etc.)

2. Compara "El ahogado más hermoso del mundo" de Gabriel García Márquez con este cuento en cuanto a la posibilidad de transformación, el papel del narrador y el lenguaje.

3. En el relato, "la palabra" se eleva por encima del mundo de las necesidades básicas y a su vez puede elevarlo también. ¿Qué está sugiriendo la autora?

4. Comenta tus propias conclusiones sobre la trascendencia de la literatura en la vida.

5. En base a lo que has leído, ¿se puede hablar de literatura femenina en Latinoamérica? ¿Qué tienen en común —en temas, actitud, estilo— Allende y las otras autoras? ¿Qué diferencias y contrastes hay entre ellas?

Actividades

1. Por grupos, los estudiantes tratan de imaginar dos palabras que tengan la intensidad y el

poder de las dos palabras del cuento. No tienen que ser palabras adecuadas a la historia que hemos leído, pero sí ricas y sugerentes.

2. Los estudiantes escriben una narración al estilo de Allende sobre un tema cotidiano. Por ejemplo: "Un día en la vida de (nombre del estudiante)".

3. Films for the Humanities tiene los siguientes vídeos sobre la autora: *An Extraordinary Life, The Woman's Voice in Latin American Literature* y *Possessed by Her Art*, los tres en inglés.

Apéndice I

Una aproximación a la lectura de poesía [1]

¿Qué es poesía?

Todo género literario, no exclusivamente el poético, se construye a base de una combinación de dos elementos indispensables. Estas bases se han llamado de numerosas maneras, entre ellas: el fondo y la forma; el contenido y el estilo; el tema y su modo de expresión. No existe obra literaria en la que falte una de estas partes y en todo estudio de un texto cabe el análisis de las dos. La obra artística brota de una combinación, por parte del artista, de ambos elementos. No sólo están íntimamente unidos, sino que son interdependientes. Por ejemplo, en un ensayo de Larra o en un cuento de Borges la forma puede ponerse en función del fondo; es decir, el escritor a veces manipula la forma estética de su lenguaje para hacer resaltar el argumento de su prosa. En la poesía de Bécquer, por otra parte, se puede dar la situación inversa en que es posible decir que el tema del poema es su estilo.

Siempre surge una tensión o un equilibrio entre las ideas de una obra y la estética con que se transmiten. Sin embargo, en la poesía, más que en los demás géneros literarios, el equilibrio se tiende a deslizar hacia la forma. La poesía tiene como rasgo distintivo la intensidad expresiva, la concentración de significado. Lo que en prosa se puede explicar o presentar a través de descripciones, personajes o situaciones, el poeta trata de comunicar con una necesaria limitación de palabras[2]. El poeta sugiere, evoca. De manera consciente o no, utilizará todo tipo de recursos estilísticos al servicio de su intención. Por medio de metáforas, imágenes, símbolos, el poeta consigue que el lector asocie una palabra con un conjunto de sensaciones y emociones. A través de la posición de las palabras, su repetición o su ausencia, el poeta comunica sentidos más allá del mero significado. La selección de términos ambiguos o ricos en connotaciones, insinúa múltiples implicaciones. El mismo sonido de las palabras es un instrumento sugeridor. El poeta utiliza de manera especial el ritmo, la dimensión sonora de las palabras y de las frases. El ritmo es también un componente esencial en la poesía. Según el poeta Octavio Paz, la poesía es precisamente lenguaje rítmico.

Estudiamos a continuación algunos de estos recursos estilísticos para familiarizar al estudiante con un léxico poético. (El **Apéndice II** contiene una lista de vocabulario con las definiciones de los términos más comunes y algunos ejemplos.) Desde los romances de la Edad Media hasta el poema más abstracto contemporáneo, la poesía ha utilizado algún tipo de orden; o mejor dicho, muchos diversos y variados tipos de orden. Es indispensable en el estudio de la poesía poder identificar algunos de los componentes de la organización.

---

[1] Esta introducción se refiere a la poesía, pero sirve para cualquier género literario, ya que en menor grado se repiten los mismos patrones en teatro y prosa.

[2] La brevedad y, como contrapartida, la condensación son los dos rasgos esenciales del lenguaje poético, dice Isabel Paraíso en su excelente tratado *El comentario de textos poéticos*, Ediciones Júcar. Valladolid, 1988.

La versificación y la métrica

La versificación estudia las normas que rigen la estructura, medida, ritmo, combinaciones del *verso*.

- **Verso:** es una línea de un poema y tiene una medida y un orden determinados.

- **Encabalgamiento:** frecuentemente cada verso contiene una idea completa, pero a veces, la frase continúa en el siguiente verso. Ejemplo:

  > Yo sé los nombres extraños
  > de las yerbas y las flores,
  > (*Versos sencillos I*, de José Martí)

- **Número de sílabas:** Hay versos desde dos sílabas en adelante. Son muy comunes los de ocho sílabas (*octosílabos*) en la poesía popular y el teatro clásico, y los de once sílabas (*endecasílabos*) en la poesía culta. Según el número de sílabas, los versos son de
  - **arte mayor** (nueve sílabas o más)
  - **arte menor** (ocho sílabas o menos). Los versos se agrupan en **estrofas**.

- **Métrica:** es la medida del verso. Medimos un verso, en primer lugar, contando sus sílabas. No coinciden necesariamente las sílabas gramaticales de las palabras con las métricas del verso. El verso español tiene acento llano, es decir en la penúltima sílaba. Esto significa que si el verso termina en una palabra acentuada en la última sílaba, al contar se añade una sílaba. Si el verso termina con una palabra acentuada en la antepenúltima sílaba, al contar se quita una sílaba. Ejemplos:

  > - ¡Oh puro sol repu**ja**do!   8 sílabas
  > - Africa de selvas **hú**medas   9 sílabas − 1 = 8 sílabas
  > - Sólo dos velas es**tán**   7 sílabas + 1 = 8 sílabas
  > ("Velorio de Papá Montero" y "Balada de los dos abuelos", de Nicolás Guillén)

- **Sinalefa:** Dentro del verso, cuando una palabra termina en vocal y la siguiente empieza en vocal o h, las dos sílabas se unen y forman una sola sílaba. Ejemplo:

  > -**Y a**tardeceres d**e i**ngenio   8 sílabas (Y + a...; de + i...)
  >   ("Balada de los dos abuelos")

- **Hiato:** Cuando no ocurre la sinalefa, que es la forma natural de hablar, sino que por exigencias métricas se separan dos vocales que debieran pronunciarse unidas, se produce el *hiato*.

- **Diéresis:** De modo similar al hiato, a veces un diptongo se separa, también por exigencias de la medida del verso, formándose así dos sílabas en vez de una. Se puede señalar la diéresis con ¨ Ejemplo:

  > - La lun**a e**n el mar rïela   8 sílabas (...na + en; ri-ela)
  >   ("Canción del pirata", de Espronceda)

- **Rima:** no es esencial en poesía, pero es un aspecto poético importante. Consiste en la igualdad o semejanza de sonidos en dos o más versos, a partir de la última vocal acentuada. Si las consonantes y vocales son todas iguales, se llama *rima consonante*. Ejemplo:

> Yo soy un hombre sinc**ero**
> de donde crece la p**alma**;
> y antes de morirme qui**ero**
> echar mis versos del **alma**.
> (*Versos sencillos I*)

- **Rima asonante:** Si sólo las vocales coinciden es *rima asonante*. Ejemplo:

> Que es mi barco mi tes**o**r**o**,
> que es mi dios la libert**a**d;
> mi ley, la fuerza y el vi**e**nt**o**,
> mi única patria, la m**a**r.
> ("Canción del pirata")

- Según el número de versos en una estrofa, la longitud de los versos y las combinaciones de la rima, tenemos diferentes tipos de **composiciones**: *tercetos, redondillas, cuartetas, cuartetos, silvas, liras, romances*, etc. Una composición muy conocida es el soneto, con una estructura bastante fija en la poesía hispánica: 14 versos endecasílabos divididos en dos cuartetos y dos tercetos.

- **Ritmo:** el ritmo viene dado por la repetición de elementos como la medida, la distribución de los acentos, las pausas y la rima.

Figuras retóricas: La posición de las palabras y la repetición

Otros aspectos muy importantes son la posición de las palabras y la repetición de palabras o sonidos. La posición de una palabra puede resaltarla o empequeñecerla. Se puede cambiar, también de manera deliberada, el orden normal de las palabras.

- **Hipérbaton:** trae una ordenación inusual para llamar la atención hacia una palabra o para causar sorpresa. Ejemplo:

> - En tanto que de rosa y azucena
> se muestra la color en vuestro gesto,
> ("Soneto XXIII", de Garcilaso de la Vega)

- **Antítesis:** contrapone palabras o frases de tal modo que se provoca un enfrentamiento de ideas. Ejemplo:

> Pie desnudo, torso pétreo
> los de mi negro.
> Pupilas de vidrio antártico
> las de mi blanco.
> ("Balada de los dos abuelos")

Existen también las repeticiones llamativas de palabras o sonidos:

- **Anáfora:** es la repetición de una o varias palabras al principio de un verso y se emplea frecuentemente para intensificar el paralelismo.

- **Polisíndeton** ocurre cuando se repite sin aparente necesidad la conjunción "y" en una enumeración, con el efecto de hacer el ritmo más lento o de insistir en cada elemento. Se puede observar en el poema "Me gusta cuando callas" de Neruda.

- **Asíndeton:** El recurso opuesto es el *asíndeton*, o ausencia de conjunciones, que trae un efecto de rapidez y aceleración. Ejemplo:

  > se vuelva, más tú y ello juntamente,
  > en tierra, en humo, en polvo, en sombra, en nada.
  > ("Soneto CLXVI", de Góngora)

- **Aliteración:** es la repetición de sonidos equivalentes, generalmente consonantes. Obsérvese los sonidos causados por la letra "r" en los siguientes versos de "Canción del pirata" de Espronceda:

  > Son mi música mejor
  > aquilones,
  > el estrépito y temblor de los cables sacudidos,
  > del negro mar los bramidos
  > y el rugir de mis cañones.

- **Onomatopeya:** Una forma relacionada con la aliteración es la *onomatopeya*, en la que los sonidos de la palabra sugieren el objeto de la palabra, como "siseo", "cuchicheo" y "susurro".

Los recursos estilísticos

Finalmente es fundamental observar *los recursos estilísticos*, los artificios usados por el poeta para que las palabras amplíen, intensifiquen o alteren su significado.

- **Metáfora:** la figura más característica y rica de la poesía combina, a partir de una analogía implícita, dos términos atribuyendo al primero (A), el término real, características descriptivas o emocionales del segundo (B): "Tu cabello es oro" (A es B). Se dan ejemplos en los que A desaparece, reemplazado por B: "El oro que te adorna". Hay otras muchas variedades. La metáfora requiere un salto imaginativo, especialmente cuando los dos términos que se identifican no tienen rasgos en común fáciles de observar, y ha sido objeto de la creatividad de poetas de todas las épocas.

- **Metonimia** consiste en la sustitución de un término por otro con el que tiene alguna relación de causa, procedencia, representación, etc. Por ejemplo, se puede decir "vamos a leer a García Márquez" en vez de "leer un libro de García Márquez" o "las canas" por "la vejez." La *sinécdoque* es una forma de metonimia en la que una parte significativa sustituye al todo o el todo sustituye a una parte. Por ejemplo se puede sugerir "coche" al decir "ruedas" o, en dirección inversa, se comprende que se refiere al "equipo de México" cuando se dice "México ha ganado la medalla de oro".

● **Sinestesia** consiste en mezclar imágenes de diferentes sentidos. Ejemplos son "el silencio blanco" ("Mi caballo mago", de Sabine Ulibarrí) y "rumor de claridades" (de *Bodas de sangre* de García Lorca).

Sugerencias para el análisis del texto poético

Es una gran ayuda para los estudiantes tener un método de estudio que les conduzca a entender mejor un poema y por tanto a gozar más de él. Los siguientes pasos están presentados a modo de simple sugerencia. En una última instancia, cada lector desarrollará su propio sistema, el procedimiento que mejor le sirva para apreciar el logro y belleza de un texto poético.

1. Es necesario, en primer lugar hacer una lectura en voz alta. No sólo se apreciará de este modo los efectos de sonido de las palabras, rima y ritmo, sino que además esta lectura ayudará al lector a una captación no intelectual, a una compenetración con la voz poética[1]. Las palabras que entran por el oído tocan nuestra capacidad emotiva mejor que las leídas en silencio. La lectura en voz alta puede capturar en más profundidad la voz de poetas como Lorca, Darío o Nicolás Guillén, que un repetido estudio del poema. Es buena idea apuntar, a modo de *brain storm*, qué sugiere, qué se siente ante esta lectura. El estudiante se empieza a preguntar ¿Qué dice el poeta?, o ¿Qué **me** dice el poeta?

2. A continuación, se debe hacer un análisis formal. Cuanto mejor se comprende un texto, más se aprecia. Profundizar en la estructura, analizar ritmo y rima, buscar las connotaciones de las palabras, prestar detallada atención a los recursos estilísticos, ayudarán a comprender mejor el poema, a percibir y compartir las emociones del poeta, a disfrutar de él con más intensidad. Este es el momento de aplicar los conceptos aprendidos en la parte segunda de este apéndice, de observar la versificación, rima, aliteración, etc. Por tanto, el estudio debe ser bastante minucioso, verso por verso, estrofa por estrofa, a veces palabra por palabra, sin perder nunca de vista el conjunto. Es necesario observar también la relación entre el contenido y el modo de expresarlo, para llegar a la respuesta ¿Cómo dice el poeta lo que está diciendo? ¿Qué tono adopta? ¿Por qué lo dice como lo dice? ¿Qué efecto trata de causar? ¿A quién se dirige?

3. Finalmente, la conclusión. Una vez escuchado, entendido y escuchado de nuevo el poema, el estudiante será capaz de declarar cuál es el tema, o mejor, el último sentido del poema y expresarlo en términos abstractos. Esta es la oportunidad también de manifestar si le ha gustado o no, si le habla de algún modo personal, si esa voz poética tiene resonancia en su vida o en su mundo.

---

[1] En el ya citado *El comentario de textos poéticos*, se recomienda la estrategia de la lectura desde dos ángulos complementarios: la lectura estética y la lectura comprensiva.

Apéndice II
Terminología literaria

Alegoría: Es una metáfora continuada, en la que los hechos reales o las ideas se corresponden con los símbolos empleados.

Aliteración: Repetición de un sonido generalmente consonántico (a veces vocálico) en distintas palabras para provocar un efecto deliberado. Ese efecto está frecuentemente ya contenido en el significado de las palabras. La aliteración viene, pues, a reforzarlo de un modo indirecto y sugerente.

Anáfora: Repetición de la misma palabra o frase al principio de los versos en poesía o de oraciones en prosa.

Antítesis: Contraposición de palabras o frases de significado opuesto.

Apóstrofe: Cuando un verso comienza con una exclamación, invocando a una persona, imaginaria o real, o un elemento personificado.

Arcaísmo: El uso de vocabulario y formas anticuados. Cervantes pone arcaísmos en boca de Don Quijote para mostrar el intento de éste de hablar como en los libros de caballerías.

Arte mayor: Se llama así a los versos de nueve o más sílabas y **arte menor** a los de ocho o menos. Al representar la rima se usan mayúsculas para el arte mayor y minúsculas para el menor. Por ejemplo, la redondilla, que tiene versos de ocho sílabas se representa abba. El soneto que tiene versos de 11 sílabas se representa ABBA ABBA CDC DCD.

Asíndeton: Eliminación de las conjunciones que normalmente unirían una enumeración. Un ejemplo conocido es "Veni, vidi, vici" de Julio César.

Beatus ille: Expresión del poeta Horacio con la que comienza una de sus églogas. Equivale a "Feliz aquel que…" y, siguiendo a Horacio, se refiere a los placeres que se obtienen de la vida tranquila y retirada en el campo, lejos del ruido y apresuramiento ciudadanos.

Bucólico (Novela o poesía). Referente a la naturaleza o al campo, una naturaleza o campo idealizados que nada tienen que ver con un ambiente rural auténtico. En la novela y poesía bucólica o pastoril hablan pastores de sus situaciones y problemas amorosos. La novela pastoril se populariza después de la de caballería en los siglos XVI y XVII.

Caballero andante: Héroe de los libros de caballería que cabalga por los caminos en busca de aventuras, lucha en favor de la justicia contra toda serie de enemigos portentosos, generalmente triunfando, y es ejemplo de fidelidad y devoción amorosas a su dama.

Cantar de gesta o canción de gesta: Son poemas que narran las hazañas (gestas) de los heroicos caballeros. Existen desde el siglo X y son originalmente orales. Su métrica es variable, pero generalmente son versos de 16 sílabas con rima asonante. Son de procedencia germánica y francesa y se vuelven muy populares en España. Se convierten más tarde en los romances al dividirse cada verso de 16 sílabas en dos de ocho.

Carpe diem: Expresión latina, hecha famosa por el poeta Horacio, que urge la captura del momento presente, de los placeres, belleza y ventajas al alcance de uno, ya que el tiempo corre vertiginoso y los hará desaparecer.

Coloquialismo: Uso de expresiones del habla popular, generalmente destinado a dar más autenticidad y realismo a un texto o revelar detalles sobre la identidad de un personaje como, por ejemplo, el nivel de educación, estrato social u origen regional.

Conceptismo: Estilo literario de la época del Barroco, más frecuente en prosa que en poesía y asociado con Quevedo. Como el culteranismo, utiliza juegos de palabras, metáforas sorprendentes, paralelismos, antítesis e hipérbaton, pero cultiva especialmente asociaciones ingeniosas de ideas (conceptos). Busca la originalidad y trata de causar sorpresa en el lector.

Costumbrismo: género literario que describe en detalle realista las costumbres y tipos de un país o región. Cuando se trata de una escena se llama "cuadro de costumbres" y cuando se trata de un artículo de periódico o revista, o una descripción satírica de un aspecto específico, se llama "artículo de costumbres". Son famosos los artículos de costumbres de Larra en el siglo XIX.

Cuadro de costumbres: Véase *costumbrismo*.

Cuarteto: Estrofa de cuatro versos de arte mayor, con rima ABBA.

Culteranismo: Estilo literario típico, con el conceptismo, de la época del Barroco, más frecuente en poesía que en prosa, cuyo principal representante es Góngora. Cultiva un lenguaje rico en todo tipo de recursos formales, como el cambio en el orden de las palabras (hipérbaton), abundancia de antítesis y paralelismos y metáforas sorprendentes. En ello se asemeja al conceptismo, pero el culteranismo se enfoca más en el lenguaje que en las ideas. Al utilizar muchas palabras nuevas y cultas, imágenes complejas y alusiones oscuras, crea frecuentemente un lenguaje artificioso y difícil de comprender.

Cultismos: Introducción de palabras que crean un efecto culto, elegante y educado. Pueden ser palabras nuevas (*neologismos*), muchas de ellas tomadas directamente del latín (*latinismos*). Son muy usados en la poesía del Renacimiento y sobre todo la del Barroco, que no trata de ser popular.

Diéresis: Usada en poesía, es la separación en dos sílabas de dos vocales que normalmente forman un diptongo. De este modo, se añade una sílaba al cómputo métrico del verso, cuando se necesita. Frecuentemente se indica con ¨ sobre la vocal. Ejemplo: "La luna en el mar rïela" ("Canción del pirata", Espronceda).

Diptongo: Dos vocales que juntas componen un solo sonido. Ejemplo: ab**ue**lo, r**ei**na.

Egloga: Poema pastoril (o bucólico).

Elegía: Poema de tono melancólico que expresa lamentación por algo perdido, especialmente la muerte.

Encabalgamiento: En general cada verso (línea de un poema) contiene una idea completa, pero a veces, la frase continúa en el siguiente verso para completar el significado, quedando así encabalgados. Es, pues, importante al leer el poema no hacer una pausa al final del primer verso.

Endecasílabo: Verso de once sílabas, preferido por Garcilaso y muchos poetas posteriores. Se considera el verso más importante de la versificación española de arte mayor.

Estribillo: Verso o versos que se repiten de forma periódica en un poema de arte menor como el romance o el villancico, y que frecuentemente encierran la idea principal.

Estrofa: Agrupación de versos dentro de un poema.

Fábula: Un cuento o poema didáctico con su lección moral, o *moraleja*. Frecuentemente, los personajes son animales.

Generación del 98: Movimiento de autores españoles que incluye a Unamuno y según varios críticos a Machado. Preocupados por el decaimiento de España después de la derrota en la Guerra Hispanoamericana en 1898, tratan de renovar el amor por la patria, por la tradición, y por la "intrahistoria" de los pueblos pequeños.

Hiato: Tiene lugar cuando se separan dos sílabas que debieran ir unidas por *sinalefa*.

Hipérbaton: Cambio del orden habitual de las palabras buscando un efecto deliberado. El efecto puede ser dar más importancia a una palabra específica o provocar un juego interesante, una dislocación del habla normal como hacían los poetas barrocos. ("En perseguirme, Mundo ¿qué interesas?", del poema "Quéjase de la suerte" de Sor Juana Inés de la Cruz).

Hipérbole: Exageración para aumentar o engrandecer algo.

Jitanjáfora: Palabras inventadas que por su sonido imitan el habla africana y refuerzan la musicalidad y ritmo afroantillanos que trata de crear el poeta. Son usadas a menudo por el poeta cubano Nicolás Guillén.

Juegos de palabras: Combinación de palabras que produce sorpresa o efecto humorístico.

Latinismo: Palabra tomada del latín para producir un efecto culto que demuestra la educación del que la emplea.

Libro de caballería: Enormemente populares en el siglo XV y XVI, cuentan en forma narrativa fantásticas aventuras de los caballeros. Son la nueva versión de los cantares de gesta, pero el énfasis no está en las hazañas de guerra sino en los esfuerzos heroicos individuales y en la exaltación del sentimiento amoroso. El protagonista es el caballero andante. El libro de caballería más famoso es el *Amadís de Gaula*.

Metáfora: Identificación de un objeto (A) con otro (B) de modo que se atribuye al primero cualidades del segundo: "Tu boca (A) es una rosa (B)". También puede ocurrir la sustitución de un objeto (A) por otro (B), dándole en el proceso al sustituido alguna cualidad del que lo reemplaza: "La rosa (B) de tu rostro". O en muchos poemas de Lorca, B de A: "Su luna (B) de pergamino (A)" ("Preciosa y el aire", Lorca).

Metonimia: Figura retórica caracterizada por la sustitución de un objeto por otro entre los que existe una relación de causa, procedencia, representación, etc. Por ejemplo, se puede decir "vamos a leer a García Márquez" en vez de "leer un libro de García Márquez" o "las canas" por "la vejez."

Modernismo: Movimiento poético del siglo XX influido por la poesía francesa de fines del siglo XIX, especialmente por el parnasianismo y el simbolismo. Renueva la poesía hispánica en cuanto a la forma (liberación de las formas poéticas tradicionales) y al fondo.

Neologismo: Palabra nueva, inventada por el autor.

Octosílabo: Verso de ocho sílabas, el más común en la poesía popular, usado en los romances y también en el teatro clásico.

Onomatopeya: Imitación de un sonido real por medio del sonido de la palabra. Las palabras zigzag, *susurro* y *cuchicheo* son ejemplos.

Paradoja: Contraposición de dos conceptos contradictorios que trae un resultado provocativo, verdadero o armónico.

Paralelismo: Repetición de la misma idea o estructura –o sus opuestas– de una manera análoga en varios versos o en la prosa.

Parnasianismo: Poesía francesa de fines del siglo XIX que rechaza lo didáctico e insiste en el arte por el arte y el culto de la forma.

Pastoril (novela o poesía). Véase *bucólico*.

Personificación: Atribución de características humanas a objetos inanimados o animales. Ejemplo: "La luna vino a la fragua…" del "Romance de la luna, luna" de García Lorca.

Polisíndeton: Repetición innecesaria de conjunciones, destinada a crear un efecto deliberado.

Prosopopeya: Personificación

Realismo mágico: estilo de la novela o cuento latinoamericano del siglo XX a partir de los años 40 en el que se mezclan la representación del mundo real con elementos fantásticos o irracionales: la superstición, la magia, lo mítico. Ejemplos: los cuentos de García Márquez "El ahogado más hermoso del mundo" y "Un señor muy viejo con alas enormes".

Redondilla: Estrofa de cuatro versos octosílabos con rima abba.

Rima: Consiste en la igualdad o semejanza de sonidos a partir de la última vocal acentuada en dos o más versos. Si las consonantes y vocales son todas iguales, se llama *rima consonante*. Si sólo las vocales coinciden, se llama *rima asonante*.

Romance: Composición poética de una serie indefinida de versos de ocho sílabas con rima asonante en los pares. Es la composición más típica de la poesía popular española.

Simbolismo: Poesía francesa de fines del siglo XIX que insiste más en los efectos musicales que en el significado y en símbolos que encierran misterios de la vida y del más allá.

Símbolo: Uso de un objeto concreto y específico para representar algo abstracto. La luna en García Lorca es símbolo del peligro de muerte.

Sinalefa: Unión de la vocal última de una palabra con la inicial de la siguiente. Este fenómeno ocurre en el habla normal y es necesario observarlo en poesía para mantener el ritmo deseado por el poeta. Al medir los versos, estas dos sílabas unidas por la sinalefa cuentan como una sola. Ejemplo: "La luna vin**o a** la fragua".

Sinécdoque: Una forma de metonimia en la que una parte significativa sustituye al todo o el todo sustituye a una parte. Por ejemplo se puede sugerir "coche" al decir "ruedas" o, en dirección inversa, se comprende que se refiere al " equipo de México" cuando se dice "México ha ganado la medalla de oro".

Sinéresis: Usada en poesía, es la unión en una sola sílaba de dos vocales (a, e, o) que normalmente se pronuncian separadas. Se hace para disminuir el computo métrico cuando el ritmo o rima lo requieren. Es lo opuesto de la diéresis. Ejemplo: poe-ma.

Sinestesia: Mezcla de imágenes que provienen de diferentes sentidos. Ejemplo: "Silencio blanco" en "Mi caballo mago" de Sabine Ulibarrí.

Soneto: Poema lírico de catorce versos, generalmente de once sílabas, introducido primero en Italia y más tarde en España en el siglo XVI. De las dos variaciones más comunes, una empleada por Petrarca y la otra por Shakespeare, en España se da la primera. Según esta tradición, los catorce versos se dividen en dos cuartetos (cuatro versos) seguidos por dos tercetos (tres versos). Frecuentemente, los cuartetos proponen un problema que los tercetos llevan a un nivel de mayor abstracción o solucionan. El esquema de rima más común es ABBA ABBA CDC DCD, aunque puede haber muchas variaciones en los tercetos.

Terceto: Estrofa formada por tres versos de arte mayor, con diferentes combinaciones de rima.

Tono: La actitud del escritor al presentar su texto.

Tres unidades: de *lugar, tiempo y acción*, características del drama clásico y que exigen que la acción dramática pase en un día, en el mismo lugar y sólo siga la trama de una acción única.

Verso blanco: Versos sin rima, pero respetando las exigencias rítmicas de número de sílabas, acentos, etc. Los versos que no respetan ninguna se llaman **versos libres**.

Verso: Cada una de las líneas de un poema.

Vocabulario general

A

a mantas (coll.): a great deal
abade, el (coll.): abbot
abadía, la: abbey
abanico, el: fan
abarcar: to encompass
ablandalle = *ablandarle*: soften
abochornarse: to be ashamed
abombado: bulging
abotagado: swollen
abra, el (fem.): clearing (in a forest)
abrasar: to burn
abroquelar: defend, shield
abrumado: crushed; overwhelmed
acaecer: to happen
acaparar: to monopolize
acariciar: to caress
acechar: to watch, to spy on
acecho: watch (*en acecho*: on the watch)
acemilero, el: mulateer
aceña, la: flour mill
acérrimo: very strong, staunch
acertado: accurate
aciago: unfortunate
acólito, el: acolyte, server, minion
acometer: to attack
acongojar(se): to distress, to be distressed
acontecer: to occur
acordar: to decide, remember, agree
acorralar: to corral, pen, round up
acosado: harassed, bothered by
acosar: to attack
acoso, el: relentless pursuit
acrecentar: to grow, increase
acribillar: to riddle with holes

acudir: to come, to go, to give help, to seek help, to resort
acuitar: to offend
acurrucarse: to snuggle, cuddle, huddle
achacar: to accuse, to attribute
achaque, el : ailment; subject
adarga, la: shield
aderezar: to beautify, prepare, repair
adestrar: to guide
adivinar: to guess
adobar: to repair
adrede: deliberately
afamado: famous
afán, el: urge; hard work
aferrar(se): to grasp, seize, to hold on
afirmar: to dig in
afligirse: to be distressed
agachar(se): to stoop, crouch, squat, bend, bow
agarrar: to seize, get, grasp, grab
agarrotado: tied tightly
agasajar: to receive warmly
agazapar(se): to be concealed, to be just out of reach; to crouch, duck
agiotista, el: speculator
agónico: dying
agonizar: to be in the process of dying
agora (arch.) = *ahora*
agradar: to please
agravio, el: insult, grievance
agrio: bitter
aguamanil, el: washstand
aguantar: to hold on, to stand
aguardar: to wait (for)
agüela = *abuela*
agüero (mal): that bodes ill

águila, el (fem.): eagle
aguja, la: needle
agujeta, la: ribbon
ahogar: to drown
ahorcar(se): to hang (oneself)
ahorrar: to save (time, money)
ahuyentar: to chase away, frighten off, make flee
aína: speedily
ajeno: estranged, away from
ajetreo, el: bustle
ajuar, el: set of furniture and clothes
alabar: to praise
alacrán, el: scorpion
alambrado, el: wire fence
alambrado: fenced with wire
alambre de púa, el: barbed-wire fence
alambre, el: wire
alameda, la: tree-lined avenue
alarde (hacer): to flaunt
alba, el (fem.): dawn
alborotado: stirred up
alboroto, el: fuss, upset
alborozado: overjoyed
alborozo, el: joy, merriment
albricias, las: good news
alcalde, el: mayor
alcance, al alcance de: within the reach of
alcanfor, el: camphor, mothballs
alcázar, el: palace
aldaba, la: bolt, doornocker
aldea, la: village
aldeano, el: village dweller
alegre: happy; (coll.) drunk
alelado: stupefied
alentar: to encourage
aletazo: flapping of wings
alevosía, la: perfidy
alevoso: treacherous

alféizar, el: window frame

alfiler, el: pin

alforja, la: saddlebag

alga, el (fem): seaweed

alguacil, el: bailiff, sherrif

alhaja, la: jewel, piece of jewelry

alharaca, la: fuss, noise

aliento, el: breath

alisar: to smooth

almena, la: watchtower, battlement (of a castle or fort)

almodrote, el: sauce made of garlic, oil, and cheese

almohada, la: pillow

almohaza, la: metal brush used to clean stables

alquiler, el: rent

alteza, la: highness, nobility

alucinación, la: hallucination

alumbrar: to light up

alzar(se): to raise (oneself), to rise

allegar = *llegar, juntar*

allende: moreover, additionally, overseas

ama, el (fem.): housekeeper

amanecer: to dawn; to start out the day

amartelado: in love

ambiente, el: environment

amenaza, la: threat

amenazar: to threaten

amenguar: to shrink

amilanarse: to be frightened

amohinar: to annoy

amuleto, el: charm

andante: errant

andarino: wandering

anegar: to flood

anhelar: to long for, yearn; to pant

ansia, el (fem.): anxiety, longing

antecomedor, el: chamber, room

anteojos, los: glasses

antepasado, el: ancestor

antojarse: to fancy

antojo de camino, el: glass mask to protect the eyes from dust

antojo, el: whim, sudden fancy

antorcha, la: torch

anular: to annul, eliminate

anzuelo, el: hook, fishing hook

añadidura, la: addition

apacentar: to graze

apacible: pleasant

apaciguar: to calm, pacify, to appease

apañador, el: thief

aparcería, la: partnership

aparejo, el: preparation, equipment

apear: to dismount

apio, el: celery

aplastado: flattened, pressed against

aplastar: to crush

apoderado, el: attorney

aporrear: to beat

aposentar: to lodge, put up

apresurar: to hasten, hurry

apretar: to press, tighten

aprovechar: to take advantage

apuñalar: to stab

apuro, el: difficulty, jam, fix, problem, trouble

aqueste = *este*

arboleda, la: forest

arcaz, el: trunk

arcón, el: large chest

árduo: difficult

areitos, los: cantos y danzas de indígenas de la América Central, que Cabeza de Vaca atribuye a los indios de la región

arena, la: sand

argolla, la: ring

arista, la: edge

arlequín, el: harlequin, clown

armiño, el: ermine; a white animal used for its fur

arneses, los: tools; equipment

arqueta, la: small chest

artificio, el: trick

arrabal, el: suburb; (coll.) bottom, behind

arrancar: to pull out, to uproot

arrastrar: to drag

arrebatar: to snatch, overwhelm

arrellanar: to sprawl, settle comfortably

arrendar: to lease, to rent

arreo, el: ornament

arriero, el: mule-driver

arrimar: to move close to, surround

arroyo, el: stream, river

asar: to roast

asaz: fairly, rather, quite

ascendiente, el: ancestor; influence

ascensor, el: elevator

asegurar: to assure

asemejarse: to be alike, to resemble

asentarse: to establish oneself

aserradero, el: sawmill

asidero, el: grip, grasp

asir: to grasp, seize

asombrarse: to be amazed

aspa, el (fem.): sail of a mill

áspero: rough, jagged

áspid, el: aspic

astillero, el: rack

atabale, el: kettledrum

atadura, la: tie

atar: to tie, to attach, hitch up

atayos, los: indigenous people of North America

atiborrar: to fill

atormentar: to torment

atornillar: to screw on

atreverse a: to dare

atrevido: daring

aturdido: bothered

aturdirse: to be stunned, become befuddled or confused

atusar: to straighten

auscultar: to listen with a stethoscope

auto- : self-

avatar, el: incarnation, change

avavares, los: indigenous people of North America

avellano, el: hazel tree

averiguar: to find out, to verify, prove

avisar: to warn

azar, el: chance

azaroso: unlucky, hazardous

azogue, el: mercury

azotar: to whip

azote, el: blow, lash, whipping

azotea, la: flat roof, terrace

azufre, el: sulphur

B

bacalao, el: cod

bagatela, la: trifle

bala, la: bullet

balanceo, el: to and fro motion, rocking

balbucir: to babble, stammer

baldado: crippled

balsa, la: raft

ballena, la: whale

ballesta, la: crossbow

bancarrota, la: bankruptcy

bañado, el: marsh, bog, swamp

barbacana, la: fortification

barbotar: to mutter

bártulo, el: tool

barra, la: arm of a chair

barrer: to sweep

barroso: muddy

barrote, el: thick iron bar

bastar: to be enough

basura, la: garbage

batiente, el: door jamb

beldad, la: beauty

bélico: military

bellaco, bellacón, el: rogue, scoundrel

bellaco: roguish, wicked

berenjena, la: eggplant

bermellón, el: vermilion

berza, la: cabbage

bicho, el: insect, animal

bienaventurado: blessed

bifronte: double-faced

bifurcar: to branch or fork

bisabuelo, el: great grandfather

bizco: squinting, cross-eyed

blanca, la: coin of little worth

bobo: silly, foolish

boca arriba: face up

bocacalle, la: street entrance

bocado, el: mouthful, apple offered to Adam

bocanada, la: mouthful, swallow, puff, whiff

bodigo, el: special bread presented as an offering to the priest

bomba, la: firecracker

bordar: to embroider

borrico, el = burro

bostezar: to yawn

bota, la: boot; leather container for wine

bóveda, la: vault

brasa, la: hot coal

bregar: to fight, to struggle

brincar: to jump, leap

brío, el: spirit; vigor

brioso: fiery, spirited

brizna, la: chip

brochazo, el: brushstroke

brujo, el: wizard, sorcerer

brújula, la: compass

brumado: bruised

buche, el: mouthful of liquid; (pl.) gargling, rinses

buey, el: ox

buhío, el: hut made out of tree

branches and straw

buhonero, el: street vendor

buitre, el: vulture

bulto, el: package; bump

burbuja, la: bubble

burdel, el: house of prostitution, brothel

burgués: middle-class, bourgeois

burguesía, la: bourgeoisie, middle class

burla, la: mockery, taunt

burlador, el: trickster

burlar: to trick

burlesco: jocular

burlón: mocking

búsqueda, la: search

C

cabal: exact, right; *bien a carta cabal:* goodness itself

caballería, la: chivalry

caballero, el: knight

caballete, el: easel

cabecear: bob, nod

cabestro, el: halter; ox

cabezal, el: headrest

cabo, el: end, tip

cabra, la: goat

cacique, el: local political boss

cacharro, el: junk

cachivaches, los: junk

cacho, el (coll.): piece

cadera, la: hip

caducidad, la: lapse, lapsing

caja fuerte, la: safe, strongbox

calabazada, la: a blow given with the head

calabozo, el: prison, dungeon

calderero, el: person who works with boilers

calentura, la: fever

calofrío, el = *escalofrío:* shiver

calzada, la: street, avenue, trail

calzas, las: stockings

calzones, los: underwear

callampas (poblaciones –):
slums
camilla, la: cot, small bed,
stretcher
caminata, la: a walk
campechano: good-natured
canalla, la: rabble
cancel de tela, el: cloth curtain
candeal, el: white bread
cangrejo, el: crab
cano: white, gray
cántaro, el: pitcher
cánula, la: small stalk; reed
cañada, la: gorge, gully
capilla, la: chapel
carcajada, la: laughter
cárcel, la: prison
cargadores, los: suspenders
caridad, la: charity, kindness
caritativo: charitable
carne, la: flesh, meat
carnero, el: mutton
carpa, la: tent
carqueja, la: a bushy plant
carrillo, el: cheek
cartapacio, el: portfolio
cartucho, el: cartridge
cascabel, el: little bell,
rattlesnake
cáscara, la: shell
casco, el: fragment; helmet
casería, la: country house
casero, el: landlord; (adj.)
homemade
castaño, el: chestnut, chestnut
tree
castellano, el: lord of the castle
cata, la: sample, proof
catar: to search; to taste
caudal, el: fortune
caudillo, el: leader, head
cauteloso: careful
cautivo, el: captive
cava, la: moat
cavilación, la: pondering,
meditation

caza, la: hunting
cebada, la: barley
ceder: to yield, give up, to give
way, cave in
cegalle = cegarle: blind him
ceja, la: eyebrow
celada, la: a complete helmet
including a visor
celda, la: cell, small room
celosía, la: lattice window
celoso: jealous
ceniza, la: ash
ceñido: fastened, tightly
encircled
ceñidor, el: sash, girdle
cera, la: wax; excrement (in
Tirso's time)
cerca, la: fence
cerciorar: to assure or inform
cernir (sobre): to hang over
cerro, el: hill
cerrojo, el: bolt, latch
césped, el: lawn, grass
cicatriz, la: scar
cielorraso, el: ceiling
ciénaga, la: swamp, bog
cigarra, la: cicada insect
cincelar: to chisel, to shape
cinegético: related to hunting
cinta, la: ribbon
ciruelo, el: plum tree
clandestino: secret
clavada: identical, exact
clavar: to drive, nail, thrust in,
puncture
clave, la: key
clavel, el: carnation
clerecía, la: clergy
clueca: broody (hen)
coartada, la: alibi
coayos, los: indigenous people
of North America
cobertizo, el: shed
cobrar: to charge (a fee), to
earn
coco, el: bogeyman

codicia, la: greed
codiciado: desired
cofradía, la: brotherhood
cogote, el: back of the neck
cohete, el: rocket
cojo: lame
cola, la: tail
colchón, el: mattress
colilla, la: cigarette stub
colodrillo, el: lower part of the
back of the head
colorete, el: make-up; rouge
colorín, el: bird with a red face
comadreja, la: weasel
comadrería, la: gossip
comedido: moderate,
restrained, courteous
compasar: to mete out, to
ration
compatriota, el: fellow
countryman
compendiado: summarized
complacer: to please
comprobar: to confirm
comulgar: to receive
communion
concertar: to connect
concheta, la: dish passed
around for collection at mass
condolido: feeling pity for
conejo, el: rabbit
congoja, la: anguish, grief
conjetura, la: guess,
speculation, conjecture
conjurar: to exorcize; get rid of
conllevar: to entail, to convey,
carry with it
conoscimiento, el =
conocimiento (16th century:
knowledge in the carnal
sense)
consejero, el: advisor
consuelo, el: consolation
contaminar: deceive
contiguo: adjoining
contrahecho: deformed

convidar: to invite
corcovado: humpbacked
cordal, la: wisdom tooth
cordero, el: lamb
corneta, la: horn
coronar: to crown
corrido (de): by heart
corrido: embarrassed, thrown out: completed
cortadura, la: cut, slash
cosmorama, el: peepshow
costado, de: on its side
costado, el: side
costal, el: side
costilla, la: rib
costumbre, la: custom
cotidiano: quotidian, everyday, daily
coxcorrón, el: blow to the head
coxquear = *cojear*: limp
coz, la: kick
cráneo, el: head
creyente, el: believer
criadero, el: nursery; place for the raising of animals
criba, la (coll.): a mess, broken
crin, la; las crines: mane (of an animal)
crispación, la: tensión
crudo: raw, crude, harsh
crujido, el: crunch
cuadra, la: city block; stable
cuasi = *casi*: almost
cuchillada, la: stab, cut (with a knife)
cucho, el: fertilizer made of manure and vegetable matter
cuenta, la: bead
cuerdo: sane
cuero, el: skin, hide, pelt, leather
cuita, la: care
cuitado: grieved
culebrilla, la: little snake
cultalches, los: indigenous people of North America

cumbre, la: summit, peak
cuna, la: cradle
cuneta, la: gutter, ditch
cuotidiano = *cotidiano*: daily
cupé, el: coupe, kind of car
cúpula, la: dome
curandero, el: quack
curtiembre, la: scrap
cutalchiches, los: indigenous people of North America

CH

chacra, la: small farm
chambergo, el: hat
chaparral, el: thicket of kermes oaks
chapitel, el: spire
charanga, la: brass band
charol, el: patent leather
chicotazo, el: lash (as of a branch)
chicotear: to lash, whip
chillar: to scream
chiquito, el (coll.): little boy
chirriar: to hiss, sizzle
chirrión: off key
chisme, el: gossip
chispa, la: spark
chochera, la: doting affection, senility
chorrear: to gush, spout
choucrout, el: sauerkraut

D

daguerrotipo, el: old photograph
dalle = *darle*
dársena, la: dock
decaer: to decline
deconcertar: to disconnect
delatar: to denounce, to give evidence
delator, el: informer
deleitar: to please, give pleasure
deleite, el: pleasure

deleznable: fragil; elusive, slippery
demediar: to give half
demora, la: delay
dentadura postiza, la: false teeth
denuedo, el: courage
deparar: to give, supply
deposorio, el: wedding
derredor (al – de): around
derretir: to melt
derribar: to demolish
derrota, la: defeat
derrotar: to defeat
desafiar: to defy, challenge
desafío, el: challenge, dare
desaforado: enormous, monstrous
desaguisado, el: offense
desahogarse: to vent emotion
desahucio, el: eviction
desamparado: abandoned, deserted
desarrollo, el: development
desatar: to untie
desatinar: to disorient
desatino, el: foolishness, folly, error
desbaratar: to knock down
desbocado: out-of-control
desbravar: to tame
descabalado: imperfect, incomplete
descabellado: wild, crazy
descalabrado: hurt in the head
descalzo: barefoot
descarado: impertinent
descarga, la: gunshot
descomedido: excessive, disproportional; impolite
descomunal: tremendous
desconchado: peeling
desdecir: to contradict
desdicha, la: misfortune, misery, unhappiness
desdichado: unhappy,

unfortunate; timid

desechar: to reject

desencajar: to take apart

desengaño, el: disappointment

desenterrar: to dig up

desfondado: crumbling

desgajar(se): to separate, break off, to disengage oneself

desganado: without appetite, without pleasure

desgarrador: heart rending

desgarrar: to rip apart

desleal: disloyal

deslizarse: to slide

desmayarse: to faint

desmayo, el: faint, blackout

desmigajar: to crumble

desnudar: to undress

desollar: to flay

desparejado: separated

despatarrado: stretched out

despectivo: haughty

despedir: to fire

despegar: to unstick, detach

desperdigado: separated, severed, scattered

despiadado: without compassion

desplomarse: to collapse

desplumado: plucked

despojar: to strip, plunder

despojo, el: spoils, plundering

desposarse: to marry

despotricar: to rant

despreciar: to scorn

desprovisto: taken away, removed, deprived

destemplado: uneven; cracking (voice)

desteñido: faded

destrabar: to loosen

destripar: to gut, remove the insides

desvariar: to be delirious

desvelarse: to stay awake

desvergüenza, la: roguery

desviar(se): to turn away, to swerve

diablo, el: devil

diapasón, el: tuning fork

dibujo de los personajes, el: characterization

dichoso: blessed, fortunate

didáctico: intended to teach

diestro = *derecho*

difunto: deceased

diputar: to deputize, to put into commission

discurso, el: speech

disparar: to fire (a gun)

disparate, el: foolishness; nonsense, absurdity, folly

displicente: indiferent; casual

distorsionar: to distort

disyuntiva, la: dilemma

do (dó) = *donde* (*dónde*)

doble, el: double; ringing of bells

doblegarse: to fold, give in

docto: learned

don, el: gift

donaire, el: grace; lightness, charm

doncella, la: maiden, virgin

donos: plural of *don* (generally used mockingly)

dormitar: to doze

duelo, el: duel; mourning

dulzarrón: sickeningly sweet

E

echar a perder: to ruin

eje, el: axis; central idea

ejemplar, el: copy (of a book)

embadurnado: smeared

embelesado: charmed, delighted

embotado: dull, blunt

embozo, el: folded over part of a bedsheet

embustero: deceitful

embutido: stuffed

empapado: soaked

emparedar: to close in, to enclose in walls

empeine, el: instep (of the foot)

emperante, el (archaic): emperor

empinar: to raise

emplastado: smeared, covered

emponchado: wearing a cape (poncho)

emprender: to start, set off on

empuñar: to grasp, grab, clutch

enano, el: dwarf

encaje, el: lace

encañada, la: gorge, ravine

encañonado: piped

encantador, el: enchanter

encantar: to cast a spell on

encarecer: to praise

encargar: to put in charge

encasillamiento, el: pigeonholing

encina, la: oak

encomendar: to entrust, commend

encrucijada, la: crossroad

encubierto: hidden

encubrir: to hide

enderezar(se): to stand, make right, straighten up

enfrascar(se): to put liquid in a flask; to be entangled in difficulties

engañar: to deceive

engrosar: to broaden

enjuto: lean, skinny

enlazar: to tie together

enredar: to entangle

ensalmo, el: incantation; *por ensalmo:* by magic

ensalzar: to praise

ensangrentar: to cover with blood

ensartar: to thread, string; to reel off

ensilado: stored
ensillar: to saddle
ensueño, el: dream, daydream
entablar: to board up, strike up (conversation)
entallarse: to be carved
enterrar: to bury
entibiarse: to became warm
entornado: half-closed
entrañas, las: entrails; (fig.) heart
entretanto: meanwhile
enyesado: in a plaster cast
equivocarse: to make a mistake
equívoco, el: pun, wordplay
erguido: upright
erisipela, la: a type of skin disease
erizo, el: eel
ermita, la: hermitage
esbozar: to sketch, draw, outline
escalinata, la: steps
escalones, los: stairs
escama, la: scale (on a fish)
escampar: to clear up
escarcha, la: frost
escarmiento, el: learning a lesson from errors
escarpia, la: iron spike
escasez, la: scarcity, lack
escaso: scarce
esclavina, la: a short cape-like garment
escobazo, el: a blow with a broom (*escoba*)
escoger: to choose
escopeta la: rifle, gun
escribano, el: clerk, notary; a type of beetle
escribiente, el: clerk
escrutar: to examine, inspect, scrutinize
escudar: to shield
escudero, el: squire
escudillar: to serve (esp. soup)

escudo, el: shield
escupidera, la: spittoon
esgrima, la: swordsmanship
espada, la: sword
espalda, la: back (of a person)
espaldar, el: back plate
espaldarazo, el: stroke on the shoulder
espantadiza: skittish
espantar: to frighten
esparadrapo, el: adhesive tape
espartillo, el: a type of grass-like plant
espejismo, el: mirage
espina, la: thorn
espinazo, el: spine
espuela, la: spur
espuma, la: foam, froth
espumarajo, el: foam, froth
esquila, la: cowbell
esquivar: to avoid
esquivo: shy
estafar: to swindle
estampa, la: engraving, print
estampido, el: explosion, bang
estancia, la: estate
estaqueado: stretched on stakes
estela, la: wake, trail
estera, la: mat
estiércol, el: dung, manure
estirpe, la: race (of people); lineage
estorbar: to disturb, bother
estorbo, el: obstacle
estotro = este otro
estrar: to spread corn leaves in stable
estremecedor: moving, frightening
estremecer: to shake, tremble
estrépito, el: din, loud noise
estribo, el: stirrup
estropeado: damaged
estropicio, el: havoc
estruendo, el: noise, clatter; confusion

estuche, el: box, case
exento: exempt
expediente, el: file
extremaunción, la: last rites

F

fachada, la: facade
faena, la: job
faja, la: girdle
falsopeto, el: bag worn close to the chest
faltalle = *faltarle*
fardel, el: bag
fardo, el: bundle
farolillo, el: festive, colored lantern
faz, la: face, visage
fementido: deceiving, false
fenecer: to die
féretro, el: coffin
fiambre, el: cold cuts
fiar (en): trust
ficha, la: form
finar: to kill
finca, la: estate
fingir: to feign, pretend
flamante: blazing; magnificent; brand-new
flojo: loose
foco, el: lamp, spotlight
fogata, la: bonfire
fogoso: fiery, spirited
folleto, el: brochure
forcejar: to struggle
fornido: stocky
fosco: dark
fracaso, el: failure
fraguar: to concoct
fraile, el: friar
frasco, el: bottle, flask
frazada, la: blanket
fregar: to rub; to pester, bother
frenar: to brake, to stop
fresa, la: dentist's drill
frisar: to be around (a certain

age)

frotar: to rub

fuente, la: source; fountain

fulano: so and so

fulgurar: to shine

fusil, el: rifle

fusta, la: whip

G

gabinete, el: office

galán, el: attractive young man

galgo, el: greyhound

gallardo: brave, elegant

gallinazo, el: buzzard

gallofero, el: beggar

gamella, la: arch of yoke

gancho, el: hook; accomplice

gañán, el: field worker

garabatear: to scribble

garañón, el: jackass used for breeding

gargantilla, la: necklace

garrafón, el: large jug

garrotazo, el: blow with a club

garrote, el: stick or club

garza, la: heron

gastador: spendthrift

gastar: to wear (clothes); to spend

gatillo, el: forceps; trigger

gaveta, la: drawer

gemelo, el: twin

gemelos de teatro, los: opera glasses, binoculars

gemir: to moan

girar: to rotate, turn

girasol, el: sunflower

glasé: glacé silk

gola, la: gorget, ruff

golosamente: greedily

golpe, el: blow; coup

gollete, el: throat; *beber del gollete*: to drink right from the bottle

goma, la: gum, rubber

gozar: to enjoy, to seduce

grabado, el: etching

gragea, la: a small sugar-coated pill

grieta, la: crack, crevice

grillo, el: cricket

grisáceo: grayish

grito, el: yell, scream

grueso: thick

grupa, la: flanks; rear end

guardapolvo, el: dustcover, smock

guasón, el (coll.): prankster

guerrera, la: military uniform

güevo, el = *huevo*: egg

guiñol, el: puppet show

guisadillo, guisado, el: stew

guisar: to cook

gulilla: diminutive of *gula*: throat

H

habilitación, la: financing, loan

hacienda, la: country estate; income

hallar(se): to come across, to find, to find oneself

hamaca, la: hammock

hanega, la: acre

hartar: to be enough

harto (estar – de): to be fed up with

hartura, la: satiety

hato, el: herd

haz, el: bundle

hazaña la: exploit, feat, brave deed

hechura, la: making, creature

hedor, el: stench

hembra, la: female

hendedura, la: crack, fissure, crevice

heno, el: hay

herida, la: sore; wound

herrumbrado: rusty

hidalgo, el: gentleman

hideputa, el = *hijo de puta*: son of a bitch

hiel, la: gall

hierro, el: iron (ferrus) (*hierro de marcar novillos*: branding iron)

higo, el: green fig

higuera, la: fig tree

hilacha, la: strand (of hair)

hilandera, la: a woman who spins or weaves

hilo, el: thread, wire

hincarse: to sink, kneel

hinchado: swollen

hirmán, la (coll.): sister

hirsuto: hairy

historieta, la: comics; novel presented in photographs in a magazine

hito (mirar de hito en hito): to stare at

hobiese = *hubiese*

hoguera, la: bonfire

holganza, la: leisure

holgar(se): to be unnecessary, to be pleased, amused

holgazanería, la: sloth

hombría, la: masculinity

hombro, el: shoulder

horca, la: string; gallows; pitchfork

horcón, el: plow

hortaliza, la: green vegetable

huacal, el: basket or cage used for carrying goods

hueco, el: hole

huelgo, el: breath

huella, la: footprint, track, imprint

huérfano, el: orphan

hueso, el: bone

huesudo: bony

Huitzilopochtli: Aztec chief god and god of war

humareda, la: a cloud of smoke

humero, el: part of the chimney used to dry and

cure food
húmero, el: bone in the arm
hundir(se): to sink
huraño: unsociable
hurtallo = *hurtarlo*
hurtar: to steal

I

ijada, la: flank, side, loin
ijar, el: flank (of an animal)
importunidad, la: importunity
impostura, la: hoax
imprenta, la: printing press
in diebus illis (Latin): in those
    days
incauto: careless
incienso, el: incense
incorporarse: to sit up
indagador: inquisitive
indagar: to find out, investigate,
    inquire
indefenso: helpless
indiano, el: Spaniard who
    emigrates to the Americas
    and returns with new wealth
indignarse: to become
    indignant
inefable: indescribable
infamado de: disgraced by
infausto: infortunate
ínfimo: lowest, very poor
ingenio, el: wit
ingenuidad, la: innocence;
    naivete
inquilino, el: boarder, tenant,
    renter
insolación, la: sunstroke
insólito: extraordinary
ínsula, la: island
intemperie, la: bad weather
inválido: crippled; handicapped
invertir: to invest
involucrar: to involve

J

jaca, la: small horse

jactarse: to boast of
jadeante: panting
jadear: to pant
jaque mate: check mate
jaqueca, la: headache
jáquima, la: headstall
jardinera, la: open coach
jaula, la: cage
jayán: giant
jerigonza, la: street slang
jícara, la: mug
joroba, la: hump (on a back),
    hunchback
juez, el: judge
juglar, el: minstrel
juicio, el: sanity; judgment
jumento, el: donkey
junco, el: reed, tall stalk
juramento, el: swearing
jurar: to swear

L

labrador, el: farmer
lacerado: miserable, wretched
laceria, la: misery
ladera, la: slope, hillside
ladino: crafty
ladrar: to bark
lagar, el: wine press
lagartija, la: lizard
lago, el: lake
lágrima, la: tear
laico: layman
laja, la: sandstone
lama, la: moss
langosta, la: locust; lobster
lanza, la: lance
lastar: to suffer, to pay for
lastimar: to hurt, to wound
latido, el: beat (heartbeat)
látigo, el: whip
latir: to beat (as in a heart)
laude, la: praise
lavandera, la: washerwoman
lavandriz, la (vulgar):
    washerwoman

lazo, el: knot, lasso
lecho, el: bed
legar: to bequeath
lego, el: lay-brother
leña, la: firewood
leproso: leper
leve: light, slight
ley, la: law
liebre, la: rabbit
lienzo, el: canvas
ligar: to tie, to bind
limar: to file
linde, el o la: boundary, edge,
    border
lisonja, la: praise
lisonjero: flattering
liviano: light
lóbrego: gloomy
locura, la: madness
lodazal, el: muddy place
lograr: to achieve; to
    accomplish
loma, la: hillock
lona, la: canvas
longaniza, la: sausage
losange, el: rhombus
loza, la: porcelain
luengo, el: length
luengo: long
lumbre, la: light
lupanar, el: brothel, house of
    prostitution
luto, el: mourning

LL

llanura, la: plain, flat land
llindar (coll. in Asturias): to
    graze

M

machacado: trampled; crushed
madreselva, la: honeysuckle
madrugada, la: dawn
madrugador, el: early riser
maese, el (coll.): master
mago: magic; sage

majada, la: hut, night quarters for animals

majadería, la: idiocy, foolishness

majadero: fool

malandrín: brigand

maldecir: to curse

maldito: cursed

maleficio, el: curse

maleza, la: thicket

malhaya (mal haya): cursed be

maliacones los: indigenous people of North America

malilla: someone or something that can be used at whim, like the joker in a deck of cards

malsinar: to criticize

maltrecho: injured, battered

malva: reddish

mamotreto, el: oversized old book

manada, la: flock, herd

manar: to drip

mancar: to wound

mancebo, el: young man

manchar: to soil, stain

manchego: from La Mancha

mancilla, la: blemish

mandil, el: cloth used for cleaning

manejar: to handle; direct; control

maniatar: to tie up, bind the hands

manjar, el: delicious food

manso: gentle

manta, la: blanket

maña, la: skill

maravedí, el: coin equivalent to two *blancas*

marchito: wilted

mareames, los: indigenous people of North America

marioneta, la: puppet

marisabidillo: know-it-all

marisma, la: marsh, swamp

mármol, el: marble

maroma, la: thick rope

martillo, el: hammer

matadero, el: slaughterhouse

matiz, el: shade, nuance

matutino: morning, of the morning

mayordomo, el: administrator, manager of an estate

maza (en hora maza) = *en hora mala*

mazmorra, la: dungeon

mechero, el: lighter

media, la: stocking

medrar: to grow, thrive

medroso: afraid

mejilla, la: cheek

mejora, la: improvement

melindroso: finicky

memorial, el: request

menear: to move, shake

meneo: stirring

menester (haber –): to need

menester (ser): (to be) necessary

menesteroso: needy, poor

menguante: waning

mentiroso: liar

mercader, el: trader

mercar: to buy

merced, la: grace, favor; *vuestra merced = usted*

merecer: to deserve

merodear: to steal

meseta, la: plateau

mestizaje, el: mixing

mezquindaz, la: pettiness, meanness

mezquino: mean, miserable; petty

miga, la: crumb

milagro, el: miracle

miope: nearsighted

mirador, el: enclosed balcony; observatory

mirón: watcher

misericordia, la: mercy

mochacho, el = *muchacho*

mociño, el (coll.): boy

modorra, la: drowsiness, heaviness

moho, el: mold

mojarse: to get wet

mojicón, el: blow

moler: to batter

molido: ground (up), crushed, battered

molino, el: windmill

monigote, el: dummy; useless person

monja, la: nun

monzón, el: Monsoon

mordaz: caustic

mordellas = *morderlas*

mordisco, el: bite

moro, el: Moor

morrión, el: an old-fashioned helmet with no visor

morsa, la: vise

mortecino: dying

mortuorio, el: funeral

mostrenco: homeless, ownerless

mote, el: nickname

motecas, los: palabra inventada (de *motocicleta* combinada con la terminación –*eca*, como en azteca) para designar a la gente indígena que puebla su sueño

mozo, el: servant boy, young man

mudanza, la: change

mudar: to change, move

mueca, la: grimace

muelle, el: spring, wharf

mujeruca, la: old woman

muladar, el: garbage heap, dung heap

muñón, el: stump

murciélago, el: bat (animal)

musgo, el: moss
musitar: to mumble, mutter

N

nación, la: nation; (coll.): birth of an animal
nana, la (coll): scratch
narvaso, el: corn leaves and stem, without cob
naufragio, el: shipwreck
nave, la: ship
necedad, la: nonsense
neño, el (coll.): boy
nido, el: nest
nimio: trivial, petty
ninguén (coll.): nobody
niñería, la: silly thing
nobleza, la: nobility
nogal, el: walnut
noruego: Norwegian
novidá, la (coll.): novelty
novillo, el: young bull
nudo, el: knot
nuera, la: daugter-in-law
nuez, la: walnut

O

obispo, el: bishop
ocaso, el: sunset
ocioso: idle
ola, la: wave
olvido, el: forgetting, forgetfulness
ombligo, el: belly button
opalino: opal colored
opio, el: opium
orear: to dry in the air
orilla, la: bank, shore
orín, el: rust
oriundo: native
osar: to dare, venture
oso, el: bear
otorgar: to grant
óxido, el: rust

P

pabellón, el: pavilion, section of a hospital
paco-ladrón: cops and robbers game
padecer: to experience; to suffer
padrenuestro, el: the Lord's prayer
paladear: to taste; savor
paletoque, el: cape-like covering
palmo, el: unit of measurement equal to the palm of a hand
palo, el: stick; blow
palote, el: lines a child uses to learn writing
palpar: to touch
palpitar: to palpitate, throb
pameme, el (coll.): silliness
panal, el: honeycomb
pantano, el: swamp
pantorrilla, la: calf (of the leg)
pantuflos, los: slippers
papel, el: paper; role
papilla, la: mush
par: near, close to
parabellum, el: automatic pistol
paradero, el: whereabouts
parapetarse: to protect or shelter oneself
parescer = *parecer*
paresciéndome = *pareciéndome*
parir: give birth
parlanchín: chatty, chatterbox
parpadear: to blink
párroco, el: parish priest
parroquiano, el: parishioner; patron; one of the group
pasadizo, el: passage, corridor
pasador, el: bolt, deadbolt
pastar: to graze
pasto, el: grazing, pasture; fodder

pastorcico, el (diminutive of *pastor*): shepherd
patada, la: kick
patán: bumpkin
patitieso (coll.): stiff, dead
patrón, el: landlord, boss, owner, patron saint
payaso, el: clown
pecado, el: sin
pecador, el: sinner
pedalear: to pump; to pedal
pedazo, el: piece
pedernal, el: flint, sharp stone for cutting, silex
pedillo = *pedirlo*
pedregullo, el: gravel, pebbles
peinado, el: hairdo
pejerrey, el: type of fish
pelado: without hair
pelaje, el: animal hide
peldaño, el: step
pelillo (servir de): to perform menial services for someone
pendón, el: banner
penoso: difficult
pensión, la: retirement salary
peña, la: cliff; rock
peñasco, el: large crag
percance, el: misfortune; disaster
percatarse: to notice, perceive, realize
percutir: to strike
peregrinación, la: pilgrimage
peregrino, el: pilgrim; (adj.) strange, rare, wonderful
perejil, el: parsley
pereza, la: sloth
persiana, la: venetian blind; louvered door
pesadilla, la: nightmare
pescador, el: fisherman
pescante, el: driver's seat
pescozada, la: blow on the neck

pescuezo, el: neck

pesebre, el: manger or trough for feeding animals

pesquisa, la: investigación

peste, la: plague

pestilencia, la: plague; stench

petardo, el: firecracker

peto, el: breast plate

pezuña, la: hoof

piadoso: pious, devout; pitiful

picada, la: narrow path

picado: annoyed

picardía, la: mischief, cruel trick

picotear: to pick at

pieza, la: room; piece, fragment

pila, la: trough

pimpollo, el: sapling or shoot, pretty young girl

pinzas, las: tweezers

piojos, los: lice

pique, el: path

piropo, el: flattering compliment

pistolero, el: gunman

pitar: to whistle

pitillo, el: cigarette

placer, el: pleasure

planchar: to iron

plata, la (coll.): money

¡plega a Dios!: may it please God!

plegar: to beg

plegaria, la: prayer

plomero, el: plumber

plugo a nuestro Señor: it pleased our Lord

pocilga, la: pigsty

podadera, la: pruning tool

porfiar: to insist

polea, la: pulley

polizón, el: stowaway

pololo, el (Chile): boyfriend

pólvora, la: gunpowder

pomo de loza, el: porcelain bottle

porfiriano: from the days of

Mexican dictator Porfirio Díaz

pormenor, el: detail

porquería, la: filth; a vile or disgusting thing

porquero, el: swineherd

portero, el: concierge, superintendant

portón, el: gate

porvenir, el: future

porrazo, el: a blow, punch, bang

porrón, el: a short and wide receptacle for wine with a long spout to drink from

posada, la: shelter, boarding house, hospitality

postergar: to put off, postpone

postigo, el: door, shutter

postizo: false

postrado: humiliated, overcome

postura, la: agreement

pote, el: pot

potra, la: filly, female horse

potrero, el: fenced pasture

poyo, el: bench typical of village houses

pozo, el: well

prao, el (coll.): meadow

predicador, el: preacher

preñada: pregnant

preñar: to fill with

prenda, la: pledge, guarantee, collateral, article of clothing, possession; quality

prendedor, el: brooch

prender: to arrest, to tie

prescindir: to avoid; to be exempt from

préstamo, el: loan

prestar: to lend

pretendiente, el: suitor

prevenido: alert; careful; prepared

prevenir: to warn; to prevent

pringar: to burn with hot grease

proballa = *probarla*

profetizar: to predict, prophesy

promontorio, el: small hill

prorrumpir: to burst into

proseguir = *seguir*

puchuela, la (coll.): a small sum of money

pudrirse: to rot

puerro, el: leek

pulga, la: flea

pulgar, el: thumb

pulir: to polish

pulpero, el: vendor of octopus (*pulpo*) typically eaten in Galicia

puntada, la: stitch

puntillos agudos (dar): to raise one's voice

punzada, la: prick, jab

punzó: red

puñado, el: fistful

puñal, el: dagger

puñalada, la: stab wound

Q

quebrado: broken

quebrantado: broken

quebrar: to break

quedito: (diminuitive of *quedo*) quietly

quejido, el: moan, groan

quejoso: upset

quejumbroso: complaining, grumbling, groaning

quemar: to burn

querella, la: dispute

querellarse: to bring legal action

quicio, el: threshold; hinge; *fuera de quicio*: unhinged, beside oneself

quienquiera: anyone

quijada, la: jaw, jawbone

quinta, la: villa

quintana, la: country residence

quirúrgico: surgical

R

rabia, la: anger, rage; *coger rabia*: to get angry

rabiar: to throw a tantrum

rabieta, la: tantrum, anger

radiografía, la: x-ray

raer: to scrape (off), to chafe

ráfaga, la: gust

raiz, la: root

ramera, la: whore

ramo, el: branch, bunch

rapar: to shave

rapaz, el: boy

rascar: to scratch

rasgo, el: trait

rasguño, el: scrape

raspar: to scratch, scrape

rastra, la: dragging (*a rastras*: by force)

rastro, el: trace; track (of an animal)

rastrojo, el: stubble field

raya, la: stripe

razonador, el: thinker

rebanada, la: slice

rebotar: to bounce, rebound, ricochet

recado, el: message

recámara, la: bedroom

recargamiento, el: profusion, over-elaboration

recaudo, el: safety

recelar: to mistrust

receloso: apprehensive

recio: hard, rugged

recluir: to lock up, shut away

recóndito: secret; mystical

reconvenir: to scold

recova, la: outdoor shed

rectoral, la: rectory

recuesta, la: gallantry, request

recurrir a: to resort to

red, la: net, screen

redactor, el: editor

refajo, el: slip, underskirt

refilón (de): from the side or obliquely

refitolero, el: person in charge of a dining hall

regato, el: little stream

regazo, el: lap (of a person)

regocijo, el: enjoyment, joy, delight, rejoicing

reja, la: grille (of a window), wrought iron grating

relámpago, el: lightning

remar: to row

rematante, el: highest bidder in auction

remedio, el: cure, remedy; **no hay remedio:** there is no way around it

remendón, el: cobbler

remiendo, el: patch

remo, el: oar

remolino, el: stream, swirl, whirl

renacer: to be born again

rendir(se): to surrender; to make surrender, to concede defeat

reo, el: culprit

repecho, el: a short and steep slope

repelar: to pull hair

repercutir: to affect

replicar: to answer back

reponerse: to recover

reposado: quiet, peaceful

represa (hacer): to stop

represalia, la: vengence, revenge, reprisal

reprobar: to criticize

requebrar: to flirt with, flatter

requiebro, el: flirtatious remark

res, la: cow, bull, beast

resaltar: to stand out, stick out

resbalar: to slide, slip

rescate, el: ransom, recovery

rescebillo = *recibirlo*

rescoldo, el: embers

reseco: very dry, parched

resina, la: resin

resistente: strong

resolana, la: patio

respaldo, el: back (of an armchair)

resplandor, el: glare, brilliance

restañar: to stanch, stop the flow of blood

restaurar: to restore

retiro, el: retirement; *en uso de buen retiro*: at his ease

reto, el: challenge

retorcerse: to twist up, get tangled

retozar: to romp, to frolic

retraído, el: criminal who takes refuge in a church to avoid arrest

retratar: to portray

retrete, el: toilet, lavatory

retroceder: to step back

reuma, el: rheumatism

reventar: to explode

rezar: to pray

rezumante: oozing

rezumar: to ooze or seep

riachuelo, el: little river

ribera, la: river bank

rienda, la: bridle, reins

riesgo, el: risk

rifar: to fight; to raffle

riña, la: fight

riñón, el: kidney

roble, el: oak tree

roce, el: a brush or light touch

rocín, el: nag, decrepit horse

rodela, la: shield

rogar: to beg, beseech

roído: gnawed at

rombo, el: rhombus

romería, la: pilgrimage, gathering

rompecabezas, el: puzzle, riddle

ronronear: to purr

rosquillera, la: vendor of

rosquillas (donut shaped biscuits)

rostro, el: face

rozar: to brush against

rubicundo: reddish, rosy

ruborizar(se): to blush

rumbo a: on the way to, towards

rumiar: to chew; to ruminate

S

sabandija, la: insect

saborear: to savor, enjoy

sacerdote, el: priest

sacristán, el: church janitor

sahumado: perfumed

sala de radio, la: x-ray room

salado: salty

salobre: dirty

salón de billar, el: pool hall

salpicón, el: dish of cold fish

saludador, el: toastmaster

salvado, el: bran

salvo, a salvo del: safe from

sanar: to heal, cure

sandez, la: nonsense

sangradura, la: bleeding; inner part of the elbow

sangría, la: bloodletting, theft

santiguar(se): to bless, make the sign of the cross

saña, la: viciousness, cruelty

sapolio, el: a type of soap

sarmentoso: gnarled and knotty like a grape vine

sastre, el: tailor

sauce, el: willow tree

sayal, el: sackcloth

sayo, el: smock, tunic

sazón, la: season, time; *a la sazón*: at that time

sebe, la (coll. in Asturias): hedge

secuestrar: to kidnap

secuestro, el: kidnapping

seda, la: silk

sembrado: strewn

sembradura, la: sowing field

sentencia, la: proverb; opinion; judgement; sentence

señal, la: signal; (coll.) money

señas, dar sus: give one's personal information

septicemia, la: infection of the blood

sepulcro, el: grave

sequía, la: drought

sera, la: basket

seráfico: belonging to the Franciscan order

serranías, las: mountains

servidumbre, la: servitude; enslavement

seso, el: brain

seto, el: wall; hedge, fence

sienes, las: temples (sides of the forehead)

sigiloso: sneaky

silbar: to whistle

silbato, el: whistle

silbido, el: whistle

sillón de resortes, el: dentist's chair

simiente, la: seed

simulacro, el: sham; vision; illusion

sindicato, el: workers' union

sinsabor, el: disgust

sisar: to filch

sitial, el: seat

soberbio: proud, arrogant

sobrar: to be extra, left over

sobras, las: leftovers

sobrenombre, el: surname

sobresaltado: scared, frightened

sobresalto, el: fright

sobrevivir: to survive

socaliña, la: craft, cunning

socarrón: sarcastic

sofocadamente: chokingly, in a stifled manner

soga, la: rope

solazar: to amuse

soldada, la: salary

soltar: to free

sollozar: to sob

sollozo, el: cry, sob

sombra, la: shadow

sonaja, la: rattle

soñoliento: sleepy

soplo, el: murmur; puff of air

sorberse (los mocos): to snifle

sordo: deaf

sorna, la: sarcasm, mockery

sortear: to draw or cast lots

sosegado: calm

sosegarse: to calm down

sosiego, el: calmness, quietness, rest

sospechar: to suspect

sotana, la: priest's robe

sótano, el: basement

soto, el: grove

sub specie aeternitatis (Latin): from the viewpoint of eternity

subrayar: to underline

subyacente: underlying

sudor, el: sweat

suegro, el: father-in-law

sueldo, el: salary

suelto: loose

suerte, la: fortune

sujetar: to tie down, restrain

Sumo Pontífice, el: Pope

surco, el: furrow; *surco de arado*: plowed furrow

susolas, los: indigenous people of North America

suspirar: to sigh

suspiro, el: sigh

susurro, el: whisper

sutil: subtle; light

T

tabla, la: plank, board

tacón, el: heel

tahur, el: gambler, cardsharp

taladrar: to pierce, to bore into

tálamo, el: nuptial chamber

talón, el: heel

taller, el: workshop

tamaño, el: size

tambaleante: staggering

tambalearse: to stagger

tanda, la: a round of drinks

tantum pellis et ossa fuit: (Latin) was all skin and bones

tañer: to ring

tapar: to cover

taparrabos, el: loincloth

tapiar: to fence in

tarima, la: bench

tarlatán, el: heavy cotton material

tarlatana, la: cotton fabric, slightly thicker than muslin

tejado, el: roof

tejer: to knit, to weave

telaraña, la: spiderweb

tembladeral, el: quagmire

temerario: reckless, imprudent

templete, el: pavilion, bandstand

temporal, el: storm

tendero, el: shopkeeper

tentativa, la: attempt

teocalli, el: Aztec temple

terciana, la: a fever that recurs every three days

terciopelo, el: velvet

tergiversar: to confuse, to distort

ternera, la: veal

ternero, el: calf

tersura, la: smoothness, flow

tertulia, la: gathering of friends, chat, meeting for informal discussion

terrero, el: terrace

testigo, el: witness

testuz, el: brow; nape

tetragrámaton, el: a name consisting of four letters used to substitute for the sacred, and therefore unspeakable, Hebrew name of God

tetrarca, el: ruler of a forth part or division of a country

tez, la: skin

tientas: touch, feel; *a tientas*: groping in the dark

tiento, el: walking stick

timar: to swindle

tinieblas: dark

tino, el: skill

tío, el: uncle, but also a colloquialism used to address elders

tiro, el: gunshot

tironear: pull, carry

titubear: to shake, waver

tizón, el: burning piece of wood, torch, burning stick

Tláloc: Aztec rain god

toalla, la: towel, terrycloth

tojo, el: a type of thorny plant

toldo, el: awning

tolondrón, el: bump

tollido = tullido: crippled

topar: to collide; to meet by chance

torcido: twisted

torpe: awkward

torpeza, la: clumsiness

torrezno, el: bacon

toser: to cough

tozudo: stubborn

trabalenguas, el: tongue-twister

trago, el: gulp

traición, la: treason

tramar: to plot, plan

tramitar: to transact, negociate

trámites, los: proceedings

trampa, la: trap (*trampa de salida*: trap door); cheating

tranca, la: lock

trapero, el: ragpicker

trapisondista: tricky, restless, trouble-making

trapo, el: rag

trasfondo, el: background

trastornar: to overturn, upset

trayecto, el: the trajectory, the trip

trebejar: to play

trecho, el: distance, way, stretch

trémulo: trembling

trepa, la: beating, trim

trigo, el: wheat

trilla, la: threshing

tripa, la: gut

trocear: to cut up into pieces

trocito, el: small piece

tropezar: to trip over (*tropezar con*: to run into)

tropezón, el: stumble

trucha, la: trout

trueco (a – de) = *para*

trueco, trueque, el: deception

trueno, el: thunder

tuerto: blind in one eye; offense, injustice

tumba, la: tomb

tumbar: to knock down

tuna, la: prickly pear (edible fruit)

turbio: cloudy

turóme = *me duró*

turpial, el: lovebird

tutear: to address someone using the "tú" informal form

U

ubre, la: udder

ufano: proud

umbral, el: threshold, doorway

umbrales, los: bounds

ungüento, el: ointment, salve, potion

uña, la: fingernail

V

vacilante: vacillating, hesitating
vahído, el: fainting spell
vaina, la: sheath; (slang) thing
vaivén, el: coming and going
valerse: to look out for oneself, to make use
valladar, el: fence
vaquero, el: cowboy
vara, la: staff, stick
varicela, la: chicken pox
varón, el: man
vecindario, el: neighborhood
veedor, el: jefe, vigilante, inspector
vega, la: fertile plain
vejar: to hurt, annoy
velar: to stay awake; to watch over; to mourn
veleta, la: weathervane
vello, el: hair
vellorí, el: grayish colored wool material
velludo: plush
venado, el: venison, deer
vencer: to conquer
vendimiador, el: vintner
venganza, la: revenge
vengar: to get revenge, avenge
venta, la: inn
ventanal, el: large window
ventarrón, el: wind; burst of wind

ventilador, el: fan
vera effigies: (Latin) the true image
vera, la: edge
veranear: to spend the summer
verdugo, el: executioner
vereda, la: path, lane
verja, la: iron fence
vertiginoso: dizzying
vespertino: vespertine, evening
vezado: accustomed
víbora, la: viper, snake
vid, la: vine
vigía, el: lookout
vigilar: to watch
vincha, la: kerchief
vincular: to link
visera, la: visor
vislumbrar: to discern
vitrina, la: store window
vivac, el: bivouac
vizcaíno, el: from Vizcaya, one of the Basque provinces; Basque
volcar: to overturn, to upset, roll
voltear: to turn
voto, el: vow

X

xarro, el (in Asturias): pitcher

Y

yacente: lying stretched out
yacer: to lie, rest
yacúturo, el: a type of large, black bird
yantar: to eat; (sustantivo): meal, food
yegua, la: mare
yelo = *hielo*, el: ice
yerno, el: son-in-law
yerro, el: mistake
yeso, el: plaster
yugo, el: yoke
yunta, la: yoke; team
yuso (de): below

Z

zafarse: to escape, run away
zafiro, el: sapphire
zaga, la: rear part
zagala, la: shepherdess
zaguán, el: entrance hall, hallway, alley
zambullirse: to plunge
zanja, la: ditch, moat
zarandear: to shake
zarzamora, la: blackberry
zozobra, la: anxiety
zozobrar: to sink
zumbar: to buzz, hum, whirr
zumbido, el: buzzing, hum